Benecke ,

Ueber einige Muschelkalk Albagerungen der Alpen

Benecke , Ernst Wilhelm

Ueber einige Muschelkalk Albagerungen der Alpen

Inktank publishing, 2018

www.inktank-publishing.com

ISBN/EAN: 9783747793671

UEBER EINIGE

MUSCHELKALK-ABLAGERUNGEN

DER

ALPEN.

VON

DR. E. W. BENECKE
IN HEIDELBERG.

MÜNCHEN, 1868.
R. OLDENBOURG.

Nach einem ersten Besuche der Umgebungen von Recoaro im Jahre 1864 sprach ich die Ansicht aus[1]), dass die Brachiopodenbänke des dortigen Muschelkalks, auf die der Name Virgloriakalk übertragen worden war, in paläontologischer Hinsicht wohl einen Vergleich mit deutschem Wellenkalk zuliessen, dass aber ein direkter Nachweis eines Aequivalents des deutschen oberen Muschelkalks zur Zeit weder bei Recoaro, noch sonst in den Alpen geliefert werden könne. Einen positiven Anhaltspunkt für eine solche Auffassung fand ich in der damals eben erschienenen Arbeit Sandberger's[2]), in der gezeigt wurde, dass nicht nur in Oberschlesien, wie Eck bereits nachgewiesen hatte, sondern auch in Franken, die Bänke mit alpinen Brachiopoden stets unter den Schichten des *Ceratites nodosus* liegen, einen negativen aber darin, dass *Ceratites nodosus* selbst den Alpen fremd ist. Aus dem häufigen Vorkommen von Pflanzenresten theils mit, theils unmittelbar über diesen Brachiopodenbänken glaubte ich ferner den Schluss ziehen zu dürfen, dass gegen Ende des Wellenkalks in den Alpen eine Hebung stattgefunden habe, und dass, während in Deutschland und dem östlichen Frankreich das Meer mit *Ceratites nodosus* ein grosses Areal bedeckt, im Vizentinischen Festland zu Tage getreten sei, das sich bald mit einer einförmigen aber üppigen Vegetation überzog.

Die Brachiopodenschichten sind aber nicht die einzige Erscheinungsweise alpinen Muschelkalk's. Ein gleiches Interesse beanspruchen die erst in neuerer Zeit in ihrer ganzen Bedeutung erkannten Cephalopodenschichten mit *Ceratites binodosus* Hau. und *Ammonites Studeri* Hau., die ich zwar auch früher mehrfach angetroffen, aber, auf mangelhaftes Material gestützt, in ihrer Stellung verkannt hatte, indem ich sie mit den sogenannten Hallstädter Schichten in Verbindung brachte. Ausser einem nicht gut erhaltenen *Ammonites Studeri*, der den seitdem von mir eingezogenen Namen *Amm. gibbus*

[1]) Diese Beiträge, Bd. I. p. 59.
[2]) Würzburger naturwiss. Zeitschr., Bd. V. p. 201.

erhielt, lag nur noch eine neue als *Ceratites euryomphalus* beschriebene Art vor, die zur Bestimmung des Alters der Schichten keinen Anhalt bot.

In den letzten Jahren ist nun vieles zur Erweiterung unserer Kenntnisse sowohl des alpinen, als des ausseralpinen Muschelkalks geschehen. Stur[1]) wies nach einer Durchsicht der von Escher im Züricher Museum niedergelegten Fossilien, zuerst gewissen Schichten der Lombardei mit einer *Halobia* ihre richtige Stellung an. Es waren dies eben jene, an manchen Punkten Cephalopoden führende, die ich zum Hallstädter Kalk gestellt hatte. Hauer[2]) und Beyrich[3]) behandelten die gesammte Cephalopodenfauna des Muschelkalks in eingehender Weise und Letzterer hob besonders die interessanten Beziehungen zu asiatischen Vorkommnissen hervor. Ueber deutschen Muschelkalk erschien die Arbeit Eck's[4]), dann die Nachträge Sandberger's[5]), den von Strombeck und Seebach eingeschlagenen Weg monographischer Behandlung einzelner Gebiete weiter verfolgend. Ich selbst konnte mich nach meiner Uebersiedlung von München nach Heidelberg mit dem Muschelkalk am unteren Neckar genauer bekannt machen, dessen Untersuchung interessante Aufschlüsse über den Uebergang der fränkischen Muschelkalkfacies in die schwäbische bietet. Im Frühjahr 1867 besuchte ich endlich in Gesellschaft meiner Freunde, der Herren Schloenbach, Waagen und Neumayr wiederum die Alpen, erweiterte meine früheren Anschauungen wesentlich und sammelte reicheres Material. Was ich nun jetzt mittheilenswerth fand, besonders aber, was zur Berichtigung des früher gesagten dienen kann, enthalten die folgenden Seiten. Es hat mir auch jetzt wieder zweckmässig geschienen, von einigen bestimmten Lokalitäten auszugehen, zuerst die dort entwickelten Schichten nach ihrer Lagerung und ihren organischen Einschlüssen zu besprechen und darauf erst einige allgemeine Bemerkungen folgen zu lassen. Ich glaube so Jeden besser in die Lage zu versetzen, an das thatsächlich gegebene seine eigenen Folgerungen zu knüpfen, wenn er mit den von mir gezogenen nicht übereinstimmen sollte.

Meinem Wunsche, die in den verschiedensten Erhaltungszuständen vorliegenden Pflanzenvorkommnisse bearbeitet zu sehen, kam Herr Hofrath

---

[1]) Stur, Jahrb. d. geol. Reichsanstalt. 1865. Verh. p. 242.

[2]) Hauer, Cephalopoden d. unteren Trias d. Alpen. Sitzungsber. d. Wiener Akad. d. Wissensch. Bd. 52. 1865.

[3]) Beyrich. Ueber einige Cephalopoden aus d. Muschelkalk d. Alpen. Abhandl. d. Akad. d. Wissensch. zu Berlin. 1866.

[4]) Eck. Ueber d. Formation d. bunt. Sandst. u. d. Muschelkalks in Oberschlesien. Berlin. 1865.

[5]) Die Gliederung der Würzburger Trias u. ihrer Aequivalente. Würzb. naturw. Zeitschr. Bd. VI. 1867. p. 132. p. 157. p. 192.

Schenk, jetzt in Leipzig, freundlichst entgegen. Seine Abhandlung bildet die 2. Abtheilung dieses Heftes. Herr Dr. Schloenbach in Wien übernahm eine gesonderte Darstellung der Muschelkalkbrachiopoden überhaupt nach dem reichen, ihm in seiner jetzigen Stellung zur Verfügung stehenden Material zu liefern und diese Arbeit soll im nächsten Hefte dieses Bandes erscheinen.

So behandeln diese drei Arbeiten zwar Verhältnisse ein und derselben Formation und verdanken der gleichen äusseren Veranlassung ihre Entstehung, sind aber übrigens ganz unabhängig von einander verfasst. Diesem Umstande mag es zugeschrieben werden, wenn sich in dem einen oder andern Punkte etwa Verschiedenheit der Auffassung, sei es wesentlicher oder nur formeller Natur, zeigen sollte.

Von meinen Reisegefährten wurde mir das von ihnen bei Recoaro gesammelte Material zur Benützung überlassen, wie mir auch Herr Professor Zittel eine aus der Münster'schen Sammlung in die Akademische Sammlung in München übergegangene *Encrinus*-Krone von Recoaro zur Untersuchung anvertraute. Die wesentlichste Unterstützung aber wurde mir durch Herrn Professor Sandberger in Würzburg zu Theil, der mir mit grösster Liberalität die Benützung der reichen, von ihm zusammengebrachten Sammlung von Muschelkalkfossilien gestattete, mich auch sonst in zuvorkommenster Weise mit seinem Rathe unterstützte. Allen den genannten Herren fühle ich mich zu ganz besonderem Danke verpflichtet.

Heidelberg im Juni 1868.

Benecke.

Ost-Abhang der Mendelspitze bei Kaltern, südwestl. Botzen.

Die Triasschichten, welche den unteren Theil der Mendel bei Kaltern zusammensetzen, nehmen ein besonderes Interesse in Anspruch, weil dieselben nach Richthofen's[1]) Schilderungen mit den unteren Sedimentärgebilden des Gebiets von St. Cassian vollkommen übereinstimmen. Eine Untersuchung der Verhältnisse der Mendelschichten gestattet daher die untere Trias von St. Cassian mit in Vergleich zu ziehen und die allgemeine Anwendbarkeit Richthofen'scher Lokalbezeichnungen, wie Grödner Sandstein, Schichten von Seiss und Kampil zu prüfen.

Die grosse Südtiroler Porphyrmasse (sog. Botzner Porphyr) und die derselben aufgelagerten Triasschichten werden von der Etsch auf ihrem Laufe von Meran bis gegen Neumarkt in der Weise durchschnitten, dass Porphyr überall am Fuss der Gebirge zu Tage tritt und darüber zu beiden Seiten des Thales die Köpfe der horizontalen oder nur wenig geneigten Kalk- und Sandsteinbänke correspondiren. Die Porphyre verhalten sich ganz wie eine geschichtete Masse und bilden überall das sichtbare Grundgebirge, auf dem sich rothe Sandsteine und farbige Mergel als ein buntes Band hinziehen. Auf letzteren liegen in schroffen Wänden ansteigend und hier und da zu malerischen Spitzen sich erhebend Kalke und Dolomite. Erst südlicher, wo die Porphyre unter die Thalebene hinuntergesunken sind und Schichten jünger als die Trias bis an die Etsch herantreten, nehmen auch buntfarbige Jura- und Kreidegesteine an der Bildung der höheren Kämme und Gipfel Theil.

Eine solche Dolomitspitze nahe der Gebirgsecke, um welche die Etsch gegenüber Botzen aus ihrem NO. — SW. Lauf in den N. — S. umbiegt,

[1]) Richthofen, geognost. Beschreibung d. Umgegend v. Predazzo etc. p. 47 seq.

führt den Namen der Mendelspitz (Mendola). Am Fuss derselben breitet sich eine Hochebene[1]) aus, die gegen Osten von dem Mittelgebirge, einem scharfen — parallel der Etsch laufenden Porphyrrücken begrenzt wird, der gegen den Fluss hin in einer Flucht an 1000′ abfällt. Da auch jenseits Branzoll das Gebirge bald wieder steil aufsteigt, so ist gerade hier das eigentliche Etschthal enger als an irgend einem andern Theil seines Laufs von Meran bis Roveredo. Von Süden her hebt sich die genannte Hochebene aus der breiteren Thalebene vom Kalterer-See an sanft gegen Kaltern, so dass von Neumarkt aus gesehn das Mittelgebirge der Scheide zweier Thäler gleicht, von denen es zweifelhaft scheint, welches die eigentliche Fortsetzung des Etschthales bildet. Ganz anders ist der Anblick von Norden her, wo das vom Mittelgebirge nicht auffallend überragte Plateau zwischen Sigmundskron und St. Paul steil nach dem gegen Meran gewendeten Theil der Etsch hin abgeschnitten ist. Der schroffe Porphyrfels an der Brücke von Sigmundskron, gegen den die Etsch schäumend anprallt, ist der äusserste Eckpfeiler des Mittelgebirges und überhaupt der ganzen Gebirgsmasse, die südwärts im 7197′ hohen Mt. Predaja gipfelnd das Etschthal vom Nonnsberger Thal trennt.

Inmitten des auf die oben beschriebene Weise gesonderten und erhöhten Terrainabschnitts liegt der Flecken Kaltern auf diluvialen Gebilden. Diese haben den Porphyr zur Unterlage, der, vom Mittelgebirge herüberziehend, am unteren Ende der westwärts vorliegenden Gehänge von St. Paul bis gegen Tramin überall zu Tage tritt und von Triasschichten überlagert wird. Die Gliederung der letzteren wurde auf einer Excursion über Pfus und St. Nikolaus in folgender Weise gefunden:

1) Grobe Sandsteine, röthlich und grau gefärbt. Man beobachtet dieselben gegen Altenburg hin deutlicher. Fossilien fehlen.

2) Graue und gelbe Mergel und mergelige Sandsteine, dazwischen einzelne Bänke härteren Kalks. Unter letzteren ausgezeichnet einige harte, gelblichrothe, mitunter oolithische Bänke mit eingestreuten Glaukonitkörnern. Nach oben beginnen rothe Farben und schliesslich herrschen intensiv rothe, sehr glimmerreiche Sandsteine und Mergel vor, an der Luft vollständig zu kleinen, gerundeten Hügeln zerfallend, ganz ähnlich manchen Vorkommnissen in deutschem Röth. Theils in den Mergeln, besonders aber in den härteren Kalk- und Sandsteinbänken fand sich:

[1]) Vergl. die interessanten Bemerkungen Richthofens über diese Gegend l. c. p. 165. Emmerich und nach ihm Richthofen bedienen sich der Bezeichnung Eppaner Hochebene nach dem Orte Eppan nahe St. Michael.

Posidonomya Clarai Emm.

Sehr häufig, doch nur selten in guten Exemplaren zu erhalten.

Myalina cf. vetusta Gldf. Taf. I Fig. 8.

Ich setze ein cf. bei, weil allerdings der Umriss mit grösseren Exemplaren aus deutschem Muschelkalk nicht ganz stimmt. Ein Blick auf die Abbildung, Taf. I Fig. 8, zeigt, dass es dieselbe Form ist, die Schauroth[1]) (Recoaro, Taf. II Fig. 5) als *Mytilus eduliformis* aus den Schichten der *Posidonomya Clarai* der Umgebung von Recoaro abbildet, an der sich Ober- und Hinterrand in einem Winkel, nicht gerundet vereinigen. Giebel (Versteinerungen v. Lieskau pag. 38, Abhandl. d. Naturw. Ver. für die Prov. Sachsen etc. 1. Band) trennt die Schauroth'sche Art bereits von dem ächten *Mytilus vetustus* aus dem Lieskauer Schaumkalk und Richthofen bezieht sich hierauf, um zu bemerken, dass sein *Mytilus eduliformis* aus Campiler Schichten der Seisser Alp der ächte sei. Ich wüsste jedoch nicht, wie man den hier abgebildeten und den Schauroth'schen Rest anders bezeichnen sollte, da *Modiola triquetra* Seeb. noch mehr abweicht, und dies wäre etwa die einzige Form, die man noch vergleichen könnte (siehe diese unten p. 35). Ich zeichne die Muschel auch nur aus, weil sie constant in dieser Form sich an mehreren Punkten der Südalpen und immer in den allertiefsten Triasschichten zeigt, die überhaupt organische Reste enthalten. In wenig höheren Schichten werden wir sehr bald *My. vetusta* in ihrer gewöhnlichen Form kennen lernen und zwar in ausgewachsenen und in Jugendexemplaren, wo letztere von den eben besprochenen durch die gerundete Hinterseite sich deutlich unterscheiden. Die eckige Form scheint nicht über 20^{mm} lang zu werden. In der Wahl des Gattungsnamens bin ich Sandberger gefolgt.

Myophoria ovata Br.

Kleine Steinkerne doppelschaliger Exemplare. Wir kommen auf diese Muschel gleich noch zurück.

Myoconcha Thielaui Stromb. sp. *Pleurophorus Goldfussi* Schaur. Recoaro pag. 512. Taf. II Fig. 46, ferner (*Clidophorus*) *Goldfussi* Schaur. Krit. Verz. pag. 320 Taf. II Fig. 13.

Natica Gaillardoti Lefr. Taf. I Fig. 14 a—c.

Diese Schnecke hier und anderwärts in diesen untersten Horizonten sehr bezeichnend. Jedenfalls dieselbe Form, die Richthofen (l. c. pag. 53) mit der

---

[1]) Es giebt zwei Abhandlungen Schauroth's über die Gegend von Recoaro, die ich beide oft zu zitiren haben werde. Die eine steht im 17. Bd. d. Abhdl. d. math. naturw. Klasse d. Wiener Akad. 1855, ich zitire sie hinfort mit „Recoaro". Die andere steht ebend. im 34. Bd. 1859. Ich führe sie als „Kritisches Verzeichniss", entsprechend ihrem Titel, an.

Bezeichnung *Nat. turbilina* Schl. sp. nach Schauroth aufführt und für die Schauroth selbst später den Namen *Nat. Gaillardoti* in Anwendung brachte (Krit. Verzeich. pag. 373). Das gezeichnete Exemplar, zu den grössten gehörend, misst in der Höhe 7mm, bei 10mm Breite, an der Mundöffnung gemessen.

Holopella gracilior Schaur. sp.

Diese Schnecke, zu der an später zu besprechenden Punkten noch eine Reihe anderer treten, findet sich besonders häufig in den oben angeführten harten oolithischen Bänken und verdrängt zuweilen die Gesteinsmasse gänzlich. Man erkennt diese Bänke überall leicht wieder und ich betrachte sie als eine Hauptorientirungsschicht der unteren Südtiroler und Venezianischen Trias unmittelbar über den fossilfreien Sandsteinen.

3) Es folgen graue, blaue und röthliche Gesteine, theils von ähnlicher Beschaffenheit wie die unter 2) aufgeführten, theils und besonders mehr feste dolomitische. Die Dolomite enthalten auch die meisten Fossilien, theils mit Schale, theils in schönen Steinkernen. In frischem Zustande ist das Gestein gelb in's röthliche, manchen Lagen des Wellendolomit's mit *Nothosaurus*-Knochen aus fränkischer und nordbadischer Trias sehr ähnlich. In den Höhlungen, die meist von Fossilien herrühren, sitzen zierliche, wasserhelle Dolomitrhomboëder. Nach eingetretener Verwitterung gleicht das Gestein ganz den mürben Rauchwacken des Thüringer Zechsteins aus den Riffen von Pösneck, Ranis u. s. w. Es konnte bestimmt werden aus den Dolomiten und den zwischenliegenden Mergeln:

Pecten dolomiticus n. sp. Taf. I Fig. 18 a. b.

Ein Bruchstück, das nur wegen der Sculptur seiner Oberfläche interessant ist. Mit radialen Rippen kreuzen sich konzentrische und bringen eine zierliche Gitterung hervor. Es erinnert das an *Pecten reticulatus* Gldf., doch stehen bei diesem, wie die prachtvollen Würzburger Exemplare zeigen, die Rippen entfernter und sind durch einen ihrer eigenen Breite gleich kommenden Zwischenraum von einander getrennt. Richthofen (l. c. p. 55) beschreibt einen *Spondylus reticulatus* aus Campiler Schichten, der vielleicht mit unserer Art identisch ist. Die Beschreibung der Oberfläche könnte aber auch zu der unten (s. p. 21) charakterisirten *Avicula* gehören. Aehnlichen Sculpturen der Oberfläche begegnet man erst wieder in Cassianer Schichten.

Avicula Venetiana Hau. Taf. I Fig. 19.

(Venez. Foss. Taf. I Fig. I in Denkschr. math. nat. Kl. Wien. Akad. 2. Band 1850.)

Gervillia costata Schl. sp. Taf. I Fig. 12.

Vielleicht Richthofen l. c. pag. 56 als n. sp., die aus denselben Horizonten wie die meinigen stammt. Die Steinkerne stimmen genau mit solchen aus Heidelberger Schaumkalk.

Gervillia socialis Schl. sp.

Myophoria ovata Br. Taf. I Fig. 4 a. c. (*Trigonia orbicularis* bei Hauer Venet. Foss. Taf. 4 Fig. 2.)

Ob *Myophoria ovata* eine selbständige Form sei, ist mehrfach bezweifelt worden, was daher rühren mag, dass aus den Abbildungen von Goldfuss (Petref. Germ. Taf. 135 Fig. 11) und Bronn Lethäa Taf. 13 Fig. 10 nichts sicheres zu machen ist und auch nicht auf bestimmter bezeichnete Vorkommnisse, die ein Wiedererkennen erleichtern würden, Bezug genommen wird. Seebach (Conchylienfauna der Weim. Trias, Zeitschr. d. deutsch. geol. Ges. Band 13. 1861 pag. 616) hat *Myophoria elongata* Gieb., *Myophoria ovata* Br. und *Myoph. orbicularis* Br. getrennt. Eck (Form. des bunt. Sandst. in Oberschlesien etc.) ist ihm darin gefolgt, und ich glaube mit vollem Recht, wenigstens in so weit es sich um die Abtrennung einer dritten Form von *Myophoria* neben *Myoph. elongata* und *orbicularis* handelt. *Myoph. elongata* ist an der äusseren Form schon leicht kenntlich und ich verweise auf Seeb. l. c. pag. 616 Taf. XIV Fig. 13. Wenn Seebach von seiner *M. ovata* sagt, eiförmig, nach hinten verlängert, Wirbel klein, nach vorn liegend, so stimmt das ganz mit meinen Abbildungen hier, nicht aber mit der in der Lethäa Taf. 13 Fig. 10 gegebenen. Ob man daher mit Recht Bronn als Autor hinter *M. ovata* in dem hier genommenen Sinn setzen kann, ist mir etwas zweifelhaft. Jedenfalls aber liegt hier eine der häufigsten Südalpinen Formen vor, die von *M. orbicularis* wohl zu trennen ist und auf die ich desshalb die Bezeichnung *M. ovata* übertrage, weil die Seebach'sche Beschreibung auf dieselbe passt, die Goldfuss'schen und Bronn'schen Original-Exemplare wohl nicht bekannt und ein sicheres Erkennen der ursprünglich gemeinten Form unmöglich ist. Die mir vorliegenden Schalen erreichen eine Länge von 20^{mm} bei einer Höhe von 14^{mm}. Der Umriss ist eiförmig, hinten verlängert, vorn gerundet. Ober- und Hinterrand unter einem sehr stumpfen Winkel zusammenstossend, Wirbel nach vorn stehend, gerade eingebogen. Oberfläche mit deutlichen, beinahe lamellösen, concentrischen Anwachsstreifen versehen. Auf den Schalenexemplaren verschwindet die Kante zwischen dem Feldchen und der Seite beinahe gänzlich, während sie auf den Steinkernen deutlich hervortritt, doch immer gerundet bleibt. Die oben zitirte Abbildung Hauer's gehört sicher hierher, schwerlich aber was Schauroth (Krit. Verz. Taf. II Fig. 15) abbildet. Einer solchen Muschel, die sich von *Myoph. orbicularis* nicht trennen lässt, ohne dass ich sie auch bestimmt damit vereinigen möchte, werden wir später von Recoaro begegnen. Von dieser Muschel, obgleich die Abbildung bei Seebach l. c. Taf. XIV Fig. 14 schon genügt, setze ich noch ein Exemplar aus dem jetzt verfallenen Steinbruch über Rohrbach bei Heidelberg her, Taf. I Fig. 11, von wo Bronn's Exemplare und die vom Heidelberger Mineraliencomptoir nach seiner Bestimmung früher versandten stammen. Die Form nähert sich mehr dem kreisförmigen als dem ovalen. Der Wirbel ist stark nach vorn eingebogen und die grösste Dicke der Muschel liegt näher an demselben als am Unterrand und auch mehr gegen vorn. Von den beiden Enden des kurzen Schlossrandes gehen Vorder-, Hinter- und Unterrand gerundet in einander über und das Feldchen ist an den Steinkernen in keiner Weise auffallend von der Seite getrennt. Die Andeutung des lang nierenförmigen Adduktoreindrucks ist oft deutlich zu bemerken. Unter den verschiedenen Myophorien steht diese im Habitus dem Schizodus obscurus aus dem Zechstein wohl am nächsten.

Myophoria vulgaris Schl. sp.
Naticella costata Mnstr. (Hauer Venet. Foss. Taf. 12—15.)
Turbo rectecostatus Hau. (Hauer Venet. Foss. Taf. 3 Fig. 10.)
Ammonites sp. ind.

4) Die höheren Abtheilungen lassen hier kaum Spuren von Versteinerungen erkennen und ihre Sonderung in Abtheilungen nach dem petrographischen Charakter hat nur eine lokale Bedeutung. Man trifft zunächst eine Reihe dicker Bänke von heller, mitunter weisser Farbe und poröser Beschaffenheit, manchen Abänderungen Thüringischen Schaumkalks ähnlich. Hierauf tritt ein Wechsel rother und grauer glimmeriger Sandsteine und Kalke ein, letztere mit unbestimmbaren Pflanzenresten. Rothe, thonige Lagen schieben sich dazwischen. Nach und nach wird der Sandstein fest und dickbankig, ganz von der Beschaffenheit des deutschen Hauptbuntsandstein's und bildet eine etwa 60' mächtige Ablagerung von ausschliesslich rother Färbung. Den Schluss gegen die helleren Kalke und Dolomite, welche den Kamm und die Spitzen des Gebirges bilden, machen graue, dünnplattige Kalke mit weichen Zwischenlagern, die vom Wasser als feiner Schlamm hinweggeführt werden und so auch den Zusammenhang der festeren Bänke lockern. Die harten Sandsteine sowohl, als auch einzelne der zwischen ihnen und den obersten versteinerungsführenden Schichten liegenden harten Kalke stehen in kleinen Terassen an, über die die Bäche in Wasserfällen sich herabstürzen, während die untersten weichen Schichten zu gerundeten Rücken zwischen tief eingerissenen Wasserläufen zerfallen.

Die Gesammtmächtigkeit der zwischen den versteinerungsreichen gelben Dolomiten und der oberen Grenze der plattigen Kalke liegenden Gesteine mag 200' betragen, während die der Schichten 1—3 bedeutend geringer ist, über Pfus aber nicht gemessen werden konnte.

Vergleichen wir die oben angeführten Schichten mit Richthofen's Beschreibungen, so fällt in die Augen, dass sein Grödener Sandstein dem oben mit 1) bezeichneten Sandstein entspricht. Schwerer sind die Seisser und Campiler Schichten zu erkennen und ich möchte auf deren Unterscheidung, so lange es sich nur um petrographische Merkmale handelt, nicht zu viel Gewicht legen. Es scheint, dass die rothen Mergel und Sandsteine, mit denen ich die zweite Abtheilung beschloss, bei Richthofen bereits zu den Campiler Schichten gezogen wurden, da er letztere mit rothen Schichten beginnen und enden lässt. Als obere Grenze hat Richthofen dann wohl die rothen Sandsteine unter 4) genommen und die zuletzt angeführten plattigen Kalke wären sein Virgloria-Kalk. Da Spekulationen über diese Gesteine keinen Zweck haben können, so lange Fossilien aus denselben fehlen oder sehr schlagende stratigraphische Analogien mit anderen Punkten vorliegen, sehe ich von der Besprechung derselben um so mehr ab, als später anzuführende Lokalitäten günstigere Aufschlüsse geben.

Mehr Beachtung verdient das Vorkommen und die Vertheilung der Fossilien der tieferen Schichten. Die untere Abtheilung ist bezeichnet durch das häufige Auftreten von *Posidonomya Clarai*, die der oberen zu fehlen scheint, ferner durch die massenhafte Anhäufung der kleinen *Gastropoden* in ganzen Bänken. Der oberen Abtheilung ist dagegen eigen *Gervillia costata* und *socialis*, *Naticella costata* und *Turbo rectecostatus*. *Myophoria ovata*, die an Häufigkeit der *Posidonomya Clarai* nicht nachsteht, geht durch alle Schichten hindurch, wie denn auch manche petrographische Eigenthümlichkeiten gemeinsam sind. Denn neben den die oberen Schichten auszeichnenden gelben Dolomiten kehren immer dieselben unten beobachteten Mergel und feinen Sandsteine wieder, höchstens oben mehr in helleren, in's Graue fallenden Tönen, während unten mehr rothe Färbungen vorherrschen.

Ich fasse daher auch alle unter 2) und 3) aufgeführten Schichten als einen zusammengehörigen Komplex mit zwei Unterabtheilungen auf, die sich als Schichten der *Posidonomya Clarai* und *Holopella gracilior* einer- und der *Naticella costata* und des *Turbo rectecostatus* andrerseits bezeichnen lassen.

Auch Richthofen hat die Fossilien seiner Seisser und Campiler Schichten zusammenbehandelt und gibt nur einzelne als besonders charakteristisch für den einen oder andern Horizont an. Diese aber sind dieselben, die ich oben hervorgehoben habe, und meine Schichten mit *Posidonomya Clarai* dürften so ziemlich den Seisser Schichten entsprechen. Das über denselben folgende fällt den Campiler Schichten zu, die ausserdem noch durch ein gleich zu erwähnendes Vorkommen ausgezeichnet sind. Der Umstand, dass Richthofen einer *Posidonomya orbicularis* und der *Posidonomya aurita* Hau. (Venet. Foss. Taf. III Fig. 5, 6) in den Campiler Schichten erwähnt, während *Posid. Clarai* nur in den Seisser Schichten sich finden soll, dürfte übrigens häufig die praktische Unterscheidung der Schichten erschweren, da diese Formen einander gewiss sehr nahe stehen und in nicht vollständiger Erhaltung nur schwer zu trennen sind.

Auch muss hervorgehoben werden, dass die Angaben Hauer's (Venet. Fossilien p. 16 sep.) über das Lager von *Pos. Clarai* im Venetianischen mit Richthofen's und meinen Beobachtungen nicht übereinstimmen, indem er *Pos. Clarai* in denselben Schichten mit *Naticella costata* und *Turbo rectecostatus* angibt.

Die unterste alpine Trias wurde von den Wiener Geognosten meist unter den erweiterten Lokalbezeichnungen der Werfener Schiefer und der Guttensteiner Kalke beschrieben. Die letztere Bezeichnung war aber sehr unsicher geworden und hat einen bestimmteren Sinn eigentlich erst dann erhalten, als Hauer[1]) auf eine Reihe von Cephalopoden aufmerksam machte, welche einen unteren Cephalopoden-Horizont der unteren alpinen Trias aus „Werfener und Guttensteiner Schichten", im Gegensatz zu einem oberen, dem des Virgloria-Kalkes, bezeichnen. Diese Werfener und Guttensteiner Schichten werden dann auch in der Hauer'schen Arbeit immer zusammen als bunter Sandstein, im Gegensatz zu Muschelkalk, angeführt, so dass also Beide als entschieden zusammengehörig aufgefasst werden und man nur vielleicht bei den einen an eine mehr sandige, den andern an eine mehr kalkige Facies zu denken hat. Eine der Hauptformen dieses unteren Cephalopoden - Horizontes ist *Ceratites Cassianus*, der im Livinallungo des Cassianer Gebiets in Campiler Schichten mit Fossilien meines oberen (dolomitischen) Horizontes zusammen liegt. (Vergl. Richth. l. c. pag. 52.) Eine besondere Beachtung verdient daher der oben angeführte *Ammonit* von der Mendel, den mein Freund Schloenbach in leider unbestimmbarem Zustande auffand. Er liefert den Beweis, dass auch hier an den Gehängen des Etschthales *Ammoniten* sich finden und verleiht dem ganzen Complexe und dessen organischen Einschlüssen überhaupt als der Wiege der unzweifelhaft ältesten triadischen Cephalopoden ein erhöhtes Interesse. So weit es sich also um die nähere Umgebung der Botzner Porphyrmasse handelt, wird es wohl gestattet sein, die Cephalopoden als eine Eigenthümlichkeit der Campiler Schichten allein anzusehen, wenigstens nimmt

[1]) Hauer, die Cephalopoden der unteren Trias der Alpen, Sitzungsber. der Wiener Akad. d. Wissensch. Band 52 1865.

das Richthofen an und die Beobachtungen an der Mendel scheinen es zu bestätigen. Sehr fraglich ist es aber, ob man eine derartige Beschränkung des Vorkommens auch auf weitere Entfernungen hin ausdehnen darf und ehe eine Trennung in Seisser und Campiler Schichten als etwas allgemein gültiges angenommen wird, dürften weitere Untersuchungen abzuwarten sein.

Man weist allgemein den untertriadischen Sandsteinen der Alpen das Alter des deutschen bunten Sandsteins zu und auf die oberen thonigen Schichten desselben wandte Gümbel[1]) bereits den Namen des alpinen Röth an. Eine solche Bezeichnung passt denn auch vortrefflich auf die Schichten mit *Posid. Clarai* von der Mendel. Aus den Eigenschaften der Schichten mit *Nat. costata* etc., wie sie oben angegeben wurden allein, ist kein weiterer Schluss zu ziehen, ob auch sie mit ausseralpinen Horizonten in nähere Beziehung gebracht werden dürfen, da ihre Grenze nach oben sich nicht feststellen liess, also eben so gut der ganze über dem Röth liegende deutsche Muschelkalk, als nur ein Theil desselben zum Vergleich herbeigezogen werden könnte. Wir werden aber später sehen, dass an andern Punkten über diesen Dolomiten sehr versteinerungsreiche Schichten auftreten, die ganz unzweifelhaft ausseralpinem unterem Wellenkalk und nur diesem allein entsprechen. Es bleiben also für den Vergleich mit den Dolomiten und den mit denselben wechselnden Mergeln nur die in Deutschland zwischen Röth und unterem Wellenkalk liegenden, verschiedenartig ausgebildeten Gesteine übrig, die z. B. in Franken und besonders in Schwaben den Namen des Wellendolomits erhalten haben. Es kann nun nicht die Rede davon sein, einzelne ausseralpine Horizonte, selbst von wechselnder Erscheinungsweise, in den Alpen unter allen Umständen wiederfinden zu wollen, und ich möchte auf diese alpinen Dolomitschichten allein durchaus nicht den Namen Wellendolomit im schwäbischen Sinne anwenden. Wohl aber scheint es mir zweckmässig, die gesammten alpinen unteren Triasschichten, die nach unten durch das Beginnen der Fauna überhaupt, nach oben durch Aequivalente des deutschen unteren Wellenkalkes begrenzt sind, mit dem Hinweis auf gleichzeitige ausseralpine Vorkommnisse unter dem Namen des „Röthdolomits" zusammenzufassen. Die Berechtigung einer solchen Benennung und die sehr grosse Verbreitung und gleichbleibende Beschaffenheit der durch sie in ganz bestimmter Weise begrenzten Formationsabtheilung wird sich im weiteren Verlaufe dieser Arbeit ergeben, und nur, um schon jetzt einen kurzen Ausdruck zu gewinnen, bediene ich mich vorgreifend der eben erwähnten Bezeichnung.

[1]) Gümbel, geogn. Beschreib. d. bayer. Alpengeb. pag. 118 etc.

Umgebungen von Borgo in Val Sugana.

Ueber die interessanten Verhältnisse von Mt. Zacon[1]) und Mt. Armentara, westlich Borgo in Val Sugana, habe ich früher[2]) bereits einige Mittheilungen gemacht. Es konnte von dort ein Profil aus der unteren Trias bis hinauf in die obersten Juraschichten beschrieben werden. Für einzelne schon namentlich aufgeführte triadische Fossilien war ich jedoch damals noch nicht im Stande, die Lagerung genauer anzugeben. Mt. Zacon ist die höchste Spitze eines steil nach dem Brentathal abfallenden Porphyrrückens, der durch eine Einsattlung mit dem südlicher gelegenen Mt. Armentara zusammenhängt, dessen Hauptmasse aus obertriadischen Dolomiten und jurassischen grauen Kalken besteht. Alle Schichten liegen concordant aufeinander und fallen steil gegen Süden ein. Porphyr und Dolomit widerstanden dem Einfluss der Atmosphärilien länger, während die dazwischen liegenden leichter zerfallenden Gesteine des bunten Sandsteins und Muschelkalks die Entstehung eben jener Einsattlung veranlassten.

Die Porphyre[3]) bedecken, wie auch an der Mendel, grobe, zum Theil conglomeratartige Sandsteine. Auf diese folgt Röth in der früher geschilderten Beschaffenheit, nach oben die oolithischen Bänke enthaltend mit einer Anhäufung von organischen Resten und besonders Gastropoden, wie sie mir sonst nirgends in diesen Schichten vorgekommen ist. Häufig ist vom Gestein kaum etwas zu bemerken und die ganze Masse besteht aus zierlichen Gastropoden und Acephalenschalen, die nur durch rothes, stark eisenhaltiges Cement verbunden sind. Oolithisch zeigt sich die Bank, wenn die Fossilien zurücktreten. An einer Reihe verschiedener Stücke lässt sich übrigens erkennen, dass dieses rothe Gestein nur eine Modifikation einer der zahlreichen Kalkbänke ist, die im Röth liegen. An manchen Punkten des einstigen Triasmeeres gelangte reiner fossilfreier Kalk zum Niederschlag, an anderen fielen die Muschelschalen so massenhaft zu Boden, dass es nur eines Kalkcements zur Gesteinsbildung bedurfte. Kleine Muschelfragmente gaben endlich in mässig bewegtem, kalkhaltigem Wasser Veranlassung zur Oolithbildung und eisenhaltige Wasser impregnirten die erhärtete Masse. Auch hier fehlen die in diesen Horizonten so verbreiteten Glaukonitmassen nicht. Es konnte aus dem rothen Gestein bestimmt werden:

---

[1]) Die Stabskarte und die Montanistische Karte haben Mt. Zacon, Emmerich in Schaubach, deutsche Alpen, Bd. IV p. 421, aber schreibt Mt. Zaccu.

[2]) Diese Beiträge Bd. I p. 29.

[3]) Dieses Porphyr's erwähnt schon G. v. Rath von Viecle. Jahrb. d. geol. Reichsanst. Bd. XIII p. 123 1863.

Posidonomya Clarai Emmer.

Pecten discites Schl. sp.

Myophoria ovata Br.

Myoconcha Thielaui Strb. sp.

Natica gregaria Schl. Taf. I Fig. 9 a. b.

Vergleicht man das abgebildete Exemplar von M. Zacon mit gut erhaltenen Exemplaren von *N. gregaria* aus deutschem Muschelkalk, wozu ich solche von Lieskau und Wiesloch bei Heidelberg benutze, die beide noch die Schale haben, so fällt zunächst die gestrecktere Form der Südtiroler und in Folge dessen die grössere Höhe des der letzten Windung der Schale vorangehenden Theiles des Gehäuses auf. Doch besteht dieser auch nur aus drei Umgängen, wie sonst bei *N. gregaria*. Ferner sind bei den deutschen Exemplaren in der Regel die Umgänge mehr treppenförmig abgesetzt. Diejenigen von Wiesloch zeigen dies jedoch viel weniger, als die von Lieskau, indem sie sich mehr *Natica turbo* Schaur. (Krit. Verz. Taf. III Fig. 4a) nähern und so vermittelnd zwischen die Lieskauer und die von Mt. Zacon treten. Vergleicht man freilich die Abbildung bei Giebel (Lieskau, Taf. V Fig. 4) mit der hier gegebenen, so ist der Unterschied gross, doch hat Giebel wohl ein extremes Exemplar abgebildet.

Ich habe am Mt. Zacon keine Exemplare gefunden, die über 3^{mm} lang geworden wären. An andern alpinen Lokalitäten erreicht die Art jedoch bedeutend grössere Dimensionen.

Chemnitzia sp. Taf. I Fig. 2 a. b.

Es kommt eine Reihe von Formen am Mt. Zacon vor, die von der gleich zu besprechenden *Holopella gracilior* sich durch schnellere Wachsthumszunahme und weniger gerundete Umgänge unterscheiden, deren Gesammthabitus aber derart ist, dass man zwischen der Wahl der Gattungsbezeichnüngen *Chemnitzia* und *Holopella* schwankt. Ganz sicher kann man bei der Kleinheit dieser Dinge nicht gehen. Auf Taf. I Fig. 2 a. b. habe ich eine solche Schnecke abgebildet. Auf die Länge von 4^{mm} kommen 8 Umgänge, deren erste (Embryonalwindungen) kaum von einander abgesetzt sind, was der Spitze ein etwas plumpes Ansehen gibt. Ein Blick auf die Abbildung von *Holopella gracilior*, Taf. I Fig. 3 a. b., lässt die Unterschiede am besten erkennen. Es sind eine ganze Menge ähnlicher Formen, meist aber grösser, aus dem Muschelkalk beschrieben, die Uebertragung eines bereits in die Literatur eingeführten Namens würde aber bei der Kleinheit dieser Vorkommnisse nicht gerathen sein. Wir haben es hier überhaupt mit einer Zwergfauna zu thun, die anderswo unter günstigen Verhältnissen vielleicht zu ganz anderen Dimensionen sich entwickelte. Dass die Schalen jedoch hier keine bedeutendere Grösse erreichten, beweisen die Millionen von Exemplaren, die in ganz gleicher Beschaffenheit mehrere Zoll mächtige Bänke erfüllen, deren Ablagerung gewiss eine sehr lange und gleichartige Fortdauer der Fauna anzeigt.

Holopella gracilior Schaur. sp. Taf. I Fig. 3 a. b. 7.

Schauroth hat diese Schnecke als *Turbonilla* und später als *Rissoa* abgebildet (Recoaro Taf. II Fig. 11 und Krit. Verz. Taf. III Fig. 6). Erstere der genannten Abbildungen ist die kenntlichere. Auf Taf. I Fig. 3 a. b. gebe ich noch eine Ansicht eines der gut erhaltenen Exemplare vom Mt. Zacon und Fig. 7 eine vergrösserte Ansicht des unteren Theils eines anderen Exemplar's. Der beinahe kreisförmige Querschnitt der Umgänge berechtigt nach Sandberger's Vorgang den Namen *Holopella* Mc Coy. in Anwendung zu bringen, den Hörnes zuerst von paläozoischen Vorkommnissen auf triadische übertrug. Unter allen verwandten Formen ist *Hol. gracilior* die schlankste und hat den geringsten Wachsthumswinkel. An dem abgebildeten Exemplar von 7 mm Länge zähle ich 9 Windungen, die ausserordentlich langsam am Durchmesser zunehmen.

Häufigste Form am M. Zacon, aber auch sonst überall in Südtirol im Röthdolomit verbreitet, von wo sie in den Wellenkalk, doch vereinzelter, hinaufgeht. Sandberger citirt sie aus Schichten des unteren Wellenkalks von Würzburg (Dentalienbank), bei Heidelberg fand ich sie in dolomitischen Schichten, welche etwa in gleichem Niveau mit jener Dentalienbank liegen mögen, die hier aber als besondere Bildung nicht mehr zu erkennen ist.

Pleurotomaria triadica n. sp. Taf. I Fig. 16 a. b.

Die Gattung *Pleurotomaria* ist durch mehrere, sehr von einander abweichende Formen am M. Zacon vertreten. Zwei derselben sind neu, eine dritte lässt sich auf eine zuerst unter anderen Gattungsnamen aus deutschem Muschelkalk beschriebene zurückführen. (S. d. nächste Art.) Die auf Taf. I Fig. 16 a. b. abgebildete Art ist 5 mm lang, doch dürfte noch eine Anfangswindung, die nicht erhalten ist, hinzuzurechnen sein. Die Umgänge setzen etwas stufenförmig gegen einander ab und zeigen ungefähr in der Mitte der Höhe den Spalt der *Pleurotomarien*. Von Streifung oder sonstigen Ornamenten ist nichts zu sehen. Bei den mancherlei sonstigen Analogien mit paläozoischen

Vorkommnissen, die bis hinauf in den alpinen Keuper zu verfolgen sind, könnte auch der Gattungsname *Murchisonia* gewählt werden.

Pleurotomaria extracta Berger sp. Taf. I Fig. 10 a. b.

Professor Sandberger hat nach Exemplaren von M. Zacon, die ich demselben schon früher mitgetheilt hatte, die von Alberti (Trias pag. 166) bereits ausgesprochene Ansicht bestätigt, dass die von Berger (Jahrb. 1860 pag. 205 Taf. II Fig. 17) aus der Gegend von Coburg beschriebene *Natica extracta* eine *Pleurotomaria* sei und mit eben dieser Südtiroler Form übereinstimme. (Würzb. naturw. Zeitschr. 1866 pag. 138.) Später bin ich in den Besitz noch besser erhaltener Stücke gekommen, die allerdings eine *Pleurotomaria* anzeigen. Das Exemplar Taf. I Fig. 10 a. b. ist 5mm, andere bis 7mm hoch. Es sind 4—5 Umgänge sichtbar, deren letzterer sehr gross ist. Das Schlitzband liegt im oberen Drittel der Umgänge, die über demselben flach ansteigen, darunter aber steil abfallen, so dass eine gerundete Kante entsteht. Die ganze Schale ist mit ungleich starken Anwachsstreifen versehen, deren stärkere die Zurückbiegung am Schlitzband besonders deutlich erkennen lassen. Auch auf den scharf treppenförmig abgesetzten Steinkernen ist mitunter noch der Abdruck des Bandes zu erkennen.

Pleurotomaria extracta scheint durch den ganzen Wellenkalk hindurch zu gehen, da sie hier im Röthdolomit auftritt und bei Eck (Formation d. bunt. Sandsteins etc. pag. 103) noch in den oolithischen Schichten des Himmelwitzer Dolomits aufgeführt wird.

Pleurotomaria euomphala n. sp. Taf. I Fig. 1 a—d.

Flaches weitgenabeltes Gehäuse vom Habitus eines *Euomphalus*. Höhe 2mm bei 4mm Durchmesser. Es sind 3 Umgänge von flacher Gestalt sichtbar, die inneren nur wenig über den äusseren erhaben. Am Rande der Umgänge ein deutliches Schlitzband, unter demselben eine feine Kante. Wie *Pleurotomaria triadica* an die thurmförmigen *Murchisonien* paläozoischer Faunen, so erinnert diese an weitgenabelte ächte *Pleurotomarien*, wie solche mehrfach in devonischen Schichten der Rheinlande und des Harzes sich finden.

cf. Turritella costifera Schaur. Taf. I Fig. 15 a. b.

Ich stelle den Schauroth'schen Namen voran, weil die Figur auf Taf. V Fig. 16 des kritischen Verzeichnisses mit der hier gegebenen manche Uebereinstimmung zeigt, ohne dass jedoch volle Identität bestände. *Turbonilla nodulifera* Dnkr., die Eck neuerlich mit *Turritella nodosoplicata* Münstr. von St. Cassian vereinigt (Form. d. bunt. Sandsteines etc. pag. 103), hat weniger Falten und diese schwellen nahe der Nath mehr an. Die Schauroth'sche Art ist etwas schlanker und zählt weniger Rippen auf einem Umgang. Uebrigens ist die Schauroth'sche Abbildung etwas ergänzt, so dass nur mit dem Original ein Vergleich sich bewerkstelligen liesse. Die Länge des abgebildeten Exemplars beträgt 9mm. Jeder der 6 sichtbaren Umgänge hat etwa 16 Rippen.

Es wird bei Gastropoden immer sehr darauf zu achten sein, ob eine solche Berippung nur den Embryonalwindungen, oder der ganzen Schale zukommt. Hier ist entschieden die ganze Schale gerippt. Von ausseralpinen Vorkommnissen zeigt *Holopella Schlotheimi* Qu. sp. die Rippung der Embryonalwindungen besonders schön. Bronn beschrieb diese Art als *Turbonilla dubia* (Lethaea 3. Aufl. Band 2 pag. 76) und bildete auf Taf. XXII[1] Fig. 10 ein Schalenexemplar ab, was nur insofern unrichtig gezeichnet wurde, als man den Eindruck erhält, als sei die Schale von den unteren Windungen abgesprungen. Das ist aber durchaus nicht der Fall, bei guter Erhaltung zeigt sich nicht nur der Kern, sondern auch die Schale in dem grösseren Theil des Gehäuses glatt und ist nur in den ersten Windungen gerippt. Bronn stellt als Fundort Wiesloch voran. Dort fand ich ausgezeichnete Exemplare in eben denselben Bänken des Trochitenkalkes, aus denen ich oben *Natica gregaria* zu erwähnen Gelegenheit hatte.

Von den genannten Gastropoden der rothen Kalke ist *Turbonilla gracilior, Pleurotomaria triadica, Pleurotomaria extracta, Chemnitzia* sp. am häufigsten. Sie erfüllen oft allein das ganze Gestein. *Natica gregaria* ist nur stellenweise häufig, während *Pleurotomaria euomphala* und *cf. Turritella costifera* in je nur einem Exemplar aufgefunden wurden. Ausser diesen kommen übrigens noch mehrere andere Arten vor, von deren Beschreibung ich vor der Hand Abstand nehme.

In welcher Menge die hier angeführten Gastropoden in der rothen Bank von Mt. Zacon beieinander liegen, zeigt ein Theil einer ganzen Platte Taf. I Fig. 13. Das Vorkommen erinnert sehr an ein solches aus ähnlichen Schichten bei Hauer, Venetianer Fossilien Taf. IV Fig. 3.

Diese Fossilien beweisen, dass wir es hier mit gleichaltrigen Schichten zu thun haben wie diejenigen, die ich von der Mendel als unteren Horizont des Röthdolomits anführte. Etwas höher folgen dann in gleicher Weise gelbliche mürbe Gesteine mit:

Avicula inaequicostata n. sp. Taf. I Fig. 5 a. b. 6. *Pecten Margheritae Benecke* non Hauer (diese Zeitschr. Band I pag. 30).

Ich hatte früher diese Form für identisch mit dem von Hauer (Venet. Foss. Taf. IV Fig. 13) abgebildeten und daselbst pag. 14 beschriebenen

Pecten Margheritae gehalten und Sandberger (Würzburger naturwissenschaftliche Zeitschrift Band 6 pag. 148 1866) hat diesen Namen adoptirt. Auch Gümbel (bayer. Alpen pag. 181) führte P. Margheritae als ein Fossil des bunten Sandsteins an. Nach einer Bemerkung Hauer's (Verhdl. d. geol. Reichsanst. 1867 pag. 182) stammt aber *P. Margheritae* aus viel höheren Schichten, welche vermuthlich dem Esinokalk im Alter gleich stehen. Auch ist nach der Beschreibung das Hauer'sche Fossil von dem zu besprechenden Rest, der mir jetzt in mehreren, beinahe ganz vollständigen, doch nur der einen Seite angehörigen Klappen vorliegt, im Umriss und der Wölbung etwas verschieden, wenn auch die Oberflächenbeschaffenheit ausserordentlich ähnlich ist. Ein vollständiges, etwas gewölbtes Ohr sehe ich als vorderes an und nehme die Klappen als linke. Als Gattung ist dann auch wohl *Avicula* richtiger als *Pecten*, wie denn besonders *Avicula speluncaria* des Zechsteins sich sehr verwandt erweist, was durch die Aehnlichkeit des Gesteins mit Zechstein-Rauchwacke noch sehr erhöht wird. Wohl mag die rechte Klappe dann auch flach oder weniger gewölbt gewesen sein. Nach hinten war die Schale am Schlossrand nur wenig verlängert. Die abgebildeten Klappen sind sehr stark gewölbt, die grösste Dicke nahe dem scharf übergebogenen Wirbel stehend, vorn nach dem Ohr steiler, nach hinten sanfter in den verflachten, etwas flügelförmigen Schalentheil abfallend. Es ist bei den Zeichnungen zu berücksichtigen, dass an der hinteren oberen Parthie ein weniges weggebrochen ist und ich nicht willkürlich ergänzen mochte. Die Oberflächenbeschaffenheit ist sehr zierlich. Man zählt auf dem kleineren Exemplar (Taf. I Fig. 5 a. b.) 8—9 grobe, vom Wirbel ausstrahlende, etwas geknotete Rippen. Zwischen je 2 derselben setzen sich etwas feinere ein, die neben sich wieder feinere stehen haben. In dem Maass, als die Rippen feiner werden, reichen sie auch weniger weit gegen den Wirbel hinauf. Auf dem grösseren Exemplar (Fig. 6 nat. Grösse) stehen 10 gleich grosse Rippen, zwischen denen in derselben Weise Systeme von feineren sich einsetzen. Je mehr übrigens die Muscheln an Grösse zunehmen und demzufolge neue Rippen sich einsetzen, scheinen die Grössenunterschiede sich mehr auszugleichen, so dass gegen den Unterrand hin die Rippen nahezu gleich gross werden. Auf dem vorderen Ohre zeigt sich noch deutliche Streifung, während der hintere Theil der Schale auf dem Flügel beinahe glatt ist. Höhe des Exemplars Fig. 6 21^{mm}, Breite desselben 18^{mm}.

Myalina vetusta Gldf. Taf. I Fig. 17.

Myophoria ovata Br.

Pleuromya Fassaensis Wissm. sp.

Nach Prof. Sandberger's Mittheilung zeigen Exemplare von Koburg eine deutliche Mantelbucht. Darum wurde diese Gattungsbezeichnung gewählt, die jedoch nicht ohne weiteres auf alle Muschelkalk-Myaciten zu übertragen ist.

Ausser der genauer beschriebenen *Avicula* sind die übrigen hier angeführten Reste auch aus den tieferen Schichten bekannt, es läge also am Mt. Zacon kein so bestimmter Grund einer Sonderung eines unteren und oberen Horizontes vor. Doch könnte sich dies Verhältniss bei weiteren Aufsammlungen leicht anders gestalten und nach der Lagerung und den petrographischen Eigenthümlichkeiten kann man immerhin schon jetzt auch hier eine Trennung durchführen. Jedenfalls mache ich darauf aufmerksam, dass das Gastropoden-reiche Gestein innerhalb des Röthdolomits liegt und bei etwaiger weiterer Gliederung der unteren Abtheilung desselben zufallen würde.

Höhere fossilführende Schichten fehlen leider auch hier. In einem gegen den Armentara hin liegenden Wasserrisse beobachtete ich nur noch etwa 25′ dünngeschichtete blaue Kalke. Dichtes Unterholz macht dann bis gegen helle, ohne Zweifel obertriadische, Dolomite die Beobachtung anstehenden Gesteines unmöglich.

Gyps scheint weder an der Mendel, noch am Mt. Zacon vorzukommen, doch beobachtet man solchen in deutlicher Lagerung am Lefre-Berg bei Strigno in einer Entfernung von 3 St. vom Mt. Zacon, wo die Triasschichten auf dem linken Brenta-Ufer ganz unter gleichen Verhältnissen wieder zu Tage treten. Wenig entfernt von dem Kastell über Villa am Nordwestabhang des Lefre gegen Strigno befindet sich an der Grenze der Weinberge eine seit lange in Betrieb stehende Gypsgrube. Man sieht beim Weiterverfolgen des Weges, der von derselben thaleinwärts führt, dass diese Gypse unter[1]) den Schichten mit *Posidonomya Clarai*, also ungefähr an der Grenze zwischen Röthdolomit und buntem Sandstein liegen. Letzterer steht mehrfach in dem Kastanienwalde über Villa und Jvano an. Durch das Thal, welches von Strigno gegen Osten führt, streichen die Gypse, mit Mergelschichten wechselnd, quer durch, die deutliche Fortsetzung derjenigen in der erwähnten Grube bildend. Unter denselben liegen am rechten Thalgehänge Sandsteine, welche unter Bieno dem Glimmerschiefer der Cima d'Asta-Masse aufgelagert sind, welche überall hier, wo Porphyre fehlen, die Unterlage der Trias bilden. Die Gypse nehmen also in der That die Stellung ein, welche ihnen in vergleichenden Tabellen neuerdings angewiesen

[1]) Hiernach ist meine frühere Angabe (diese Beiträge Bd. I p. 54), so weit sie Strigno betrifft, zu berichtigen.

wurde, so von Sandberger (Würzb. naturw. Zeitschr. Band VI pag. 155 1867). Nicht immer liegen übrigens die Gypse so tief im Röthdolomit, wir werden sie später nahe der oberen Grenze desselben kennen lernen, wie denn überhaupt das Auftreten derselben als eine weitere charakteristische Eigenthümlichkeit des ganzen südalpinen Röthdolomits angesehen werden kann. Es wäre aber ein Irrthum, alle in den Alpen auftretenden Gypse und das mit denselben so häufig gesellschaftete Steinsalz auf diese Analogie hin in so tiefe Horizonte verweisen zu wollen. Wie ausserhalb der Alpen, so findet sich auch in denselben in sehr verschiedenen Abtheilungen bis in den Keuper hinauf Gyps vor, ein Umstand, der die Lösung der Frage, wohin man die nordalpinen berühmten Salzvorkommnisse zu stellen habe, besonders schwierig macht.

Günstiger für das Studium jüngerer, über dem Röthdolomit folgender Ablagerungen ist die Hauptmuschelkalklokalität der Südalpen Recoaro, zu der wir uns jetzt wenden.

Umgebungen von Recoaro im Vicentinischen.

Ueber die Gegend von Recoaro besitzen wir, abgesehen von älteren kleinen Notizen und Abbildungen von Fossilien, die schon oft genannten zwei Arbeiten von Schauroth, in welchen alle damals bekannten Fossilien besprochen und mit deutschen Vorkommnissen verglichen werden. Da auch die Aufeinanderfolge der einzelnen Schichten genau angegeben wird, so ist es auffallend, dass die von Schauroth vertretene und im Allgemeinen ganz richtige Ansicht, es seien bei Recoaro eher Aequivalente des unteren deutschen Muschelkalks als des oberen paläontologisch nachweisbar, sich nicht mehr Eingang verschafft hat. Es mag dies zum Theil in dem Umstand seinen Grund haben, dass nirgends in dem „kritischen Verzeichniss" die Versteinerungen in übersichtlicher Weise nach den Horizonten gruppirt sind und ganz besonders auch darin, dass eine Art verzeichnet ist, die man mit Recht in Deutschland als eigenthümlich für den oberen Muschelkalk ansieht, nämlich *Ceratites nodosus*. Schauroth bemerkt selbst, er habe diesen *Ceratiten* nicht gefunden und beruft sich auf das Zeugniss Anderer. Es liegen allerdings in der Universitätssammlung in Padua einige Exemplare des C. nodosus mit der Angabe des Fundorts Recoaro und Catullo bildet ein solches Exemplar ab. Doch haben gerade die Sammler, die Recoaro genauer kennen, nie die Spur eines Cephalopoden überhaupt, weder bei Recoaro, noch im Tretto bei Schio gesehen. Man überzeugt sich nun leicht von augenfälligen Irrthümern in der Bestimmung und der Angabe der Fundorte in dem Museum zu Padua, und da sich eine Menge deutscher Petrefakten dort befinden, die genannten Ceratiten auch gänzlich mit deutschen übereinstimmen, so zweifle ich nicht, dass ihre Heimath diesseits der Alpen zu suchen ist.

Es ist mir bei mehrmaligem Besuche der Umgebungen von Recoaro gelungen, ziemlich alle von Schauroth aufgeführten Arten und noch einige neue aufzufinden und zwar auf der Lagerstätte selbst. Ich gebe später die Listen derselben nach den Horizonten und es wird sich dann ein Vergleich mit den besprochenen Lokalitäten sowohl als entfernteren Gegenden leicht bewerkstelligen lassen.

Um die geotektonischen Verhältnisse der Muschelkalk-Ablagerungen, die man gewöhnlich kurz als die von Recoaro bezeichnet, richtig zu verstehen, muss man das Agnothal (Recoaro) mit dem in paralleler Richtung von NW. nach SO. ziehenden Leogra-Thale (Valle dei Signori-Schio) zusammen in's Auge fassen. Beide werden durch einen von Campo Grosso ausgehenden Gebirgsrücken von einander getrennt, der gegenüber den Hauptgebirgsketten, die nördlich und westlich vorliegen, nur eine geringe Erhebung hat. Blickt man von einem höheren Punkte dieses Rückens, etwa von Mt. Cevellina, südwestlich Rovegliana, gegen Norden, so begrenzt die Aussicht die Kette, welche von Mt. Sumano, nördl. Schio, nach Westen über Mt. Volpiana, Cima Sciopaore, Mt. Alba zum Pasubio zieht. Dieser gewaltige, über 7000′ hohe Gipfel ist der eigentliche Mittelpunkt, um den die ganzen Gebirge zwischen Valle d'Astico und Etschthal sich gruppiren. Vom Pasubio nach Süden, die Grenze zwischen Tirol und Venedig bildend, läuft eine andere Kette über Cengio alto und Campo Grosso südwärts nach Cima Venante und Cima tre Croci, die den Gesichtskreis gegen NW. abschliesst. Von dem letztgenannten Berge endlich geht ein hackenförmiger Zug ab, der westlich vom Stand des Beobachters im Mt. Spizze endigend, die Umwallung des Muschelkalkgebietes nach 3 Seiten vollendet. Die gegen SO. offene Seite nehmen Kreide und Tertiairgesteine ein, deren mannichfach gestörte Lagerungsverhältnisse uns hier nicht weiter beschäftigen. Innerhalb dieses eben beschriebenen Gebietes bildet Glimmerschiefer den Grund des Agno- und Leogra-Thales, in zwei elliptischen Massen zu Tage tretend, die über dem niedrigsten Punkt des trennenden Rückens bei Starò im Zusammenhang stehen. Als ein beinahe geschlossenes Band umgeben bunter Sandstein und Muschelkalk den Glimmerschiefer, die unteren Partien des Gebirges einnehmend. Eben so wenig, wie im Gebiet der südtiroler Porphyrmasse, bedingt jedoch hier die untere Trias den Gebirgsbau. Diese Rolle fällt den mächtigen Dolomiten der oberen Trias zu, die die Kämme und oben genannten Gipfel der Hauptketten zusammensetzen. Auch die höchste Erhebung des Mt. Cevellina, des angenommenen Standpunktes, besteht aus Dolomit, der den bei Roveglianа noch auf der Höhe liegenden Muschelkalk überlagert und gegen die südlich vorliegenden jüngeren Gebilde scharf abgeschnitten ist. Zum Flussgebiet des Agno gehören die Fundstellen von Versteinerungen, die man gewöhnlich mit „Recoaro" bezeichnet, während die in den nordöstlichen Zuflüssen der Leogra gelegenen, mit „Tretto" aufgeführt werden. Die hier gemachten Angaben beziehen sich nur auf die ersteren, die übrigens wenig von denen des Tretto abzuweichen scheinen.

Wir verfolgen nun den Schichtenbau der unteren Trias von unten nach oben, doch fasse ich, da Schauroth diese Verhältnisse bereits genau beschrieben hat, gleich diejenigen grösseren Abtheilungen zusammen, die ein mehr als lokales Interesse in Anspruch nehmen.

1) Grobe Sandsteine, auch Conglomerate, wenig mächtig, nach oben feiner werdend. Schauroth gibt zusammen 10 m. Ich beobachtete dieselben im Prechole-Graben, wo nahe an der oberen Grenze eine Pflanzenbank sich findet, die aber nur unbestimmbare Kohlenreste enthält. Auch findet man die Klüfte hier und da mit Kupferlasur und Malachit überzogen, eine Erscheinung, die an ähnliche Vorkommnisse in Deutschland auf gleicher Lagerstätte erinnert.

2) Die nächste Abtheilung, die sich wiederum als Röthdolomit bezeichnen lässt, hat eine sehr bedeutende Mächtigkeit, 80 m nach Schauroth, und besteht aus einem bunten Wechsel sehr verschiedenartiger Gesteine. Rothe, dünnschichtige, glimmerreiche Sandsteine herrschen vor, dazwischen schieben sich verschieden gefärbte Kalk- und Dolomitbänke ein. Unter ersteren fällt dann wieder die harte rothe Bank auf, die über dem Prechele-Graben sehr schön oolithisch entwickelt ist, doch nicht so reich an Fossilien wie am Mt. Zacon. Ich fand nur *Myophoria ovata* und (?) *Tellina Canalensis* Cat. Doch gibt Schauroth aus eben dieser Bank *Holopella gracilior* an. Die genauere Eintheilung des Röth wiederzugeben, hat aus dem eben angeführten Grunde keinen Zweck. Die ganze Abtheilung lieferte an Fossilien:

Voltzia sp. ind.

Posidonomya Clarai Emr.

Pecten Fuchsi Hau. (Hauer, Venet. Foss. Taf. I Fig. 8).

Myalina vetusta Gldf. sp.

Myophoria ovata Br.

Myoconcha Thielaui Stromb. sp.

(?) **Tellina Canalensis** Cat. (Memor. geogn. palaeoz. pag. 56 Taf. IV Fig. 4.)

Schloss und sonstige innere Charaktere dieser Muschel sind noch unbekannt, doch handelt es sich um eine ganz bestimmte, in diesen Horizonten sehr häufige Form, die auch Hauer (Venet. Foss. pag. 4 Taf. I Fig. 7) auszeichnete und auf die später Schauroth wiederholt zurückkam (Recoaro pag. 516 Taf. II Fig. 7 wahrscheinlich und auch krit. Verz. pag. 327 Taf. II Fig. 17). Letztere Figur ist besonders gut, während bei ersterer die Grenzen gegen die mit vorkommende *Myophoria ovata* schwerer zu ziehen sein dürften. Am meisten in die Augen fallend ist die, in einem Winkel an den geraden Schlossrand stossende hintere, ebenfalls gerade Seite, die vom Wirbel nach hinten laufende Kante und die kräftigen concentrischen Falten.

Pleuromya Fassaensis Wissm.

Chemnitzia sp.

Holopella gracilior Schaur. sp.

Dazu werden noch erwähnt von Schauroth *Pecten Alberti* und *Avicula Zeuschneri*. Letztere Form hat auch Hauer (Venet. Foss. Taf. III, Fig. 3, 4). Mir selbst ist nichts mit den unter einander sehr abweichenden Abbildungen Schauroth's und Hauer's übereinstimmendes vorgekommen. Laube ist geneigt (Fauna von St. Cassian, Denkschr. Wien. Akad. Band 25 pag. 51 sep.), *Avicula Zeuschneri* bei *Monotis pygmea* Mnst. sp. unterzubringen.

Mit dem Röth verbinde ich die Gypse und Rauchwacken, die hier abweichend von den Verhältnissen am Lefre nicht unten, sondern oben im Röth liegen, doch trifft man sie in dem nur wenige Quadratmeilen grossen Gebiete nicht überall. Am Mt. Spizze sah ich nur zellige Rauchwacken, während im Val del Rotolon eine sehr mächtige ellipsoidische Gypsmasse unzweifelhaft den rothen Sandsteinen aufliegt. Die Schichten reinen Gypses, mit grauen Thonen und Rauchwacken wechselnd, sind mannichfach in einander gewickelt und zerknickt und die schon bedeutende Mächtigkeit erscheint daher noch beträchtlicher. Die Ansicht der Gypsmasse an der steilen linken Thalseite scheint der Annahme, dass bei der Bildung des Gypses eine Volumvergrösserung stattfand und unter dem Widerstand der umgebenden Gebirgsmassen die Schichten in einander gepresst wurden, sehr das Wort zu reden.

Wo nur wenig mächtige Rauchwacken den Horizont der Gypse andeuten, übersieht man denselben leicht, hat man sich aber an einer günstigen Lokalität, wie das genannte Val del Rotolon, orientirt, so findet man das schmale Band grosszelliger Gesteine auch anderswo wieder, wie am Nordgehänge des Mt. Spizze, wo ein Bergrutsch beinahe den ganzen Muschelkalk bis auf den Röth hinab freigelegt hat. Dass Gypse an nah gelegenen Punkten in demselben Horizonte fehlen und sich finden, ist eine zu gewöhnliche Erscheinung, als dass sie hier befremden könnte. Ganz das gleiche Verhältniss an der Grenze des bunten Sandsteins und Muschelkalks gibt Eck z. B. aus Oberschlesien an, wo man keinen Gyps kennt, während er im benachbarten Polen vorhanden ist. Dieselbe Stellung, wie diejenigen von Recoaro, nehmen auch die Gypse der Lombardei ein, die mit Rauchwacken in Verbindung am Croce-Domini-Passe in Val Camonica und an anderen Punkten häufig zu sehen sind. Es ist mir dies Vorkommen der Gypse unten und oben in jener Formationsabtheilung, die ich als Röthdolomit zusammenfasste, noch ein Grund mehr, vor der Hand keine weiteren Zergliederungen vorzunehmen. Aehnlich wie früher, mit Hülfe der Fossilien eine untere und obere Abtheilung herauszufinden, gelang mir bei Recoaro nicht. Ein derartiges Verhältniss ist nur durch die Gesteinsbeschaffenheit angedeutet.

Während an den früher genannten Lokalitäten in den höheren Schichten Fossilien vermisst wurden, kommen wir in Recoaro jetzt erst zu deren Hauptlagerstätten. Eine Reihe dünnschichtiger, unebener, wulstiger, grauer Kalke, gelblich verwitternd im Wechsel mit gradschiefrigen Mergeln enthalten neben einer Anzahl anderer Arten, besonders den häufig genannten *Encrinus gracilis* Buch., nach dem, weil er hier ausschliesslich und in so ausserordentlicher Menge vorkommt, die ganze Schichtenreihe zweckmässig als die des *Encrinus gracilis* bezeichnet wird.

Theils auf den Platten des härteren Kalks, theils aus den Mergeln frei heraus witternd, sammelte ich:

Acroura granulata n. sp. Taf. II Fig. 2—5.

Man hat die *Ophiuriden* des Muschelkalks gewöhnlich in zwei Gattungen, *Aspidura* Ag. und *Acroura* Ag. untergebracht und diese dann im System mit anderen Fossilien als eine besondere Abtheilung von den lebenden getrennt gehalten (vergl. Bronn, Ordnungen und Classen des Thierreichs, 2. Band pag. 286). So lange man nicht Exemplare kennen gelernt haben wird, die in Folge einer besonders guten Erhaltung wesentliche Merkmale, wie die Genitalspalten in den Interbrachialräumen noch zeigen, thut man besser, diesem Usus zu folgen, als die Nomenklatur mit neuen Gattungsnamen noch mehr zu beschweren. Ich habe denn auch für die vorliegenden Reste den Namen *Acroura* beibehalten, da *Acroura prisca* Mnstr. und *Acroura Agassizi* die nächst verwandten sind.

Es liegen mir auf zwei kleinen, nur wenige Quadratzoll grossen Plättchen acht Exemplare in mehr oder minder vollständiger Erhaltung vor, zusammen mit Stengeltheilen von *Encr. gracilis*, *Gervillia mytiloides* etc. Theils ist die Oberseite, theils die Unterseite sichtbar und aus einer Combination der an den verschiedenen einzelnen Individuen erhaltenen Theile war es möglich, die beiden vergrösserten Ansichten, Taf. II Fig. 2 a und Fig. 3 a, herzustellen. Es wurde kein Theil hinzugefügt, der nicht sichtbar wäre, doch kann es sein, dass Theile ganz fehlen, oder dass die Zahl mancher angegebenen, z. B. der Papillen um den Mund, eine andere war. Die Erhaltung ist aber hinreichend, um zu erkennen, dass keine zu grossen Abweichungen zwischen der Restauration und dem einstigen natürlichen Zustande stattfinden.

Die Scheibe ist fünfeckig mit etwas ausgebuchteten Seiten. Doch ist die Tiefe dieser Ausbuchtung nicht gleich an allen Exemplaren, indem sich von ziemlich tiefwinkligen bis zu beinahe geraden Seiten Uebergänge finden. Fig. 2 stellt eine mittlere Form dar. Die Oberseite Fig. 3 a ist uneben. Es laufen von der Mitte der Seiten in der Richtung nach dem Mittelpunkt der Scheibe fünf sehr flache Furchen, die in der halben Entfernung zwischen Rand und Mittelpunkt in andere Furchen münden, welche mit einander in Zusammenhang stehend, eine der ganzen ähnliche, aber kleinere, um 36° gedrehte Scheibe umgränzen. Die ganze Oberfläche ist fein granulirt. Sieht man von geringen Unterschieden in der Contur ab, so gleicht die Scheibe sowohl im Verlauf der Furchen, als der Sculptur der Oberfläche ganz der Abbildung von *Ophiocoma nigra* bei Müller & Troschel, System der Asteriden, Taf. VIII Fig. 1. Der Durchmesser der grössten Scheibe von einer Ecke nach der Mitte der gegenüberliegenden Seite beträgt 6^{mm}.

Auf der Ventralseite Fig. 2 a ist die Haut auf der Oberfläche eben so gekörnt wie auf dem Rücken und scheint den Raum zwischen den Armen, dem Aussenrand und den Mundplättchen ganz auszufüllen. Zwar meint man längs des einen Armes eine lange Genitalspalte, an einem anderen die eine solche stützende Knochenleiste zu sehen, doch erkenne ich das nicht mit hinreichender Sicherheit, um es als vorhanden anzugeben.

In der Umgebung des Mundes machen sich zunächst fünf langelliptische Plättchen durch ihre Grösse besonders bemerklich, die mit ihren beiden verschmälerten Enden auf dem Anfang der Arme aufruhen und den Interbrachialraum der Ventralseite nach dem Mund hin abschliessen. Der nach aussen gekehrte Rand trägt eine grössere mittlere und zwei schwächere seitliche Hervorragungen, während der innere ebenfalls eine mittlere Hervorragung, neben derselben nur einfache Buchten zeigt. Dass diese Platten Mundplättchen, nicht Theile des inneren Knochengürtels um den Mund sind, folgt daraus, dass sie den Armen aufruhen, dass sie auf oder an der körnigen Haut, nicht tiefer als diese liegen, dass sie einfach sind und endlich die grosse Analogie in Stellung und Form mit den entsprechenden Theilen lebender *Ophiuriden*. Auch bei diesen sind es meist in die Augen fallende grössere, nicht weiter getheilte Platten, die hier liegen.

Vor jeder dieser grösseren Platten liegt eine kleinere, an deren nach der Mitte gekehrtem Ende man deutlich zwei kräftige Papillen bemerkt. Eben solche Papillen stehen zu beiden Seiten der Mundwinkel gegen den Anfang der Arme hin. An einer Stelle sehe ich deren drei an der Seite der Mundplatte, es könnten aber auch vier dort gestanden haben. Ferner hat es an einem Exemplare den Anschein, als hätte noch eine Reihe kleiner Plättchen auf der Grenze der Mundplatte und der vor derselben liegenden kleineren Tafel gestanden, ein Verhältniss, was lebende Analogien hätte. Ich habe es nicht zeichnen lassen, um die im Ganzen richtige Darstellung nicht durch Aufnahme hypothetischer Theile zu verwirren. — Einzelne zerstreut liegende Knochen des inneren Gürtels lassen keine sichere Deutung zu.

Die Arme bestehen, wie gewöhnlich bei den *Ophiuriden*, aus sogen. Wirbelkörpern, die von 4 Reihen von Deckplatten umhüllt werden. Während die Arme, nahe an der Scheibe, einen ziemlich eckigen Querschnitt haben, runden sie sich gegen das Ende hin mehr und damit im Zusammenhang ändern auch die Platten ihre Gestalt etwas. Man sieht das bei denen der Dorsalreihe am deutlichsten (Fig. 3 a). Die zunächst an der Scheibe stehenden sind nämlich etwas breiter als lang, weiter nach der Spitze hin greifen die beiden Lateralreihen immer mehr über, die Dorsalplatten werden schmäler und schliesslich ganz untergeordnet. Zur Seite der Lateralplatten stehen lange Stacheln. Ob deren einer, wie auf der Zeichnung angegeben wurde, oder mehrere vorhanden waren, lässt sich nicht bestimmen. Auf der Unterseite sind noch die kleinen Schuppen, welche die Oeffnung zum Austritt der Pedicellen zwischen Ventral- und Lateralplatten bedecken, erhalten. Sind die Ventralplatten abgesprungen, wie in Fig. 4, so bemerkt man die Wirbel, aus zwei in Form eines X mit der langen Seite in der Medianlinie zusammenstossenden Knochen bestehend. Ein quer durchbrochener Arm, Fig. 5, zeigt den Wirbel, die Dorsal- und die beiden Lateralplatten. Es liegt kein ganz bis zu Ende vollständiger Arm vor. Die Länge eines solchen hat aber etwa 14^{mm}, also etwas mehr als den doppelten Durchmesser der Scheibe betragen.

Bei einem Vergleich mit anderen Muschelkalkophiuriden kommt *Aspidura* nicht in Betracht, da die Täfelung der Dorsalseite und die Breite der Arme am Grunde Merkmale, die für diese Gattung bezeichnend sind, hier fehlen. *Acroura prisca* und *Acr. Agassizi* stehen aber nahe. Zu einem eingehenderen Vergleiche reicht aber der Erhaltungszustand beider nicht aus, es scheint sogar bezweifelt zu werden, ob die genannten Arten verschieden sind. Die abweichende Gestalt der Scheibe, die andere Anordnung der Mundrosette trennen jedoch *Acroura prisca* mit Sicherheit. *Acr. Agassizi* scheint, so weit die Abbildungen das zu beurtheilen gestatten, ähnliche Arme zu haben, im Uebrigen aber anders gebaut zu sein.

Es wurde oben angeführt, dass wahrscheinlich nur zwei lange Genitalspalten in jedem Interbrachialraum vorhanden sind. Sollte dem so sein, so fiele bei einem Vergleich mit lebenden Formen die Familie mit 4 Genitalspalten bei Müller & Troschel weg und in derselben die aus englischem Lias angeführte Gattung *Ophioderma*, die eine ähnlich granulirte Scheibe besitzt. Eine zweite von Müller & Troschel aufgestellte Familie umfasst Gattungen mit 2 Genitalspalten und zerfällt in zwei Unterabtheilungen, je nach dem Fehlen oder Vorhandensein der Mundpapillen. Solche besitzt die Art von Recoaro unzweifelhaft. Da ferner die Arme mit harten Theilen besetzt sind, so kommen nur noch eine ganz geringe Anzahl Gattungen in Vergleich. Unter diesen ist *Ophiocoma* sehr nahe verwandt, die die gleiche Scheibenform und gleiche Granulirung besitzt, in der Anordnung der Theile der Mundrosette aber abweicht. Doch würde, wenn über das Vorhandensein nur zweier Genitalspalten volle Sicherheit herrschte, *Acroura granulata* hier anzureihen sein. Sollte man wider Erwarten vier Genitalspalten finden, so stände *Ophioderma* am nächsten. Mögen die Verwandtschaftsverhältnisse dieser neuen Art sich nun auch gestalten wie sie wollen, jedenfalls liefert dieselbe eine Bestätigung der schon öfter gemachten Beobachtung, dass unter der grossen Klasse der Echinodermata der Typus der Asteriden durch die ganze Formationsreihe hindurch eine merkwürdige Constanz bewahrte.

Encrinus gracilis Buch. Taf. II Fig. 1 a. b.

Mehrere Schichten sind ganz erfüllt mit Stielgliedern dieser Art, die zum Theil noch auf ziemliche Länge zusammenhängen. Seltener sind Krone und Wurzeltheile. Letztere zeigen auf der Oberfläche einer Platte, die zugleich Schichtoberfläche ist und einstmaligen Meeresgrund repräsentirt, interessante Verhältnisse. Es liegen da eine Menge Stengelfragmente, aus einer Reihe von Gliedern bestehend, horizontal ausgebreitet. Auf solchen Stengeln und zwischen mehreren derselben das Gestein überziehend, breiten sich unregelmässige Kalkrinden aus, aus denen einzeln und in Gruppen bei einander stehend, zahlreiche Ansätze neuer Stengel, nach oben gekehrt, herausbrechen. Man erkennt deutlich, dass Generationen von Crinoiden auf einander folgten, ältere, deren Stengel von solcher Dicke sind, wie sie ausgewachsenen *Enc. gracilis* zukommen, auf dem Grunde ausgebreitet, auf diesen spriessend jüngere, in allen Stadien der Entwickelung. Diese Wurzelbildungen entsprechen, wie das schon wiederholt hervorgehoben wurde, denen von *Apiocrinus*, die man im oberen deutschen Jura nicht selten trifft. Werden, wie das oben angegeben, ältere Stengeltheile von den Wurzelausbreitungen überrindet, und brechen dann Knospen heraus, so könnte es den Anschein gewinnen, als hätte diese Knospung im alten Stengel selbst ihren Sitz. Ich habe etwas derartiges jedoch nie gesehen, obwohl mir gewiss 100 Platten mit *Encrinus* durch die Hand gegangen sind und Darstellungen wie bei Catullo (Memoria geognostica-palaeozoica Taf. III Fig. 2) dürften wohl auf unrichtiger Deutung nicht vollständig erhaltener Exemplare beruhen. Die von Oberschlesien bekannten, kuppelförmigen Endigungen von Stengeln (Meyer Paläontographica Bd. I Taf. 31 Fig. 3—6, Taf. 32 Fig. 15. 16) habe ich bei Recoaro nicht beobachtet. Beyrich nahm an, solche gerundete Enden seien Theile von noch nicht fixirten Stengeln, und es lässt sich nicht in Abrede stellen, dass diese Erklärung vor der früher von Goldfuss u. v. Meyer geäusserten den Vorzug verdient. Immerhin kann man sich von der Art der Anheftung vieler solcher Stengel dicht bei einander keine rechte Vorstellung machen. Auf einem mir vorliegenden 8^{mm} langen und $1^1/_2$^{mm} dicken Stengel sitzen Narben von 5 anderen. Es scheint, dass das erste Ansetzen eines neuen Individuums gleich mit einer Ausbreitung einer Platte verbunden war, dass danach noch andere Individuen sich ansetzten und nun successive die Platte verdickt wurde. Das erste neue Individuum setzte sich vielleicht auf einem noch aufrecht stehenden Stengel an, während die über dem Stengel auf das Gestein übergreifende Platte zeigt, dass die späteren Ansätze erst nach dem Absterben des alten Thieres erfolgten.

Eine Krone, und zwar die von Buch von Recoaro mitgebrachte und der Art zu Grunde gelegte, hat Beyrich (Crinoiden d. Muschelkalks, Abhandl. d. Berliner Akad., phys. Cl., 1857, Taf. I Fig. 15 a. b.) abgebildet und so ausführlich in ihren einzelnen Theilen geschildert, dass eine weitere Erläuterung der hier auf Taf. II Fig. 1 a abgebildeten Krone unnöthig gemacht ist. Durch Anschleifen der äusseren Basalglieder von unten her konnte auch der innere Basalkranz sichtbar gemacht werden. An den Seiten der Arme zeigt sich deutlich das Alterniren der Cirren tragenden Glieder. Wie das Merkmal zweier Basalkränze die Zugehörigkeit zur Gattung *Encrinus* beweist, so sichert die Beschaffenheit der Arme, ganz abgesehen von sonstigen Eigenthümlichkeiten des Kelches, die Selbständigkeit der Art. *Melocrinus triasinus* bei Schauroth, Recoaro Taf. 1 Fig. 4 p. 500, scheint mir eine Wurzelplatte mit Stengelansätzen zu sein. Ich besitze Stengeltheile, deren Glieder in eben derselben Weise zackenförmig ineinander greifen. Etwas ähnliches zeigt der Stengel von *Encrinus Brahli* Beyr. Crinoid. Taf. II.

Der aus Hallstatter Kalken von Richthofen und nach ihm mehrfach angegebene Encr. gracilis (Jahr. geol. Reichsanst. X p. 86) ist ein schlecht erhaltener Crinoiden-Rest, der jedenfalls der Species nach nicht bestimmbar ist. (Gefällige Mitth. Dr. Schloenbach's aus Wien.)

Ostrea filicosta n. sp. Taf. II Fig. 6—9.

Der ganze Habitus der dünnen unregelmässig gebogenen Schalen erinnert an *Placunopsis*, Morr. & Lyc. Doch konnte bei sehr zahlreichen Exemplaren keine Spur einer inneren Bandgrube bemerkt werden. An der Abbildung Taf. II Fig. 8 sieht man zwei divergirende Furchen unter dem Wirbel. Da solche aber eben nur an diesem Exemplar zu sehen waren, so liess sich nicht entscheiden, ob sie nicht nur zufällig durch fremde Einflüsse entstanden sind. Ich belasse es also vor der Hand bei der Gattungsbezeichnung *Ostrea*. Bei der ausserordentlichen Häufigkeit der Art und der Seltenheit anderer Ostreen im Muschelkalk von Recoaro, sowie überhaupt derartig feingestreifter Ostreen im Muschelkalk, verdient die Form jedoch ausgezeichnet zu werden. Der Umriss ist im Allgemeinen eiförmig, gegen den Wirbel hin zugespitzt, dieser selbst etwas nach der Seite gedreht. Die eine Klappe mit einer Ansatzfläche am Wirbel ist mehr oder weniger gewölbt, die andere flach, häufig concav. An dem ganz frei herausgewitterten Exemplare Taf. II Fig. 9 ist das Verhältniss der Schalen zu einander besonders deutlich zu erkennen. Sehr feine fadenartige Streifen (nicht eingeschnittene Furchen) bedecken ganz gleichmässig die Oberfläche beider Schalen, und werden durch die stellenweise sich etwas lamellös erhebenden unregelmässig concentrischen Anwachsstreifen unterbrochen. Hier und da zeigen einzelne Exemplare, besonders in der Wirbelgegend, concentrische wellige Furchen. Die mittlere Grösse beträgt vom Wirbel nach der Unterseite 16 mm.

Ostrea ostracina Schl. sp. Taf. II Fig. 18.

Nur ein Exemplar mit dem so bezeichnenden verdickten Rand. Innen zeigen sich Reste sehr feiner Streifung.

Pecten discites Schl. sp.

Recht häufig bis 40mm gross.

Lima lineata Schl.

Lima striata Schl.

Gervillia costata Schl.

Sehr häufig, ganze Platten bedeckend.

Gervillia socialis Schl.

Seltener als vorige.

Gervillia mytiloides Schl. sp Taf. II Fig. 10. 11.

Auf Taf. II Fig. 10 ist ein schönes Exemplar einer erhaltenen Schale auf dem Gesteine aufsitzend abgebildet worden. Es ist eine schlanke Form, wie bei Goldfuss, Petref. German. Taf. 116 Fig. 9. Daneben kommen aber auch kürzere vor, wie Taf. II Fig. 11 mehr der *Gervillia modiolaeformis* Gieb. (Versteinerungen von Lieskau Taf. 4. Fig. 11) gleichend, die Seebach zur *Gervillia mytiloides* einzieht. Letzteres Exemplar ist frei herausgewittert und in Folge dessen am Schlossrand nicht ganz vollständig erhalten; denkt man sich diesen aber nur etwas verlängert, so ist der Unterschied gegen die schlanke Form nicht sehr gross. Eine Ansicht von der Seite des Schlossrandes auf Taf. II Fig. 11 b. zeigt die Ungleichheit beider Klappen, die in ähnlicher Weise wie *Gerv. socialis* um einander gewunden sind, wenn auch in weit geringerem Maasse. *Gerv. Albertii* bei Schauroth Recoaro Taf. 2 Fig. 1 a. b. gehört hieher und ist nicht, wie Seebach meinte (Weimarische Trias pag. 50), bei *Modiola hirundiniformis* Schaur. unterzubringen. Im Gegentheil dürfte Schauroth's *Mod. hirundiniformis* zum Theil hierher zu stellen sein, so Recoaro Taf. 2. Fig. 2 c., wovon nur der vordere Flügel etwas verwittert ist. Fig. 2 d. daselbst lässt sich nicht sicher deuten, ich besitze viele solche Exemplare von schlanker, in Folge eines seitlichen Druckes auf dem Rücken beinah kantiger Beschaffenheit. Seebach verbindet *Modiola Credneri* Dnkr. mit *Mod. hirundiniformis* Schaur. und bezieht sich für erstere auf Exemplare aus der Thüringischen Trigonienbank. Es ist das ungefähr das gleiche Niveau, in welchem die Schauroth'sche Art bei Recoaro sich so häufig findet. Diese Vereinigung könnte nun nur noch für die Schauroth'schen Figuren 2 a. und b. auf Taf. II stattfinden. Ich halte aber auch diese Formen nach dem mir vorliegenden reichen Materiale nicht für geeignet, als Typen einer neuen Art zu gelten. Es wird für *Mod. Credneri* ganz unabhängig von den Vorkommnissen von Recoaro zu untersuchen sein, ob sie eine selbständige Art darstellt. Ob nun aber alles, was Schauroth zu *Mod. hirundiniformis* zog, gerade bei *Gervillia mytiloides* unterzubringen ist, wie Sandberger geneigt scheint anzunehmen, wird sich kaum sicher sagen lassen. Junge Exemplare, besonders die erwähnten gekielten, können auch zur folgenden Art gehören.

Modiola triquetra Seeb. Taf. II Fig. 12. 13.

Vollständig erhaltene Exemplare, wie Taf. II Fig. 13, und ein kleineres Exemplar, wie Fig. 12, glaube ich mit *Modiola triquetra* Seeb. (Weimar'sche Trias pag. 51) identifiziren zu dürfen. Dass es sich um eine *Modiola* handelt, ist wohl unzweifelhaft. Bei der Wahl des Namens kann man nur zwischen *Modiola triquetra* und, wenn man das Vorkommen berücksichtigt, *Modiola hirundiniformis* schwanken. Da Schauroth nur kleine, meiner Ansicht nach unvollständige Exemplare abbildete, wähle ich den Seebach'schen Namen und ziehe den Schauroth'schen überhaupt ein. Auf Taf. II Fig. 16. 17. habe ich solche unvollständigere Exemplare, wie sie gewöhnlich vorkommen. abgebildet.

Myophoria laevigata Alb.

Myophoria cardissoides Schl. sp. Taf. II Fig. 15 a. b.

Myophoria vulgaris Schl.

Pleuromya Fassaensis Wissm. sp.

Myoconcha gastrochaena Dnkr.

Myacites musculoides Schl.

cf. **Thracia mactroides** Schl. sp.

Natica gregaria Schl.

Holopella gracilior Schaur. sp.

Chemnitzia sp. Dunker Palaeontographica Band I. Taf. 35, Fig. 28. Nach Eck nicht bestimmbar, wegen Unbekanntschaft mit dem Original.

Holopella Schlotheimi Qu. sp.

Serpula Recubariensis n. sp. Taf. III Fig. 10.

Die auf Taf. III Fig. 10 abgebildete *Serpula* trägt einen mittleren und zwei seitliche Kiele und sitzt mit breiter Basis auf, bildet daher ein sehr ungleichseitiges Fünfeck im Querschnitt. Die Anwachsstreifen erheben sich auf den Kielen zu kleinen Höckern und sind auf dem ganzen übrigen Gehäuse als kräftige schuppige Rippen zu sehen. Eine deutliche Querwulst ist noch erhalten. Die Art gehört zur Gruppe der Tricristaten, die in späteren Formationen noch häufiger wird. Es sind aus dem Muschelkalk überhaupt nur wenige Serpula-Arten beschrieben worden und auch diese scheinen nur

3*

in manchen Gebieten häufiger zu sein, so *Serp. valvata* und *colubrina* Gldfuss. Ich besitze von Recoaro auch jene kleinen Dinge, die Schauroth Rec. p. 503 mit dem Goldfussischen Namen *Spirorbis valvata* belegt, wage mich aber nicht mit Sicherheit über die Zugehörigkeit zu den deutschen Vorkommnissen auszusprechen. Die mir vorliegenden Reste sind nicht grösser als ein Stecknadelknopf.

Serpula serpentina Schmid ist Seebach geneigt auf Randwülste von *Ostrea ostracina* zurückzuführen, doch bringt Alberti von ihm als *Serpula socialis* bestimmte Reste mit derselben in Verbindung, es scheinen also doch Serpula-Arten, die der kosmopolitischen *Serp. socialis* nahe stehen, im Muschelkalk vorzukommen. Die von Alberti mit *Serp. pygmaea* vereinigte *Serpula* von Cannstadt bedarf wohl noch erneuter Prüfung.

Aus den Schichten des *Encrinus gracilis* führt Schauroth noch an:

Lingula tenuissima Br. Krit. Verz. pag. 295.

Arca Schmidi Gein.

Ich besitze ähnliches, wie Schauroth Krit. Verz. Taf. 2 Fig. 16 abbildet, ob solche Dinge sich aber mit Sicherheit von abgeriebenen Exemplaren der *Pleuromya Fassaensis* unterscheiden lassen, ist mir sehr zweifelhaft.

Häufig findet man die Schichtungsflächen mit Wülsten bedeckt. *Rhizocorallium* ähnliche Reste mit gitterförmig gezeichneter Oberfläche fehlen nicht, wie denn überhaupt die Gesteinsbeschaffenheit ganz ausserordentlich dem deutschen Wellenkalke gleicht, mit dessen unterer Hälfte ich die Schichten des *Encr. gracilis* gleichstelle. Wegen des Petrefaktenreichthums macht sich dieser Complex überall bemerklich, ohne jedoch für die Configuration der Oberfläche irgendwie massgebend zu sein, da das Gestein leicht zerbröckelt und sanfte Abhänge bildet, die sich gern mit Graswuchs überziehen. Günstige Punkte zum Sammeln bilden nur die Wasserrisse und solche steile Abhänge, an denen die Vegetation keinen Halt findet.

Eine auffallende und von deutschen Verhältnissen abweichende Erscheinung ist es, dass über den Schichten des *Encrinus gracilis* nochmals bunte Mergel folgen. Schauroth erwähnt dieselben nicht, doch konnte ich sie mehrfach sehr deutlich beobachten, so über Roveglianа, wo der nach Mondonovo führende Weg gleich hinter einem Heiligenbilde auf der Wasserscheide zwischen Agno und Leogra am Fusse der Mergel hinläuft. Die Mächtigkeit ist nicht bedeutend und Fossilien scheinen zu fehlen. Rothe und graue Farben wechseln ab und als ein zweites buntes Band von dem Röthdolomit durch die etwa 15—20^{m} mächtigen Schichten des *Encrinus gracilis* geschieden, sieht man die Mergel an den Gehängen hinziehen. Die aus den höheren Dolomitgebirgen herabkommenden klaren Gewässer pflegen hier zum ersten Mal bedeutend getrübt zu werden. Als ein bequemes Mittel, die demnächst zu besprechenden Kalkschichten mit *Brachiopoden* von den oben beschriebenen zu trennen, verdienen die Mergel eine grössere Beachtung, als ihnen bisher zu Theil geworden ist. Am Mt. Spizze sind sie nicht so deutlich zu sehen und desshalb erwähnte ihrer wohl auch Leopold von Buch[1]) nicht. Pirona[2]) zieht die Mergel in seiner wenig bekannten Arbeit mit den Schichten des *E. gracilis* zusammen und so kommt ihm wenigstens das Verdienst zu, das Lager der *Brachiopoden* als ein höheres gegenüber dem des genannten *Encrinus* in's Klare gebracht zu haben, wenn auch seine übrigen Angaben nicht immer zuverlässig sein mögen. Eine Dolomitbank schliesst am Mt. Spizze die Mergel und es beginnen jene festen in einer steilen Wand aufsteigenden Kalke, die wegen ihres Reichthums an *Brachiopoden* seit lange bekannt als eigentlicher Typus des alpinen Muschelkalks galten und Veranlassung zu den Vergleichungen mit oberschlesischen Ablagerungen gaben.

Ein allgemeiner petrographischer Charakter für die folgende Abtheilung lässt sich nicht angeben, da sehr verschiedenartige Gesteine an deren Zusammensetzung Theil nehmen. Verhältnissmässig dickere Bänke liegen unten und diese sind mehr rein kalkiger Natur, während nach oben in dem Maasse, als die Schichten merglig werden, dünne Schichten vorherrschen. Auffallend ist auch in den unteren Bänken das häufige Auftreten von Kiesel, theils fein zertheilt, theils als Versteinerungsmittel dienend und in grösseren Knollen zusammengezogen, die hie und da die Oberfläche der Schichten wulstig erscheinen lassen. Die kieselreichen Bänke enthalten zugleich die meisten *Brachiopoden*, die dann häufig ganz aus Kiesel bestehen, während die mit denselben vorkommenden Stielglieder von *Crinoiden* wie gewöhnlich späthiger Natur sind. Es finden sich eine ziemliche Anzahl von Arten, so dass die gesammte Fauna in Manichfaltigkeit der der unteren Abtheilung nicht nachsteht, jedoch ist sie von auffallend abweichendem Charakter. Folgende Liste vereinigt das mir nach und nach bekannt gewordene[3]):

Scyphia sp., schlecht erhaltene, unbestimmbare rundliche Massen.

---

[1]) Neues Jahrbuch 1848 p. 58.

[2]) Pirona. Costituzione geologica di Recoaro e dei suoi dintorni, in „Monografia delle aque minerali delle provincie venete."

[3]) Ueber die hier und in tieferen Schichten sich findenden Pflanzenreste vergl. die Arbeit Prof. Schenk's pag. 71 dieses Bandes. Alles, was von Pflanzen daselbst als aus „oberstem Wellenkalk" beschrieben wird, gehört hierher.

Corallen.

Es liegen zwei Arten vor, beide nicht bestimmbar. Die eine dürfte die von Schauroth Recoaro Taf. 2 Fig. 15 abgebildete sein. Die andere stellt einen kreiselförmigen, oben gelappten Stock dar, von dem nur die stark gerippte Aussenseite sichtbar ist.

Chaetetes Recubariensis Schaur. Taf. III Fig. 1. a. b.

Diese in grosser Menge eine dünne Schicht über den Hauptbrachiopodenbänken füllende Coralle hat eine ganz unregelmässige Gestalt, indem sie theils kleine Knollen, theils fingerförmig gelappte Massen bildet, wie das auf Taf. III Fig. 1 abgebildete Exemplar. Die Oeffnungen der Kelche lassen hie und da eine reihenförmige Anordnung erkennen, stehen im Allgemeinen aber ganz regellos. Die vergrösserte Ansicht, Taf. III Fig. 16 ist in dieser Beziehung nicht ganz richtig. Die Kelchränder sind polygonal oder rundlich. Auf Längschnitten sieht man ganz die bei Schauroth, Recoaro Taf. I Fig. 2c abgebildete Stellung der Querscheidewände, die nicht mit einander correspondiren. Schliffe zeigen auch die Anordnung der Zellen in schräg gegen die Axe der Hauptwachsthumsrichtung gestellten Reihen, ganz wie bei *Calamopora*. Es ist jedoch weder von Sternlamellen, noch von Durchbohrung der Wände eine Spur zu sehen. Die spätere Angabe Schauroths, Krit. Verzeichniss pag. 284, dass nur Einschnürungen, keine Scheidewände vorhanden seien, sehe ich an einem mir vorliegenden Schliff nicht bestätigt. Ueberall laufen die Querwände von einer Kelchseite zur andern hinüber, man müsste bei der grossen Anzahl von Zellen, die ein solcher Schnitt trifft, doch hie und da die mittlere Oeffnung sehen, wenn es sich nur um Einschnürungen handelte. Im Verzeichnisse der Versteinerungen des herzoglichen Naturalienkabinets zu Koburg pag. 52 hat Schauroth auch den Namen *Chaetetes* beibehalten. *Calamopora Cnemidium* Klipst., die Schauroth als sehr ähnlich anführt, stellt Laube (Fauna d. Schicht von St. Cassian I pag. 23) zu *Actinofungia* (Tragos) *astroites* Mnstr. sp. Ist die Identifikation richtig, so würde die auf der Laube'schen Abbildung Taf. II Fig. 6 deutlich hervortretende Schwammnatur die Klipstein'sche Art von *Chaetetes Recubariensis* weit entfernen.

Encrinus Carnalli Beyr. Taf. IV Fig. 1 a—c.

Es liegen zwei Patinen vor, eine ganz frei heraus gewitterte, auf Taf. IV abgebildet, eine andere im Gestein sitzend und von der Unterseite sichtbar. Da keine Exemplare mit Armen aufgefunden wurden, ist man auf die Beschaffenheit der unteren Kelchtheile allein bei einem Vergleich mit bekannten Arten angewiesen. Diese stimmen aber in den wesentlichsten Merkmalen ganz mit *Encrinus Carnalli* aus dem Rüdersdorfer Schaumkalk (Beyrich, Crinoiden d. Muschelkalks, Abh. der Berliner Akad. 1857 Taf. I Fig. 14). Der innere Basalkranz ist deutlich entwickelt, die äusseren Basalglieder ragen weit über den Umfang des letzten Stielgliedes hinaus, dessen gekerbter Rand einen scharfen Eindruck hinterlassen hat. Die ersten Radialia legen sich beinahe flach an, so dass der Kelch eine verhältnissmässig nur geringe Tiefe erhält. Die Bemerkung Beyrich's, dass *Encr. Carnalli* sich von *Encr. liliiformis* durch die nicht angeschwollene oder sackförmige Gestalt der Glieder des ersten Radialkranzes unterscheidet, trifft also hier ganz zu.

Innen schimmern die Grenzen der äusseren Basalglieder und der ersten Radialglieder nur ganz schwach durch. Man unterscheidet die fünfseitige Centralgrube, an die sich die fünf Radialgruben anfangs mit steilem, dann mit flacherem Boden anschliessen. Die Interradialgruben steigen anfangs steil an, setzen aber dann mit beinah rechtwinkliger Kante gegen die zwischen zwei benachbarten Muskelfortsätzen liegende dreieckige Fläche ab. Der Winkel, unter dem die Muskelfortsätze zweier an einander grenzender Radiale sich einander nähern, ist etwa ein rechter, also etwas spitzer als der Winkel des regelmässigen Fünfecks, welches die äussere Kante des Radialkranzes bildet, aber nicht so spitz, als es nach Beyrich (Crinoiden Taf. I. Fig. 16) bei *Encrinus liliiformis* der Fall ist. Eine Begrenzung der Radial- und Interradialgruben durch deutliche Kanten sehe ich nicht, die Gruben und die dieselben trennenden Rücken verlaufen gerundet in einander. An einer Seite (Fig. 1 b.) ist der Kanal, welcher die Fortsetzung der Interradialgrube bildet, noch geschlossen erhalten, meist ist die denselben oben begrenzende Partie weggebrochen. Eine weitere Erörterung wird durch die Abbildung und die allgemeine Uebereinstimmung mit *Encrinus liliiformis*, dessen Innenseite von Beyrich genau beschrieben wurde, überflüssig.

Die Abbildung ist in doppelter Grösse, das Exemplar also etwas kleiner als das von Rüdersdorf. Um jeden Zweifel über die Identität zu heben, wird man das Auffinden der übrigen Kronentheile abwarten müssen. Die vorliegenden Reste können aber nur dem *Encrinus Carnalli* oder einer neuen Art angehören.

Encrinus sp. (Encr. tenuis Münster M. S.)

Herrn Professor Zittel verdanke ich die Mittheilung einer Krone, die mit der Münster'schen Sammlung in die akademische Sammlung in München übergegangen ist. Die Etiquette trägt die Bezeichnung *Encrinus tenuis* und als Fundort wird Recoaro angegeben. Es war mir nicht möglich, einen wesentlichen Unterschied gegen *Encr. liliiformis* herauszufinden, nur sind die

Dimensionen geringer, als sie deutsche Kronen dieser Art in der Regel zeigen. So sind z. B. die bei Erkerode gewöhnlich vorkommenden doppelt so gross. Vielleicht könnte *Encr. aculeatus* in Frage kommen, doch sind Protuberanzen der Armglieder nicht zu bemerken. Da das Exemplar aber stark mit Säure behufs der Reinigung angegriffen wurde, könnten die Stacheln auch verschwunden sein.

Encrinus sp. Patina. Taf. IV Fig. 4.

Die abgebildete im Gesteine sitzende Patina unterscheidet sich von allen mir bekannten Muschelkalk-Encriniten. Innerer und äusserer Basalkranz liegen in einer Ebene. Die Radialien erster Ordnung zeigen dicht an der Grenze gegen die Basalia eine geringe Anschwellung ihrer unteren Hälfte, während die äussere Hälfte sich scharf nach oben biegt, jedoch niedrig bleibt. An einer Seite lässt sich noch der Muskelansatz mit dem durchbohrenden Canal erkennen. Die ganze Patina gewinnt so das Ansehen einer flachen fünfseitigen Scheibe mit niedrigen Rändern. Der Eindruck des letzten Stielgliedes ist noch zu erkennen und aus der Stellung desselben ergibt sich, dass bei vorhandenem Stiel der äussere Basalkranz nur sehr wenig über den Stengel herausragte. Dies Verhältniss ist also ähnlich wie bei *Encr. liliiformis* (Beyrich l. c. Taf. I Fig. 3). Die nicht eingesenkte Lage der inneren Basalia gegen die äusseren, sowie die etwas andere Beschaffenheit der Radialia erster Ordnung scheint jedoch die Vereinigung mit dieser Art zu verbieten.

Encrinus sp. Taf. IV Fig. 3 a. b.

Innerer und äusserer Basalkranz, letzterer bis auf ein Glied und das letzte scheibenförmige Stengelglied sind erhalten. Wie bei vorigem Exemplar liegen beide Basalkränze in einer Ebene, doch ragen die Glieder des äusseren derselben hier weit mehr über das letzte gerundet fünfeckige Stengelglied hinaus. Nach der senkrecht abfallenden äusseren Nathfläche der äusseren Basalglieder zu urtheilen, lagen auch die Radialglieder noch horizontal an. Von der ziemlich tiefen Centralgrube aus bemerkt man Andeutungen der nach oben laufenden Radial- und Interradialgruben. Diese Theile reichen zu einer spezifischen Bestimmung nicht aus.

Encrinus sp. Taf. IV Fig. 2.

Ein erstes Radial, ausgezeichnet durch die tief herabhängend sackförmige Verlängerung der Aussenseite. Fig. 2 c. wurde so gezeichnet, wie die natürliche Stellung an der vollständigen Krone gewesen sein mag.

Encrinus sp. Taf. IV Fig. 8.

Ein zweites Radial, von der oberen Nathfläche gesehen.

Entrochus sp. cf. **Encrinus liliiformis.**

Erfüllen mehrere Fuss mächtige Bänke mit Brachiopoden, besonders *Retzia trigonella* und *Rhynchonella decurtata*. Seltener kommen Glieder vor wie Taf. IV Fig. 5 mit sehr kräftiger Kerbung der Gelenkfläche, die Leisten bis 2 Drittel nach Innen laufend. Vergl. Goldfuss Taf. 53 Fig. η.

Entrochus Silesiacus Beyr. Taf. IV Fig. 12 a—c.

Schauroth hat solche Glieder *Encr. radiatus* genannt, (Krit. Verz. pag. 288. Taf. 1 Fig. 4 a—c.) nachdem Beyrich ähnlich gestaltete aus oberschlesischem Muschelkalk (Crinoiden pag. 46), auf die schon von Quenstedt früher aufmerksam gemacht worden war, als *Encrinus Silesiacus* aufgeführt hatte. Eck hat denn auch unter den Synonymen des *Encr. Silesiacus* den *Encr. radiatus*. Diese Glieder sind viel seltener als *Encr. liliiformis*. Bei vorgeschrittener Verwitterung erweitert sich der Nahrungskanal ganz wie bei *Apiocrinus*, mit dessen Gelenkflächen die der vorliegenden Stielglieder auch ganz übereinstimmen. An einem noch zusammenhängenden Stengelstück Fig. 12 c. tragen einzelne Glieder Narben von Wirteln.

Eine besondere Bank erfüllen Glieder wie Taf. IV Fig. 6. 7., deren ersteres mit Pentacrinus dubius bezeichnet werden kann, während letzteres, wäre es in deutschem Muschelkalk gefunden, als Encrinus pentactinus oder Encr. Schlottheimi bezeichnet werden würde. Ebenso wie diese hält Encr. Carnalli und Encr. sp. Taf. IV Fig. 4 eine besondere höhere Bank ein über den Hauptbrachiopodenbänken, während die übrigen, besonders die Hauptmasse der Stengelglieder förmliche Trochitenkalke im Horizont der Brachiopoden bilden.

Radiolus cf. **Cidaris grandaeva** Gldf.

Cidaris sp. cf. **Cidaris lanceolata** Schaur.

Eine Assel aus dem Trochitenkalk, stimmt mit der Schauroth'schen Abbildung.

Cidaris lanceolata Schaur. Radioli. Taf. III Fig. 12. 13.

Sehr häufig grosse, plattgedrückte Stacheln mit fein granulirter Oberfläche und deutlich gekerbter Gelenkung. Bis 4^{cm} lang. Ich bin über die Identität mit der von Schauroth neu benannten Art nicht sicher, vermuthe aber, wegen der Häufigkeit der mir vorliegenden Stacheln, dass solche stattfindet. Nach Analogie jurassischer Vorkommnisse würde wohl die Gattungsbezeichnung *Rhabdocidaris* anzuwenden sein.

Ostrea ostracina Schl. Taf. III Fig. 7. 8.

Zeigt in der Gegend des Wirbels den Ostreencharakter in der Art der Anwachsstreifung der Bandgrube. Fig. 7 ist innen fein gestreift, wie das auch Seebach angibt.

Pecten Albertii Gldf.

Pecten discites Schl.

Hinnites comtus Gldf. Taf. III Fig. 9.

Mit einzelnen Janiraartig hervortretenden Rippen und sehr zierlicher Sculptur der Oberfläche.

Lima lineata Schl.

Lima striata Schl.

Gervillia socialis Schl.

Gervillia costata Schl.

In dieser Abtheilung seltener als in der unteren, aber bis in die höchsten Schichten hinaufgehend.

Myophoria vulgaris Schl. Taf. III Fig. 6.

Löst sich sehr zierlich aus den harten Kalken heraus.

? **Myophoria orbicularis** Br. Taf. IV Fig. 14.

Es ist sehr zweifelhaft, ob die Bezeichnung richtig ist. Gehört aber dieses einzige mir vorliegende derartige Exemplar nicht zu *Myophoria orbicularis*, so würde diese Art bis jetzt in den Südalpen nicht nachgewiesen sein.

Modiola substriata Schaur. Taf. III Fig. 11.

Es ist jedenfalls die Schauroth'sche Art, die mir vorliegt, mein Material reicht aber nicht aus, das Verhältniss zu Mytilus Mülleri Gieb. (Verst. v. Lieskau Taf. III Fig. 2) zu untersuchen.

? **Myoconcha gastrochaena**, Dnkr. sp. Taf. III Fig. 3.

Mehrere sehr gut erhaltene Schalenexemplare, mit einzelnen Pflanzenresten, noch über den Hauptpflanzenbänken liegend. Das Schloss ist unbekannt und so wurde die Bezeichnung nur nach der äusseren Gestalt gewählt. Professor Sandberger, dem ich ein Exemplar vorlegte, ist geneigt, sie für eine *Cardinia* zu halten.

Retzia trigonella Schl. sp.

Die gesammten Brachiopoden werden später von Dr. Schloenbach behandelt werden, ich beschränke mich daher darauf, zu bemerken, dass ich die verschiedenen, von Schauroth aufgeführten Arten der Gruppe der *Terebratula vulgaris* hier nicht getrennt habe.

Spiriferina Mentzeli Dnkr.

Spiriferina hirsuta Alb.

Terebratula vulgaris Schl.

Terebratula angusta Mnstr.

Rhynchonella decurtata Gir.

Natica Gaillardoti Lefr.

Sehr gross werdend und hoch in den Schichten hinauf gehend.

Natica dichroos n. sp. Taf. III Fig. 4.

Sehr schöne Art, mit noch erhaltenen Farbenbändern. Das abgebildete Exemplar in natürlicher Grösse. Andere, wie sie in ziemlicher Häufigkeit in einer Bank vorkommen, die zwischen Pflanzenschichten liegt, werden noch beträchtlich grösser. Es sind 4 Umgänge sichtbar, der letzte sehr bauchig. Die Nath liegt in einer tiefen Rinne, so dass die Umgänge sich vor derselben in einer scharfen Kante erheben, etwa wie bei *Natica oolithica*. Die Nabelschwiele ist ausserordentlich stark, die Grundfarbe des Gehäuses ist braun mit zwei helleren Bändern auf jedem Umgang, die von braunen, zickzackförmigen Zeichnungen unterbrochen werden.

Chemnitzia scalata Schl. sp. Taf. III Fig. 5.

Von beträchtlichen Dimensionen, ganz übereinstimmend mit den so häufigen Steinkernen der Gegend von Rüdersdorf und Lieskau.

Pleurotomaria Albertina Ziet.

Bairdia triasina Schaur.

Sehr häufig in einem schiefrigen Bänkchen von geringer Mächtigkeit zwischen den Pflanzenbänken ziemlich hoch oben. Ich konnte dasselbe nur an einer Lokalität auffinden, jedenfalls aber ist es in den Umgebungen von Recoaro weiter verbreitet.

Vergleichen wir die hier mitgetheilten Listen von Fossilien aus dem ganzen Muschelkalk von Recoaro mit denen von Schauroth gegebenen, so fehlen, wenn wir von den Varietäten der *Terebratula vulgaris*, den zahlreichen *Rissoen* und einigen unsicheren Resten absehen, nur wenige. Am wichtigsten darunter ist vielleicht *Spirifer fragilis* und *Terebratula sulcifera*, die ich nicht gefunden habe. Eine Schuppe eines Fisches (Schauroth führt Theile von Acrodus an) kam mir auch einmal vor, das ändert aber in der grossen Seltenheit von Fischen und Reptilien im alpinen Muschelkalk nichts.

Brachiopoden und Stielglieder vom Typus des *Encrinus liliiformis* gehen aus den unteren Bänken, die ihr Hauptlager bilden, noch höher hinauf und zwar besonders die ersteren, denen man in dünnen Lagen und schliesslich vereinzelt begegnet, so lange überhaupt noch Fossilien sich finden. Auch die Pflanzen beginnen frühzeitig. Schon in den kieselreichen Bänken liegen bis 1″ dicke, verkohlte Aeste mitten zwischen den Brachiopoden. Erst höher oben aber, wo die anderen Fossilien seltener werden, stellen sich einige dünne Schichten weicher, mergeliger Gesteine mit den schönsten beblätterten Zweigen und Fruchtständen ein. Auch wiederholen sich mehrmals Kohlenbänkchen, die stellenweise bis 3″ Mächtigkeit erreichen, doch nirgend anhalten und in wenigen Fuss horizontaler Entfernung sich wieder auskeilen. In mürben Schiefern in dieser Hauptpflanzenregion fanden sich auch die *Bairdien*. Eine besondere Bank hat ferner *Chaetetes Recubariensis*, deren Oberfläche zuweilen ganz bedeckend. *Encrinus Carnalli* und *Encrinus* sp. Taf. IV Fig. 4 fanden sich ebenfalls in einer besonderen Schicht über der Hauptmasse der Brachiopoden. Es lag wegen des Ersteren nahe, hier ein besonderes Aequivalent des Schaumkalks finden zu wollen, dem in Deutschland *Encrinus Carnalli* eigen ist, allein es gehen Brachiopoden und Pflanzen auch über diese Bank noch hinauf. Ziemlich den Schluss der Fauna bildet die schöne *Natica dichroos* und die Schalenexemplare der ? *Myoconcha gastrochaena*. Ueber denselben wurden nur noch einzelne *Gervillia costata* und *Retzia trigonella* angetroffen.

Der Uebergang zu fossilfreien Bänken ist, wie sich schon aus dem vorigen ergibt, ein ganz allmäliger. Ueber den letzten *Gervillien* und *Retzien* folgen noch beträchtliche Kalkmassen von etwa 20 ^{m}, in ihrer allgemeinen Beschaffenheit mehr der unteren Abtheilung der vorhergehenden Schichten gleichend. An Stelle der Kieselausscheidungen tritt aber Baryt, der in blättrigen Massen stellenweise allein das Gestein bildet. Die Verwitterungskruste färbt sich lebhaft rothbraun.

Die nun folgenden von Schauroth als Keuper gedeuteten Sandsteine von rother Färbung, die den Muschelkalk von den Dolomiten der oberen Trias trennen, scheinen beinahe ganz fossilfrei zu sein. Nur ein Plättchen, mit einer *Gervillia* ähnlichen Muschel bedeckt, fand sich am Mt. Spizze.

Aus den höher liegenden hellen Kalken und zuckerkörnigen Dolomiten erhielt ich einen *Megalodus triqueter* und nicht selten den *Turbo solitarius* (diese Beiträge Band I pag. 155), dessen Vorkommen in Keuperdolomiten der Nordalpen auch Mojsisovics in neuerer Zeit nachwies (Jahrb. Reichsanst. 1866 Verh. pag. 163). Durchschnitte von Ammoniten und Gastropoden aus heruntergefallenen Blöcken gestatten keine weitere Bestimmung.

Untersuchen wir nun, welche allgemeinere Bedeutung die einzelnen bei Recoaro nachgewiesenen Unterabtheilungen haben. Zunächst ist denn hervorzuheben, dass solche Abtheilungen sich überhaupt mit Schärfe aufstellen lassen und dass man nicht von Recoaro als dem Typus eines Muschelkalkvorkommens sprechen kann, das als Ganzes mit irgend anderen Ablagerungen zu vergleichen sei. Bisher hatte nur Schauroth die unteren Schichten des Röthdolomits gesondert hingestellt, alles darüber liegende wurde von ihm und seinen Nachfolgern zusammengefasst oder wenigstens, wie bei Pirona, den einzelnen getrennten Schichten keine weitergehende Bedeutung beigelegt. *Encrinus gracilis* und die Brachiopoden finden sich in der Literatur gemeinsam als bezeichnend für den Muschelkalk von Recoaro angeführt, ohne dass auf das getrennte Lager derselben hingewiesen wurde. Es lag allerdings um so weniger Veranlassung vor, an dieser Association zu zweifeln, als auch, wie später von Reutte aus, auf der Nordseite der Alpen der Muschelkalk nach Osten und Westen verfolgt wurde, in gleicher Weise die Brachiopoden und Stielglieder von *Encrinus gracilis* in einer Schicht zitirt wurden.

Zu einer Zeit, wo man nur erst von dem Vorkommen bei Recoaro als ächtem alpinem Muschelkalk zu sprechen berechtigt war und die weite Verbreitung dieser Formation in den Alpen noch nicht kannte, hatte man sich gewöhnt, Oberschlesien als Vergleichungspunkt für den deutschen Muschelkalk herbeizuziehen, ja hatte wohl sogar den oberschlesischen Muschelkalk als eine alpine Facies im Gegensatz zum übrigen deutschen Muschelkalk angesehen. Worin nun aber eigentlich die Uebereinstimmung zwischen der schlesischen und der vicentinischen Ablagerung besteht und wie gross dieselbe, wenigstens für die unteren Abtheilungen, ist, lässt sich in vollem Maasse erst jetzt, auf Grund der vortrefflichen Arbeit Eck's übersehen. (H. Eck. Ueber d. Format. d. bunten Sandsteins und des Muschelkalks in Oberschlesien.)

Wir finden in der der Eck'schen Arbeit angehängten Parallelgliederung die grosse Zahl der einzelnen unterschiedenen Schichten in eine Reihe solcher Abtheilungen zusammengefasst, die einen bequemen Vergleich mit andern Gegenden gestatten. Auch wurde gelegentlich darauf hingewiesen, dass die oberschlesischen Ablagerungen durchaus nicht so abweichend dem übrigen deutschen Muschelkalk gegenüberstehen, als das bisher angenommen wurde. Insbesondere konnte auf das Auffinden der Brachiopoden bei Würzburg durch Sandberger hingewiesen werden, um darzuthun, dass gerade die Thierreste, die bisher als ausschliesslich die sogenannte alpine Facies charakterisirend angesehen wurden, eine ziemlich weite Verbreitung haben, und dabei einen constanten Horizont einhalten. Durch die oben mitgetheilte Gliederung sind wir nun auch in den Stand gesetzt, die Vorkommnisse von

Recoaro genauer mit Oberschlesien zu vergleichen, als es bisher möglich war, und können, indem wir uns der letzteren Gegend gewissermassen als einer Brücke bedienen, auch das Verhältniss des vicentinischen zum übrigen deutschen Muschelkalk in's Klare setzen.

An der Basis seiner Trias hat Eck den bunten Sandstein, den wir bei Recoaro und den übrigen Lokalitäten ebenfalls zu unterst antrafen. Die im thüringisch-fränkischen bunten Sandsteine auftretenden Rogensteine fehlen in Oberschlesien, ebenso in den Alpen. Dafür ist hier die untere Abtheilung häufig conglomeratartig, in westlichen Gegenden noch viel auffallender als in den mittleren, indem besonders in der Lombardei der sogenannte Verrucano eine solche Mächtigkeit erreicht, dass man häufig die Vermuthung ausgesprochen hat, er möge auch noch tiefere als triadische Formationen repräsentiren [1]). Eine andere als petrographische Grenze lässt sich nach Oben für den eigentlichen bunten Sandstein nicht angeben. Man muss denselben eben da enden lassen, wo mergelige und kalkige Beschaffenheit des Gesteins die Oberhand gewinnt. Vielleicht finden sich noch mit der Zeit Pflanzenvorkommnisse, welche bessere Erhaltung zeigen, als die Kohlenschmitze im Prechelegraben (S. o. pag. 26), denn diese könnten dann den Elsässer und Badischen im Alter gleich stehen und die ungefähre obere Grenze des bunten Sandsteins anzeigen. Das Fehlen oder sehr seltene Vorkommen [2]) von Reptilien kann als ein negativer Charakter des alpinen bunten Sandsteins gelten.

Rothe Letten mit feinen Sandsteinen und Dolomiten folgen in Oberschlesien auf den bunten Sandstein und Eck führt bereits eine ziemliche Anzahl Fossilien aus denselben an, während tiefer nur eine *Lingula tenuissima* und ein nicht weiter bestimmbarer *Pecten* gefunden wurden. Diesen Schichten steht unzweifelhaft gleich unser Röthdolomit, wohl der constanteste und weitverbreitetste untere Triashorizont der Südalpen, da er sich von dem Comer-See an nach Osten hin verfolgen lässt, so weit man überhaupt bis jetzt genauere Untersuchungen in den östlichen Fortsetzungen der Alpen gemacht hat. *Posidonomya Clarai* und *Naticella costata* dürften die am häufigsten angeführten Fossilien sein. Ich besitze beide vom Passe Croce Domini an der Grenze von Lombardei und Tirol. Etwas weiter westlich liegen sie noch in Val Camonica. Noch weiter nach Westen scheint

[1]) Vergl. die interessante Arbeit von Süss, Sitzungsber. d. Wiener Akad. d. Wissensch. 1868: über die Aequivalente des Rothliegenden in den Südalpen.

[2]) Gümbel (geogn. Beschreib. der bayerischen Alpengeb. pag. 181) hat Nothosaurus mirabilis von Gartenau bei Berchtesgaden.

in dem Maasse, als der bunte Sandstein mehr conglomeratartig wird, der Röthdolomit mit seinen Fossilien zurückzutreten. Inmitten Tyrol's beginnen die Cephalopoden (unterer Horizont mit *Ceratites Cassianus* etc.), die gegen Osten immer häufiger zu werden scheinen, wie das aus Hauer's Mittheilungen zu ersehen ist (Sitzungsber. Wiener Akad. Band 52 1865). Auf der Nordseite der Alpen sind sichere Nachweise spärlicher, wie denn überhaupt in diesem Augenblick die Ansichten über die rothen Sandsteine daselbst, besonders der mit den Salzvorkommnissen verbundenen, sehr auseinander gehen. Doch reichen auch hier die Angaben Hauer's hin, mit Sicherheit den Röthdolomit zu constatiren. *Naticella costata* und *Posidonomya Clarai* führt auch Gümbel von einer Reihe von Punkten an.

Auch in anderen ausseralpinen Gegenden ausser Oberschlesien, pflegt meist der Uebergang von reinem Sandstein in die Kalke durch ein System mergeliger, thoniger und sandiger, dünnschichtiger Gesteine vermittelt zu sein, die nach Oben häufig dolomitische Beschaffenheit annehmen. Wegen der schlechten Erhaltung waren die Fossilreste dieser Schichten bisher ziemlich verachtet, erst neuerdings hat man denselben mehr Aufmerksamkeit zugewandt und da zeigten sich gegenüber den Alpen mancherlei provincielle Eigenthümlichkeiten. Ausser *Myophoria costata* Zenk. (fallax Seeb.) wird kaum ein, für den ausseralpinen Röth allein bezeichnender Rest aufzufinden sein. Diese Art gerade kenne ich aus den Alpen nicht und an ihre Stelle tritt *Myoph. ovata*, die in Deutschland erst im oberen Wellenkalk auftritt und nirgends eine besondere Bedeutung erlangt. Dafür ist *Posid. Clarai*, *Natic. costata* und *Turbo rectecostatus* dem alpinen Röth eigen und auf diesen beschränkt, in Deutschland aber ganz unbekannt. Ebenso fehlen ausserhalb der Alpen Cephalopoden, denn das Auftreten des *Ammonites Buchi* bei Lendzin im Röth (Eck pag. 40) steht noch sehr vereinzelt. Sollte auch noch eine ganze ausseralpine Cephalopodenfacies aufgefunden werden, so wäre die Uebereinstimmung der Arten doch noch sehr fraglich. Man darf übrigens die Vergleichungen nicht zu weit treiben. Es liegt in der Natur der in Rede stehenden Schichten, dass sie bis in's Einzelne hinein nur auf geringe Entfernungen übereinstimmen können und ebenso werden die einzelnen Fossilien verschieden früh auftreten und verschwinden. Im Ganzen und Grossen aber lässt sich die Uebereinstimmung und weite Verbreitung dieser Schichten in Mitteleuropa nicht in Abrede stellen, und man ist sogar versucht, in aussereuropäischen Vorkommnissen, wie den Sandsteinen der Spitischichten von Balamsali im Himalaya (Gümbel, Sitzungsber. bayer. Akad. 1865) eine dem Röthdolomit gleichzeitige Bildung erkennen zu wollen. Eine gleichartige ist es jedenfalls.

Wir wenden uns zu jüngeren Schichten und werden hier noch ein weiteres Argument für die Gleichstellung alpinen und ausseralpinen Röthdolomits gewinnen. Je nachdem man die Mergel mit *Myophoria orbicularis* als ein besonderes Glied auffasst oder nicht, kann man den deutschen unteren Muschelkalk in drei oder zwei Abtheilungen bringen. Dies Fossil ist nun nur von Recoaro und auch da nicht sicher bekannt und von einem Horizont desselben kann in den Alpen nicht die Rede sein. Da die Schichten der *Myoph. orbicularis* auch sonst nur sehr wenige und keine bezeichnenden Fossilreste enthalten, fällt jeder Grund weg, dieselben bei einer Vergleichung mit alpinen Vorkommnissen besonders zu berücksichtigen. Wollen wir daher Recoaro mit ausseralpinem Wellenkalk vergleichen, so werden wir nur eine untere und obere Abtheilung in Betracht zu ziehen haben.

Es ist jetzt wohl allgemein anerkannt, dass die oberschlesischen Brachiopodenschichten, d. i. bei Eck die Hauptmasse der oberen Abtheilung des unteren Muschelkalks, mit den alpinen Brachiopodenschichten in naher Beziehung stehen, nur das ist noch Gegenstand der Diskussion, ob man die alpinen Schichten als Vertreter des ausseralpinen Wellenkalks allein, oder zugleich auch noch des gesammten Muschelkalks anzusehen habe. Die letztere Ansicht konnte so lange mit gewissem Recht ausgesprochen werden, als nicht dem einseitigen paläontologischen Beweise, der zu Gunsten einer speciellen Parallelisirung geführt wurde, auch Gründe aus den Lagerungsverhältnissen genommen, zur Seite standen. Hat man, so wurde argumentirt, in einem Gebiete drei Schichten a b c durch ihre Lagerung in einer gewissen Reihenfolge erkannt, und alle drei sind durch Fossilien bezeichnet, und man findet nun in einer entlegenen Gegend eine Schicht b', deren organische Einschlüsse mit denen von b übereinstimmen, so ist der Schluss, dass nun b' nothwendig b entsprechen müsse, nicht gerechtfertigt, so lange nicht auch für a und c Aequivalente gefunden sind. Fehlen diese, nahm man an, so kann b' ebensogut auch ein Aequivalent für a, b und c zusammen sein.

Wir sind nun für die Gegend von Recoaro in der Lage, den Nachweis zu führen, dass bei dem früher schon mehrfach gemachten direkten Vergleich der alpinen Brachiopodenschichten nur allein mit deutschem oberen Wellenkalk, die ersteren durchaus nicht in der Luft schweben. Wie nämlich die von mir als Schichten des *Encrinus gracilis* beschriebene Abtheilung bei Recoaro den Raum zwischen Röthdolomit und Brachiopodenbänken ausfüllt, so lagern in Oberschlesien zwischen den gleichen Schichten die kavernösen Kalke und die als Schichten von Chorzow bei Eck genauer beschriebenen Gesteine (Eck pag. 44) und nur eine ganz abweichende paläontologische Entwicklung derselben könnte einen Vergleich mit den südalpinen Schichten verbieten. Es findet nun aber im Gegentheil eine sehr gleichartige Entwickelung der Fauna statt. Von den höheren Thieren müssen wir freilich absehen, denn Fische und Saurier, so bezeichnend für ausseralpine Trias, spielen im Muschelkalk der Alpen ebenso wie im bunten Sandstein keine, oder nur eine sehr untergeordnete Rolle. Von niederen Thieren finden sich bei Eck, pag. 48, beinahe alle von mir von Recoaro angeführten Arten, mit Ausnahme natürlich der neuen und einiger weniger anderer, die überhaupt für keinen bestimmten Horizont bezeichnend sind.

Encrinus gracilis beherrscht die Fauna bei Recoaro in diesem Horizonte und fehlt höher gänzlich[1]). In Oberschlesien hat er ebenfalls in den Schichten von Chorzow sein Hauptlager, wenn er auch einzeln höher hinauf geht. Nächst demselben sind am häufigsten *Pecten discites*, *Lima lineata*, *Gervillia costata* und *mytiloides*, *Myophoria cardissoides*. Alle diese Formen kommen auch sonst im Wellenkalk vor und sind zum Theil auf denselben beschränkt und sehr bezeichnend wie *Gerv. mytiloides* und *Myoph. cardissoides*. Wenn also schon die Lagerung die Schichten des *Encrinus gracilis* in den unteren Wellenkalk verweist, so führt die Untersuchung der übrigen Fauna zu dem gleichen Resultate.

Da die Brachiopodenschichten nun nicht mehr auf Oberschlesien beschränkt sind, sondern von Sandberger bei Würzburg, von mir selbst am unteren Neckar nachgewiesen sind, und deren Vorkommen durch Seebach (Weimar'sche Trias, Zeitschr. deutsch. geol. Gesell. Band 13 pag. 565) in Thüringen wahrscheinlich gemacht ist, wird es gestattet sein, auch die in diesen Gegenden zwischen den genannten Schichten und dem Röth liegenden Bänke als gleichzeitige Bildungen mit den Schichten des *Encrinus gracilis* von Recoaro anzusehen. Doch ist es entschieden für jetzt nicht thunlich, weitere Unterabtheilungen, wie sie wohl in Deutschland, und auch da nur lokal nachgewiesen wurden, in den Alpen wiedererkennen zu wollen. Ich glaube auch späterhin wird die Aufgabe darin bestehen, innerhalb des gewonnenen Rahmens grösserer Abtheilungen, mehr die Verschiedenheit als die Gleichheit der zoologischen und petrographischen Facies aufzusuchen, was aber mit Sicherheit erst nach Vollendung sehr specieller Karten möglich sein wird, die zu einer schrittweisen Aufnahme nöthigen.

Ein Blick auf die mitgetheilten Listen von Fossilien genügt, um zu erkennen, wie verschiedenartig die Gesammtheit der beiden oben getrennten

---

[1]) Schauroth führt zwar im Verzeichniss der Versteinerungen des herzogl. Mineralienkabinets zu Coburg pag. 53 Encrinus gracilis aus unterem und mittlerem Muschelkalk an, dieser letztere gehört aber wohl noch zu meiner unteren Abtheilung.

Abtheilungen in paläontologischer Hinsicht entwickelt ist. Gerade die charakteristischen und häufigen Arten sind von beschränkter Verbreitung, so *Encrinus gracilis* und *Gervillia mytiloides* unten, die anderen Crinoideen und die Brachiopoden oben. Ein solches absolutes Verschwinden von häufigen Arten ist besonders im Muschelkalk eine nicht gewöhnliche Erscheinung, man muss sich jedoch dabei erinnern, dass die beiden kalkigen Ablagerungen durch Mergel und Sandsteine von einander getrennt sind, somit ein vollständiger Wechsel der Facies stattgefunden hat.

Ausserordentlich ist nun die Uebereinstimmung der Fauna der Brachiopodenschichten Oberschlesien's und Recoaro's. Scyphien und Corallen sind in beiden Gegenden zu Hause. Mein Material reichte zwar zu genauerer Bestimmung nicht aus, doch wurde *Thamnastraea Bolognae* Schaur. von Eck auf *Tham. Silesiaca* Beyr. zurückgeführt. Während die oberschlesischen Scyphien eigentlich alle im Mikultschützer Kalk liegen, gehen die Corallen durch mehrere Schichten durch. Bei Recoaro konnte ich nur beobachten, dass Schwämme mit Brachiopoden in demselben Handstück sitzen, *Chaetetes Recubariensis* und die übrigen Corallen aber eine Schicht über der Hauptmasse der Brachiopoden erfüllen. Die genannte Art zeichnet sich vor anderen Corallen durch ihre grosse Häufigkeit und wenn die von Sandberger bei Würzburg aufgefundene Art sich als identisch erweisen sollte, auch durch ihre weite Verbreitung aus. Der *Chaetetes triasinus* Schaur., der mit *Cylindrum annulatum* Eck sp. übereinstimmen soll, wurde mir nicht aus eigener Anschauung bekannt, da ich das Tretto, wo er sich findet, nicht besuchen konnte. Der Rest bei Hauer (Venet. Foss. Taf. 4 Fig. 19) dürfte wohl auch verwandt sein. Es werden übrigens hier Dinge aus sehr verschiedenen Horizonten zusammengenommen. So stammt die wohl auch in Vergleich gezogene *Gastrochaena obtusa* Stopp. aus Keuperdolomiten. Ebenso gehört in den Keuper Schafhäutl's *Nullipora* von der Zugspitze. Immerhin mag ähnliches in Oberschlesien im Himmelwitzer Dolomit und im Tretto in höheren Horizonten des Muschelkalks liegen. Allgemeinere Vergleiche auf diese Dinge hin werden jedoch nur mit Vorsicht aufzunehmen sein. Das Vorkommen im Tretto wurde übrigens von Schauroth in seiner ersten Abhandlung pag. 527 aus Findlingen angegeben, die vermuthlich aus dem Niveau von St. Cassian stammen sollten, erst in der zweiten Abhandlung pag. 285 heisst es, dass *Ch. triasinus* jedenfalls dem Muschelkalk angehöre.

Von Crinoideen führt Eck *Encrinus aculeatus, gracilis, Entrochus* cf. *E. liliiformis, Entrochus dubius* und *Silesiacus* an. Kronentheile von *Encr. aculeatus*, welche allein entscheiden könnten, habe ich bei Recoaro nicht gefunden. Die Begrenzung der Art scheint übrigens nach dem Nachtrage bei Eck, wo die von Beyrich abgebildete Patina von *Encr. aculeatus* (Crinoid. Taf. 1 Fig. 16) mit *Encr. liliiformis* in Verbindung gebracht wird, noch zweifelhaft. *Encr. gracilis* wurde oben besprochen. Die andern drei Arten finden sich bei Recoaro häufig vor, doch nur in vereinzelten Stiel- und Kronentheilen. In Oberschlesien fehlt und tritt in Recoaro auf: *Encr. Carnalli* und die zweifelhafte Art (Taf. IV Fig. 4). Erstere wurde ausserhalb der Alpen zuerst aus dem Schaumkalk von Rüdersdorf beschrieben, also auch aus der oberen Abtheilung des unteren Muschelkalks. Die Stielglieder vom Typus des *E. liliiformis*, die mehrere mächtige Bänke zusammensetzen, können also vier verschiedenen Arten angehören, nämlich *E. liliiformis* selbst, *E. aculeatus*, *E. Carnalli* und der unbestimmten Patina. Dazu treten wohl unterscheidbar noch die Formen des *Entrochus dubius* und *Entrochus Silesiacus*. Die Echinidenreste gestatten wegen schlechter Erhaltung nur unsichere Deutungen, doch sind manche Radioli wie von Schauroth's *Cidaris lanceolata* häufig und es haben die Seeigel mit den Crinoideen und Brachiopoden zusammen wesentlich den Charakter der Fauna bedingt. Von letzteren sind alle aus Oberschlesien bekannten Arten, mit Ausnahme der *Discina discoides* und der *Rhynchonella Mentzelii* bei Recoaro vertreten und *Terebratula angusta*, die im eigentlichen Mikultschützer Kalk selten wird (Eck pag. 95), findet sich bei Recoaro häufig mit den übrigen Brachiopoden zusammen. Andere Fossilien treten an Bedeutung ganz zurück gegen die genannten und kein Zweischaler z. B. erreicht hier eine solche Häufigkeit wie in den Schichten des *Encrinus gracilis*. Auffallend ist gegenüber ausseralpinen Vorkommnissen, das gänzliche Zurücktreten der Austern. *Ostrea ostracina* ist selten und gerippte Austern habe ich gar nicht gefunden, während bei Heidelberg *Ostrea flabelloides* in der Spiriferinenbank zu den gewöhnlichsten Erscheinungen gehört. Die ausserordentliche Seltenheit der *Myophoria orbicularis* wurde oben besprochen. Unter den Gastropoden gewinnt nur an der Grenze der fossilführenden Schichten Natica dichroos n. sp. (pag. 43) eine grössere Bedeutung.

Eine Eigenthümlichkeit für Recoaro ist das massenhafte Auftreten von Pflanzen. Es finden sich solche einzeln auch sonst im südalpinen Muschelkalk, eine Anhäufung derselben jedoch, welche bis zur Bildung mehrerer Zoll dicker Kohlenbänkchen geht, ist nicht bekannt. Einen merkwürdigen Anblick gewährt die Mischung thierischer und vegetabilischer Reste. Schon in den Hauptbrachiopodenschichten, wie oben erwähnt, finden sich einzelne Asttheile, offenbar eingeschwämmt. In dem Maasse, als die Pflanzen überhand nehmen, vermindern sich die Thiere in den höheren Schichten, ohne dass sich beide jedoch ganz ausschlössen. In den, an Pflanzen reichsten Bänken habe ich zwar nie Muscheln gesehen, allein dicht darüber trifft man mit Gastropoden in demselben Handstück Blätter von *Araucarites* und *Retzia* schwärmt noch bis in die höchsten Lagen hinauf. Das ganze Vorkommen findet in der Annahme eines flachen Uferstrichs, um dessen Besitz Meer und Festland längere Zeit kämpften, eine hinreichende Erklärung. Die Erhaltung zarter Theile zeigt an, dass die Pflanzen nicht weit transportirt und nicht lange umhergeworfen wurden. Senkte sich ein ganzer Theil des Ufers mit üppiger Waldung, so konnte es bis zur Kohlenbildung kommen, während einzelne in das Wasser gerathene Aeste mit den thierischen Resten zusammen umhüllt wurden. Es ist auch zu beachten, dass die an Pflanzen reichsten Schichten dünnschiefrige mergelige Gesteine sind, einstiger Uferschlamm, dessen Schichtung nur durch die eingestreuten Pflanzentheile hervorgebracht wurde, während die mit vielen thierischen Resten und nur wenigen Pflanzen erfüllten Bänke von compakter krystallinischer Beschaffenheit sind, also zu ihrer Bildung eine gewisse, wenn auch vielleicht nicht bedeutende Tiefe des Wassers voraussetzen.

Wir sind mit den Brachiopodenschichten an der oberen Grenze des fossilführenden Muschelkalks von Recoaro angelangt, in dem sich also drei grössere Abtheilungen unterer deutscher Trias über dem bunten Sandstein nach Lagerung und Petrefaktenführung mit Sicherheit wiedererkennen liessen. Die unterste derselben, die des Röthdolomits, erwies sich als ungemein gleichartig über einen grossen Theil der Alpen und Deutschlands verbreitet, nur mit solchen Abweichungen in verschiedenen Gebieten, die sich leicht auf provincielle Unterschiede der Facies zurückführen lassen. Auffallend anders verhalten sich dagegen die beiden, über dem Röthdolomit folgenden Gruppen. Es ist nämlich noch an keinem anderen Punkt der Alpen gelungen, getrennte Schichten aufzufinden, die durch *Encrinus gracilis* einer- und die Brachiopoden andererseits charakterisirt wären. Im Gegentheil liegen beide auf der Nordseite der Alpen in denselben Schichten zusammen. Nur die entfernt gelegenen Kalke von Chorzow zeigen eine Uebereinstimmung mit Recoaro, die wir in näheren Gebieten vergeblich suchen. Dabei lässt auch der übrige deutsche Muschelkalk sich leichter mit Oberschlesien und Recoaro in Uebereinstimmung bringen, als mit anderen alpinen Vorkommnissen, so dass das vicentinische, was man so gern als typisch für alpinen Muschelkalk überhaupt ansicht, mit seinen Unterabtheilungen gänzlich isolirt in seiner näheren Umgebung dasteht.

Da die zuletzt besprochenen Schichten von versteinerungsleeren Sandsteinen überlagert werden, welche über ihr Alter in keiner Weise eine

Deutung zulassen, so fehlt uns ein sicherer Abschluss des Muschelkalks nach oben in der Weise, wie er in Deutschland durch die Anhydritgruppe und den Kalksteinen von Friedrichshall gegeben ist. Wir mussten uns darauf beschränken, die grossen Analogien der Brachiopodenschichten von Recoaro mit deutschem oberen Wellenkalk hervorzuheben, müssen aber die Frage offen lassen, ob in diesen Brachiopodenschichten auch ein Aequivalent jüngerer deutscher Triasschichten zwischen Wellenkalk und Keuper gegeben sei.

Es ist nicht ohne Interesse noch in der Kürze darauf hinzuweisen, wie andere alpine Muschelkalk-Ablagerungen sich in dieser Beziehung an ihrer oberen Grenze verhalten und ich bespreche einige derselben um so lieber, als ich dabei Gelegenheit finden werde, in einer früheren Arbeit gemachte Angaben zu berichtigen und zu modificiren. Doch wähle ich nur solche Vorkommnisse, die ich aus eigener Anschauung kenne.

Lombardei.

In der Lombardei und dem angrenzenden Südtirol (Judicarien) kommen zweierlei Ablagerungen von Muschelkalk vor, solche die wie Recoaro reich an Brachiopoden sind und andere, wo Cephalopoden auftreten. Mit dem Vorwalten der letzteren ist dann ein Zurücktreten oder gänzliches Fehlen der Brachiopoden verbunden. Stur machte es schon früher wahrscheinlich und Hauer wies ausführlicher nach, dass diese Cephalopoden einer besonderen weit jüngeren Fauna als jener oben besprochenen des *Ceratites Cassianus* etc. angehören, und dass deren Auftreten als ein ganz vorzüglicher Anhaltspunkt für die Altersbestimmung gewisser Schichten gelten kann, deren Vorkommen weit über die Grenzen Europa's hinaus nachgewiesen ist.

Während es keinem Zweifel unterliegt, dass der Horizont des *Ceratites Cassianus* der Aeltere der beiden ist, während ferner festgestellt werden konnte, dass die Brachiopoden diesen älteren Horizont stets überlagern, hat es noch nicht gelingen wollen, das Altersverhältniss der Brachiopoden zu den jüngeren Cephalopoden festzustellen. Das Vorkommen beider ist zwar im Lauf der letzten Jahre häufig beobachtet worden, jedoch immer nur die eine Entwicklung an einem, die andere an einem andern Punkte, nie aber die sichere Ueberlagerung beider in einem Profile. Gestützt auf die Verschiedenheit der beiderseitigen Entwicklungsarten, unterschied Stur zwei Horizonte, einen höheren als Reiflinger-Kalke bezeichneten mit Cephalopoden einer *Rhynchonella semiplecta* und einer Anzahl anderer Brachiopoden, doch ohne *Rhynchonella decurtata*, und einen tieferen, den von Recoaro ohne Cephalopoden und mit *Rhynch. decurtata* (Jahrb. der geol. Reichsanst. 1865 Verh. pag. 244). Schon Hauer macht darauf aufmerksam, dass bisher noch kein Punkt gefunden worden sei, an dem man zwei solche Horizonte einander überlagernd gesehen hätte, dass also Stur's Ansicht, wenn auch wegen der Verschiedenheit der Fossilien nicht ohne Anhaltspunkte, doch noch nicht bewiesen sei. Was den Ausdruck Horizont von Recoaro betrifft, so ergiebt sich aus dem früher mitgetheilten, dass derselbe nicht ganz passend gewählt ist, da bei Recoaro eine ganze Reihe von Horizonten im Muschelkalk entwickelt sind. Es ist richtig, dass Cephalopoden fehlen und *Rhynch. decurtata* häufig ist, allein mit Letzterer finden sich sehr gewöhnlich und in denselben Bänken *Terebratula angusta, Terebr. vulgaris* und *Spirifer Mentzeli*, die bei Stur als bezeichnend für Reiflinger Kalk angegeben werden.

Mehrfach erwähnt ist die Lokalität von Marcheno in Val Cammonica. Hier sammelte ich aus blaugrauen Kalken unmittelbar an der Strasse im Thal nördlich vom Ort *Rhynch. decurtata*, *Spirifer fragilis*, *Tereb. vulgaris*, *Lima striata*, *Entrochus* cf. *liliiformis*, dazu giebt *Escher* (Vorarlberg pag. 108) noch einige andere Arten. Das wäre nun wegen Rhynch. decurtata Stur's unterer Horizont. Gleich über demselben folgt, wie das auch Hauer von derselben Gegend neuerdings hervorhob, Wenger Schiefer mit *Halobia Lommeli*, nicht aber ein besonderer Cephalopoden-Horizont[1]).

Andere Lokalitäten sind durch das Vorkommen von Cephalopoden bekannt geworden. Ich beschrieb selbst zwei Arten unter den Namen *Ammonites gibbus* und *Ceratites euryomphalus* und bezeichnete als deren Lagerstätte die Halobiaschichten der Hallstädter Gruppe. Das ist zu modifiziren. *Amm. gibbus* stammt von Colerè in Val di Scalve, einem Seitenthal der Val Cammonica und liegt in schwarzen, plattigen Kalken, die zum Theil ganz mit einer *Halobia* erfüllt sind, die ich trotz ihres etwas abweichenden Charakters mit *Halobia Lommeli* vereinigte, weil diese selbst mit globosen Ammoniten und *Amm. Aon* unmittelbar dabei in ächten Wenger-Schichten liegt und die Muschelkalk-Cephalopoden als eine besondere, von der der Hallstädter Cephalopoden abweichende Fauna, nicht hinreichend beachtet

---

[1]) Doch nennt Escher am angeführten Orte noch eine Reihe Kalkbänke mit einem dem Cer. binodosus Hau. ähnlichen Ammoniten. Das ist die einzige mir bekannt gewordene Angabe einer Ueberlagerung.

wurden. Später gelang es mir, aus den nach Hause gebrachten Gesteinstücken noch *Ceratites binodosus* Hau., *Ammonites* cf. *Pemphix* Mer. und *Amm. Dontianus* herauszuarbeiten. Da ich inzwischen auch die Uebereinstimmung meines *Amm. gibbus* mit *Amm. Studeri* Hau. erkannt hatte, konnte kein Zweifel sein, dass bei Colorè der obere Cephalopoden - Horizont des alpinen Muschelkalks anstehe und unmittelbar von Wenger-Schichten bedeckt sei, so dass eine Vermengung der den beiden Horizonten eigenthümlichen Fossilien beim Aufsammeln möglich war. Aehnliches scheint ja bis in die neueste Zeit an der oberen Grenze des Muschelkalks im Himalaya geschehen zu sein. Die *Halobia* stellt eine neue Art dar, die ich unter dem Namen *Halobia Sturi* einführe, da Stur es war, der in dem Züricher Museum diese Form als dem Muschelkalk angehörig zuerst erkannte.

Halobia Sturi n. sp. Taf. IV Fig. 9—11.

Das auffallendste Merkmal der Art ist die ausserordentliche Länge des ganz geraden Schlossrandes, die bei dem Exemplar, Taf. IV Fig. 10, dessen Unterrand beinahe ganz erhalten ist, die Höhe um mehr als das Dreifache übertrifft. Bei ganz jungen Exemplaren, Taf. IV Fig. 9b. in natürlicher Grösse, Taf. IV Fig. 9b. in dreifacher Vergrösserung, stehen regelmässig konzentrische Falten um den kleinen, knopfartigen Wirbel, die beim Voranschreiten des Wachsthums gegen den Rand hin verschwinden. Rechts und links vom Wirbel sondern sich zwei nur sehr schwach gestreifte Flügel ab, während die übrige Schale, ähnlich wie *Hal. Lommeli*, mit Rippenbündeln bedeckt ist, die sich durch Einschaltung vermehren. Die Unterschiede gegen die nahestehende *H. Lommeli* liegen in der grossen Länge des Schlossrandes und der dadurch bedingten recktangulären nicht halbkreisförmigen Gestalt der ganzen Schale, in der einfach feingestreiften, nicht bündelförmig gerippten Beschaffenheit der Flügel. *Hal. Moussoni*, von der mir durch die Güte Herrn Escher's v. d. Linth Gutta-Percha-Abdrücke der Exemplare von Regoledo vorliegen, hat gleiche, nicht bündelförmig gruppirte Rippen, dabei den halbkreisförmigen Umriss der *H. Lommeli*. Es scheint aber, dass diese Art bei Regoledo ganz im gleichen Niveau wie die *Hal. Sturi* bei Colorè vorkommt. Da die Schalen in Masse übereinander liegen, sind bei der dünnen Beschaffenheit derselben keine ganzen Exemplare zu erhalten.

Diese Schichten sind nun ganz genau das, was Stur unter Reiflinger Kalken in neuerer Zeit versteht. Es fehlt aber hier jede Spur von Brachiopoden. Diese eigenthümlich plattigen Kalke haben durch die ganze Lombardei bis zum Comer-See hin eine weite Verbreitung und finden sich also sowohl östlich als auch westlich von dem Brachiopodenvorkommen von Marcheno. Mag sich deren Altersverhältniss zu anderen Muschelkalkvorkommnissen späterhin gestalten, wie es wolle, sie werden immer eine im westlichen Theil der Südalpen sehr wohl erkennbare Facies darstellen, deren Verhältniss zu den durch *Halobia Moussoni* bezeichneten Saurier-Kalken von Perledo noch zu untersuchen bleibt.

Bei Prezzo in Judicarien liegen die Verhältnisse ähnlich wie bei Colerè. Wir haben hier die gleichen Wenger Schiefer, der Muschelkalk darunter ist aber nicht durch Cephalopoden und die *Halobia*, sondern durch eine Reihe von Schichten mit *Spirifer Mentzelii*,[1]) *Tereb. vulgaris, Entrochus* cf. *liliiformis* vertreten. *Ceratites euryomphalus* stammt aus einem Blocke, der in dem aus dem Daonethale kommenden Bache unterhalb, sowohl der Wenger Schichten, als des Muschelkalks gefunden wurde, und der von mir früher nur aus denselben Gründen wie *Amm. gibbus* als den Hallstädter Schichten angehörend angeführt wurde. Es ist nun zwar nach der Beschaffenheit des Gesteines sehr wahrscheinlich, dass dasselbe mit *Spirifer Mentzelii* in denselben Schichten liegt, doch kann ich es nicht mit voller Gewissheit angeben. Es ist also besser, diesen Ceratiten, bis er auf ursprünglicher Lagerstätte aufgefunden wird, bei Vergleichen bei Seite zu lassen. Wegen des Vorkommens des *Spirifer Mentzelii* würde Stur wohl diese Schichten in seinen oberen Horizont stellen. Es kommen hier auch Pflanzen vor und zwar wie bei Recoaro mit den thierischen Resten zusammen, oder in abwechselnder Lagerung mit solchen. Die in Würzburger naturw. Zeitschr. Bd. VI pag. 152 gemachte Angabe, es lägen die von mir mitgebrachten Pflanzen mit Ceratiten, *Amm. Studeri*, *Halobia* sp. und *Spirifer Mentzelii* zusammen, ist dahin zu modificiren, dass bei Daone (gegenüber Prezzo) sich nur wenige Pflanzen finden, unter denen Prof. Schenk nur ein Exemplar als *Araucarites recubariensis* bestimmen konnte. Die Hauptmasse der von mir mitgebrachten und in diesem Hefte von Prof. Schenk beschriebenen Pflanzen stammt von Recoaro und wie oben angegeben, theils direkt aus den Brachiopodenschichten mit *Rhynchonella decurtata*, theils aus Schichten über denselben, doch noch mit einzelnen Brachiopoden zusammen, also Stur's unterem Horizont. Daone aber, wie oben erwähnt, würde Stur's oberer Horizont sein. Ich möchte also nur der etwa zu machenden Folgerung vorbeugen, als könne man im Vorkommen der Pflanzen von Prezzo eine Stütze für die Sonderung des oberen alpinen Muschelkalks in die zwei Stur'schen Horizonte finden. Im Gegentheil, sollten letztere beide noch in Ueberlagerung

[1]) Beinahe jedes Exemplar zeigt beim Anschleifen die Spiralen des Gerüstes.

nachgewiesen werden, so würde man zu der Annahme genöthigt sein, dass, während die Fauna des Meeres sich wesentlich veränderte, die Flora des Landes sich gleichblieb und sowohl zur Zeit der Brachiopoden als der auf dieselben folgenden Cephalopoden die Zweige und Blätter derselben Araucarites-Art in das Meer geriethen und im Schlamme desselben mit den Schalen der Mollusken zur Ablagerung gelangten. Dass sich übrigens eine solche Annahme bei Recoaro nicht umgehen lässt, habe ich oben hervorgehoben.

Vorarlberg.

Die bei Recoaro beobachtete Thatsache, dass *Encrinus gracilis* und die Brachiopoden sich nie miteinander finden, sondern stets in zwei getrennten Lagern, stand in so auffallendem Gegensatz mit allen Angaben aus den Nord-Alpen, wo beide von verschiedenen Beobachtern mehrfach zusammen angeführt werden, dass es mir der Mühe werth schien, ein nordalpines Vorkommen genauer zu untersuchen, um zur Klarheit darüber zu kommen, ob man etwa die genannten Fossilien nur nicht getrennt hatte, weil dazu keine besondere Veranlassung vorlag, oder ob beide in der That in denselben Bänken liegen. Ich wählte Vorarlberg, weil hier die typischen Lokalitäten in der Umgebung der Scesa plana Gelegenheit gaben von den Schichten auszugehen, die Richthofen zuerst Virgloria-Kalk nannte. Denn wenn auch in der Beschreibung der Umgegend von Predazzo u. s. w. diese Bezeichnung zuerst vorkommt, so wurde sie doch nicht auf der Südseite der Alpen gewonnen, sondern nach vorhergegangener Untersuchung nordalpiner Gebilde dahin übertragen. Ich glaubte mich auch zu der Hoffnung berechtigt, in Vorarlberg günstige Aufschlüsse an der Grenze von Muschelkalk und Keuper zu treffen, da seit Escher's Arbeit das Vorkommen von *Halobia Lommeli* und *Bactryllien* von dort so häufig in sogenannten Partnachschichten zitirt wird. Bei einem Besuche derjenigen Punkte in Vorarlberg, an denen Muschelkalkfossilien angeführt werden, und einem Verfolgen der betreffenden Schichten überhaupt von der Schweizer Grenze gegen Osten durch ganz Vorarlberg hindurch, musste ich mich aber überzeugen, dass Escher und Richthofen das Hauptsächlichste, was zu sehen ist, angegeben haben und dass eine Bereicherung unserer Kenntnisse der betreffenden Formation in den genannten Gebieten kaum zu erwarten ist. Das nur konnte ich mit Gewissheit feststellen, dass die Association der dem *Encrinus gracilis* gleichgestalteten Stielglieder mit den Brachiopoden in der That stattfindet.

Ich beschränke mich daher in Folgendem auf wenige Angaben.

Mit dem Namen Virgloriatobl bezeichnet man eine Schlucht, die zwischen dem Fundelskopf und dem oberen Sack nach dem Gamperton-Thale, dem zweiten südlichen Seitenthal des Illthales, von Feldkirch aus gerechnet, hinabführt. Diese Schlucht nimmt ihren Anfang an einer Einsattlung zwischen den oben genannten Bergen, welche den niedrigsten Uebergang zwischen dem oberen Brandner-Thal und dem Gamperton-Thale bildet und die zu denselben gehörigen Alpen trennt. Alpe Palüd heisst die zum Brandner-Thal gehörige, Gamperton-Alpe die nach dem Gamperton-Thale hin liegende, und zwar zerfällt letztere in eine obere und untere, jene wenig tiefer als der Pass liegend, diese den Thalgrund einnehmend. Die Einsattlung kann man als Virgloriapass bezeichnen, doch hörte ich diesen Namen nie von den Sennen, diese kennen nur einen Virgloriatobl.

Wenige Schritte von der Passhöhe nach Gamperton zu schneidet der Pfad in eine mauerartig hervorragende Schicht ein, und gerade diese enthält die häufig genannten Fossilien. Crinoiden-Stielglieder erfüllen einige kleine Bänke vollständig, dazwischen liegen einzelne Brachiopoden, so dass es ganz unzweifelhaft ist, dass die Thiere zusammenlebten. Ich sammelte:

Entrochus cf. Encrinus gracilis.

Man hat diese Reste aus den Nordalpen gewöhnlich schlechthin als *Encrinus gracilis* aufgeführt, und ausser dem Umstand, dass die Vorarlberger Stielglieder grösser werden, als diejenigen von Recoaro, lässt sich auch kein Unterschied herausfinden. Kronen sind aber noch nicht bekannt geworden, und so ziehe ich vor, die Glieder, wie oben geschehen, zu bezeichnen. So gut wie bei den Gliedern vom Typus des *Encr. liliiformis* kann es sein, dass auch hier mit der Zeit eine neue Art sich herausstellt. Eine Wurzel vom Virgloriapass gleicht denen von Recoaro gänzlich.

Entrochus cf. Encrinus pentactinus.

Glieder von der gewöhnlichen Erscheinungsweise der im deutschen Muschelkalke so benannten. Dass es etwa fünfeckige Glieder der vorigen Art dicht unter dem Kelch seien, ist nicht anzunehmen, da sie stets bedeutend grössere Durchmesser haben. Doch fehlen auch sonst runde Glieder, die zu dieser fünfeckigen gehören könnten.

Retzia trigonella Schloth. sp.

Rhynchonella decurtata Gir. sp.

Besonders gross und kräftig gebaut.

Diese Crinoidenschichten senken sich einerseits nach der Gamperton-Seite hinunter, wo sie am Abhang unter dem Pfad nach der oberen Gamperton-Alphütte anstehen und dann jenseits derselben noch mehrfach, andererseits nach der Alpe Palüd, wo gegenüber der oberen Hütte der Muschelkalk eine steile Wand bildet, an die sich oben in sanfterem Ansteigen die Partnachschichten mit ihren eingelagerten festen Mergelbänken anlegen.

Man sieht hier, dass die letzte harte Bank der Wand aus rauchgrauem Kalk mit uneben wulstiger Schichtungsfläche besteht. Darunter liegen etwa 60′ Kalke, zum Theil von jener eigenthümlichen Beschaffenheit, die Richthofen für seinen Virglorialkalk angiebt, zum Theil und zwar vorwaltend so entwickelt, wie die oberste Bank. Dann folgen 50′ typischer Virgloriakalk mit massenhaften Feuersteinausscheidungen und zackiger Ablösungsfläche der Schichten, mit einem dazwischen liegenden firnissglänzenden Häutchen. Dann folgen die Brachiopoden, darunter noch eine beträchtliche Reihe von Kalkbänken. Gerölle und Alpenweiden bedecken nach unten die Grenze dieser Ablagerung. Ueber Brand sieht man aber die Conglomerate und rothen Sandsteine anstehen. Erstere sind in bedeutender Mächtigkeit entwickelt und von sehr verschiedener Grösse des Korns, die Sandsteine theils dünnschiefrig und reich an Glimmer, theils aus in einander geschlungenen Wülsten gebildet, von jener eigenthümlichen Beschaffenheit, die südalpiner Servino z. B. in Val Camonica so schön zeigt.

Ausser in den Umgebungen der Scesa plana habe ich die Brachiopoden und Crinoiden nirgends in Vorarlberg mehr deutlich entwickelt gefunden und sie sind so in Masse wohl auch nur hier vorhanden, da sie sonst bei den vielen Aufschlüssen der Beobachtung kaum entgehen würden. Das Gestein, in dem sie sich finden, weicht etwas von dem gewöhnlichen Kalke ab; es ist dolomitisch und rauh, und eben solche Gesteinsbeschaffenheit bemerkt man auch anderwärts etwa im Niveau der Fossilienschicht, z. B. über St. Bartholomä im Montafon, und über Klösterle. Dann aber ist in demselben nur hier und da eine Kalkspaltfläche zu bemerken, die einem Stielglied angehören könnte.

Streng genommen liegen also die Fossilien, die Richthofen für seinen Virgloriakalk als bezeichnend ansieht, gar nicht in solchen Gesteinen, die er petrographisch als Virgloriakalk auszeichnet, sondern diese, mit den zackigen Ablösungsflächen, dem glänzenden Ueberzug, den Feuersteinknollen u. s. w., folgen erst über dem Brachiopoden-Horizont, während unter demselben und dann auch oben, zum Schluss des ganzen Systems, Gesteine vorherrschen, die sich in nichts von deutschem Muschelkalk unterscheiden. Hält man sich nur an die paläontologische Charakteristik des Virgloriakalks, so müsste man eigentlich mit Stur die Knollen- und Zackenkalke als Reiflinger Kalk bezeichnen. Da aber bunter Sandstein nach unten unzweifelhaft die ganzen Kalke unterteuft, nach oben Partnachmergel folgen, die man bisher immer als Keuper ansah und sichere Anhaltspunkte für eine weitere Unterabtheilung der Kalke fehlen, so scheint mir durchaus kein Grund vorzuliegen, hier eine andere Bezeichnung als Muschelkalk einzuführen, womit ein allgemein verständlicher Name angewandt wird und weiterer Gliederung der Weg ja nicht versperrt ist. Unter allen Umständen sollte man aber den Namen Virgloriakalk, wenn man ihn denn doch behalten will, auf Vorarlberg beschränken und nicht auf andere alpine Gebiete übertragen.

Ein interessanter Punkt ist bei dem Kloster St. Peter, eine Viertelstunde von Bludenz, gegenüber der Einmündung des Montafon in's Klosterthal. An dem Abhang des Rückens, welcher das Dorf Rungelin vom letztgenannten Thale trennt, liegen gegen dieses gewandt, unmittelbar an der Hauptstrasse einige Steinbrüche. Richthofen gibt daselbst Arlbergkalk an, doch kann ich in dem Gestein nichts anderes erkennen, als Muschelkalk, ganz von gleicher Beschaffenheit, wie an der Alpe Palüd und anderen Lokalitäten. Die Lagerung wird dann freilich etwas schwieriger zu erklären, doch nicht in höherem Grade als in der Fortsetzung dieser Schichten bei Bürs, am Ausgang des Alvierbaches, wo Richthofen eine vollständige Zusammenklappung des Muschelkalkes annimmt. In dem ersten Steinbruch von St. Peter aus beobachtete ich von unten nach oben in beinah senkrechter Schichtenstellung:

Bänke harten Kalkes, nach unten noch fortsetzend, doch mit Geröll überschüttet.

30′ dünne ebenflächige Schiefer.

4′ 3″ harter Kalk.

4′ dünne Schiefer mit einem härteren Bänkchen, letzteres erfüllt mit *Modiola* sp. Taf. IV Fig. 13.

9′ harter Kalk.

3″ Mergel.

6′ harter Kalk, typischer Virgloriakalk.

2′ Schiefer, sehr ebenflächig und in dünnen Platten von harter, dachschieferähnlicher Beschaffenheit, ganz erfüllt mit *Bactryllium canaliculatum*, einzeln *Lingula tenuissima* und *Gervillia* sp. ind.

Auf etwa 50′ hin machen Wald und Wiese die Beobachtung unmöglich, nur hier und da ragen einzelne Kuppen schiefrigen Mergelgesteins heraus, in denen eine *Avicula* und ein *Pecten*, beide unbestimmbar, gefunden wurden. Es sind dies sogenannte Partnachmergel.

In den harten Kalken, doch ohne dass die Bank bestimmt werden konnte, fand sich ein *Dentalium*.

Die *Modiola*, die auf Taf. IV Fig. 13 in doppelter Grösse abgebildet wurde, stimmt mit keiner Muschelkalk-Art überein, erinnert aber sehr an Kassianer Vorkommnisse, wie *Modiola gracilis* Klipst. (Laube, Fauna von St. Cassian, Taf. 16 Fig. 7), ohne ganz mit derselben zu stimmen. Nies hat *Mod. gracilis* neuerdings aus dem Grenzdolomit der Lettenkohle bestimmt. (Nies, Beiträge zur Kenntniss des Keupers im Steigerwald, p. 17.)

Man hat es hier mit dem oberen Theil des Muschelkalks, wo derselbe in die Mergel übergeht, zu thun. Die Bactryllien gelten als bezeichnend für Partnachschichten, also nach der gewöhnlichen Annahme alpine Lettenkohle. Noch unter denselben liegt die *Modiola*, die eher einen Cassianer Habitus hat. Wollte man diese mit in den Keuper ziehen, so käme hier ganz typischer Virgloriakalk ebenfalls noch in den Keuper. Eine scharfe petrographische Grenze, ein plötzlicher Wechsel der Facies, liegt also überhaupt nicht vor, wie denn schon Richthofen Kalkbänke in Partnachmergeln angiebt, und das ganze Verhältniss erinnert sehr an Uebergänge aus dem Muschelkalk in die Lettenkohle in Deutschland.

Auf die schönen Profile am Nordgehänge des Klosterthals nach dem Spullers-See und dem Formarin-See hinauf haben Escher, Gümbel und Richthofen wiederholt die Aufmerksamkeit gelenkt und in der That, lehrreichere Wanderungen, als die von Klösterle durch den Wellitobl nach dem Spullers-See oder vom Ganteck den Gantecktobl hinauf, wo man vom bunten Sandstein bis in den rothen Lias mit Ammoniten hinaufsteigt, können nicht leicht in den Alpen unternommen werden. Ganz besonders die rechte Thalseite des Gantecktobl's von dem linken Abhang aus gesehen, da wo man von Dalaas kommend in den Tobl eintritt, zeigt die Lagerung des bunten Sandsteins, Muschelkalks, der Partnachschichten und des Arlbergkalks in prachtvoller Weise.

Ueber dem bunten Sandstein bildet Muschelkalk einen steilen Absturz, in gleicher Weise, wie an andern Punkten entwickelt, übrigens für eine genaue Untersuchung nicht in allen Theilen zugänglich. An der oberen Grenze schieben sich, doch hier sehr schwach, Schiefer zwischen die Kalkbänke, dann erheben sich, sanfter ansteigend, Partnachschichten in folgender Entwicklung (von unten nach oben):

40′ Schiefer, zum Theil dachschieferartig mit sehr zahlreichen *Bactryllien*.

Harte Bank aus Knollen thonigen Sphärosiderits gebildet, die leberbraun verwittern und über das ganze Gehänge zerstreut liegen.

30′ Schiefer wie vorher. Die *Bactryllien* seltner.

Harte Bank mit Sphärosideritknollen.
40′ Schiefer mit sehr spärlichen *Bactryllien*.
15′ unebene plattige Kalke von hellerer Farbe als der Muschelkalk.
40′ Schiefer ohne *Bactryllien*.
40′ Kalke, wie vorher.

Hierauf ein Wechsel fussdicker Bänke von Schiefer und Kalk, bis schliesslich Kalke allein herrschen, die den steilen Absturz der Hauptmasse der Arlbergkalke bilden.

Hier, wie im Gebirge über Triesner Kulm habe ich umsonst nach *Halobia Lommeli* gesucht. Das Exemplar des Züricher Museums fand sich nach einer gütigen Mittheilung Professor Escher's von der Linth in einem in einer Mauer steckenden Kalkblock, dessen petrographische Beschaffenheit darauf deutet, dass er aus den Bänken stammt, die sich oben am Uebergang nach dem Samina-Thal zwischen die Partnachmergel schieben. Hier im Ganteckt obl würde man die *Halobia* in den 15 resp. 40′ mächtigen helleren Kalken zu suchen haben.

Diese Profile, die ich nicht noch vermehren will, beweisen also nur, dass die Gesammtmasse des Muschelkalks und der denselben überlagernden Schiefer sich wohl trennen lassen, eine scharfe Grenze zwischen Beiden aber nicht angegeben werden kann, dass der Uebergang einer Facies in die andre ein sehr allmähliger war, dass die Brachiopoden und Crinoidenfauna auf eine ziemlich tief liegende Bank der Kalke beschränkt ist, andere Formen aber, wie die *Bactryllien*, durch eine grössere Reihe von Schichten hindurchgreifen.

Unter allen zwischen alpinen und ausseralpinen Triasbildungen gezogenen Parallelen hat keine eine gleiche Anerkennung gefunden, als die von Oppel und Suess zuerst ausgesprochene Gleichstellung der Kössener Schichten und der obersten Keuperschichten Schwabens. Mit Recht bezeichnet man denn auch das Jahr 1856 als ein epochemachendes in der Geschichte der Alpen-Geologie. Seitdem sind mancherlei weitere Versuche gemacht worden, auch die tiefer liegenden Schichten in Uebereinstimmung zu setzen, ohne dass man jedoch viel weiter gekommen wäre, als die drei ausseralpinen Glieder der Trias im Grossen und Ganzen wiederzuerkennen. Auch dies gilt eigentlich nur von dem bunten Sandstein und dem Muschelkalk, denn der alpine Keuper trägt in sich selbst nur wenig Kennzeichen, welche an ausseralpine Bildungen gleichen Namens erinnern. Erst in der neuesten Zeit scheinen durch die Entdeckung der *Myophoria Raibliana* und der *Corbula Rosthorni* durch Sandberger in Franken und durch den Nachweis der deutschen Lettenkohlenflora in dem sogenannten Lunzer Sandstein der Nordalpen, Mittel an die Hand gegeben zu sein, auch Unterabtheilungen des Keupers der beiderseitigen Gebiete schärfer mit einander in Vergleich zu ziehen.

Wie die Kössener Schichten das Ende, so bezeichnen die oben als Röth-Dolomit beschriebenen Schichten den Anfang der triadischen Fauna in den Alpen. Es kommen zwar tiefer noch bedeutende Sandstein- und Conglomeratmassen vor, die man meist zur Trias rechnet, ein sicherer Beweis des Vorhandenseins derselben liegt jedoch erst an der oberen Grenze des bunten Sandsteins in den Röth-Dolomitschichten und darum ist deren ausserordentliche Verbreitung ein sehr glücklicher Umstand. Die untere Wellenkalkfauna von Recoaro ist zwar, wie oben erwähnt wurde, isolirt, ihr Auftreten aber insoferne interessant, als bereits vor ihrem Beginn die Röth-Dolomit-Fauna ihre vollständige Entwicklung erreichte und somit ganz gleichzeitig mit der ausseralpinen des oberen bunten Sandsteins ist. Welche Annahme man zur Erklärung des Umstandes machen will, dass bei Recoaro *Encrinus gracilis* von den Brachiopoden so scharf im Lager getrennt ist, in den Nordalpen aber mit denselben zusammenliegt, muss der individuellen Willkür für jetzt überlassen bleiben. Es ist aber sehr bemerkenswerth, dass da, wo ein gänzlicher Wechsel der Gesteinsfacies eintritt, wie bei Recoaro, auch beinah die gesammte Fauna wechselt, während in den Nordalpen, wo der ganze Muschelkalk aus Kalkschichten besteht, die im Süden getrennten Arten zusammen auftreten.

Solchen Verschiedenheiten der Ausbildung gegenüber ist es nicht gerathen, von einer einzigen bestimmten alpinen Entwicklung zu sprechen, denn es gibt ebenso wenig einen ganz gleichartig entwickelten alpinen Muschelkalk, als es einen solchen ausserhalb der Alpen gibt und ebenso grosse Verschiedenheiten, wie zwischen manchen alpinen und ausseralpinen Gebieten, machen sich auch innerhalb dieser Gebiete selbst bemerklich. Der Abstand des Vorarlberger Muschelkalks und des Aargauer ist gross. Der Aargauer ist aber auch sehr verschieden von dem der Jurakette. Dort hat man nach Moesch[1]) 20—30 m. Wellendolomit mit Fossilien, hier keine Spur desselben. Im Aargau finden sich im Wellendolomit bereits Brachiopoden und zwar mit einer Reihe anderer Fossilien zusammen, die auch in Schwaben im Wellendolomit auftreten, in Nordbaden und Franken ist dagegen Wellendolomit schwach entwickelt ohne Brachiopoden, dafür erfüllen diese bestimmte, höher liegende Bänke für sich, ebenso wie manche der andern Versteinerungen in einzelnen Bänken zu charakteristischen Associationen zusammentreten.

[1]) Moesch, Beitr. zur geol. Karte d. Schweiz. 4. Lief. pag. 14, 15.

Das erste Auffinden ächter Muschelkalkpetrefakten auf der Nordseite der Alpen erschien so wichtig, dass Beyrich dasselbe als gleich Epoche machend mit der Parallele zwischen Kössener Schichten und Bonebedsandstein hervorhebt. Diese Wichtigkeit ist noch erhöht, seit wir die Brachiopoden auch am Main und Neckar kennen. Um aber die Gleichaltrigkeit der deutschen Brachiopoden mit denen der Alpen in dem Sinne aussprechen zu können, wie die der Fauna des Röthdolomits und der Kössener Schichten derselben Gegenden, fehlt es noch an einem dieselben überall in gleicher Weise überlagernden Horizont. Für einzelne Gebiete der Nordalpen wird vielleicht das Auffinden der Anhydritgruppe die gewünschte Abgrenzung geben, für die Südalpen hingegen ist kaum anzunehmen, dass man ein Aequivalent der Anhydritgruppe auffinden wird. Hier fällt die Frage der Abgrenzung der Brachiopodenschichten nach oben mit der Abgrenzung des Muschelkalks überhaupt zusammen.

Der obere Wellenkalk zeigt in Deutschland eine Differenzirung, die wir in den Alpen vergebens suchen. Auf die Brachiopodenregion folgt in vielen Gebieten wohl unterscheidbar der Schaumkalk, dann die Schichten der *Myophoria orbicularis.* Mit den letzteren schliesst man den Wellenkalk gewöhnlich ab. In neuester Zeit wies nun Sandberger noch über den Myophorienschichten und unter den Gypsen und Rauchwacken Mergelbänke nach, die einen Ceratiten führen, für den er den Namen Cer. Luganensis in Anwendung brachte [1]). Besonders auf diesen Fund hin, glaubte er schliessen

[1]) *Ammonites Luganensis* nannte Beyrich (Cephalopoden aus dem Muschelkalk der Alpen, Abhandl. d. Akad. d. Wiss. z. Berlin 1866 pag. 112 Taf. 1 Fig. 3) einen Ammoniten aus dem Muschelkalk von Reutte, der sich daselbst häufiger als *Ammonites binodosus* finden soll. Dieser Art fehlt der Kiel, den die Hauer'sche Art zeigt, doch glaubt Beyrich einem solchen, wie er bei Hauer gezeichnet wurde, nur eine untergeordnete Bedeutung beilegen zu sollen. *Cerat. Luganensis*, ursprünglich von Merian benannt, stammt von Mt. Salvatore am Luganer-See, eine Lokalität, deren Lagerungsverhältnisse schwer zu entwirren sind. Es werden nämlich gegen Westen hin die Schichten der Lombardei bedeutend weniger mächtig, so dass sie mit den östlicher gelegenen nicht leicht identifizirt werden können, und ausserdem sind gerade in den Umgebungen des genannten See's mancherlei spätere Einflüsse thätig gewesen, die Regelmässigkeit des vertikalen Aufbaues der Schichten zu stören. Mit *Cerat. Luganensis* zusammen wurde von Hauer Gervillia salvata Brunner beschrieben, eine Art, die ich ganze Bänke füllend in obertriadischen Dolomiten der Val Trompia auffand. (Diese Beiträge Band 1 pag. 80. 160.) Es scheint also noch nicht einmal erwiesen, dass die Merian'sche Art aus dem Muschelkalk stammt. Wie ich durch eine gefällige Mittheilung aus Wien erfahre, lag *Ceratites Luganensis* in der That in einem hellen Dolomite, also nicht in schwarzen, plattigen Kalken, wie die von Perledo und Varenna am nahen Comer-See, welche den Muschelkalk dort repräsentiren dürften. In demselben hellen Dolomit war auch jene Gervillia salvata enthalten.

zu dürfen, dass wie bei Würzburg ein Cephalopodenhorizont über den Brachiopodenschichten läge, von diesen noch getrennt durch Schaumkalk und Myophoriamergel, so auch in den Alpen die Kalke mit *Ammonites Studeri, Cerat. binodosus* etc. über den Brachiopoden liegen müssten, wenn auch die direkte Auflagerung noch nicht nachgewiesen sei. Die Schichten mit *Myophoria orbicularis*, die über ganz Deutschland in so überaus gleichartiger Weise verbreitet sind, fehlen in den Alpen. Der Schaumkalk scheint schon in Schlesien nicht mehr so klar entwickelt zu sein, wie von Rüdersdorf bis an den Neckar, denn Eck scheidet ihn nicht aus, während ihn Sandberger im Mikultschützer Kalk wiedererkennen möchte. (Würzb. naturw. Zeitschr. Band 6 pag. 150.) Eben so wenig konnte er durch eine selbständige Fauna bisher in den Alpen nachgewiesen werden, denn auf *Encrinus Carnalli* allein hin möchte ich bei Recoaro nicht von Schaumkalk reden. Fehlen aber diese beiden Horizonte, so kommen die Cephalopodenschichten unmittelbar mit den Brachiopodenschichten in Berührung und es kann dann eben so gut sich herausstellen, dass sie als Facies neben einander liegen, als dass sie streng gesondert sich überlagern. Einige Brachiopoden kommen in den Alpen mit den Cephalopoden zusammen vor, das ist erwiesen, nur von *Rhynchonella decurtata* weiss man es noch nicht. Wenn es sich aber nicht um eine Fauna, sondern nur um eine Art handelt, besonders ein Brachiopod, so glaube ich, ist grosse Vorsicht geboten. Sollte die constante Ueberlagerung sich vielleicht mit der Zeit herausstellen, so würde ich das für einen erfreulichen Anhaltspunkt für eine weitere Gliederung ansehen, doch eben diesen Nachweis möchte ich abwarten.

Eigenthümlich ist im oberen Muschelkalk das Verhalten der Trochitenbänke. Diese fehlen in Oberschlesien, doch fand Eck den *Encr. liliiformis* im Wellenkalk, nachdem er Anfangs dessen Fehlen in dieser Formationsabtheilung angenommen hatte. Bei Recoaro haben wir Trochitenbänke von mehreren Fuss Mächtigkeit und es wurde oben darauf hingewiesen, dass ein Theil der dort vorkommenden Stengelglieder wohl auf *Encr. liliiformis* zurückzuführen sein dürfte. Da liegt denn die Vermuthung nahe, hier, wo keine Anhydritgruppe vorhanden ist, den Trochitenkalk mit dem Wellenkalk vereinigt aufzufassen, während er in Gegenden, die öfterem Wechsel der Verhältnisse ausgesetzt waren, sich später erst in seiner typischen Erscheinungsweise entwickelte. Beachtung verdient es, dass *Retzia trigonella* gewissermassen an die Crinoiden gebunden scheint. In Oberschlesien und den Alpen liegt sie mit den Brachiopoden und Crinoiden zusammen, wo aber im oberen Muschelkalk Trochitenbänke entwickelt sind, tritt sie in diesen auf, fehlt dagegen im Wellenkalk, so im Braunschweigischen,

Thüringen, Franken und bei Heidelberg (Wiesloch). Ueberhaupt scheint diese Art die grösste vertikale Verbreitung unter den sog. alpinen Brachiopoden zu besitzen, denn sie geht nach Richthofen in Vorarlberg, wenn auch als Seltenheit, noch in den Arlbergkalk hinauf.

Das Fehlen des *Ceratites nodosus* in den Alpen scheint unzweifelhaft, und in diesem Umstand liegt die Schwierigkeit, sich zu entscheiden, wo man Muschelkalk schliessen und Keuper anfangen lassen soll. In den Gegenden, wo der Lunzer Sandstein, ein Gebilde mit echten Lettenkohlenpflanzen, vorliegt, kann man sich an diesen halten und die zunächst darunter liegenden Schichten als innig verbunden mit dem Muschelkalk ansehen, wie ja schon längst Quenstedt Lettenkohle und Muschelkalk zusammenfasste. Diese Ansicht wurde neuerdings für die Alpen auf Grund des Auftretens der Ostracoden im Muschelkalk und in der Lettenkohle von Sandberger vertreten. Der Lunzer Sandstein ist, von Osten herkommend, südlich von Reutte noch bekannt, aber nicht mehr so typisch in Vorarlberg. Hier kommt man aus den Schichten mit Bactryllien allmählig in die Arlbergkalke, welche ohne paläontologische Merkmale sind. Es fehlt hier jeder auf organische Einschlüsse basirte Abschnitt bis gegen die Raibler Schichten, welche auch nur ganz im Osten des Vorarlberger Gebietes gut entwickelt sind. Aus diesen Horizonten über Richthofens Arlbergkalk stammen auch *Pterophyllum Jaegeri* und die berühmten Käfer (cf. Richthofen, Jahrb. Reichsanstalt X. p. 133). Sie würden nur dann als Lettenkohle anzeigend angesehen werden dürfen, wenn man den ganzen Arlbergkalk zur Lettenkohle nehmen wollte. Die Würzburger Käfer hingegen (Würzb. Naturw. Zeitschr. 1868, p. 203) liegen in der unteren Lettenkohle. Dass die Sandsteine, die Richthofen als Raibler bezeichnet, in der That hoch über den Partnachschichten liegen, sieht man sehr deutlich auf dem Wege von Stuben nach Zürs.

Auf der Südseite der Alpen müssen dann ebenfalls die sogenannten Wenger Schichten mit dem Muschelkalk als innig verbunden aufgefasst werden und die *Halobia Sturi* mit *Ammonites Studeri* zusammenliegend tritt nur als Vorläufer der mit Aonartigen Ammoniten vergesellschafteten *Halobia Lommeli* auf. Auch in den Ammoniten werden sich ohne Zweifel da, wo Cephalopodenfacies auf Cephalopodenfacies folgt, noch Verwandtschaften herausstellen. Man wird darauf verzichten müssen, alles umfassende Horizonte zu markiren, wird vielmehr für jedes einzelne Gebiet der lokalen Entwicklung der Facies Rechnung zu tragen haben. Wo Land in der Nähe war, entwickelt sich Lunzer Sandstein und bildet einen leicht fassbaren Abschluss, entfernter vom Ufer machte der Fortschritt der Zeit sich bei gleichartiger Gesteinsbildung nur im allmähligen Wechsel der das Meer bewohnenden Thiere bemerklich.

Aber auch die Wenger Schichten sind nach oben nicht scharf begrenzt. Richthofen weist darauf hin, dass sein Kalk von Cipit und die Cassianer Schichten selbst sich allmählig aus denselben entwickeln. Mit dem Uebergang der Gesteine geht der Uebergang der Faunen Hand in Hand und es wird noch eine interessante Aufgabe sein, die reichen organischen Einschlüsse der Gesammtheit der Cassianer Schichten nach ihren Horizonten zu sondern und das Verhältniss des Auftretens und Verschwindens der einzelnen Formen gegen diejenigen tiefer liegender Formationsabtheilungen genauer nachzuweisen.

UEBER DIE

PFLANZENRESTE DES MUSCHELKALKES

VON

RECOARO

VON

DR. SCHENK,

PROFESSOR DER BOTANIK AN DER UNIVERSITÄT ZU LEIPZIG.

MÜNCHEN, 1868.

R. OLDENBOURG.

Bei der auf den Wunsch meines verehrten Freundes, des Herrn Dr. Benecke, unternommenen Untersuchung der von ihm bei Recoaro gesammelten fossilen Pflanzen, hielt ich es für zweckmässig, mich nicht auf diese allein zu beschränken, sondern auch jene fossilen Pflanzen, welche von andern Forschern in der Trias von Recoaro gesammelt wurden, zu berücksichtigen und dabei auch auf alle bisher aus der Muschelkalkformation bekannt gewordenen Pflanzenreste Rücksicht zu nehmen.

Die erste Notiz über die in der Trias von Recoaro vorkommenden fossilen Pflanzen rührt von Catullo her, welcher in den Nuovi Annali di scienz. natur. di Bologna 1846. Tab. 4 Fig. 6 Coniferenreste als *Cystoscirites nutans* Sternberg? abbildet. Die nämlichen Pflanzenreste wurden später von Schauroth als den Coniferen angehörig erkannt; er erklärte sie in seiner Uebersicht der geognostischen Verhältnisse der Umgegend von Recoaro für *Voltzia heterophylla var. brevifolia* Brongn. und fügte dieser Art noch eine zweite, von ihm zuerst beschriebene Conifere hinzu: *Palissya Massalongi* (Sitzungsber. der Akad. zu Wien 1855. pag. 498. Tab. 1. Fig. 1). Durch Massalongo (Neues Jahrb. für Mineralogie etc. 1851. pag. 415) wurde zuerst eine grössere Anzahl fossiler Pflanzen aus der Trias von Recoaro erwähnt. Er führt aus dem bunten Sandsteine *Equisetum Brongniarti, Caulopteris spec.*, *Haidingera Schaurothi* Massal., *Palissya Massalongi* von Schauroth, zwei Arten von *Taxites*, *Aethophyllum speciosum* Brongn., aus dem Muschelkalke *Voltzia heterophylla var. brevifolia* Brongn., *Araucarites spec.* und *Brachyphyllum spec.* an. Zigno gebührt das Verdienst auf Grund des von Massalongo gesammelten Materiales zuerst eine vollständigere und genauere Darstellung der fossilen Triasflora von Recoaro gegeben zu haben, welche 1862 in den Memoiren des k. k. Institutes zu Venedig erschien. Pirano's Mittheilung (Costituzione geologica di Recoaro. pag. 106) stützen sich hinsichtlich der Angaben des Vorkommens fossiler Pflanzen auf Zigno's Abhandlung. Endlich sei noch der von Schauroth in dem Verzeichnisse der Versteinerungen des herzoglichen Naturalienkabinets zu Coburg (1865. pag. 49. 52) erwähnten Pflanzenreste von Recoaro gedacht.

In der Trias von Recoaro finden sich zwei verschiedene Floren, deren eine dem bunten Sandsteine, die andere dem Muschelkalke angehört. Die Erstere besteht aus Equisetiten, Farnen, Coniferen und der Gattung *Aethophyllum*. Die Flora des bunten Sandsteines von Recoaro kann indess weder nach ihrem Erhaltungszustande, noch nach ihrer Artenzahl mit der Buntsandsteinflora des Elsasses verglichen werden. Die Flora des Muschelkalkes von Recoaro besteht, insoferne es sich um sicher zu bestimmende Pflanzenreste handelt, vorläufig nur aus Coniferen, welche von Dr. Benecke in reichlicher Anzahl gesammelt wurden. Sie boten für meine Untersuchungen das reichste Material, ausserdem konnte ich noch die in der Naturaliensammlung zu Coburg vorhandenen, von Dr. von Schauroth gesammelten Exemplare untersuchen.

Die Flora des bunten Sandsteines von Recoaro besteht nach Zigno aus *Equisetites Brongniarti* Unger?, *Caulopteris Maraschiniana* Massal., *C. Lachiana* Massal., *C. Festariana* Massal., *Aethophyllum Fötterlianum* Massal., *Haidingera Schaurothiana* Massal., *Taxites Massalongi* Zigno, *Taxites vicentinus* Massal. Massalongo führt ausserdem noch *Aethophyllum speciosum*, Schauroth *Equisetum Meriani* an. Diese letztere Art, der Gattung *Calamites* angehörig, ist bisher nur in der Lettenkohle beobachtet und auf diese beschränkt, wenigstens so weit meine eigenen Erfahrungen reichen. Die unter diesem Namen aus dem bunten Sandstein von Recoaro in der Naturaliensammlung zu Coburg befindlichen Exemplare gehören zu *Schizoneura*, welche wohl richtiger als eine *Calamites*-Art betrachtet wird. Die als *Aethophyllum speciosum* Brongn. von Schauroth bezeichneten Pflanzenreste haben allerdings mit den Stengeln und Blättern dieser Art Aehnlichkeit, sie können aber eben so gut anderen Ursprungs sein. Jedenfalls wird das Vorkommen dieser Art bei Recoaro durch sie nicht sichergestellt. Die ächte Art kenne ich nur aus dem bunten Sandsteine, in den Sammlungen findet man aber auch zuweilen Pflanzenreste aus der Lettenkohle als *Aethophyllum* bezeichnet, welche zwar Aehnlichkeit mit den Stengel- und Blattresten dieser Gattung haben, aber ganz anderen Ursprungs sind. Alle Angaben über das Vorkommen des *Aethophyllum speciosum* in der Lettenkohle müssen daher so lange in Zweifel gezogen werden, als nicht unwiderlegliche Beweise für dasselbe geliefert sind. Zu einem solchen Beweise genügen die bisher beobachteten Pflanzenreste nicht; sie können mit demselben Rechte für fiederlose Blattstiele von Cycadeen oder für blattlose Zweige von Coniferen angesehen werden. Weiter unten wird von ähnlichen Fragmenten aus dem Muschelkalke die Rede sein. Aehnliches gilt für die angeblich in der Lettenkohle vorkommenden Reste von *Schizoneura*.

Nach den Abbildungen Zigno's und den von Schauroth gesammelten Exemplaren scheint mir, wie dies Zigno ebenfalls bemerkt, das Vorkommen von *Equisetites Brongniarti* Unger noch zweifelhaft. Der Erhaltungszustand der Exemplare gestattet kein sicheres Urtheil über die Abstammung dieser Pflanzenreste. Es sind Stamm- oder Astfragmente zweifelhaften Ursprungs.

Die von Zigno als *Caulopteris*-Arten abgebildeten Stammreste beurkunden das Vorhandensein von Farnen, für welches andere Anhaltspunkte nicht gegeben sind. Indess dürfte eine wiederholte Untersuchung dieser Stammfragmente nicht überflüssig sein.

Unter den Coniferenresten gehören die als *Albertia* (*Haidingera*) *Schaurothiana* von Massalongo unterschiedenen blatttragenden Zweige ohne Zweifel dieser Gattung an; es ist jedoch die Frage, ob sie nicht mit *Albertia elliptica* zu vereinigen sind. Von Schauroth gesammelt, befindet sich in der Naturaliensammlung zu Coburg eine *Voltzia* aus dem bunten Sandsteine von Recoaro, welche ich nicht für verschieden von *Voltzia heterophylla* halte. Die beiden *Taxites*-Arten Massalongo's, deren eine von Schauroth mit der Gattung *Palissya* vereinigt wird, werden hinsichtlich ihrer Verwandtschaft so lange zweifelhaft bleiben, als nicht Zapfen beobachtet sind.

Aethophyllum Fötterlianum Massal. scheint nach den von Zigno veröffentlichten Abbildungen eine von den bisher bekannten Arten verschiedene Art zu sein, wobei allerdings noch zu untersuchen wäre, ob sie nicht zu den Entwicklungsstufen des *Aethophyllum stipulare* gehört.

Der Charakter der in dem bunten Sandsteine von Recoaro vorkommenden Flora entspricht im Allgemeinen jener des bunten Sandsteines des Elsasses, sie besitzt jedoch nach den bisherigen Untersuchungen nur **eine** mit ihr gemeinsame Art: *Voltzia heterophylla*. Die Zahl der Farne ist, selbst wenn die von Zigno unterschiedenen *Caulopteris*-Arten wirklich sämmtlich verschieden sind, im Vergleiche zu der Buntsandsteinflora des Elsasses eine sehr geringe. Die Gruppe der Coniferen enthält neben *Voltzia* und *Albertia* noch andere Formen, deren Auftreten den mit *Araucaria* und *Dammara* verwandten Formen noch eine weitere, in dem bunten Sandsteine bisher vermisste Coniferenform hinzufügt. Die nachfolgende Uebersicht der beiden Floren wird dies Verhältniss beider anschaulich darstellen.

Recoaro.	Sulzbad im Elsass.	Rheinpfalz.	Durlach.	Franken.
Equisetites Brongniarti Unger?	Calamites sp. (Schizoneura).	Equisetites Mougeoti Sandb.	Equisetites Mougeoti Sandb.	Equisetites Mougeoti Sandb.
Caulopteris? Maraschiniana Mass.	Equisetites Mougeoti Sandb.	Anomopteris Mougeoti Brong.	Caulopteris Voltzii Schimp. et Moug.	
Caulopteris? Laeliana Massal.	Equisetites Brongniarti Ung.	Voltzia heterophylla Brong.	Anomopteris Mougeoti Brong.	

Recoaro.	Sulzbad im Elsass.	Rheinpfalz.	Durlach.	Franken.
Caulopteris Festariana Massal.	Neuropteris elegans Brongn.			
Aethophyllum Fötterlianum Massal.	Neuropteris intermedia Brongn.			
Araucarites pachyphyllus Zig.	Neuropteris grandifolia Schimp. et Moug.			
Voltzia heterophylla Brongn.	Neuropteris imbricata Schimp. et Moug.			
Albertia (Haidingera) Schaurothiana Massal.	Crematopteris typica Schimp. et Moug.			
Taxites Massalongi Zigno.	Alethopteris Sultziana Göpp.			
Taxites vicentinus Zigno.	Anomopteris Mougeoti Brongn.			
	Sphallopteris Mougeoti Corda.			
	Chelepteris micropeltis Corda.			
	Chelepteris Voltzii Corda.			
	Chelepteris Lesangeana Corda.			
	Cottaea Mougeoti Schimp. et Moug.			
	Caulopteris tesselata Schimp. et Moug.			
	Pterophyllum vogesiacum Bronn.			
	Pterophyll. Hogardi.			
	Voltzia heterophylla Brongn.			
	Voltzia acutifolia Brongn.			
	Albertia latifolia Schimp. et Moug.			
	Albertia elliptica Schimp. et Moug.			
	Albertia Braunii Schimp. et Moug.			
	Albertia speciosa Schimp. et Moug.			
	Füchselia Schimperi Endl.			
	Aethophyllum speciosum Brongn.			
	Aethophyllum stipulare Brongn.			
	Echinostachys oblonga Brongn.			
	Echinostachys cylindria Brongn.			
	Palaeoxyris regularis Brongn.			

Die Triasbildungen von Recoaro enthalten aber auch noch eine dem Muschelkalke angehörige Flora. Dieser Flora gehört der von Catullo a. a. O. erwähnte *Cystoseirites nutans* an, Massalongo führt a. a. O. *Voltzia heterophylla var. brevifolia* Brongn., eine *Araucarites*- und eine *Brachyphyllum*-Art an, Zigno beschreibt daraus *Taxodites Saxolympiae* Zigno, *Araucarites recubariensis* Massal. und *A. Massalongi* Zigno. Diesen Arten fügt Pirano (a. a. O. p. 113) noch *Echinostachys Massalongi* Zigno und *Araucarites pachyphyllus* hinzu. Da die von Catullo erwähnte *Cystoseirites*-Art nicht den Algen, sondern den Coniferen angehört, so sind aus der Muschelkalkformation Recoaro's nur Coniferen bekannt, da *Echinostachys Massalongi* ohne Zweifel ebenfalls eine Conifere ist.

Durch seine Armuth an Pflanzenresten steht der Muschelkalk in einem sehr ausgeprägten Gegensatze zu dem ihm vorausgehenden bunten Sandsteine und der auf ihn folgenden Lettenkohle, welche eine nicht unbedeutende Anzahl von Pflanzenarten enthalten, welche an Zahl die Thierarten übertreffen oder ihnen gleichstehen. In der Muschelkalkformation dagegen überwiegen die thierischen Reste in einer Weise, dass die Reste des Pflanzenreiches ihnen gegenüber kaum in Betracht kommen; die wenigen Pflanzen haben überdies eine sehr beschränkte Verbreitung und kommen zuweilen nur sehr vereinzelt vor. Sie sind aus diesem Grunde bis jetzt wenig bei den Bestimmungen der einzelnen Abtheilungen und Schichten der Muschelkalkformation berücksichtigt worden, obwohl zu erwarten ist, dass sie, wenn ihnen eine grössere Aufmerksamkeit geschenkt wird, nicht weniger bezeichnend sich erweisen werden, als die thierischen Reste, da sie in gleichem Grade wie diese, Schlüsse auf die Entstehung und Beschaffenheit der sie einschliessenden Schichten zu ziehen gestatten.

Die geringe Zahl der Landpflanzen lässt auf eine entsprechende, geringe Ausdehnung des festen Landes, welche der Entwicklung einer reicheren Vegetation eine unüberschreitbare Grenze zog, schliessen, oder auf Bedingungen, welche die Erhaltung der Pflanzenreste nicht begünstigten.

Aus den thierischen Resten geht hervor, dass der Muschelkalk vorzugsweise Meeresniederschlägen seine Entstehung verdankt. Die geringe Anzahl der bisher beobachteten Algen mag unter solchen Verhältnissen auffallend erscheinen. Indess, da das Vorkommen der höher entwickelten Algen von der Tiefe des Wassers, dem Vorhandensein von Ebbe und Fluth abhängig ist, so werden Algenreste aus diesen Gruppen nur da zu erwarten sein, wo diese Bedingungen vorhanden waren, da, wo die Schichten einer Strandbildung ihren Ursprung verdanken. Eine solche Bildung gestattete dann auch die wenigstens theilweise Erhaltung von Landpflanzen, während

Bildungen, welche einem tieferen Meere ihre Entstehung verdanken, keine oder nur vereinzelte Pflanzenreste einschliessen können. Wenn, wie dies in den Schichten von Recoaro der Fall ist, Trümmer von Coniferen und zwar der verschiedensten Theile derselben, Aststücke, Zweige, Blätter, Blüthen, Schuppen, Zapfen, Samen, zahlreich und mannichfach gemengt, vorkommen, während an anderen Orten, wie bei Jena, im Muschelkalke Frankens, nur einzelne Pflanzenreste sparsam gefunden werden, so wird dies Verhalten durch das eine und das andere der beiden erwähnten Momente erklärt werden können, jedenfalls aber wird das Vorkommen der Pflanzenreste von Recoaro auf die Nähe eines grösseren Festlandes schliessen lassen, dessen Vegetation indess eine sehr einförmige war.

Die Zahl der bisher aus der Muschelkalkformation bekannt gewordenen, von Brongniart, Catullo, Schleiden, Göppert, Schauroth und Zigno beschriebenen oder erwähnten Pflanzenarten beträgt höchstens zwölf, welche Zahl indess bei einer näheren Prüfung eine theilweise Reduktion erfahren dürfte. Einen Theil derselben habe ich nicht in Originalexemplaren untersuchen können. Die nachfolgende Uebersicht enthält eine Zusammenstellung der bisher beobachteten Arten mit ihren Fundorten.

Algae.

Sphaerococcites Blandowskianus Göppert. Tarnowitz in Schlesien.

Sphaerococcites distans Sandberger. Durlach.

Equisetaceae.

Equisetites Mougeoti Sandb. Durlach.

Filices.

Neuropteris Gaillardoti Brongniart. Luneville.

Coniferae.

Taxodites Saxolympiae Zigno. Recoaro.

Pinites Göppertianus Schleiden. Wogau bei Jena.

Endolepis elegans Schleiden. Rauthal bei Jena.

Endolepis vulgaris Schleiden. Rauthal bei Jena.

Araucarites recubariensis Massalongo. Recoaro.

Araucarites Massalongi Zigno. Recoaro.

Monocotyledoneae.

Echinostachys Massalongi Zigno. Recoaro.

Dicotyledoneae.

Phyllites Ungerianus Schleiden. Wogau bei Jena.

Ausserdem werden von Schauroth in dem Verzeichnisse der Naturaliensammlung zu Coburg (p. 52) *Equisetum Meriani* Brongniart und *Voltzia heterophylla* Brongn. aus dem Muschelkalke von Recoaro angegeben. Die letztere wird auch neben einer *Brachyphyllum*-Art und *Aethophyllum speciosum* Brongn. von dem gleichen Fundorte durch Massalongo a. a. O. erwähnt.

Die unter der Bezeichnung *Equisetum Meriani* durch Schauroth aufgeführten Pflanzenreste gehören nicht der ächten Brongniart'schen Art an, sondern sind Stammstücke und blattlose Zweige einer bei Recoaro häufig vorkommenden Conifere, bei deren Besprechung ich das Weitere erwähnen werde. Auch Massalongo's *Aethophyllum speciosum* gehört ohne Zweifel hieher, die ächte Art ist mir nur aus dem bunten Sandstein bekannt. Zu der später zu besprechenden Conifere gehört auch Schauroth's *Voltzia heterophylla*. Diese drei Arten sind demnach aus der Reihe der in der Muschelkalkformation angegebenen Pflanzen gänzlich zu streichen.

Aus der Gruppe der Algen werden zwei *Sphaerococcites*-Arten erwähnt. Die eine, *Sph. Blandowskianus* Göppert (Uebers. der schles. Gesellsch. für 1845, pag. 149. Tab. 2. Fig. 10), kenne ich aus den Originalexemplaren, welche mir von Herrn Professor Dr. Göppert mitgetheilt wurden. Die Abbildung würde kaum ein sicheres Urtheil über die Abstammung der aufgestellten Art erlauben. Die Exemplare, welche ich untersuchte, halte ich überhaupt für keine Pflanzenreste, sondern es sind unregelmässig begrenzte helle Stellen auf dem Gesteine, welche durch das Verschwinden des Eisens erzeugt sind, während die übrige Fläche der Handstücke durch Eisen gelblich gefärbt ist. Die eisenfreien Stellen sind farblos und wechseln in ihrem Umriss. (Taf. V (1) Fig. 1.)

Eine zweite Art, *Sph. distans* Sandb., wird von Sandberger aus dem Wellendolomit bei Durlach in Baden angegeben (Sandberger, Zur Erläuterung der geolog. Karte der Umgebung von Carlsruhe. p. 4, 5). Nach den Mittheilungen Prof. Sandberger's kommen diese Reste sehr häufig vor und sind zuweilen einen Fuss lang. Begleitet werden sie von Erdpech, aus dessen Vorkommen jedenfalls auf das ehemalige Vorhandensein einer reichlichen Vegetation geschlossen werden darf. Der freundlichen Mittheilung Professor Sandberger's verdanke ich Exemplare dieser Art. Es sind dichotome Verzweigungen von 2 bis $2^1/_2$ Linien Durchmesser, welche jedoch keine Spur von Organisation erkennen lassen (Taf. V (1) Fig. 2). Ich kann sie vorläufig nur als zweifelhafte Reste ansehen, und es ist die Frage, ob sie überhaupt organischen Ursprungs sind.

Aus der gleichen Schichte des Wellenkalkes, dem Wellendolomit, stammend, befindet sich nach einer mündlichen Mittheilung Professor Sandberger's in der Sammlung des Polytechnikums zu Carlsruhe ein Exemplar des Steinkernes von *Equisetites Mougeoti* Sandberger. Demzufolge würde diese dem bunten Sandsteine angehörige Art bis in die Periode der Wellendolomitbildung, der ältesten, dem bunten Sandsteine unmittelbar folgenden Schichte des Wellenkalkes, sich erhalten haben. Ihr Vorkommen würde im Vereine mit den in ihr vorkommenden thierischen Resten, den zahlreichen Algenresten, vorausgesetzt, dass *Sphaerococcites distans* dieser Gruppe angehört, den Wellendolomit als eine Strandbildung betrachten lassen (vergl. Sandberger a. a. O. p. 5.).

Aus der Gruppe der *Farne* ist aus dem obersten Muschelkalke von Luneville die von Brongniart (hist. des veget. foss. p. 245. Tab. 76. Fig. 3.) beschriebene und abgebildete *Neuropteris Gaillardoti* als einzige Art dieser Gruppe bekannt. Ich habe keine Exemplare untersuchen können. Nach Brongniart ist sie mit den in dem bunten Sandsteine vorkommenden Arten, der *Neuropteris elegans* Brongniart und *N. Voltzii* Brongniart verwandt, unterscheidet sich aber durch die breiteren Segmente, den wenig vortretenden Mittelnerven, und die an der Basis freien Segmente. Mir scheint sie der *Neuropteris elegans* am Nächsten zu stehen und von dieser hauptsächlich durch die breiteren Segmente und den weniger ausgeprägten Mittelnerven verschieden zu sein. Taf. V (1). Fig. 3. VI (2). 3. gebe ich eine Copie der Abbildung Brongniart's.

Die bei Weitem grösste Anzahl der Pflanzenreste der Muschelkalkformation gehört der Familie der *Coniferen* an. Unter ihnen erwähne ich zuerst der von Zigno (a. a. O. p. 16. Tab. 2. Fig. 4.) abgebildeten und beschriebenen *Echinostachys Massalongi*. Ich habe das Original dieser Abbildung nicht untersuchen können, muss aber gestehen, dass ich, nach dem Vorkommen derselben in den Kalken über dem bunten Sandsteine, als auch nach der Abbildung und ihrer Aehnlichkeit mit sehr zerdrückten Exemplaren des *Araucarites recubariensis* Zigno diese *Echinostachys*-Art für eine Conifere und zwar für einen Erhaltungszustand der obengenannten *Araucarites*-Art halten muss.

Nach Benecke's Mittheilung gehört *Taxodites Saxolympiae* vom Sasso della Limpia (Zigno, a. a. O. p. 17. Tab. 9. Fig. 1. 2.) zwar der Muschelkalkformation an, jedoch bleibt es zweifelhaft, ob auch demselben Niveau, welches die *Araucarites*-Arten Zigno's einschliesst. Das von Zigno abgebildete Zweigfragment darf ohne allen Zweifel den Coniferen angehörig betrachtet werden, seine Unvollständigkeit jedoch, sowie der Mangel aller anderen Anhaltspunkte erlaubt keinen sicheren Schluss auf die nähere Verwandtschaft desselben mit einer der Coniferen der Jetztwelt. Erst vollständiger erhaltene Exemplare werden dies möglich machen. Nach Zigno Abbildung (Copie auf Taf. VI (2). Fig. 4. 4. a) besitzt das Fragment lineare, stumpfe, spiralig stehende, mit herablaufender Basis an dem Zweige ansitzende Blätter.

Aus den Cölestinschichten von Wogau bei Jena, dem untersten Wellenkalke angehörig, werden von Schmid und Schleiden (Geognost. Verhält. des Saalthales b. Jena. p. 19) Kohlenbildungen von sehr geringer Ausdehnung beschrieben. Schleiden, welcher die Kohle einer Untersuchung unterwarf, wies a. a. O. p. 68 nach, dass dieselbe hauptsächlich einer Conifere ihren Ursprung verdankt. Er bezeichnet diese Conifere als *Pinites Göppertianus.* Die mir von Herrn Professor E. Schmidt übersandte Probe dieser Kohle, welche vollständig in Pulver zerfallen war, liess nur einzelne Holzzellen mit Doppeltüpfeln erkennen. Ich muss deshalb auf Schleiden's Angaben verweisen, nach welchen die Holzzellen mit grossen, einreihigen Tüpfeln versehen und die Tüpfelreihen unterbrochen sind; in den Markstrahlenzellen konnten von Schleiden weder Tüpfel noch Poren nachgewiesen werden. Dass die Wände der Holzzellen stark aufgequollen sind, ist bei der Entstehung der Kohle nicht auffallend. Im Querschnitte gibt Schleiden Harzgänge an; es ist sehr zweifelhaft, ob die von Schleiden abgebildeten Lücken in dem Gewebe als solche betrachtet werden dürfen. Es sind jedoch nicht allein die Reste einer Conifere, welche an der Bildung dieser Kohle Antheil hatten; sie besteht nach Schleidens Angabe auch noch aus Blattfragmenten, *Phyllites Ungerianus* Schl., welche sehr vereinzelt als kleine, zarte, heller gefärbte, biegsame, mehr durchscheinende Läppchen zwischen den aus Coniferenholz bestehenden Lamellen bei dem Maceriren mit kohlensaurem Natron erhalten werden. Das Blatt besass auf beiden Flächen Spaltöffnungen, die Epidermiszellen der Unterfläche haben gebogene Seitenwände, jene der oberen Fläche mehr gerade. Drüsenhaare und einfache Haare kommen auf beiden Flächen des Blattes vor. Auch Parenchymzellen des unter der Epidermis liegenden Gewebes haben sich erhalten. In den letzteren befinden sich Körnchen, welche Schleiden für Chlorophyllkörner erklärt, in den Epidermiszellen dagegen einzelne grössere Kügelchen, zuweilen Körperchen, nach Schleiden Zellenkerne. Auch Theile von Gefässbündeln, einzelne Spiralfasern gelang es Schleiden nachzuweisen (Schleiden, a. a. O. p. 69. 70 Tab. 5 Fig. 10—17). Mit Recht bemerkt Schleiden, dass die Strukturverhältnisse der Fragmente keinen Schluss auf die Abstammung von einer bestimmten Pflanze erlauben; es lässt sich nur voraussetzen, dass diese Reste von einer Dicotyledone stammen. Zweifelhaft bleibt die Bedeutung des körnigen Zelleninhaltes, des Chlorophylls und der Zellenkerne, welche sich nach meinen Erfahrungen nicht sehr lange bei der Verkohlung der Pflanzentheile erhalten. Dieser Zelleninhalt wird ohne Zweifel für Harzkügelchen zu erklären sein. Sind die von Schleiden beschriebenen Pflanzenreste wirklich fossilen Ursprunges, so würde das Vorkommen von Dicotyledonen in der Muschelkalkformation mit ziemlicher Sicherheit anzunehmen sein und insoferne wären diese Fragmente von grosser Wichtigkeit, da sich weder in früheren Epochen, noch in den späteren bis zur jüngeren Kreide das Auftreten von Dicotyledonen mit Sicherheit nachweisen lässt. Indess lässt sich fragen, ob nicht ein Irrthum stattgefunden, und jedenfalls wird es wünschenswerth sein, durch eine nochmalige Untersuchung, welche mir nicht möglich war, da die mir vorliegende Probe derlei Fragmente nicht enthielt, die Thatsachen sicher zu stellen. Taf. V (1) Fig. 4—7 gibt eine Copie von Schleiden's *Pinites Göppertianus*; eine Copie des *Phyllites Ungerianus* zu geben, hielt ich bei den obwaltenden Zweifeln für überflüssig.

Aus einem noch nicht ganz sicher gestellten Niveau des Rauhthales bei Jena, dem tiefsten Muschelkalke oder dem Anhydrite, stammen die von Schleiden (a. a. O. p. 71. Tab. 5. Fig. 23—29) als *Endolepis vulgaris* und *Endolepis elegans* beschriebenen Pflanzenreste. Auch diese Fragmente gehören, wie ich glaube, der Familie der Coniferen an. Schleiden erklärt sie für Ausfüllungen des Markkörpers einer Dicotyledone; er betrachtet die länglichen, rhombischen Erhöhungen als Ausfüllung des dem Marke zunächst liegenden Theiles der Markstrahlen, die Furchen zwischen den Erhöhungen als Abdrücke der die Markstrahlen begrenzenden Holzbündel. Diese Erklärung der Struktur der Fragmente hat an sich nichts weder den Dicotyledonen, noch der Beschaffenheit der Reste selbst Widersprechendes; allein einmal ist das Vorkommen von Dicotyledonen in dem Muschelkalke überhaupt sehr zweifelhaft, sodann erinnern die länglichen, rhombischen Erhöhungen lebhaft an die rhombischen Blattansätze der Stammtheile von *Voltzia heterophylla* Brongn. (*Yuccites vogesiacus* Schimper et Mougeot, Flore du grès bigarré. Tab. 29. Fig. 4) und *Voltzia coburgensis* Schauroth. Nachdem ich durch Herrn Professors E. E. Schmid zuvorkommende Mittheilung im Stande war, Exemplare der beiden von Schleiden unterschiedenen Arten zu untersuchen, muss ich die Fragmente für Steinkerne der Zweige einer *Voltzia* oder einer mit *Voltzia* durch Anheftung und Stellung der Blätter verwandten Conifere halten. Dass sie dem Pflanzenreiche angehörten, geht unzweifelhaft aus dem an ihnen jetzt noch theilweise anhaftenden Kohlenüberzuge hervor. Die länglichen, rhombischen Erhöhungen sind die Abdrücke der Narben der Blattansätze, wie sie in ähnlicher Weise bei *Arau-*

caria excelsa und *A. Cuninghami* vorkommen. Ihre Entstehung erklärt sich ohne Schwierigkeit, wenn Zweige in die noch weiche Gesteinsmasse eingeschlossen wurden, den Abdruck ihrer Aussenfläche zurückliessen und nachdem dieselben zu Grunde gegangen waren, der von ihnen eingenommene Raum durch Gesteinsmasse wieder ausgefüllt wurde. Diese letztere musste den getreuen Abguss des früher vorhandenen Zweiges liefern.

Dass die Zweigfragmente von zwei verschiedenen Arten stammen, dafür spricht die von Schleiden hervorgehobene Verschiedenheit der länglichen rhombischen Erhöhungen, welche auch bei Exemplaren von ganz gleichem Durchmesser vorhanden ist, demnach kaum Folge einer Altersverschiedenheit sein kann (Taf. VI (2) Fig. 1, 1a. 2, 2a.).

Ich bespreche hier sogleich jene Pflanzenabdrücke, deren Schleiden (a. a. O. p. 72) aus dem Saurierkalk, dem Niveau der beiden *Endolepis*-Arten, erwähnt. Auch diese konnte ich durch die Güte des Herrn Professor Schmid zu Jena vergleichen. Ihren vegetabilischen Ursprung halte ich für ausser Zweifel, indess ist es nicht möglich, sie auf irgend eine bestimmte Gruppe zurückzuführen. Auch in dem *Trigonodus*-Dolomit von Rothenburg an der Tauber kommen verkohlte, astähnliche Pflanzentrümmer vor, deren Kohle strukturlos ist. Die letzteren mögen vielleicht Aststücke einer baumartigen Pflanze sein; die erstern können ihren Ursprung kleineren Anhäufungen pflanzlicher Reste verdanken, deren Form und Struktur durch den Verwesungsprozess vollständig vernichtet wurde. Zuweilen zeigen die Abdrücke derselben parallele Längsstreifen oder netzförmig sich kreuzende Leisten; es sind diese sicher erst später durch Sprünge in der Kohle entstanden, in welche das noch nicht vollständig erhärtete Umhüllungsmaterial eindrang.

Der von Zigno (a. a. O. p. 23. Tab. 7. Fig. 1—3) beschriebene *Araucarites pachyphyllus* ist hinsichtlich der Formation, welcher er angehört, zweifelhaft. Zigno bezeichnet ihn als eine Pflanze des bunten Sandsteines, Pirano dagegen als dem Muschelkalk angehörig. Die Art ist durch breiteiförmiglanzettliche, dachziegelig übereinander liegende, mit breiter Basis ansitzende Blätter ausgezeichnet und steht den südamerikanischen Arten von *Araucaria*, der *A. brasiliensis*, *A. imbricata* und der neuholländischen *A. Bidwilli* nahe. Wie in manchen anderen Fällen haben sich auch bei dieser Art die Spaltöffnungen erhalten; die von Zigno angegebene Punktirung der Blätter ist durch sie bedingt. Unter den fossilen, mit *Araucaria* durch den Habitus verwandten Coniferen steht sie dem von Gümbel aus den Seefelderschiefern beschriebenen *Cupressites alpinus* nahe, mit welchem ich sie auch früher (Beitr. zur Keuper- und Bonebedflora, p. 77) identisch erklärte. Da indess das Niveau von Zigno's Art, wenn es auch noch nicht feststeht, in keinem Falle jenes der Seefelderschiefer ist, die Blätter der letzteren Art etwas schmäler sind, von der einen die Zapfen gänzlich unbekannt, von der anderen in der Sammlung zu Innsbruck nur ein schlecht erhaltener Zapfen sich befindet, so dürfte es gerathener sein, beide Arten getrennt zu halten und für jene der Seefelderschiefer den von mir in den Sammlungen zu Innsbruck und München benutzten Namen *Araucarites alpinus* anzuwenden.

Ich wende mich nun zur Besprechung der aus dem obersten Wellenkalke von Recoaro stammenden Coniferen, welche Zigno nach den von Massalongo hinterlassenen Aufzeichnungen und Exemplaren in zwei Arten schied: *Araucarites recubariensis* Massal. und *A. Massalongi* Zigno. Die Coniferenreste kommen in den obersten Schichten des Wellenkalkes sehr häufig vor, ihr Erhaltungszustand, die auf den nämlichen Platten und Handstücken mannichfach durcheinander liegenden Fragmente älterer und jüngerer, entblätterter und noch mit Blättern versehener Zweige neben einzelnen Blättern, Blüthenständen, Schuppen, Zapfen und Samen lassen mit Bestimmtheit auf eine theilweise, schon vor dem Einschlusse erfolgte Zerstörung der einzelnen Reste schliessen und geben Aufschluss über die Vorgänge bei dem Einschlusse. Es sind ohne Zweifel Fragmente, welche in ruhigem Wasser durch Strömung zusammengetrieben sich ansammelten und langsam von den entstehenden Absätzen eingeschlossen wurden.

Es wird zunächst zu untersuchen sein, ob die Coniferenreste des Wellenkalkes von Recoaro der Gattung *Araucarites* verbleiben, oder ob sie nach den von Benecke mitgetheilten Zapfenfragmenten und Zapfen einer anderen Gattung einverleibt werden müssen. Insoferne der Habitus der Zweigfragmente und der Taf. IX (5) Fig. 9 abgebildete Zapfen berücksichtigt wird, lässt sich gegen die Stellung der Coniferenreste unter *Araucarites* nichts einwenden, da dieselben mit *Araucaria excelsa* grosse Analogie haben. Allein die einzelnen, losgetrennten Zapfenschuppen (Taf. IX (5) Fig. 3. 5), deren oberer Theil vollständig oder beinahe vollständig erhalten ist, ferner die nur theilweise erhaltenen Zapfenschuppen (Taf. IX (5) Fig. 4) beweisen, dass sie der Gattung *Voltzia* angehören. Dies bestätigen auch die geflügelten Samen (Taf. XI (7) Fig. 1, a), deren Flügel an der Spitze ausgeschnitten ist. Auch das Taf. VIII (4) Fig. 4 abgebildete, sehr unvollständig erhaltene Zapfenfragment spricht für diese Gattung; es steht dem von Schimper und Mougeot abgebildeten Zapfen von *Voltzia heterophylla* nahe. Aus allen diesen Verhältnissen ergibt sich eine wesentliche Uebereinstimmung mit *Voltzia heterophylla* Brongn. des bunten Sandsteines, deren Zapfenschuppen jedoch an der Spitze gekerbt, nicht getheilt sind, welcher Unterschied die Trennung als Art, aber nicht als Gattung rechtfertigt. Auch das abgebildete Zapfenfragment schliesst sich genau an den von Schimper und Mougeot Taf. 16 Fig. 2 dargestellten Zapfen an, nicht weniger entsprechen die männlichen Blüthenstände (Taf. VI (2) Fig. 5. 6 u. Taf. IX (5) Fig. 6. 7. 8) jenen von *Voltzia* (Schimper und Mougeot, l. c. Tab. 16 Fig. 1).

Noch ist ein Charakter hervorzuheben. Die beiden *Voltzia*-Arten des bunten Sandsteins und der Lettenkohle zeichnen sich durch zwei Samen auf jeder Schuppe aus. An den bei Recoaro beobachteten Schuppen bemerkt man (Taf. IX (5) Fig. 3. 5) rundliche oder ovale seichte Eindrücke, welche von Samenknospen herzurühren scheinen, während das Fragment einer Schuppe (Taf. IX (5) Fig. 4) an der Basis nur zwei stark vertiefte Eindrücke zeigt. Ist auch die Zahl der Samenknospen eine grössere als bei *Voltzia*, ist die Verschiedenheit des Zahlenverhältnisses nicht bloss Folge der Altersverschiedenheiten der Schuppen, ist sie nicht durch Fehlschlagen der Samenknospen bedingt, so glaube ich doch nicht, dass die Aufstellung einer Gattung gerechtfertigt wäre, da auch bei den Coniferen der Jetztwelt die Zahl der Samen bei derselben Gattung nicht immer dieselbe ist.

Eine andere Frage ist, ob die Coniferenreste nur einer einzigen Art oder mehreren angehören. Zigno unterscheidet zwei Arten, Massalongo zählt diese zwei verschiedenen Gattungen, *Araucarites* und *Brachyphyllum*, bei. Ich selbst habe in der Flora der Grenzschichten p. 182 gelegentlich bemerkt, dass die beiden Arten Zigno's zu vereinigen seien. Zigno unterscheidet die beiden Arten durch die männlichen Blüthenstände, die Antheren, die Verästelung der Zweige und durch die Form der Blätter. *Araucarites recubariensis* Massal. wird durch längsgerippte, konische, drei- bis vierkantige, abstehende, an der Spitze stumpfliche oder etwas sichelförmige, an der Spitze hackige Blätter, cylindrische männliche Blüthenstände und elliptische, an der Spitze stumpfe Connective charakterisirt. Die Zweige des *A. Massalongi* Zigno sollen dichotom oder alternirend, die Blätter aufrecht, dachziegelig übereinander liegend, lanzettlich elliptisch oder linear, etwas sichelförmig gebogen, gekielt, punktirt, an der Spitze stumpf, die männlichen Blüthenstände verlängert cylindrisch sein.

Die von Zigno geltend gemachten Unterschiede scheinen mir nicht so gewichtig zu sein, um durch sie die Scheidung in zwei Arten zu begründen. Ich habe die Originale Zigno's nicht gesehen, allein unter den von Benecke gesammelten Exemplaren befinden sich mehrere, welche mit den Abbildungen Zigno's übereinstimmen. Diese letzteren unterscheiden sich allerdings. Indess die Fig. 1 der Taf. VI Zigno's und Fig. 3 der nämlichen Tafel enthält Zweigfragmente, welche unzweifelhaft als jüngere Zweigspitzen zu *A. recubariensis* Massal. gehören, die letztere Figur enthält sogar einen älteren Zweig dieser

6*

Art. Es sind diese Unterschiede ohne Zweifel nur durch das Alter der Zweige und durch die Lage der Blätter hervorgerufen. Die Richtung und Form der Blätter ist bei den Coniferen vom Alter des Zweiges abhängig, und die Verästelung ist eben nur insoferne dichotom, als von *A. Massalongi* nur Spitzen von Zweigen abgebildet sind.

Zigno erwähnt ferner bei den Blättern seines *Araucarites Massalongi* eines Kieles, welcher nicht immer sichtbar sei, und feiner Punkte. Letztere sind ohne Zweifel durch die Spaltöffnungen veranlasst; ich habe sie bei keinem Exemplare gesehen. Ihre Sichtbarkeit wird aber wesentlich durch die Art der Erhaltung bedingt. Ihr Vorhandensein überhaupt würde auch noch kein Grund zur Trennung der Exemplare in zwei Arten sein, erst die nähere Beschaffenheit derselben, z. B. ihre Anordnung, könnte dazu benutzt werden. Schon der Umstand, dass ein Kiel nicht immer sichtbar sei, muss seine Bedeutung zweifelhaft machen; es zeigen aber auch Exemplare, welche unzweifelhaft dem *Araucarites recubariensis* entsprechen (Taf. IX (5) Fig. 1), einen solchen Kiel an einzelnen, mit der Rückenseite nach aussen gekehrten Blättern. Auch die von den Blüthenständen genommenen Charaktere scheinen mir keine grössere Bedeutung für die Unterscheidung zweier Arten zu haben, als jene den Blättern entnommenen. An den von Zigno abgebildeten Blüthenständen tritt kein anderer Unterschied hervor, als jener, welcher durch Altersverschiedenheit bedingt würde. Die zu *A. Massalongi* gerechneten Blüthenstände sind hauptsächlich nur durch die Grösse verschieden und verhalten sich zu jenen des *Araucarites recubariensis* wie noch nicht vollständig entwickelte Blüthenstände zu entwickelten. Die Abbildungen zeigen keinen Unterschied in der Form der Connective, welcher in den Diagnosen Zigno's hervorgehoben wird. Ich zweifle desshalb kaum, dass beide Arten identisch sind. Für die Verschiedenheit der beiden Arten könnte nur etwa die Beschaffenheit der Zapfenschuppen geltend gemacht werden. Die Taf. IX (5) Fig. 3. 5 abgebildeten, mehr oder weniger vollständig erhaltenen Zapfenschuppen zeigen zum Theile drei, zum Theile fünf Einschnitte. Es sind jedoch wahrscheinlich stets nur drei vorhanden, da bei dem Exemplare Fig. 12 die Spitze nicht erhalten und der untere, allein vorhandene Theil der Schuppe durch Zerrung zerrissen ist. Fig. 3 u. 5 sind besser erhaltene Schuppen, deren Abschnitte zum Theile vollständig erhalten sind. Es ist wenigstens nach den mir vorliegenden Exemplaren kaum wahrscheinlich, dass die Coniferenreste von Recoaro zwei verschiedenen Arten angehört haben.

Auch auf das allerdings sehr verschiedene Aussehen der beiden Taf. VIII (4) Fig. 4 und Taf. IX (5) Fig. 9 abgebildeten Zapfen wird kein allzugrosses Gewicht gelegt werden dürfen. Der erstere ist sehr unvollständig erhalten und durch

Druck und Zerrung verändert. Er hat ohne Zweifel schon vor dem Einschlusse durch äussere Einflüsse sehr gelitten, auch scheinen seine Schuppen geöffnet gewesen zu sein. Der letztere ist vollständiger erhalten, der Umriss des ganzen Zapfens erkennbar, die Spitzen der Schuppen sind deutlich sichtbar. Es scheint ein jüngerer Zapfen zu sein. Das mir vorliegende Exemplar ist in tiefem Hohldrucke erhalten, die Unebenheiten des Hohldruckes sind theils Reste, theils Abdrücke abgebrochener Schuppen.

Die Erhaltung der Zweige ist ziemlich mannigfaltig und kann unter Umständen zur gänzlichen Verkennung derselben führen, wenn nicht eine grössere Anzahl von Exemplaren zur Vergleichung vorliegt. Die Zweige kommen entweder mit Blättern mehr oder weniger vollständig versehen, aber auch ohne dieselben vor (Taf. VII (3) Fig. 1. VIII (4) Fig. 1. 2). Sind einzelne Blätter noch vorhanden, so kann über die Identität solcher Exemplare mit vollständiger erhaltenen kein Zweifel sein, solche Exemplare geben aber auch Aufschluss über die gänzlich der Blätter beraubten Zweigreste. Es ist der Holzkörper oder dessen Abdruck, welcher erhalten wurde. In der Regel sind sie der Länge nach gestreift, stark zusammengedrückt, je nach dem Alter von wechselndem Durchmesser, 1—3‴ breit. Diese Zweigreste können für Blattstiele von Cycadeen oder für Equisetitenreste gehalten werden, *Calamites Meriani* Schauroth und *Aethophyllum speciosum* Massalongo gehören, insoferne sie im Wellenkalk angegeben sind, hieher; es lässt sich jedoch an ihrem Ursprunge aus dem oben erwähnten Grunde gar nicht zweifeln. Ebenso finden sich in Kohle umgewandelte Stücke von Stammtheilen und Aesten (Taf. VII (3) Fig. 2) in Begleitung der Zweige, welche unbedenklich als Coniferenreste erklärt werden dürfen. Sie sind, namentlich jene von grösserem Umfange, rissig, jene von kleinerem Umfange mit feinen Längsstreifen versehen. Die Kohle lässt die Zusammensetzung aus Holzzellen unzweifelhaft erkennen, Tüpfel habe ich jedoch nicht finden können. Diese Fragmente können mit stärkeren Equisetitenfragmenten verwechselt werden, zu ihnen gehört das von Schauroth im Verzeichnisse der Naturaliensammlung zu Coburg erwähnte *Equisetum Meriani* (Nr. 3579).

Die blatttragenden Zweige sind sehr zahlreich, sie kommen in verschiedenen Altersstufen vor und werden die Blätter bald von der Seite, bald von der Fläche gesehen. Aeltere Zweige charakterisiren sich zunächst schon durch ihren bedeutenderen Durchmesser, ferner durch die grösseren, mehr abstehenden Blätter, welche an den jüngeren Zweigen mehr aufrecht gerichtet sind, obwohl auch an jüngeren Zweigen die Blätter zuweilen abstehen (Taf. VII (3) Fig. 3. 5). Jüngere Zweige sind die auf Taf. VII (3) Fig. 3—5, Taf. VIII (4) Fig. 5 und Taf. IX (5) Fig. 2 abgebildeten Exemplare, zu den älteren Zweigen gehören Taf. VII (3) Fig. 1. VIII (4) Fig. 2. 3. 5. IX (5) Fig. 1. X (6)—XII (8), deren Blätter meist von der Seite gesehen werden, Taf. IX (5) Fig. 1 und Taf. XII zeigt sie überdies auch von der Fläche, wie dies bei den jüngeren in Fig. 2 der Taf. IX (5) und VII Fig. 5 der Fall ist. Die Form des Blattes ist nach der Combination der Ansichten, welche sie gewähren, eilanzettlich, gegen die Basis verschmälert, sitzend, an der Spitze nach einwärts gekrümmt. Die Eindrücke und die ziemlich starken Kohlenreste beweisen, dass die Blätter ziemlich dick waren. Sehr selten sind beblätterte Zweige, welche an der Spitze Knospen (Taf. VII (3) Fig. 5. VIII (4) Fig. 5) oder Blüthenstände tragen (Taf. VIII (4) Fig. 3).

Die Blüthenstände (Taf. VI (2) Fig. 5. 6, Taf. IX (5) Fig. 6—8) sind männliche, deren Grösse nicht immer gleich ist, ohne Zweifel Folge der Altersverschiedenheit. Sie sind cylindrisch, meist der Länge nach durch das Spalten des Gesteines halbirt, so dass die Axe frei liegt. Die von den übrigen ziemlich abweichende eiförmige Gestalt des auf Taf. VI (2) Fig. 5, 6. abgebildeten Exemplares ist veranlasst durch die Lage derselben in dem Gesteine, sie sind schief von oben sichtbar. An Exemplaren, an welchen die Connective der Antheren besser erhalten sind, erkennt man ihren lanzettlichen Umriss (Taf. IX (5) Fig. 6). An einzelnen Antheren ist die Spitze des Connectivs von der Seite gesehen Taf. IX (5) Fig. 7 sichtbar. Die Erhaltungszustände der Zapfen habe ich bereits früher erwähnt.

Die bei Recoaro vorkommende Art steht dem aus dem rothen Sandsteine des Imperinathales bei Agordo beschriebenen *Araucarites agordicus* Unger (Abh. der Akad. zu Wien Bd. II pag. 123. Tab. 20 Fig. 16 gen. et spec. pl. foss. pag. 382) nahe. Ohne Zweifel gehören diese Pflanzenreste ebenfalls zur Gattung *Voltzia*. Ueber die Identität oder Verschiedenheit der Art muss jedoch eine weitere Untersuchung entscheiden.

Gehören die bei Recoaro in den obersten Schichten des Wellenkalkes vorkommenden Coniferenreste zu einer einzigen Art, ist die Identität derselben mit der von Unger beschriebenen *Araucarites*-Art wegen des verschiedenen Niveaus kaum anzunehmen, so kann keine der bisher benutzten Bezeichnungen verwendet werden. Doch wird sich die Verwendung des von Massalongo gegebenen Artnamens empfehlen und die Reste als *Voltzia recubariensis* zu bezeichnen sein, wenn auch die Umgrenzung der von Massalongo unterschiedenen Art eine andere, als die von mir vorgeschlagene ist.

Voltzia recubariensis, truncus arboreus, rami alterni pinnati, folia ovata-lanceolata imbricata spiraliter posita integra, basi decurrente sessilia, apice acutiuscula, juniora erecta oblique patentia subfalcata, adultiora patentissima falcata apice uncinata, amenta mascula terminalia cylindrica, squamae antheriferae lanceolatae acutae, strobili ovato-oblongi, squamae tri- (vel quinque?) partitae basi unguiculatae, squamarum lobi acuti integri, semina ala apice excisa cincta.

Stamm baumartig, Zweige wechselständig, zweizeilig gestellt, Blätter dachziegelig, spiralig stehend, eiförmig lanzettlich, ganzrandig, spitzlich, mit herablaufender Basis sitzend, die jüngeren schief abstehend oder aufrecht etwas gekrümmt, die älteren horizontal abstehend, sichelförmig gekrümmt, an der Spitze hakig, männliche Blüthenstände endständig, cylindrisch, die Connective lanzettlich, spitz, die Zapfen länglich eiförmig, die Schuppen drei- (ob fünf-?) theilig, an der Basis in einen Stiel verschmälert, die Lappen der Schuppen spitz, ganzrandig, Samen von einem an der Spitze ausgeschnittenen Flügel umgeben.

Cystoseirites nutans Catullo.

Voltzia heterophylla von Schauroth, Sitzungsber. der Akad. zu Wien. 1855. pag. 498. Massalongo, Jahrb. für Mineralogie. 1857. pag. 415.

Araucarites et **Brachyphyllum spec.** Massalongo l. c. pag. 415.

Araucarites recubariensis Massalongo; Zigno, sullo piante fossili del Trias de Recoaro. pag. 19. Tab. 5. Fig. 1—4.

Araucarites Massalongi Zigno, l. c. pag. 21. Tab. 6. Fig. 1—5.

Echinostachys Massalongi Zigno, l. c. pag. 16. Tab. 2. Fig. 4.

In den obersten Schichten des Wellenkalkes bei Recoaro (Benecke!), Rovegliano, des Monte Rotolone (von Schauroth! Massalongo).

Die Flora des Muschelkalkes besteht demnach beinahe nur aus Coniferen, da ausser diesen nur das Vorkommen einer einzigen Farn-Art und einer Equisetacee mit Sicherheit angenommen werden kann. Die Zahl der Coniferen beträgt fünf, das Vorkommen von Algen bleibt vorläufig zweifelhaft. Es ergeben sich demnach im Ganzen sieben Arten. Durch die genauer bekannten Arten steht sie mit der Flora des bunten Sandsteines in naher Beziehung, aber nicht weniger nahe auch jener der Lettenkohle, insoferne auch in der letzteren Formation die Gattungen *Equisetites*, *Neuropteris* und *Voltzia* auftreten und die habituelle Verwandtschaft zwischen den Arten der beiden Formationen nicht zu verkennen ist. In senkrechter Verbreitung gehören dem Wellendolomit *Equisetites Mougeoti*, dem untersten Wellenkalk *Pinites Göppertianus*, dem obersten Wellenkalk *Araucarites recubariensis*, dem obersten Muschelkalk *Neuropteris Gaillardoti* an, *Endolepis vulgaris* und *Endolepis elegans* entweder dem tiefsten Muschelkalk oder dem Anhydrite an, das Niveau von *Taxodites Saxolympiae* ist noch näher zu ermitteln.

GEOGNOSTISCH-PALÄONTOLOGISCHE

BEITRÄGE.

HERAUSGEGEBEN

UNTER MITWIRKUNG VON DR. U. SCHLOENBACH IN WIEN
UND DR. W. WAAGEN IN MÜNCHEN

VON

DR. E. W. BENECKE,
PROF. E. O. AN DER UNIVERSITÄT HEIDELBERG.

ZWEITER BAND.

II. Heft.

ENTHALTEND

GEOLOGISCHE BEOBACHTUNGEN AUS DEN CENTRAL-APENNINEN VON PROF. DR. KARL ALFRED ZITTEL.
DIE FORMENREIHE DES AMMONITES SUBRADIATUS VON DR. W. WAAGEN.

MÜNCHEN, 1869.
R. OLDENBOURG.

GEOLOGISCHE BEOBACHTUNGEN

AUS DEN

CENTRAL-APENNINEN

VON

DR. KARL ALFRED ZITTEL,
PROFESSOR AN DER UNIVERSITÄT MÜNCHEN.

(MIT 3 HOLZSCHNITTEN UND 3 LITHOGRAPHIRTEN TAFELN.)

MÜNCHEN 1869.
R. OLDENBOURG.

Die östlichen und südlichen Gebirge des ehemaligen Königreichs Neapel gehören in geologischer Beziehung zu den wenigst bekannten Theilen Europas. Solange die Geissel des Brigantenthums diese von der Natur so reich gesegnete Provinz züchtigt und die Gefahr, Steine mit Gold aufwiegen zu müssen, auch den verwegensten Geologen zurückschreckt, fehlt jede Hoffnung auf eine baldige Lüftung des diese Gegenden verhüllenden Schleiers. Auch die angrenzenden, früher zum Kirchenstaat gehörigen, zwischen Ascoli und dem Esinofluss gelegenen Central-Apenninen erfreuten sich trotz ihrer mannigfaltigen Zusammensetzung und ihres Reichthums an Versteinerungen nur in geringem Grade der Aufmerksamkeit von Seiten der italiänischen Geologen.

Unsere Kenntniss beschränkt sich fast ausschliesslich auf die Mittheilungen zweier unermüdlicher und kenntnissreicher Beobachter, des Professor Orsini und Grafen Spada Lavini, welche in den Jahren 1845—1855 einige Aufsätze veröffentlichten, deren Werth um so höher anzuschlagen ist, wenn man den damaligen Zustand der Alpengeologie berücksichtigt.

Die älteste auf die Central-Apenninen bezügliche Schrift[1]) geologischen Inhalts von den beiden genannten Autoren erschien im Jahre 1845 im Bulletin de la Société géologique de France 2me Sér. vol. II p. 405 unter dem Titel: „Sur la constitution géologique de l'Italie centrale". Dieselbe behandelt in gedrängter Kürze vorzugsweise die Tertiärgebilde und fasst sämmtliche ältere Gesteine unter der Bezeichnung Juraformation zusammen.

---

[1]) Ich habe hier nur diejenigen Schriften verzeichnet, welche über die eigentliche Gebirgskette der Central-Apeninnen Aufschluss geben. Das schätzbare Buch von Scarabelli und Massalongo über die Geologie des Gebietes von Sinigaglia; Brocchi's Conchiologia fossile sowie andere Werke, die sich mit dem benachbarten Hügelland beschäftigen, sind aus diesem Grunde nicht aufgenommen. Eine fleissige Zusammenstellung der naturhistorischen Literatur über die Mark Ancona findet man in: Il Gabinetto di Scienze naturali e l'osservatore meteorologico del R. Istituto industriale e professionale di Ancona von Francesco de Bosis. 1867.

Collegno's geologische Karte von Italien ist nach diesen Angaben colorirt.

Zwei Jahre später wurden zwei weitere Aufsätze von Orsini und Spada Lavini in den „Relazione sulla eseguita revisione dell' estimo rustico delle provincie componenti la sezione delle Marche. Roma 1847" veröffentlicht. Sie enthalten mancherlei neue Beobachtungen namentlich über die Sekundärgebilde, doch ist ihr wesentlicher Inhalt, allerdings mit einigen Verbesserungen in der späteren, unten bezeichneten Abhandlung im Bulletin wiederholt.

Sir Rod. Murchison's classisches Werk über den Gebirgsbau der Alpen, Apenninen und Karpathen enthält keine neue Thatsachen über das hier besprochene Gebiet. Murchison hatte dasselbe auf seinen Wanderungen nicht berührt und beschränkt sich auf eine Reproduction der Spada und Orsini'schen Beobachtungen.

In Savi und Meneghini's Considerazioni sulla geologia stratigraphica della Toscana 1851, sowie in dem von Meneghini im Jahre 1853 veröffentlichten Appendix (Nuovi fossili Toscani) finden sich mehrfache Beiträge über die Geologie der Central-Apenninen von Graf Alessandro Spada Lavini, sowie eine umfangreiche Liste der von Letzterem gesammelten und von Meneghini bestimmten Versteinerungen.

Die letzte und weitaus wichtigste Abhandlung von Spada Lavini und Orsini findet sich im Bulletin de la société géologique de France 2me Sér. vol. XII. p. 1202 etc. (1855). Abgesehen von werthvollen Angaben über die Tertiärschichten erhält man hier zum erstenmal eine vollständige Gliederung der Lias-, Jura- und Kreide-Gebilde, erläutert durch eine Anzahl geologischer Durchschnitte.

Den reichen Inhalt dieser Abhandlung werde ich im Folgenden ausführlicher zu besprechen haben.

Seit Spada und Orsini hat kein Geologe selbstständige Beobachtungen über diese Gegenden veröffentlicht. Cocchi's Vorlesungen Sulla geologia del Italia centrale enthalten nur einige neue Untersuchungen über die Gebirge im nördlichen Umbrien. Auf der für die letzte Pariser Ausstellung bestimmten grossen geologischen Karte Italiens von Ig. Cocchi wurden die Central-Apenninen zum Theil nach unveröffentlichten Mittheilungen von Orsini, Scarabelli, Piccinini u. a. colorirt.

In den Monaten Mai und Juni des Jahres 1868 besuchte ich Central-Italien und begann meine geologischen Untersuchungen mit der Umgebung von Pergola und Cagli in den Marchen. Die nordöstlichen Ausläufer des Monte Nerone bei Piobico, am Zusammenfluss des Candigliano und Biscubio bildeten die Nordgrenze des von mir bereisten Gebiets, welches sich im Süden bis an den Beginn der Abruzzen bei Ascoli und bis zum Monte Vettore und Monte Ventosa zwischen Aquasanta und Norcia erstreckte.

In Pergola traf ich einen kenntnissreichen und erfahrenen Naturforscher, Professor P. Raffaele Piccinini, welcher die günstige Gelegenheit eines sechszehnjährigen Aufenthaltes im Kloster Avellana, dem Centralpunkte eines in geologischer und botanischer Beziehung höchst interessanten Gebirges, vortrefflich benützt hatte.

In Cagli hatte Don Mariano Mariotti mit bewunderungswürdigem Eifer die Umgebung seiner Heimath und den benachbarten Monte Nerone durchforscht und eine reiche Sammlung von Versteinerungen angelegt.

Diese beiden Herren begleiteten mich vierzehn Tage lang auf allen Excursionen am Monte Catria und Monte Nerone, führten mich an alle instruktiven und versteinerungsreichen Punkte, so dass ich in verhältnissmässig kurzer Zeit mit dem geologischen Bau der Centralkette der Apenninen vertraut wurde.

Wenn demnach die vorliegende Arbeit überhaupt einiges Verdienst beanspruchen darf, so gebührt ein wesentlicher Theil desselben meinen beiden trefflichen Freunden.

Ich darf aber nicht versäumen, auch einer andern Art von Unterstützung schon ihrer Seltenheit halber zu gedenken. Die Municipien von Pergola und Cagli erwiesen mir die Ehre, mich während meines Aufenthalts als Gast aufzunehmen und bestrebten sich meine Untersuchungen in wirksamster Weise zu fördern. Die liebenswürdige Gastfreundschaft dieser Städte und insbesondere der Herren Cav. Ascanio Blasi in Pergola, der beiden Brüder Mocchi in Cagli, sowie der zahlreichen übrigen Herren, denen ich mich zu Dank verpflichtet fühle, wird mir immer unvergesslich bleiben.

Flüchtiger als die Berge Catria und Nerone wurde das hohe, damals zum Theil noch mit Schnee bedeckte Sibyllinische Gebirg bei Ascoli durchwandert. Ich erfreute mich in dieser Gegend des Rathes des ehrwürdigen fünfundachtzigjährigen Senators Orsini, dessen Eifer für die Naturwissenschaften vielleicht nur von seiner Liebe für die heimischen Berge übertroffen wird, deren Durchforschung er seinen wohlbegründeten Ruhm verdankt.

In Umbrien besuchte ich die Umgegend von Perugia, sowie Cesi bei Terni und in der römischen Campagna die schön gelegenen Monticelli. Zu Specialstudien an den letztgenannten Orten war jedoch meine Zeit zu beschränkt, auch die warme Jahreszeit schon zu weit vorgeschritten, so dass ich meine Beobachtungen nicht für genügend erachte, um sie mit denen über die Central-Apenninen zu vereinigen.

Schliesslich bleibt mir noch die angenehme Pflicht übrig, meinem ausgezeichneten Freunde Prof. Meneghini in Pisa meinen herzlichsten Dank auszusprechen für die zeitweilige Ueberlassung der reichhaltigen Materialien des Museums in Pisa, für vielfache Belehrung und für die warmen Empfehlungen, mit denen er mich bei seinen zahlreichen Freunden und Verehrern eingeführt hat.

München im März 1869.

Zittel.

I.

Geologischer Bau der Central-Apenninen.

Der lange Gebirgszug, welcher an den See-Alpen beginnend quer über Ober-Italien zieht, sich dann, in einiger Entfernung der Adriatischen Küste folgend, nach Südost wendet, um sich in der Basilicata in zwei Aeste zu spalten, von denen der eine am Cap Otranto, der andere an der Südspitze von Calabrien endet, bildet wie die Alpen ein einheitliches geologisches Gebiet. Der Gebirgszug besteht aus einer Anzahl von Parallelketten, die mit vielen Unterbrechungen und in mannigfaltiger Gruppirung einer oder auch mehreren durch Höhe ausgezeichneten Centralketten folgen.

Eine ähnliche Richtung besitzen die niedrigeren westlich gelegenen Gebirge in Toskana und im Kirchenstaat. Sie werden deshalb vielfach als Vorberge (contreforts) der Apenninen betrachtet, unterscheiden sich von diesen jedoch ziemlich wesentlich in ihren geologischen Verhältnissen.

Es ist ein vielfältig erprobter Erfahrungssatz, dass die höchsten Gebirge in der Regel auch den verwickeltsten geologischen Bau besitzen. In Italien bewährt sich derselbe nur in gewissen Grenzen: der Apennin mit seinen bis in die Schneeregion reichenden Gipfeln bietet den Anblick eines ungemein regelmässigen und einfachen tektonischen Aufbaues. Die Schichtenstellung ist fast nie in jener gewaltsamen Weise verwirrt, wie in den Alpen, und metamorphische Einwirkungen zeigen sich verhältnissmässig unbedeutend und selten. Plutonische oder vulkanische Gesteine fehlen, so weit bis jetzt bekannt, der Centralkette gänzlich und erst am südlichen Ende Calabriens bei Aspromonte tauchen Granit und Sediment-Gesteine der ältesten Periode auf.

Ganz anders verhalten sich die niedrigeren dem Mittelmeere genäherten Gebirgszüge.

Schon der nördlichste derselben, die pittoresken Alpen bei Spezia, im Val di Magra und bei Lucca, welche sich unmittelbar von der Centralkette der Apenninen abzweigen, zeichnen sich durch ihren verwickelten Bau und insbesondere durch jene ausgezeichneten metamorphischen Erscheinungen aus, welche von jeher die Aufmerksamkeit der Geologen auf sich gezogen haben. In dem marmorreichen toskanischen Erzgebirge vermehren zahlreiche plutonische Durchbrüche die tektonischen Schwierigkeiten und die Seltenheit und schlechte Erhaltung der organischen Ueberreste machen dieses Land, wenigstens was die Sekundärgebilde betrifft, zu einem wahren Prüfstein der Geologen. Um so mehr muss es daher anerkannt werden, dass gerade dieses complicirt gebaute Stück Italiens verhältnissmässig am sorgfältigsten untersucht ist.

Aus den Arbeiten von Murchison, Pilla, Savi, Meneghini, Cocchi u. A. ergibt sich, dass die westlichsten Gebirge die meisten Schwierigkeiten und Eigenthümlichkeiten bieten, während sich in Umbrien die Verhältnisse allmählig denen der Apenninen nähern. Diese Letzteren, im weitern Sinne genommen, zerfallen bekanntlich in eine Anzahl mit besonderen Namen bezeichneter Ketten. Der Ligurische Apennin schliesst sich unmittelbar den Seealpen an und wendet seinen fruchtbaren Südabhang dem Golf von Genua zu. Ihm folgt dann das Etruskische Gebirge bis zur Gränze des ehemaligen Kirchenstaates bei San Sepolcro und von hier bis Ascoli und Aqua Santa an der Neapolitanischen Grenze nimmt es den Namen Central- oder Römische Apenninen an. Der ganze südliche im frühern Königreich Neapel gelegene Theil wird Abruzzen genannt.

In den wenig reizvollen Etruskischen Apenninen bedecken grüne Wiesen oder niedriges Gehölz die gerundeten Berge von ermüdend gleichartiger Form. Sie bestehen grösstentheils aus Macigno, einem grauen flyschähnlichen, thonigen und glimmerreichen, sehr feinkörnigen Sandstein, an welchen sich gegen die Po-Ebene die zwar ebenso einförmigen, aber mit üppiger Vegetation bedeckten Hügel der Subapenninenformation anschliessen.

In den Römischen oder Central-Apenninen ändert sich der landschaftliche Charakter sehr vortheilhaft. In der Centralkette, manchmal auch in den niedrigeren Parallelketten, tauchen Gesteine der Sekundärformation auf. Das Gebirge erreicht in einzelnen Spitzen, wie am Monte Catria (5420'), M. Cucco (4823'), M. Vettore u. s. w. eine ansehnliche Höhe und bleibt an diesen über die Hälfte des Jahres mit Schnee bedeckt. Die vorherrschenden Kalksteine verleihen den Bergen ein wildes zerrissenes Aussehen und eine höchst mannigfaltige, farbenreiche, kurzgestielte alpine Flora vermehrt die Erinnerung an unser heimisches Hochgebirg. Die Ausdehnung dieser pittoresken Kalkberge erstreckt sich übrigens auf einen kleinen Flächenraum.

Der nördlichste Aufbruch beginnt am Monte Nerone nordwestlich von Cagli, umfasst den M. Catria und M. Cucco und endigt in der Nähe von Fossato. Diese Erhebung bildet mit ihrer Basis ein schmales sehr lang gestrecktes Ellipsoid, welchem mehrere niedrigere aber gleichartig zusammengesetzte parallel laufen.

Bei Gualdo Tadino beginnt in derselben Streichlinie und als Fortsetzung des oben beschriebenen, ein zweiter schmaler Gebirgszug. Oestlich davon bei Camerino herrscht wieder Macigno und erst in den Sibyllinischen Bergen erhebt sich ein mächtiges Kalkmassiv, welches weit nach Süden in die Abruzzen fortsetzt und die höchsten Gipfel der Apenninen, wie den schneegekrönten Gran Sasso d' Italia enthält.

Die Tektonik ist im Allgemeinen höchst einfach, namentlich in dem Ellipsoid des M. Catria und M. Nerone. Mit zunehmender Höhe vermehren sich aber auch die Unregelmässigkeiten im Schichtenbau und gleichzeitig nehmen die Versteinerungen an Häufigkeit und günstiger Erhaltung ab. So findet sich z. B. schon in den Sibyllinischen Bergen eine gewaltige von Spada und Orsini geschilderte Verwerfung und nach mündlicher Mittheilung Orsini's zeigt der Gran Sasso d'Italia einen höchst verwickelten Bau.

Die Tertiär-Gebilde der Central-Apenninen wurden schon von Spada und Orsini und neuerdings von Scarabelli und Massalongo sehr ausführlich geschildert.

Meine Aufmerksamkeit war ausschliesslich den Sekundärformationen zugewendet. Für diese liefert das Ellipsoid des M. Catria und M. Nerone durch seinen regelmässigen Bau und seinen Reichthum an Versteinerungen den Schlüssel, so dass mit der Darstellung der dortigen Lagerungsverhältnisse begonnen werden soll. Ich habe es vorgezogen, einige wenige Durchschnitte möglichst sorgfältig zu studiren, und zahlreiche paläontologische Belegstücke aus denselben zu sammeln, als durch ausgedehnte Wanderungen ein vielleicht anziehenderes, aber weniger sicheres Resultat zu erzielen.

a. Monte Catria.

Ueber das langgestreckte Hebungsellipsoid des M. Catria, M. Cucco und M. Nerone gewinnt man durch die Besteigung eines der drei genannten Gipfel die beste Uebersicht. Der M. Catria bietet vermöge seiner Höhe und centralen Lage die ausgedehnteste Rundschau und die beste Orientirung über die Erstreckung der Centralkette, vom M. Nerone dagegen übersieht man weithin die tiefer gelegene aus rother Scaglia und grauem Macigno zusammengesetzte nördliche Fortsetzung des Ellipsoids, sowie das tertiäre Hügelland zwischen dem Adriatischen Meere; auch tritt hier das plötzliche Auftauchen der Kalkberge am klarsten hervor. Der Contrast zwischen dem üppigen Landstriche in der Nähe des Meeres, dem dichtbewaldeten Fuss des Gebirges und der alpinen Flora auf den höchstgelegenen Felsenkämmen verleiht diesen Bergen einen eigenthümlichen Reiz.

Der Gebirgsrücken bildet die Decke eines gehobenen und theilweise durch eine Längsspalte tief aufgerissenen antiklinen Schichtengewölbes, dessen innere Theile aus weissem oder grauem, die äusseren, an den Abhängen sichtbaren aus rothem Kalk zusammengesetzt sind. Nach West und Ost sind die etwas niedrigeren Parallelketten durch die oberen Kreideschichten roth gefärbt und wo ihre Axe durch ein Querthal aufgeschlossen ist, wie z. B. an dem benachbarten Furlopass, da tauchen überall unter der rothen Decke die tieferen lichtgefärbten Schichten hervor.

Als eine besondere Eigenthümlichkeit dieses Gebirges ist hervorzuheben, dass eine Anzahl von Flüssen am Westabhang entspringen, die Centralkette durchbrechen und dem Adriatischen Meere zufliessen. Diese mitunter sehr wilden Querthäler sind eben so viele natürliche Strassen, in welchen man ebenen Weges die Gebirgsketten durchwandert, sie sind aber auch ebensoviele natürliche geologische Durchschnitte, an welchen sich die Schichtenfolge in bequemster Weise ablesen lässt.

Man folge z. B. dem Laufe des Burano auf der alten via Flaminia zwischen Cantiano über Cagli nach Fossombrone, oder dem Scatino von Schoggia nach Isola Fossara und Sassoferrato oder auch dem Cerlano zwischen Fossombrone, Cagli nach Secchiano und Pianello, man sammle am Wege die zahlreichen und wohlerhaltenen Versteinerungen und man erhält auf diese Weise, ohne genöthigt zu sein einen einzigen Hügel zu besteigen, ein ziemlich vollständiges Bild von dem geologischen Bau der Central-Apenninen. An all diesen genannten Stellen hat man zugleich den Vortheil, die Schichtenfolge in ganz ungestörter Lagerung studiren zu können. Jede Parallelreihe bildet eine antiklinale Welle, deren Axe gewöhnlich aus einem weissen zuckerkörnigen Marmor zusammengesetzt ist, diesen umhüllen alsdann die jüngeren Schichten, so dass man beim Durchschreiten eines Querthals von den jüngsten Schichten des einen Flügels bis zur Centralaxe gelangt, und alsdann in umgekehrter Ordnung die gleichen Schichten des andern Flügels zum zweiten Male passirt. Eine Complikation dieser überaus einfachen Tektonik findet an den höchsten Punkten der Centralkette statt. Sowohl am M. Nerone, wie am Catria und M. Cucco ist die Hebungswelle auf der Ostseite unterhalb der Spitze der Länge nach durch eine gewaltige bis auf die tiefsten Schichten reichende Spalte aufgerissen und dadurch die älteren Gesteine zum Theil in senkrechten unzugänglichen Felswänden blossgelegt. Der östliche Flügel zeigt in Folge dieser Katastrophe gewaltige Verstürzungen und mannigfaltige Schichtenstörungen, die übrigens insgesammt lokaler Natur sind.

Die allgemeine Streichrichtung verläuft ziemlich genau von NW. nach SO. Ich habe die beiden folgenden Profile so gewählt, dass sie mit dieser Linie rechtwinkelig zusammentreffen und somit die Kette quer durchschneiden.

I. Profil von Serra d'Abbondia über Kloster Avellana und die Spitze des M. Catria nach Chiaserna.

An der Strasse von Pergola nach Sassoferrato sieht man auf den grauen Felsen oberhalb der Brücke über die Cesana ein kleines Kapellchen, auf der trefflichen Karte des österreichischen Generalstabs als Madonna del Sasso verzeichnet.

Unterhalb der Strasse hat der Fluss sein Bett in ein ziegelrothes, weiches Mergelgestein eingewaschen, in welchem man ziemlich häufig

Phylloceras Nilssoni
— *heterophyllum*
Ammonites bifrons
— *Comensis* u. a. A.

findet. Wir befinden uns hier in der Axe einer niedrigen Parallelkette des M. Catria.

Verlassen wir die Strasse und fol-

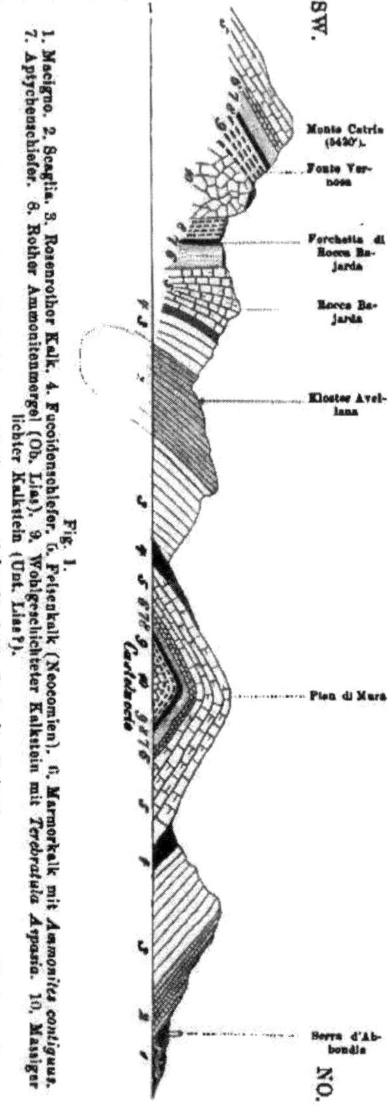

Fig. 1.
1. Macigno. 2. Scaglia. 3. Rosenrother Kalk. 4. Fucoidenschiefer. 5. Felsenkalk (Neocomien). 6. Marmorkalk mit *Ammonites contiguus*. 7. Aptychenschiefer. 8. Rother Ammonitenmergel (Ob. Lias). 9. Wohlgeschichteter Kalkstein mit *Terebratula Aspasia*. 10. Massiger lichter Kalkstein (Unt. Lias?).

gen dem Bach Cesana, so bleiben wir bis Serra d'Abbondia im Gebiet des Macigno, dessen gewundene Schichten vielfach zu Tage treten.

Hinter dem malerisch gelegenen Dörfchen beginnt an der schmalen Strasse nach Avellana unser Profil.

Der Macigno (1) geht ganz unmerklich in ein sehr dünnschieferiges, weiches, breccienartig zerklüftetes Gestein von mergeliger Beschaffenheit und erdigem Bruch über, welches anfänglich die grünlich graue Farbe des Macigno beibehält, später mehr aschgrau wird und nach und nach rothgefärbte Partieen aufnimmt. Beim Anschlagen zerfällt es in eckige und uneben-schieferige Stückchen. Die rothe Farbe wird schliesslich vorherrschend und das Gestein etwas dickschichtiger, härter und kalkhaltiger. Zugleich stellen sich zahlreiche längliche Knollen, oder auch ganze zusammenhängende Schnüre und Schichten von blutrothem Karniol ein. Versteinerungen habe ich niemals gefunden, doch besitzt Prof. Piccinini mehrere verkieselte Exemplare von *Cardiaster Italicus* und *Archiacia* sp., welche mit Arten aus der Scaglia von Süd-Tirol und Venetien übereinstimmen. Da nun auch die Gesteinsbeschaffenheit sowie die Lagerung mit jener zutreffen, so wähle ich in Zukunft für diese Schichten die Bezeichnung Scaglia (2).

3. Nach einiger Zeit bemerkt man eine Veränderung in dem Gestein zur rechten Seite des Weges. Die Karniolschnüre verschwinden, die Schichtung wird deutlicher und regelmässiger und es folgt jetzt in $^1/_2$ Fuss dicken Bänken ein weicher, reiner, zerklüfteter und in grosse eckige Stücke zerfallender, wenig wetterbeständiger Kalkstein, dessen Oberfläche durch Eisenoxyd eine ziegelrothe Färbung erhält, dessen eigentliche rosenrothe Farbe aber an frischen Bruchflächen sichtbar wird. Der ausgezeichnet muschelige Bruch, der hellklingende Ton beim Zerschlagen, der Mangel an Feuerstein, sowie die rosenrothe Färbung auf den Bruchflächen sind die charakteristischen Merkmale dieses Gesteins.

Nicht selten bemerkt man darin ganz dünne unregelmässig verlaufende Schnüre von Faserkalk oder auf Kluftflächen Kalkspathkrystalle und zuweilen nimmt es eine förmlich oolithische Struktur an. Ich nenne diese mehr als 100 Mètres mächtige Schichtenreihe, in welcher bis jetzt keine Spur von Versteinerungen aufgefunden wurde, „rosenrothen Kalk".

4. Es folgt nun ein kurzes Seitenthälchen, in dessen Sohle weiche bituminöse, bläulich- oder grünlichgrau gefärbte Kalkschiefer anstehen, welche zuweilen papierdünne schwärzliche Mergelschiefer enthalten, und in einzelnen Bänken ganz erfüllt sind von deutlichen und sehr verschiedenartigen schwarzgefärbten Fucoiden. Dieser weiche Fucoidenschiefer, wie ich ihn bezeichnen werde, leistet der Verwitterung um so geringeren Widerstand, als

seine Undurchlässigkeit stets Veranlassung zur Quellenbildung bietet und durch diese Wasseransammlung seine eigene rasche Zerstörung befördert. Beinahe immer ist das Vorhandensein der Fucoidenschiefer durch einen Thaleinschnitt bezeichnet.

5. Hat man diese Schiefer verlassen, so sieht man rechts und links vom Bach rauhe, steile und bis zum Gipfel des Pian di Mura aufsteigende Felsen, welche in weiter Erstreckung den Kamm der dem M. Catria zunächst gelegenen niedrigeren Parallelkette krönen und die Firste des Schichtengewölbes bilden. Dieselben bestehen aus festem, lichtgefärbtem, weissem, gelblich- oder grünlichgrauem, reinem Kalkstein von bedeutender Zähigkeit. Die Schichtung ist in der Nähe wenig deutlich, von weitem gesehen erkennt man aber dicke, massige Bänke, welche am jenseitigen Gehänge des Pian di Mura widersinnig gegen den M. Catria zufallen. Der Kalk bricht unregelmässig und ist häufig von zahlreichen, netzförmig verzweigten Kalkspathadern durchzogen, die auf der verwitterten Oberfläche etwas hervorragen und dem Gestein ein charakteristisches Aussehen verleihen.

Weisser und grünlicher Feuerstein in der Form von Knollen oder Schnüren fehlt auch diesem Gebilde nicht.

Nach Versteinerungen sucht man vergeblich.

In Ermangelung eines besseren Namens bezeichne ich diesen Complex einstweilen als „Felsenkalk".

6. Folgen wir dem Wege weiter, so sehen wir die mächtigen Felsenkalke auf einem zähen, weissen, dickschichtigen, marmorartigen Kalk aufruhen. Die reichliche Vertheilung einer eigenthümlichen grünen erdigen Substanz, welche theils als Umhüllung von rauhen Erhabenheiten oder von Versteinerungen auftritt und dem ganzen Gestein eine lichtgrünliche Farbe verleiht, lässt diesen Marmor unschwer von dem darüberliegenden Felsenkalk unterscheiden. Auch kleine Partieen von Schwefelkies oder rostige Flecken, von dessen Zersetzung herrührend, sind an manchen Stellen ziemlich reichlich vorhanden. Feuerstein von weisser, grauer oder grüner Farbe findet sich in Knollen oder Schnüren.

Versteinerungen kommen ziemlich selten vor, doch fand ich ausser

Aptychus punctatus Voltz und
Aptychus Beyrichi Opp.
Exemplare von *Lytoceras quadrisulcatum* d'Orb sp. und
Ammonites contiguus Catullo.

7. Der grünliche Marmorkalk besitzt nur eine geringe Mächtigkeit, darunter liegen dünnschichtige, ebenfalls grünlich gefärbte, harte, klingende Kalkschiefer, in welchen Feuerstein eine ganz ausserordentliche Entwickelung erlangt.

Zahlreiche Schnüre von der Dicke eines Zolles bis zu Schichten von einem halben Fuss von grüner, weisser, grauer und brauner Farbe schieben sich insbesondere in der untern und mittlern Partie in grosser Zahl zwischen die kalkigen Bänke ein. In den Letzteren sucht man selten lange vergeblich nach *Aptychus punctatus* und einer andern kleinern Art aus der Gruppe der *Lamellosi*. Auffallend ist auch die Häufigkeit von Cephalopodenschnäbeln (*Rhynchoteuthis*), sowie kleiner kugeliger, stecknadelkopfgrosser Bivalven mit concentrisch gerippter Schale. Obwohl die Mächtigkeit dieser Aptychenschiefer nicht sehr bedeutend ist, so sieht man sie doch in Folge der mässigen Neigung der Schichten ziemlich lange am Wege. Sie nehmen in ihrer untersten Abtheilung eine rothe Farbe an und sind stellenweise ganz erfüllt von kleinen gerippten *Aptychen*, *Aptychus laevis*, und Kronen von *Phyllocrinus*.

8. Die Aptychenschiefer bedecken ziegelrothe Mergel mit

Phylloceras Nilssoni
— *heterophyllum*
Lytoceras cornu copiae
Amm. bifrons etc.,

welche dieselbe Beschaffenheit zeigen, wie unterhalb der Kapelle der Madonna del Sasso; an einzelnen Punkten ist jedoch ihre Oberfläche desoxydirt und erscheint dann gelblich grau gefärbt. Ihre Mächtigkeit beträgt etwa 10—15 Fuss. Dieses leicht kenntliche Gebilde taucht in Folge lokaler Schichtenfaltungen wiederholt am Wege auf, und bedeckt

9. einen wohlgeschichteten, harten, marmorartigen Kalk, der beim Kreuze von Casteluccio, an einer Passo del Prete genannten Stelle durch einen kleinen Steinbruch aufgeschlossen ist. Die Farbe dieses als Bau- und Haustein (unter der Bezeichnung pietra carniola) geschätzten Materials ist weisslich- oder gelblichgrau, der Bruch splitterig oder muschelig, die Consistenz sehr zähe. Krystalle oder Putzen von Schwefelkies finden sich häufiger, als in irgend einem andern Gestein, so dass die zahlreichen Rostflecken auf der verwitterten Oberfläche geradezu als ein charakteristisches Merkmal gelten können. Unter den organischen Ueberresten sind namentlich Stielglieder von *Eugeniacrinus* oder *Apiocrinus* wegen ihrer grossen Häufigkeit zu erwähnen. Man findet aber auch ziemlich reichlich

Terebratula Aspasia Menegh.,
sowie etwas seltener *Terebratula Renierii* Cat.
— *Piccininii* Zitt.
Rhynchonella cfr. Fraasi Opp.
Spiriferina rostrata Schloth,
Stacheln von *Cidaris rhopalophora* Zitt. etc.

10. Als tiefstes Glied der ganzen Schichtenreihe sieht man endlich bei Casteluccio unterhalb des Weges im Bachbett und am jenseitigen Ufer einen sehr festen breccienartig zerklüfteten, massigen Kalk von gelblichweisser Farbe anstehen. Er bietet der zerstörenden Thätigkeit des Wassers zwar kräftigen Widerstand, doch geben mehrere tief ausgewaschene Höhlen Kunde von der Gewalt des angreifenden Elementes. Versteinerungen scheinen an dieser Stelle gänzlich zu fehlen. Dieser massige Kalk, welcher in einer Mächtigkeit von etwa 20 Mètres entblösst ist, bildet die Axe eines antiklinen Gewölbes. Man sieht, wie die darüber liegenden Schichten sich umbiegen und nun mit viel stärkerer Neigung als bisher in entgegengesetzter Richtung nach Südwest, d. h. gegen den M. Catria einfallen. Folgen wir der Strasse nach Avellana, so begegnen wir oberhalb des Passo del Prete auf den wohlgeschichteten Kalken mit

Terebratula Aspasia

zuerst weichen, gelblichgefärbten Mergeln mit

Phylloceras heterophyllum etc.,

darauf Aptychenschiefer mit Feuerstein, nach diesen grünlich graue Kalke mit einzelnen Ammoniten und *Aptychus punctatus*, Felsenkalk und schliesslich am Eingang des Val di Rave stark ausgewaschenen Fucoidenschiefern.

Der rosenrothe Kalk zeigt am jenseitigen Gehänge des Seitenthälchens ausnahmsweise in seinen tiefsten Bänken einzelne Schichten rothen Feuersteins, die aber bald verschwinden, und nun beginnt eine mehrere hundert Mètres mächtige Masse versteinerungsleeren rosenrothen Kalkes, welcher in der Nähe von Avellana der Scaglia Platz macht.

Sämmtliche Schichten von Passo del Prete bis zum Kloster folgen in concordanter Lagerung mit constanter Fallrichtung gegen Südwest aufeinander; das Kloster Avellana selbst steht auf Scaglia.

In geringer Entfernung davon beginnt die Verwerfungsspalte der Centralkette; senkrechte, wohl mehr als tausend Fuss hohe Felswände lassen sich schon von ferne als jene Kalke erkennen, die man tief unten an der Cesana in der niedrigen Parallelkette bereits durchwandert hat.

Es führen zwei Wege zur Spitze des M. Catria: der gewöhnliche Reitweg wendet sich vom Kloster links und führt durch ein grossartiges Haufwerk von gewaltigen herabgestürzten Fels- und Bergmassen, in welchen man die zerrütteten Trümmer des westlichen Flügels der Centralkette erkennt. An den Scaletten, etwa $^3/_4$ Stunde oberhalb des Klosters, finden sich zahlreiche Versteinerungen in den Kalken mit *Terebratula Aspasia* und auf der Balzone del passo di Catria in einer Höhe von 1400 Mètres kommt jener massige weisse Kalkstein zu Tag, der in dem Bachbett der Cesana am Passo del Prete den Kern der vordern Parallelkette bildet. Derselbe besitzt hier eine oolithische Struktur und enthält zahlreiche aber unbestimmbare Fragmente von Rhynchonellen, Terebrateln und kleinen Gastropoden.

Wir wählen aber zur Fortsetzung unseres Profiles nicht diesen Reitweg, sondern folgen einem kleinen Pfade, welcher jenem Grat entlang führt, der wie ein Riegel das Thälchen unterhalb Avellana von dem von Caprile trennt. Hier ist die einzige Stelle, wo der abgerutschte Westflügel ziemlich unversehrt erhalten und mit der vorderen Parallelkette in Zusammenhang blieb.

Wir wandern eine Strecke weit auf Scaglia, deren obere graue Lagen auf den Feldern hinter dem Kloster bald den tieferen feuersteinreichern Platz machen; diesen folgt sodann rosenrother, wohlgeschichteter Kalk und auf diesen Fucoidenschiefer, die in einem benachbarten Graben deutlich aufgeschlossen sind. An der schroffen Rocca Bajarda erheben sich die dickschichtigen Bänke des Felsenkalkes, deren Neigung nach und nach immer steiler wird. Wir steigen eine Strecke weit durch einen Wald auf diesem Felsenkalk, bis ein feiner, unter dem Tritt knirschender Detritus, aus kleinen, scharfkantigen Feuersteinstückchen bestehend, die Anwesenheit der Aptychenschiefer bekundet. Noch wenige Schritte und man steht auf der Forchetta di Rocca Bajarda, einer natürlichen Brücke, von welcher zu beiden Seiten tiefe Schluchten herabführen. Die Letztern sind in den fast senkrecht aufgerichteten ziegelrothen Mergeln eingewaschen, in welchen man, wie überall in diesen Schichten, mit Leichtigkeit

Phylloceras Nilssoni und *heterophyllum*
Ammonites bifrons und *Comensis*

findet.

Jenseits der Forchetta folgen sodann die wohlgeschichteten Kalke von Casteluccio mit Spuren von Ammoniten.

Dichtes Gestrüpp und weiter oben Felswände verhindern nun direkte Beobachtungen und machen einen ziemlich weiten Umweg nöthig. Man sieht aber zu beiden Seiten des Grates die massigen, ungeschichteten, weissen, zuweilen oolithischen oder zuckerkörnigen Kalksteine in steilen Felswänden von ungeheurer Mächtigkeit anstehen und erreicht nach langer Wanderung vielleicht 100 Mètres über der Forchetta wieder die darüber liegenden wohlgeschichteten Kalke mit Crinoidenstielen und *Terebratula Aspasia.* Die Schichten stehen aber jetzt nicht mehr senkrecht, sondern liegen fast horizontal und biegen sich allmählig gegen SW. um; kurz sie bilden einen Theil der

Decke des Hebungsellipsoides der Centralkette. Die im Profil angedeutete Bruchlinie gibt eine einfache Erklärung dieser Lagerungsverhältnisse. Leider konnte ich jedoch nicht mit Sicherheit ermitteln, ob dieselbe in die Kalke mit *Terebratula Aspasia* oder in die darunter liegenden massigen Kalke fällt, da eine dichte Waldbedeckung und zahlreiche herabgestürzte Felsblöcke auf der begangenen Strecke die nähere Untersuchung verhinderten. Bis zu der Einsenkung zwischen der Spitze des M. Catria und M. Acuto wandern wir stets auf Crinoidenkalk mit *Terebratula Aspasia*, welcher übrigens hier ein etwas abweichendes Aussehen besitzt. Er besteht aus weissem, weichem, muschelig brechendem und beim Anschlagen blätterig zerfallendem Kalkstein, welcher sehr selten Brachiopoden, nur hie und da Stielglieder von Crinoiden, dagegen ziemlich häufig schlecht erhaltene Reste von *Ammonites Boscensis Reynès* und andere leider meist unbestimmbare Ammoniten und Belemniten enthält. Auf dem Wiesenplan zwischen den beiden Gipfeln des M. Catria tauchen abermals die Mergel mit *Phylloceras Nilssoni* etc., von blutrothem Feuerstein begleitet, hervor. Sie bilden ein etwa acht Mètres mächtiges rothes Band, das mit seinen vielfachen Biegungen weithin sichtbar bleibt und durch zahlreiche sprudelnde Quellen Wiesen und Wald bewässert.

Gegen den M. Acuto entwickeln sich darüber etwa 20 Mètres mächtige grünlichgraue, schieferige, zuweilen etwas sandige Schichten, reich an grossen und schön erhaltenen Exemplaren von *Aptychus laevis, punctatus* und *lamellosus*. Feuerstein herrscht auch hier ungefähr in der Mitte des Complexes vor, gegen oben werden die Schiefer kalkreicher und gehen zuletzt in einen festen, wohlgeschichteten, grünlichgrauen Marmorkalk über, der an einzelnen Stellen ganz erfüllt ist von prächtig erhaltenen Schalen von

Lytoceras quadrisulcatum
Phylloceras ptychoicum
Ammonites carachtheis
— *verruciferus* etc.

Bis zum Gipfel des M. Acuto folgen sodann „Felsenkalke", welche sich hier durch deutliche Schichtung auszeichnen, und den ganzen bewaldeten Südwestabhang des Berges zusammensetzen.

Dieselbe Reihenfolge bemerkt man auch am Schwesterberge. An der wasserreichen Quelle Vernossa haben die ziegelrothen Ammoniten-Mergel ihr höchstes Niveau erreicht. Sie werden von grünlichen, weichen, etwas sandigen und in dünne Blätter zerfallenden Aptychenschiefern bedeckt, in welchen man zahlreiche, rundliche, flachgedrückte, in Vertiefungen liegende Scheiben bemerkt. Ob darüber, wie am M. Acuto, der grünliche Marmor Versteinerungen führt, kann ich nicht versichern. Der Gipfel so wie der

8*

Südwestabhang des Catria bis in die Gegend von Chiaserna bestehen aus Felsenkalk, der in steil geneigten Schichten gegen Südwest abfällt und schliesslich von rosenrothem Kalk bedeckt wird.

II. Rave Cupa bei Avellana.

Etwa eine Stunde von Avellana entfernt, oberhalb des Dörfchens Sorchio, theilt sich das kleine, von einem Seitenbächlein des Cesano durchflossene Seitenthälchen an seinem obern Ende in drei Schluchten, von welchen sich die westlichste „al grottone“ durch pittoreske Felsparthien auszeichnet. Die mittlere, „Rave Cupa“, kann als eine der reichhaltigsten Fundgruben von Versteinerungen im Gebiete der Central-Apenninen bezeichnet werden und liefert zugleich ein instruktives Profil. Rave Cupa liegt in der Fortsetzung der vordern niedrigen Parallelkette, deren Kern wir bei Casteluccio kennen gelernt. In der Sohle der Schlucht stehen in ansehnlicher Mächtigkeit

1. weisse, feuersteinfreie, ungeschichtete Kalke an, welche nach „Grottone“ fortziehen und dort das wilde Felsenthor bilden. Mächtige Schutthalden umsäumen die schroffen Wände, in welchen nur selten organische Ueberreste zum Vorschein kommen. Ich fand Cidaritenstacheln und eine leidlich erhaltene Koralle aus der Familie der Astraeen.

An manchen Stellen glaubt man das Gestein ganz erfüllt von Nummuliten oder sonstigen grossen rundlichen Foraminiferen zu sehen, welche durch ihre lichte Farbe auf Bruchflächen hervorschimmern und durch die Verwitterung noch deutlicher umgrenzt werden. Diese weissen Flecken sind aber nur Folgen einer pisolitischen Struktur, die an andern Orten, wie z. B. am Monte Nerone, in noch ausgezeichneterer Weise zu bemerken ist. Es folgt darauf

2. gelblicher harter wohlgeschichteter Kalk mit Schwefelkies wie bei Casteluccio. Man findet darin ziemlich reichlich Stielglieder von *Eugeniacrinus*, *Terebratula Aspasia*, Durchschnitte von Ammoniten und undeutlichen Gastropoden. Ein sanft ansteigender, mit Rasen bewachsener Abhang verhüllt

3. weiche rothgelbe Mergel, drei bis vier Meter dick, in welchen sich

Phylloceras heterophyllum
— *Nilssoni*
Ammonites insignis, *complanatus* und *fibulatus*

fanden. Ein Haufwerk von Blöcken bedeckt die nächsten Schichten und einige Schritte weiter oben gelangt man an eine etwa zehn Mètres hohe Felswand,

4. aus grünlichem festem Marmorkalk bestehend.

Die obersten, wenig Fuss mächtigen Schichten derselben werden weiss, zuckerkörnig und sind etwas ärmer an Versteinerungen als eine unmittelbar darunter liegende überaus feste Bank, die eine ganz erstaunliche Menge prachtvoll erhaltener Cephalopoden enthält, von welchen

Lytoceras montanum
— *quadrisulcatum*
Phylloceras ptychoicum
Aspidoceras cyclotum
Ammonites Staszycii
— *contiguus*
Aptychus punctatus und *laevis*

als die häufigsten Arten zu bezeichnen sind. Nur mit Anwendung schwerer Hämmer sind diese Versteinerungen zu gewinnen; doch wurden die im folgenden Abschnitte aufgezählten Arten theils während meines Aufenthaltes, theils schon früher durch Prof. Piccinini, der diese Fundstelle entdeckt hatte, gesammelt.

Bis zum Kamm des Hügels folgt sodann

5) weisser Felsenkalk ohne Versteinerungen.

b. Monte Nerone.

Wie schon früher gesagt, liegt der M. Nerone in der unmittelbaren Fortsetzung des Catria. Bei der geringen Entfernung beider Berge dürfte man dieselben geologischen Verhältnisse erwarten. Im Grossen und Ganzen ist dies auch der Fall. In einzelnen Gliedern lassen sich aber so erhebliche Verschiedenheiten constatiren, dass sie eine besondere Schilderung nöthig machen. Im Gesammtbau des M. Nerone ist vorerst hervorzuheben, dass sein Gewölbe sowohl am Ost- als West-Abhang an einigen Stellen so weit aufgerissen ist, dass man mit Muse die Eingeweide des Berges studiren kann; die Decke des Gewölbes ist dagegen grösstentheils erhalten und wird entweder aus weissem, deutlich geschichtetem Felsenkalk oder aus Fucoidenschiefer zusammengesetzt. Diese Letzteren besitzen mindestens die zehnfache Mächtigkeit als am M. Catria, bestehen aus bunten, mergeligen Schiefern und zeigen bei Via Strada oberhalb Secchiano an einer hohen langgezogenen Felswand die prächtigsten Schichtenfaltungen. Auf der Höhe des Berges bekunden zahlreiche Quellen und üppige Bergwiesen ihr Vorhandensein. Steigt man vom Gipfel in gerader Linie den nordöstlichen Abhang nach Rocca Leonello oder Piobico herab, so erhält man ein klares Bild von der Zusammensetzung des M. Nerone. Die nördlichste und höchste Spitze des Berges, auf welcher das Triangulirungssignal steht, erhebt sich über den grünen Wiesen und besteht aus dünnschichtigem, weissem, hellklingendem, versteinerungsleerem Kalkstein, etwas tiefer wird derselbe fester, sondert sich in dickern Bänken ab und ist von Kalkspathadern netzförmig durchschwärmt. Man geht dann lange Zeit auf einem sanften, bewaldeten, quellenreichen Gehänge, auf dessen Oberfläche die bunten Fucoidenschiefer an vielen Stellen entblösst sind. Etwas tiefer tauchen dann die weissen versteinerungsleeren Kalksteine abermals hervor und neigen sich ziemlich steil gegen NO. Am Ende einer langen jäh abfallenden Wiese steht man plötzlich vor einer tiefen Schlucht, welche sich bis gegen Piobico herabzieht und an ihrem oberen Ende durch fast senkrechte Felswände abgeschlossen wird. Ein schmaler beschwerlicher Pfad führt auf Umwegen herab.

Am sogenannten Passo dei Vitelli lässt sich gegen die Schlucht herab nachstehende Schichtenfolge beobachten:

1. Zuoberst Felsenkalk ohne Versteinerungen.

2. Grünlichgrauer marmorartiger Kalk in dicken Bänken geschichtet mit
Phylloceras ptychoicum
Lytoceras quadrisulcatum
Aspidoceras cyclotum
Ammonites Staszycii etc. — 3 Mètres.

3. Gelber, sandiger Mergelkalk, von weichen grauen Mergelschichten unterbrochen mit *Phylloceras Circe* Heb.
— *connectens* Zitt.
Ammonites fallax Ben.
— *scissus* Ben.
— *Vindobonensis* Griesb. etc., 6—8 Mètres.

4. Etwas discordant folgen darunter oder vielmehr daneben feste wohlgeschichtete lichte Kalksteine mit Schwefelkieskrystallen, Ammoniten, Crinoidenstiele und *Terebratula Aspasia.*

5. Steigt man in die Schlucht herab, so gelangt man schliesslich auf einen schneeweissen ungeschichteten Kalk mit Cidaritenstacheln und Spuren von Rhynchonellen. Seine Oberfläche ist häufig in den Bachrinnen mit dicken Lagen von Travertin bedeckt.

Zwischen 3 und 4 fehlen die rothen Mergel mit *Ammonites bifrons*, die vermuthlich durch Schutt verhüllt oder ausgewaschen sind, so dass sich 1, 2 und 3 auf die festen Kalke Nr. 4 übergeschoben haben.

Die nämliche Schichtenfolge beobachtet man auch auf dem entgegengesetzten Südwestabhang des M. Catria bei der Grotte di Tropello oberhalb der Dörfchen Massa und Pianello.

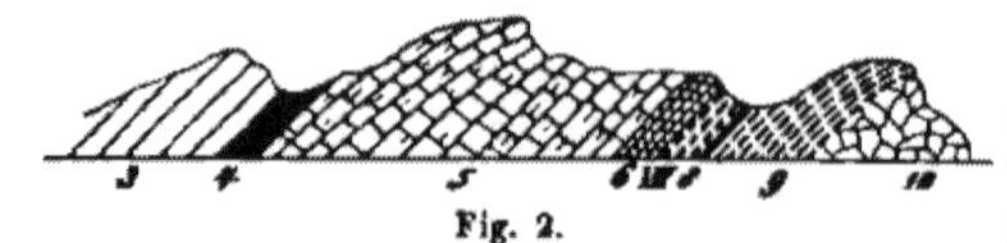

Fig. 2.

Der schmale Kamm eines Hügels, welcher sich von der Grotte di Tropello nach dem Thale von Massa erstreckt, gestattet an den entblössten Schichtenköpfen Schritt für Schritt die Beobachtung der Lagerungsverhältnisse. Beginnen wir am Thalgehänge, so sieht man, wie sich die geneigten Schichten des rosenrothen Kalkes (3) weithin abwärts ziehen, ihm folgen

2. bunte Fucoidenschiefer (4), welche ungefähr einen Büchsenschuss von unserm Standpunkt durch ein klares Bächlein tief ausgewaschen und deutlich entblösst sind.

3. Weissgrauer Felsenkalk (5) ohne Versteinerungen in bedeutender Mächtigkeit.

4) Sehr fester, grünlichgrauer Marmorkalk (6) mit

Lytoceras montanum
Phylloceras ptychoicum
Aspidoceras cyclotum
Ammonites contiguus
Terebratula triangula etc.

Die oberste Bank dieser etwa vier Mètres mächtigen Kalkschicht besteht aus weissem zuckerkörnigem krystallinischem Marmor mit den nämlichen Versteinerungen.

5. Der Grat bildet nun eine schwache vertiefte sattelförmige Einsenkung, in welcher unmittelbar unter diesen versteinerungreichen Schichten etwa drei Mètres mächtige weiche gelbliche und sandige Mergelkalke zum Vorschein kommen (VII). Ausser einem Fragment von *Ammonites fallax* konnte ich keine organischen Ueberreste darin entdecken. Meine Aufmerksamkeit war an dieser Stelle hauptsächlich auf die rothen Ammonitenmergel gerichtet, doch zeigte sich keine Spur derselben anstehend. Die Schichten mit *Ammonites fallax* ruhten unmittelbar auf den festen Kalken mit *Terebratula Aspasia*, deren Oberfläche in grossen ausgewaschenen Platten entblösst ist.

Meine Bemühungen, den obern Lias nachzuweisen, wurden indess bald von Erfolg gekrönt. Nach kurzem Suchen entdeckte ich auf diesen Platten einen ausgewaschenen *Ammonites bifrons*. Dieselben Verhältnisse zeigten sich auch an dem gegenüberliegenden Hügel, dessen Zusammensetzung wegen theilweiser Geröllbedeckung weniger leicht zu ermitteln war. Die grünlichgrauen Kalke mit *Lytoceras quadrisulcatum* etc. konnten auch dort aufgefunden werden und in etwas tiefer gelegenen, weichen, hier schon roth gefärbten Mergeln fanden sich *Ammonites bifrons*, *Phylloceras Nilssoni* etc.

Die „Schichten mit *Terebratula Aspasia*“ enthalten hier Crinoidenstielglieder, sonst aber wenig andere Ueberreste; sie reichen bis an die Felswand oberhalb der Grotte di Tropello und werden von massigen weissen Kalksteinen mit schlecht erhaltenen Rhynchonellen untertäuft, welche an manchen Stellen eine sehr ausgezeichnete pisolithische Struktur annehmen. Die unregelmässig geformten, rundlichen Pisolithkörner schwanken in der Grösse zwischen der eines Hirsekorns und einer Wallnuss, sie treten nicht schichten-, sondern haufenweise auf und zwar gewöhnlich nach ihrer Grösse gesondert, so dass man in einem und demselben Handstücke fast immer Körner von ähnlicher Grösse und Form erhält.

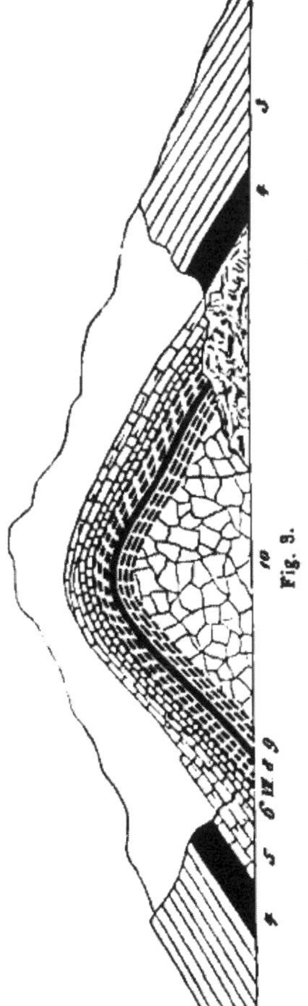

Fig. 3.

c. Furlo-Pass
zwischen Aqualagna und Fossombrone.

(Fig. 3.)

Das Schlachtfeld des Metaurus, wo die römischen Legionen jene entscheidende Niederlage durch die Carthager unter Hannibal und Hasdrubal erlitten, wird im Westen von einer Hügelreihe begrenzt, durch welche sich der Fluss, hier noch Candigliano genannt, eine tiefe Schlucht eingerissen hat. Der Berg nördlich vom Flusse heisst Pietra lata, der südlich gelegene Monte Paganuccio.

Die natürliche vom Candigliano gebildete Strasse wurde schon von den Römern benützt, Vespasian zierte sie mit einem Tunnel, der noch heute als eine Probe römischer Beharrlichkeit unversehrt erhalten ist. Vor Erbauung der Apenninenbahn war die Via Flaminia eine Hauptverkehrsader Central-Italiens und der Furlopass ein um seiner grossartigen Schönheit willen vielbewunderter Punkt. Dem Geologen bietet er die bequemste Gelegenheit, den Bau der Central-Apenninen zu studiren.

Die Strasse, zu deren Seite der Candigliano in seinem tiefen Felsenbette schäumt, hält sich an der Pietra lata und entblösst in prächtigen Aufschlüssen die Schichten des regelmässigen geschlossenen Gewölbes. Bei Aqualagna bestehen die Hügel in der Nähe der Strasse aus rosenrothem, gegen SW. einfallendem Kalke (3 im Profil), hinter San Vicenzo wenige Minuten vor dem Eingang zum Furlopass kommt von der linken Seite ein Bächlein herab, das sich eine tiefe Schlucht in die buntgefärbten Fucoidenschiefer (4) eingefressen hat, deren Mächtigkeit eben so bedeutend ist wie am M. Nerone. An den abschüssigen Gehängen der Pietra lata sieht man sodann die weissgrauen von Kalkspathadern durchzogenen Felsenkalke (5), und folgt man in der Seitenschlucht links von der Strasse einem zur Höhe führenden Pfade, so gelangt man in mehrere Steinbrüche, in welchen grosse dicke Platten eines grünlichgrauen, sehr festen Marmorkalkes (6) gebrochen werden, dessen vorzügliche Qualität nur durch zahlreiche Einsprenglinge von Schwefelkies etwas beeinträchtigt wird. Die Mächtigkeit dieses sehr steil aufgerichteten Gesteins beträgt wenige Mètres. Von den zahlreichen Versteinerungen, die man überall beobachtet, aber nur mit vieler Mühe herausschlagen kann, sind

Phylloceras ptychoicum
Lytoceras serum
— *montanum*
Ammonites cyclotus
— *contiguus*
Aptychus punctatus

die häufigsten. In den meisten Steinbrüchen sieht man auch die unmittelbare Unterlage des ausgebeuteten Marmorkalks, welche aus einem lichtgrauen oder gelblichgrauen, von weichen mergeligen Lagen unterbrochenen geschichteten Kalkstein bestehen (VII). Hin und wieder ist er oolitisch, sehr hart und alsdann schwer von dem darüber liegenden Marmorkalk zu unterscheiden. Seine Mächtigkeit beträgt etwa vier Mètres. Von den hier aufgefundenen Versteinerungen nenne ich

Ammonites fallax
— *gonionotus*
Phylloceras ultramontanum
— *connectens*
Ammonites polyschides.

Beim Sammeln muss wegen der steilen Neigung der Schichten besondere Sorgfalt verwendet werden, um Vermischung mit den darüber und darunter liegenden Versteinerungen zu verhüten.

Unter den Schichten mit *Ammonites fallax* sieht man in mehreren

Steinbrüchen rothe oder braungelbe Kalksteine und Mergel (8) anstehen, in welchen die schon öfters erwähnten Lias-Ammoniten, wie

Phylloceras Nilssoni Heb.
Ammonites bifrons
— *Comensis*
— *insignis* etc.

reichlich vorkommen.

In einem herabgerollten Block fand ich auch neben *Phylloceras heterophyllum* ein wohlerhaltenes Exemplar von *Terebratula Erbaensis.*

Es folgen darunter feste, aber wenig regelmässig geschichtete, den höher liegenden Kalken mit *Phylloceras ptychoicum* ziemlich ähnliche Gesteine mit Crinoiden-Stielgliedern und *Terebratula Aspasia* (9). Hart an der Strasse sind sie roth und weiss gefleckt, und erinnern in ihrem Aussehen lebhaft an Hierlatzkalk. Das Gestein enthält eine Menge kleiner, zum Theil zerbrochener Ammoniten, *Terebratula Aspasia*, mehrere andere Brachiopoden, wohlerhaltene Gastropoden, Bivalven und eine Korallenart. Eine sorgfältige Ausbeutung dieses Fundortes kann nicht genug empfohlen werden und wird sicherlich einen erheblichen Beitrag zur Fauna dieses Horizontes liefern.

Die Axe der Pietra lata besteht aus massigem, ungeschichtetem, breccienartig zerklüftetem Kalk (10), welcher in Folge der steilen Aufrichtung der beiden Flügel des Gewölbes fast bis zum Kamme des Berges reicht und im Furlo-Pass selbst eine viel grössere Ausdehnung besitzt, als alle übrigen bisher erwähnten Gebirgsglieder. Die kühnen Felspartieen an beiden Seiten des Flusses bestehen ausschliesslich aus diesem Gestein. Organische Ueberreste sind überaus selten und nur ein einziges Mal gelang es Mariotti, in einem Block am Flussbett zahlreiche Exemplare der *Avicula Janus* Menegh. aufzufinden.

Setzt man die Wanderung gegen Fossombrone fort, so trifft man die so eben beschriebenen Schichten am Nordostflügel in umgekehrter Reihenfolge und entgegengesetzter Fallrichtung in jener bewunderungswürdigen Regelmässigkeit, welche für den Gebirgsbau der Central-Apenninen so charakteristisch ist.

II.

Gliederung der Lias-, Jura- und Kreide-Gebilde.

Im vorigen Abschnitte wurde durch eine Anzahl von Durchschnitten der geologische Bau des Hebungs-Ellipsoids des Monte Catria und Monte Nerone zu erläutern versucht. Mein Wunsch, auch für das Sibyllinische Gebirge ähnliche Profile zusammenzustellen, scheiterte leider an den Schwierigkeiten, welche jener schöne, aber abgelegene Theil Italiens einem längern Aufenthalte entgegenstellt. Ich bin um so mehr genöthigt, meine Beobachtungen nur im nachfolgenden Abschnitte zu verwerthen, da starke Schutthalden auf der Oberfläche, ausgedehnte Waldbedeckung, so wie die Seltenheit organischer Reste besondere Schwierigkeiten verursachen, die nur durch einen längern Aufenthalt und die Wahl günstiger Punkte überwunden werden können. Das instruktive Querprofil von Norcia nach dem Monte Fiori bei Ascoli, welches Orsini und Spada veröffentlicht haben, gibt ein anschauliches Bild von dem tektonischen Bau dieser Berge und hebt insbesondere jene Bruchlinie am Monte Vettore hervor, durch welche die tertiäre Molasse des Hügellandes in unmittelbare Juxtaposition mit den tiefsten Sekundärschichten der Apenninen gebracht wurde.

Die Reihenfolge der Letzteren stimmt mit der des M. Catria genau überein und auch der petrographische Charakter hält sich im Allgemeinen ziemlich gleichförmig, obwohl allerdings in einzelnen Bildungen bereits einige Abweichungen zu bemerken sind.

Die Versteinerungen werden, je weiter man nach Süden rückt, immer seltener, doch findet man noch immerhin hinlängliche Belegstücke zur sichern geologischen Orientirung.

In beifolgender Tabelle ist die Schichtenfolge der Sekundär-Gebilde am M. Catria und M. Nerone nach meinen eigenen Beobachtungen zusammengestellt. Zum Vergleich wurde ausserdem in der dritten Rubrik das von Spada Lavini und Orsini im Jahre 1855 veröffentlichte Schema beigefügt.

Monte Catria	Monte Nerone	Gliederung
nach eigenen Beobachtungen.		nach Spada Lavini und Orsini.
10) Graue und rothe Scaglia mit Feuerstein Versteinerungen sehr selten *Cardiaster Italicus* 9) Rosenrother Kalk ohne Versteinerungen 8) Bunte Fucoidenschiefer	Graue und rothe Scaglia Rosenrother Kalk ohne Versteinerungen Bunte Fucoidenschiefer	6) Thonige Schiefer wechsellagernd mit „Calcare alberese" und „Pietraforte". Thonige Schiefer, an ihrer Basis roth, in der Mitte bunt, oben grau Rosenrother Kalk
7) Plumper lichter, weisser od. grauer Felsenkalk, von Kalkspath-Adern durchzogen, sehr mächtig, fast versteinerungsleer *Terebratula Euganeensis*	desgleichen Zuweilen kieselreich und dünnschichtig mit muscheligem Bruch. Oberhalb Secchiano *Ammonites Didayanus, A. Grasianus, Phylloceras infundibulum, Lytoceras quadrisulcatum*	5) fester, weisser, etwas krystallinischer Kalkstein und Dolomit; fester, bleigrauer Kalkstein und Dolomit — *Hippurites organisans, dilatatus; Radiolites radiosus, Caprina adversa, Actaeonella conica, Nerinea* etc. unreiner Kalk und dünnschichtige Mergel von grünlicher oder weisslicher Farbe — mit *Aptychus Didayi* und *A. Seranonis*
6) Fester wohlgeschichteter Marmorkalk, sehr hart, von grünlich grauer Farbe, mit *Phylloceras ptychoicum, serum, Kochi, Lytoceras montanum, Ammonites carachtheis, Staszycii, Volanensis, Folgariacus, admirandus, contiguus* etc.	desgleichen	4) „Calcaires à dalles", grünlich oder weiss, mit festen Mergeln derselben Farbe und Feuerstein wechselnd. *Ammonites plicatilis, Duncani, Zignodianus, athleta, Sabaudianus, tatricus* etc.
5) Weisse oder grünlich graue Schiefer mit mergeligen und selbst sandigen Schichten wechselnd, sehr reich an Feuerstein; an der Basis roth gefärbt. *Aptychus laevis, punctatus* und *Beyrichi*	Bei Secchiano und im Bussothal wie am Monte Catria entwickelt, sonst fehlend	
4) fehlt	Gelblicher Mergelkalk mit weichen Mergelschichten wechselnd. *Ammonites fallax, scissus, Phylloceras ultramontanum, Circe* etc.	

Monte Catria	Monte Nerone	Gliederung
nach eigenen Beobachtungen.		nach Spada Lavini und Orsini.
3) Rother Mergelkalk u. ziegelrothe, selten rostgelbe Mergel mit *Phylloceras heterophyllum*, *Nilssoni*; *Ammonites bifrons*, *Comensis*, *complanatus*, *Mercati*, *insignis*, *Terebratula Rotzoana*, *Erbaensis* etc.	desgleichen	3) Rother Mergelkalk u. rothe, sehr selten graue oder gelbliche Mergel mit *Ammonites primordialis*, *sternalis*, *Comensis*, *bifrons*, *heterophyllus*, *insignis* etc.
2) Fester, wohlgeschichteter gelblichgrauer Kalkstein mit Schwefelkies u. Rostflecken. *Terebratula Aspasia*, *Spirifer rostratus*, *Ammonites Boscensis*, *Vernosae* etc.	desgleichen	2) Fester, gelblicher, eisenschüssiger Kalkstein mit weichen Mergeln wechselnd. *Ammonites fimbriatus*, *subarmatus*, *Normanianus*, *muticus*; *Terebratula resupinata* etc.
1) Massiger, zerklüfteter, schichtenloser Kalkstein oder Dolomit von gelblicher oder weisser Farbe, sehr arm an Versteinerungen, Spuren von Gastropoden, *Rhynchonella*, *Astraea*	desgleichen Zuweilen mit grosspisolithischer Structur (am Furlo mit *Posidonomya Janus*)	1) Fester, lichtgrauer od. weisslicher Kalkstein mit Feuerstein: *Ammonites bisulcatus*, *fimbriatus*, *bifrons* etc. Dolomit

Es ergibt sich aus dieser Zusammenstellung, dass Nr. 1, 2, 3 und 8—10 der zwei ersten Reihen ziemlich genau mit Nr. 1, 2, 3 und 6 der letzten Rubrik übereinstimmen. Die Differenzen mit 4 und 5 bei Orsini und Spada dagegen habe ich später ausführlicher zu erörtern.

In den vorausgeschickten Profilen wurde eine Vermehrung des bedauerlichen Reichthums der geologischen Terminologie geflissentlich vermieden und eine Bezeichnung der verschiedenen Schichten nach möglichst auffälligen petrographischen oder paläontologischen Merkmalen überall neuen Lokalnamen vorgezogen. Es erübrigt nun noch die Eintheilung der einzelnen Ablagerungen in das gebräuchliche geologische Formationssystem, die Vergleichung derselben mit Schichten anderer Gegenden von gleichem Alter und die Beschreibung der wichtigsten in den Apenninen vorkommenden organischen Ueberreste.

1. Unterer Lias.

Die ältesten bis jetzt in den Central-Apenninen beobachteten Sediment-Gebilde bestehen aus einem ungeschichteten massigen Kalkstein von lichter, gelblicher oder weisser Farbe. Am Monte Vettore besitzt derselbe ein ganz dolomitisches Aussehen und zeichnet sich durch schneeweisse Farbe und krystallinisches Gefüge aus. Hin und wieder bemerkt man roth- oder braungefärbte Massen, die übrigens im Vergleich zur gewaltigen Mächtigkeit des weissen Kalkes nur untergeordnete Bedeutung besitzen. Auf die zahlreichen Sprünge, welche das Gestein zerklüften, haben bereits Orsini und Spada aufmerksam gemacht. Jene massigen, zuweilen oolithischen oder pisolithischen Kalksteine, welche in den Profilen des Monte Catria, Nerone und Furlo mehrfach beschrieben wurden, besitzen zum Theil genau dieselbe petrographische Beschaffenheit, wie der krystallinische Kalk des Monte Vettore, und nehmen auch dieselbe stratigraphische Stellung ein. Orsini und Spada (l. c. p. 1204) bezeichnen diese Abtheilung als Dolomit, doch habe ich im ganzen nördlichen Ellipsoid keine Spur eines ächten Dolomits beobachten können und auch am M. Vettore, wo allerdings manche Lagen durch ihre krystallinische Struktur an Dolomit erinnern, herrschen Kalksteine durchaus vor. Die Mächtigkeit lässt sich nicht genau ermitteln, da bis jetzt die Unterlage nicht bekannt ist. Sie muss aber eine ganz gewaltige sein, denn sowohl am Monte Vettore wie am M. Catria, namentlich zwischen Scheggia und Isola Fossara, am M. Nerone und am Furlo-Pass stehen Felswände von mehreren hundert Mètres Höhe zu Tage. Der massige Kalkstein bildet stets den Kern oder die Axe der verschiedenen ellipsoidischen Gebirgsketten und findet sich allenthalben, wo Querthäler oder Aufbrüche dieselben tief genug erschlossen haben: so am Catria, Nerone, Furlo, an den Ufern des Esino und am M. Vettore. Ausserhalb des beschriebenen Gebietes habe ich dasselbe Gestein bei Cesi in Umbrien gesehen, wo es am Südrande des Monte Maggiore den Kern mehrerer Parallelellipsoide bildet.

Der Mangel an wohlerhaltenen Versteinerungen ist eine unangenehme Eigenschaft dieser Ablagerung; die wenigen paläontologischen Belege jedoch, welche man den eifrigen Aufsammlungen Piccinini's und Mariotti's verdankt, weisen mit grosser Wahrscheinlichkeit auf untern Lias hin. Orsini und Spada kannten gar keine organischen Ueberreste aus diesem Gebilde, stellten dasselbe aber aus stratigraphischen Gründen wegen der innigen Verbindung mit den concordant darüber liegenden versteinerungsreichen Lias-Schichten in den unteren Lias.

Die so eben erwähnten Fossilien bestehen in mehreren unbestimmbaren kleinen Gastropoden und Bivalven, einer glatten *Terebratula* und einer der *Rhynchonella variabilis* ähnlichen Art, sämmtlich vom Monte Catria. Am Monte Nerone oberhalb Piobico fand ich Cidaritenstacheln von mässiger Grösse und im Val Grottone bei Avellana eine unbestimmbare *Astraea*.

Die einzig bestimmbare Versteinerung ist

Posidonomya Janus Menegh.

Nuovi Fossili Toscani in Annali dell' Università di Toscana III p. 8 und 27 vom Furlo, welche Menighini für identisch mit der im unteren Lias bei Campiglia häufig vorkommenden Form erklärte.

2. Mittlerer Lias.

Zum mittleren Lias rechneten Spada und Orsini jene festen, wohlgeschichteten, mit Schwefelkies imprägnirten und an zahlreichen Rostflecken auf der Oberfläche kenntlichen Kalksteine, welche ich in den oben beschriebenen Profilen als Schichten mit *Terebratula Aspasia* bezeichnet habe. Zuweilen schalten sich weiche Mergelschichten ein und hin und wieder, wie z. B. im Busso-Thal zwischen Pianello und Secchiano sieht man zahlreiche Knollen oder ganze Bänke von Feuerstein in Kalkstein eingelagert. Jene dünnschichtigen, muschelig brechenden Kalke vom Monte Vettore und Cesi, deren Farbe zwischen grau und braun schwankt und welche Spada und Orsini dem unteren Lias zutheilen, gehören sicher zum mittleren Lias. Am Monte Vettore fand ich dieses Gestein noch auf der höchsten Spitze anstehend und hatte Gelegenheit, mehrere rostfarbige Steinkerne von *Ammonites Algovianus* zu sammeln. Aehnliche Stücke befinden sich im Museum von Pisa unter der Bezeichnung *Ammonites bisulcatus* Brug. Bei Cesi in Umbrien ist die Uebereinstimmung des mittleren Lias mit dem des Monte Catria und Nerone in lithologischer Beziehung eine vollständige. Unter den rothen Ammonitenmergeln des oberen Lias folgen wohlgeschichtete, feste, graue oder gelblichgraue, Feuerstein führende Kalke, welche ich in beträchtlicher Mächtigkeit in einem Graben aufgeschlossen fand und auf einem röthlichen versteinerungsleeren mergeligen Kalkstein aufruhen sah. Dieser Letztere gehört möglicherweise schon zum unteren Lias, und scheint in Umbrien eine grosse Verbreitung zu besitzen. Man sieht ihn stundenlang zu beiden Seiten der Eisenbahn zwischen Spoleto und Terni und und am Monte Malbe bei Perugia, woselbst er von einem schwarzen, gypsführenden und gleichfalls versteinerungsfreien Marmor untertäuft wird.

Eine genaue Altersbestimmung des rothen, leider sehr fossilarmen Kalkes von Terni und Perugia, sowie des schwarzen Marmors vom M. Malbe wäre eine dankbare Aufgabe, deren Lösung voraussichtlich manchen Aufschluss über die Verbindung des Lias in Toskana mit dem der Apenninen liefern würde.

Die Verbreitung des mittleren Lias in den Central-Apenninen ist so ziemlich dieselbe wie die des untern Lias. Seine Mächtigkeit scheint starken Schwankungen unterworfen zu sein und dürfte sich nach freilich ganz approximativer Schätzung auf 20 bis 80 Mètres belaufen.

Als besonders versteinerungsreiche Punkte verdienen Casteluccio zwischen Serra d'Abbondia und Avellana, die Calzette am Monte Catria, die Steinbrüche an der Via Flaminia zwischen Cagli und Cantiano, der Furlo, sowie la Marconessa bei Cingoli genannt zu werden.

Bei Monticelli am Ostrand der römischen Campagna zeigt sich der mittlere Lias ganz wie in den Central-Apenninen und enthält eine grosse Anzahl Brachiopoden, Ammoniten und anderer Versteinerungen, um deren Aufsammlung sich der verstorbene Abbé Rusconi verdient gemacht hatte. Beim Besuche dieses Berges, über welchen G. Ponzi[1]) werthvolle Beobachtungen veröffentlichte, glaubt man sich geradezu in das Ellipsoid des Monte Catria versetzt.

Von Versteinerungen, welche ich aus den hier beschriebenen Schichten theils selbst gesammelt habe, theils von den Herren Piccinini und Mariotti mit zuverlässiger Angabe der Fundorte erhielt, führe ich folgende Arten an:

Sphenodus sp.

Ein einziger schmaler Zahn von Casteluccio zwischen Avellana und Serra d'Abbondia.

Belemnites sp. ind.

Schlecht erhaltene unbestimmbare Fragmente finden sich am Monte Catria und Monte Nerone nicht gerade selten.

Rhynchoteuthis liasinus. Zitt. Tab. 13. Fig. 6 a. b c.

Die genauen Abbildungen machen eine ausführliche Beschreibung dieses grossen, 30 Millim. langen und 20 Millim. breiten Rhyncholithen überflüssig. Unter den bisher beschriebenen Arten stimmt keine mit der vorliegenden überein.

Casteluccio zwischen Avellana und Serra d'Abbondia.

Ammonites Boscensis. Reynès.

(*Ammonites Lavinianus*. Menegh. M. S.) Taf. 13. Fig. 3. 4.

Durchmesser: 50—100 Millim.	a	b
Höhe des letzten Umgangs . .	$\frac{32-35}{100}$,	$\frac{35}{100}$
Dicke	$\frac{16-19}{100}$,	$\frac{24}{100}$
Nabelweite	$\frac{40-43}{100}$,	$\frac{42}{100}$

Schale flach scheibenförmig, seitlich abgeplattet, sehr weit genabelt.

---

[1]) Sopra i diversi periodi eruttivi etc. Atti della Academia pontificale di Nuovi Lincei. VXII. 1864 und Ponzi, Quadro geologico dell' Italia centrale l. c. Vol. XIX. 1866.

Siphonalseite mit aufgesetztem, von zwei schwachen Furchen begrenztem, glattem, gerundetem Kiel. Die höchstens $^{1}/_{4}$ involuten Umgänge sind mit zahlreichen gebogenen Rippen verziert, welche in der Nähe des senkrecht gegen die Naht abfallenden inneren Randes entspringen, und zwar in der Jugend einfach, später häufig paarig.

Ihren Verlauf hat Reynès [1]) durch Beschreibung und Abbildung gut dargestellt. Der Querschnitt der Umgänge bildet ein Rechteck mit abgerundeten Ecken, dessen Höhe die Breite beinahe um's Doppelte übertrifft.

Die Lobenzeichnung unterscheidet sich kaum von *Ammonites radians* Rein. Der Ventrallobus ist kurz, der breite Aussensattel durch einen bis in die halbe Höhe reichenden Einschnitt paarig getheilt. Es folgt dann ein schmaler, langer, mässig gezackter erster Seitenlobus, darauf der einfache Seitensattel und auf diesen noch zwei ganz kurze Seitenloben.

Die zahlreichen vorliegenden Exemplare gruppiren sich in zwei Varietäten.

Die dickere und gröber gerippte entspricht ziemlich genau dem von Reynès abgebildeten Original-Exemplar, welches ich durch die Freundlichkeit des Autors zu vergleichen Gelegenheit hatte.

Bei dem Brauneisensteinkern von Bosc sind die Aussenränder der Ventralseite viel schärfer, als bei den verkalkten Stücken aus den Apenninen, auch die Seiten etwas flacher. Der erste Unterschied dürfte aber wahrscheinlich eine Folge des Erhaltungszustandes sein.

Die zweite flachere Varietät (Fig. 3) zeichnet sich durch etwas feinere Berippung und mehr gerundete Ventralseite aus. Beide Formen unterscheiden sich von *Ammonites Normanianus* d'Orb durch die tiefern Furchen neben dem Kiel und etwas abweichenden Verlauf der Rippen. *Ammonites Comensis* nähert sich in gewissen feingerippten, weitgenabelten Formen (Nr. 6 bei Meneghini) so sehr der vorliegenden Art, dass ich nur in den stärker zurückgebogenen Rippen und in der Abwesenheit der Knoten einen Unterschied finden kann.

Ammonites Boscensis ist die bezeichnendste Cephalopodenart des mittleren Lias der Apenninen. Sie findet sich am Monte Catria, am Furlo, zu Cagli, la Marconessa und Canfaito.

Ammonites Algovianus. Opp.

Pal. Mitth. aus dem Mus. des Bayer. Staats I. p. 317.

(= *Ammonites retrorsicosta.* Opp. l. c. p. 139.)

(= *Ammonites Ruthenensis.* Reynès. Essai de Géologie et Paléontologie Aveyronnaises. p. 94. pl. 2. fig. 4.)

(= *Ammonites Algovianus.* Reynès l. c. p. 92.)

---

[1]) Essai de Géologie et de Paléontologie Aveyronnaises. Paris. 1868. p. 94. pl. III. fig. 2.

Die Abbildung von *A. Ruthenensis* Reynès gibt ein Bild der typischen Form aus den Allgäuer Alpen, auf welche Oppel den Namen *A. Algovianus* bezogen hatte. Zwischen *Ammonites retrorsicosta* Opp. und *Algovianus* Reynès kann ich keinen wesentlichen Unterschied finden, obwohl Oppel selbst das Reynès'sche Original-Exemplar als *A. Algovianus* bezeichnet hatte. In der gröberen Berippung läge die einzige Differenz gegenüber dem typischen *A. Algovianus* und auf diese darf bekanntlich bei den Falciferen kein grosses Gewicht gelegt werden. Eine specifische Trennung der beiden Formen scheint mir nicht gerechtfertigt zu sein.

In den Apenninen findet sich vorzüglich die feingerippte Varietät und zwar am Monte Nerone bei Cagli und ziemlich häufig in schieferigem dunkelgrauem Kalkstein auf der Spitze des Monte Vettore bei Ascoli.

Ammonites Kurrianus. Opp.

Pal. Mitth. I. p. 136. t. 42. Fig. 3.

Ziemlich selten und in unvollständigen Exemplaren vom Monte Catria oberhalb Avellana und vom Monte Ventosa östlich von Norcia.

Ammonites Affricensis. Reynès.

Essai de Géol. et Paléont. Aveyronnaises p. 96. pl. 3 fig. 2.

Ein einziges Exemplar vom Monte Catria oberhalb Avellana stimmt genau mit der Beschreibung und Abbildung von Reynès überein.

Ammonites sp.? (*Falciferi*).

Mehrere, wahrscheinlich neue Falciferen-Arten vom Monte Catria und Monte Nerone können wegen unvollständigen Materials nicht näher berücksichtigt werden.

Ammonites Fieldingi. Reynès.

l. c. p. 97. pl. 4. fig. 1.

Von Mariotti am westlichen Abhang des Monte Nerone gesammelt.

Ammonites cfr. planispira. Reynès.

l. c. p. 99. pl. 3. fig. 3.

Form und Grösse der Schale ganz wie bei der Reynès'schen Abbildung. Die Oberfläche aber namentlich in der Nähe der Siphonalseite mit äusserst feiner sichelförmiger Streifung versehen.

Monte Catria oberhalb Avellana.

Ammonites Davoei. Sow.

Von den beiden vorliegenden Stücken wurde das eine von Mariotti am Monte Nerone gesammelt; das zweite, dem Museum in Pisa zugehörige stammt von Marconessa.

Ammonites muticus. d'Orb.

Der nähere Fundort des in Pisa befindlichen Exemplares ist unbekannt.

Ammonites Raggazzonii. Hauer.

Vgl. Reynès l. c. p. 90 pl. 1 bis Fig. 1.

Auch diese Art wurde mir von Mariotti aus dem mittlern Lias von Cagli mitgetheilt. Das Museum von Pisa besitzt ein charakteristisches Stück aus einem abgerollten Block des Monte Faito.

Ammonites Vernosae Zitt. Taf. 13. Fig. 5 a. b.

Durchmesser: 50 Millim.
Höhe des letzten Umgangs: $^{29}/_{100}$.
Dicke: $^{23}/_{100}$.
Nabelweite: $^{49}/_{100}$.

Die stark evolute scheibenförmige Schale besteht aus 6—7 rundlichen, seitlich schwach abgeplatteten Umgängen, deren Höhe die Dicke nur wenig übertrifft. Bei einem Durchmesser von 50 Millim. zählt man auf der letzten Windung etwa 50 kräftige, einfache, schwach nach vorn geneigte Rippen, die sich auf der runden Siphonalseite etwas verbreiten, einen kurzen Bogen nach vorn bilden, aber dabei an Stärke abnehmen, so dass sie zuweilen wie unterbrochen erscheinen. Die Furchen zwischen den Rippen sind von gleicher Breite, wie diese selbst. Auf den inneren Umgängen bemerkt man Spuren ehemaliger Mundwülste.

Lobenzeichnung unbekannt.

Ammonites Jamesoni Sow. zeigt die grösste Verwandtschaft, unterscheidet sich aber durch weniger und flachere Windungen, sowie durch schwache Knötchen zu beiden Seiten des Ventraltheils. Bei *Ammonites subangularis* sind weniger Windungen vorhanden und die Rippen auf der Ventralseite viel spitzwinkliger nach vorn gezogen.

Vorkommen. In der Nähe der Quelle Vernosa unterhalb der Spitze des Monte Catria; das abgebildete Exemplar aus dem Museum von Pisa stammt von la Marconessa bei Cingoli.

Terebratula Renierii. Catullo. Taf. 15. Fig. 3 a—c.

1827. *Terebratula Renierii.* Catullo Saggio di Zoologia fossile p. 167 tav. V fig. 1 l.
1857. — *sphaeroidalis.* Stopp. (pars) Studii geol. e paleont. sulla Lombardia p. 229.
1865. — *fimbriaeformis.* Schauroth Verzeichniss der Versteinerungen im Naturalien-Cabinet zu Coburg p. 124 Taf. II. Fig. 5 a. b.
1866. — *fimbriaeformis.* Benecke Geogn.-paläont. Beitr. I. p. 166. Taf. III. Fig. 8. 9.
1866. — *fimbria.* Ben. l. c. p. 166.

Schon im Jahre 1827 hatte Catullo diese Art beschrieben und allerdings sehr mangelhaft abbilden lassen, doch ist sie in den Italiänischen

9*

Sammlungen unter dem Namen *T. Renierii* bekannt und es muss daher diesem der Vorzug der Priorität eingeräumt werden.

Der genauen Beschreibung von Schauroth und Benecke habe ich nichts beizufügen.

Bei der Abbildung wurde stets die grobgerippte Varietät berücksichtigt, obgleich auch in Süd-Tyrol Exemplare mit zahlreichen Rippen von nur mässiger Stärke häufig vorkommen. Mit Letzteren stimmt die aus Cagli abgebildete Form genau überein.

Terebratula fimbria Ben. (non Sow) wurde in die Synonymik der vorliegenden Art aufgenommen und zwar nach Untersuchung der südtyroler Original-Exemplare, welche ich der Gefälligkeit Benecke's verdanke.

Dieselben unterscheiden sich von der typischen *Terebr. Renierii* lediglich durch eine weniger aufgetriebene und in Folge dessen breitere, dreiseitige Form; sie sind aber mit Ausnahme eines einzigen Stückes alle etwas gequetscht. Die kräftige Entwickelung des Schnabels der grossen Schale, sowie die Berippung stimmen so genau mit *Terebratula Renierii* überein, dass ich mich nicht entschliessen kann, beide Formen specifisch zu trennen.

Jedenfalls muss aber *Terebratula fimbria* Sow. aus dem Spiele bleiben. Vergleicht man englische Stücke oder nur die schönen Abbildungen von Davidson, so fällt die ganz verschiedene Schalenverzierung sofort in die Augen. Bei *Terebratula fimbria* Sow. zeigt sich die Schnabelregion stets vollständig glatt und die Falten beschränken sich auf eine mehr oder weniger breite Zone um die Aussenränder der Schalen; die Falten selbst sind unregelmässig, häufig dichotom, wellig gebogen und stets stark divergirend.

Bei *Terebratula Renierii* dagegen sieht man in der Regel die ganze Schale vom Schnabel bis zum Stirnrand mit geraden, mehr oder weniger ungleichen, kräftigen, radialen Falten bedeckt, oder wenn Letztere, was übrigens selten vorkommt, schwach entwickelt sind und gegen den Schnabel fast ganz verschwinden, so liefert ihre radiale, nicht bogenförmig divergirende Richtung ein bequemes Hilfsmittel zur Unterscheidung von *Terebratula fimbria.*

Wollte man für die Süd-Tyroler Art einen ausseralpinen Stellvertreter suchen, so läge *Terebratula fimbrioides* Desl. aus dem mittleren Lias der Normandie in den meisten Merkmalen näher als *Terebratula fimbria* Sow.

Vorkommen: Zwei Exemplare wurden von mir selbst aus den obersten Schichten des mittleren Lias mit *Terebratula Aspasia* bei Casteluccio am Monte Catria gesammelt. Das abgebildete Stück wurde mir von Mariotti mitgetheilt; es stammt ebenfalls aus grauem Kalkstein, dicht unter den rothen Mergeln des oberen Lias von Villa Moderne unfern Cagli.

Drei charakteristische Stücke (von Prof. Stoppani als *Terebratula sphaeroidalis* bezeichnet) erhielt ich durch Prof. Meneghini aus dem obern rothen Lias von Bicicola und Lucra in der Lombardei zur Untersuchung, sowie ein weiteres aus grauem Kalkstein („Corso") der Gegend von Brescia.

Die Verbreitung in Süd-Tyrol und Venetien ist von Benecke und Schauroth ausführlich besprochen.

Terebratula Piccininii. Zitt. Taf. 14. Fig. 7 a—d.

Länge 10 Millim. Breite 9 Millim. Dicke 6 Millim.

Die kleine, glatte, eiförmige Schale verbreitet sich gegen die Stirnregion ganz allmählig. Die stärkste Wölbung beider Klappen befindet sich unmittelbar unter dem kurzen, durchbohrten Schnabel, welcher sich so dicht an die kleine Schale anlegt, dass für Area und Deltidium kein Raum bleibt. Ein tiefer Sinus befindet sich an der scharfrandigen Stirn der grossen Klappe und ein entsprechender Wulst auf der kleinen. Die mit den Randkanten in eine ununterbrochene Linie vereinigten Schlosskanten fallen ziemlich steil ab.

Vorkommen. Die drei vorhandenen Stücke stammen vom Passo del Prete bei Casteluccio am Monte Catria.

Terebratula cerasulum. Zitt. Taf. 14. Fig. 5 a—d. 6 a. b.

Dimensionen der grössten Stücke:

Länge 12, Breite 10, Dicke 8 Millim.

Dimensionen der kleineren Stücke:

Länge 8, Breite 7, Dicke 5 Millim.

Die länglich kugelige, gewölbte, glatte Schale besitzt allseitig gerundete Umrisse. Die Schlosskanten bilden eine gerade Linie, welche seitlich allmählig in die Randkanten verläuft. Der Schnabel der grösseren, hochgewölbten Klappe ist helmförmig angeschwollen und biegt sich so stark und so dicht über die kleine über, dass die Schnabelöffnung vollständig bedeckt wird und die Schnabelspitze die kleine Klappe berührt. Die Wölbung der fast kreisförmigen kleinen Schale ist etwas schwächer, als die der grösseren. Die Commissuren der scharfen Ränder verlaufen durchwegs in einer Ebene, da weder Falten noch Wulst oder Bucht vorhanden sind.

Die Schale ist deutlich punktirt.

Die länglichen Muskeleindrücke schimmern häufig unter beiden Schalen durch; vom Gerüst konnte jedoch nichts nachgewiesen werden.

Die äussere Form dieser eigenthümlichen Terebratel erinnert an *Hynniphoria globularis* Suess aus dem Stramberger Kalk. Aus Lias oder Dogger kenne ich keine Art, welche zum Vergleiche aufforderte.

Vorkommen: Sehr häufig in den Steinbrüchen an der Strasse zwischen Cagli und Cantiano.

Terebratula Aspasia. Menegh. Taf. 14. Fig. 1. 2. 3. 4.

1853. *Terebratula Aspasia* Menegh. Nuovi fossili Toscani p. 13.
1857. — *Bakeriae*. Stoppani Studii geolog. e paleont. sulla Lombardia p. 228.
1864. — *diphya*. Ponzi Sopra diversi periodi etuttivi in Atti della Acad. pontific. vol. XVII. p. 27.

Dimensionen der grösseren Varietät:
Länge 24, Breite 30, Dicke 15 Millim.
Dimensionen der kleineren Varietät:
Länge 13, Breite 18, Dicke 9 Millim.

Grosse Exemplare dieser schönen Art besitzen auffallende Aehnlichkeit mit den geöffneten Varietäten von *Terebratula janitor* und *diphya*.

Die Form der Schale ist kurz, sehr breit, mit flügelförmig erweiterten Seitentheilen. Der Schnabel der grossen, mit runder terminaler Oeffnung durchbohrten Schale biegt sich ziemlich stark über die kleinere. Die Letztere ist schwach gewölbt, in ihrer Mitte mit einer breiten, steil abfallenden und sehr tiefen Bucht versehen, welcher auf der gewölbten grossen Klappe ein stark erhabener, gerundeter, beiderseits von Furchen begrenzter Wulst entspricht. Die falsche Area über dem beinahe geradlinigen Schlossrand ist sehr schmal und schwach entwickelt. Die Commissuren verlaufen an den Seiten geradlinig und bilden am Stirnrand eine sehr tiefe, gegen die kleine Schale geöffnete Bucht. An grossen Schalen bemerkt man zuweilen eine Verdickung und schwache Umbiegung der Aussenränder.

Die feine Punktirung der Schale ist deutlich sichtbar.

Gehört, wie ich vermuthe, das Fig. 4 abgebildete Exemplar zu *Terebratula Aspasia*, so sind in der Jugend die beiden Seitenflügel nur mässig entwickelt.

Man findet zwei Varietäten, die sich lediglich durch ihre Grösse unterscheiden, auffallender Weise aber beinahe immer an getrennten Lokalitäten auftreten.

Mehrere Exemplare der grössern Varietät wurden mir von Prof. Meneghini unter dem schon im Jahre 1853 ohne Beschreibung veröffentlichten Namen *Terebratula Aspasia* mitgetheilt.

Die höchst charakteristischen Merkmale dieser Art macht die Vergleichung mit anderen liasischen Brachiopoden überflüssig.

Vorkommen: Die grosse Varietät findet sich häufig bei la Marconessa und besonders bei Monticelli unfern Rom; seltener am Furlo bei Fossombrone und bei Cagli.

Terebratula Aspasia var. *minor* gehört am Monte Catria zu den leitenden Formen des mittleren Lias; ganz identische Stücke finden sich aber auch im obern rothen Lias von Bicicola in der Lombardei und am Breitenberg in den Salzburger Alpen.

Terebratula (Waldheimia) bilobata. Stoppani. Taf. 15. Fig. 1. 2.

1857. Studii geologici e paleontologici sulla Lombardia p. 404.

Die veränderliche Gestalt dieser grossen Art verhindert eine Angabe der Dimensionsverhältnisse. Die Schale ist dreiseitig, am Stirnrand gewöhnlich ebenso breit als hoch und ziemlich dick, auf der Oberfläche mit Zuwachsstreifung versehen. „Der Sinus*) der kleinen Klappen ungewöhnlich breit, tief und vom Schnabel bis zum Stirnrand deutlich ausgesprochen. Der Wulst der grossen Klappe demgemäss hoch gewölbt und zuweilen fast kantig." Der tiefe zurückgebogene Sinus trennt zwei ungleiche, seltener gleichmässig entwickelte Seitenlappen. Die Schlosskanten stossen winkelig mit den Randkanten zusammen, deren Commissuren vertieft sind. Die Commissuren des Stirnrandes bilden eine gerundete Bucht, deren Begrenzungslinien fast rechtwinkelig auseinanderlaufen. Die falsche Area der durchbohrten Schale ist kantig begrenzt; das terminale mittelgrosse Schnabelloch liegt auf der kleinen Schale auf, so dass das Deltidium unterdrückt wird.

In der Sammlung von Mariotti findet sich ein charakteristisches Exemplar dieser Art aus grauem Kalkstein vom Furlo.

Die Abbildungen und die Beschreibung sind nach Stücken der Stoppani'schen Sammlung aus rothem Liaskalk von Luera in der Lombardei entworfen.

Terebratula (Waldheimia) Apenninica. Zitt. Taf. 14. Fig. 9 a—d.

Länge 11, Breite 10, Dicke 6 Millim.

Schale etwas länger als breit, glatt, von oval fünfseitiger Form. Die grosse Klappe gewölbt mit einer vom Schnabel gegen die Stirn verlaufenden medianen, wulstartigen, gerundeten Erhebung, die allmählig in die Seiten verläuft. Der mit kleiner terminaler Oeffnung durchbohrte Schnabel biegt sich mässig über ein hohes Deltidium. Die falsche Area ist verhältnissmässig hoch und nach aussen kantig begrenzt.

Die kleine schwachgewölbte Klappe besitzt eine wie bei *Waldheimia resupinata* schon am Schnabel beginnende Bucht, welche sich gegen die Stirn verbreitet und tiefer wird, ohne sich jedoch, wie bei *Terebratula Aspasia*, stark zurückzubiegen. Die Schlosskanten stossen unter stumpfem Winkel

*) Vgl. Stoppani l. c. p. 404.

zusammen. Die Ränder sind allenthalben scharf. Das Septum der kleinen Schale besitzt eine geringe Länge.

Die verhältnissmässig grobpunktirte Beschaffenheit der Schale tritt bei der Betrachtung mit der Loupe deutlich hervor.

Waldheimia Beyrichi Opp. vom Hierlatz steht nahe, unterscheidet sich aber durch viel ansehnlichere Dimensionen, feine Radiallinien und die weiter unten beginnende Bucht der kleinen Schale. Junge Exemplare von *Waldheimia resupinata* könnten ebenfalls in Betracht kommen, allein bei ihnen ist der Wulst der grossen Schale stets weniger gerundet. *Waldheimia Heyseana* endlich differirt durch rundlichere, flachere, in der Schnabelregion viel breitere Schale.

Vorkommen: Die vier vorliegenden Stücke stammen aus den Steinbrüchen zwischen Cagli und Cantiano.

Terebratula (Waldheimia) Furlana. Zitt. Taf. 14. Fig. 8 a—d.

Länge 15, Breite 14, Dicke 8 Millim.

Schale länglich oval, glatt, zusammengedrückt und dünn. Die Stirnregion der kleinen Klappe ist ihrer ganzen Breite nach gegen die grössere durchbohrte umgebogen, so dass die Commissur des scharfen Stirnrandes eine breite vertiefte Bucht bildet. Die gewölbte grosse Klappe zeigt am Stirnrand eine entsprechende, aber schwache Zurückbiegung; ein förmlicher Medianwulst fehlt. Die falsche Area wird gegen aussen kantig begrenzt.

Vorkommen: Furlo bei Fossombrone, selten.

Rhynchonella retroplicata. Zitt. Taf. 14. Fig. 13. 14.

Dimensionen des grossen abgebildeten Exemplars:

Länge 11, Breite 12, Dicke 8 Millim.

Dimensionen des kleineren abgebildeten Exemplars:

Länge 8, Breite 9, Dicke 5 Millim.

Schale klein, mit dreiseitig gerundeten Umrissen, mässig gewölbt. Die Breite des Stirnrandes übertrifft die Länge der Schale um ein Geringes Der kurze, wenig vorragende Schnabel der grössern Klappe ist von einer kleinen Oeffnung durchbohrt; Deltidium und Area fehlen. Der Stirnrand der grösseren Schale trägt in der Mitte zwei kräftige Falten, denen auf der kleineren eine mässig tiefe Bucht entspricht; auf den Seitentheilen befinden sich ausserdem je ein oder zwei schwach entwickelte Fältchen. Unter der Loupe erscheint die ausgezeichnet faserige Schale fein radial gestreift.

Vorkommen: Zwischen Cagli und Cantiano nicht selten.

Rhynchonella pisoides. Zitt. Taf. 14. Fig. 15. 16.

Länge 7, Breite 8, Dicke 6 Millim.

Schale kugelig, erbsenförmig, glatt, rundlich, dreiseitig, etwas breiter als lang, sehr dick. Schnabel hoch gewölbt, stark übergebogen, mit seiner Spitze fast die kleine Klappe berührend, Deltidium nicht sichtbar. Die kleine Schale besitzt eine tiefe Medianbucht, in deren Grund zwei sehr schwache Falten kaum angedeutet sind; die grosse Klappe ist ziemlich gleichmässig gewölbt. Die Ränder pflegen häufig etwas umgebogen zu sein, so dass die Stirnansicht ein eigenthümlich verdicktes Aussehen erhält.

Der ganze Habitus dieser Art würde eher für eine Eintheilung in das Genus *Terebratula* sprechen, wenn nicht die faserige Struktur die Zugehörigkeit zu *Rhynchonella* bewiese.

Rhynchonella pisoides steht der vorigen Art näher, als irgend einer andern, unterscheidet sich aber durch die kugelige Form der Schale, den hochgewölbten übergebogenen Schnabel, die tiefere Bucht der kleinen Klappe und das Fehlen von Seitenfalten.

Vorkommen: Ziemlich häufig in den Steinbrüchen zwischen Cagli und Cantiano.

Rhynchonella Mariottii. Zitt. Taf. 14. Fig. 17 a—d.

Länge 11, Breite 15, Dicke 8,5 Millim.

Schale breiter als lang, mit gerundetem Umriss, stark gewölbt. Der kurze, wenig hervorragende Schnabel legt sich dicht an die kleine Schale an, ohne Raum für ein Deltidium zu lassen. Die kleine Klappe ist unter dem Schnabel stark gewölbt und bildet am Stirnrand einen ziemlich hohen, schmalen, jederseits von einer kurzen scharfen Falte begrenzten und mit einer vertieften Medianfurche versehenen Wulst. Die Seitentheile tragen entweder zwei bis drei ganz schwache Nebenfalten oder sind ganz glatt. In dem tiefen und breiten Sinus der grossen Schale befindet sich eine ganz schmale und kaum hervorragende Medianfalte.

Rhynchonella Buchi Roem. unterscheidet sich durch viel kürzern Wulst und stärkere Seitenfalten. Bei *Rh. acuta* Sow. sp. und deren Verwandten ist der Medianwulst schmäler, länger und schärfer.

Vorkommen: Zwischen Cagli und Cantiano.

Rhynchonella subdecussata. Münst. sp. var. Taf. 14. Fig. 12 a—c.

Terebratula Amalthei Quenst. Petrefaktenkunde Deutschlands II. t. 37 fig. 154—159.
Rhynchonella dysonymus. Seeb. Hannover'scher Jura p. 90.
„ *liasica.* Reynès. Essai de Geol. et Pal. Aveyr. pl. 4 fig. 5.

Die vorliegende Form unterscheidet sich von fränkischen und schwäbischen Stücken durch etwas flachere Schale; auch verläuft der Stirnrand des Medianwulstes geradlinig, wie bei *Rhynchonella scalpellum* Quenst. Alle andern Merkmale stimmen gut mit *Rh. subdecussata* überein.

Vorkommen: Zwischen Caglia und Cantiano.

Rhynchonella Meneghinii. Zitt. Taf. 14. Fig. 10. 11.

Länge 6,5, Breite 7, Dicke 4 Millim.

Die kleine, ringsum gerundete Schale besitzt einen vierseitigen Umriss und ist beinahe ebenso lang als breit. Der Schnabel der grossen Klappe wölbt sich mässig über die kleine; die falsche Area kurz und niedrig; Schnabelloch und Deltidium durch Gestein verdeckt.

Beide Schalen tragen in der Nähe der Ränder etwa 12—15 Falten, welche aber nur geringe Erstreckung besitzen und den grössten Theil der Schale glatt lassen.

Die Schnabelklappe ist gleichmässig gewölbt, die kleinere mit einem breiten, sehr seichten Sinus versehen, welcher schon unter dem Schlossrand beginnt.

Vorkommen: Zwischen Cagli und Cantiano.

Rhynchonella cfr. Fraasi. Opp. Taf. 14. Fig. 18 a—d.

Zeitschr. der deutschen Geol. Ges. 1861 p. 543. Taf. XII. Fig. 3.

Die abgebildete Art steht *Rhynchonella Fraasi* vom Hierlatz ungemein nahe, weicht aber durch die geringere Zahl der Rippen am Stirnrand etwas ab. Sie hält fast genau die Mitte zwischen *Rhynchonella Fraasi* und *serrata*, von welch Letzterer sich die Italiänische Form durch die kantige Gestalt der Schale und die breiten Seitenflächen unterscheidet.

Vorkommen: Am Monte Catria oberhalb Avellana.

Spiriferina rostrata. Sow. sp.

Ziemlich häufig zwischen Cagli und Cantiano.

Spiriferina cfr. angulata. Opp.

Eine einzige mangelhaft erhaltene Schale von Cagli.

Cidaris rhopalophora. Zitt. Taf. 13. Fig. 2.

Die gewaltigen keulenförmigen Stacheln erreichen eine Länge von mehr als 40 Millim. und eine Dicke von 20 Millim. Die ganze Oberfläche des Stachelkörpers ist mit feinen geradlinigen und parallel gekörnelten Rippen versehen. Der Hals scheint sehr kurz gewesen zu sein, fehlt aber an allen vorliegenden Stücken.

Vorkommen: Ziemlich häufig am Monte Catria.

Eugeniacrinus oder **Apiocrinus**. sp.

Glatte, runde, walzenförmige, in der Mitte etwas angeschwollene Stielglieder von 2—4 Millim. Durchmesser und geringer Länge mit gestrahlten Gelenkflächen bilden zuweilen einen förmlichen Crinoidenkalk und sind im mittleren Lias der Central-Apenninen, namentlich am Monte Catria, allenthalben häufig.

Pentacrinus. sp.

Dünne fünfeckige oder rundliche Stielglieder mit der charakteristischen fünfblätterigen Zeichnung auf den Gelenkflächen finden sich mit der vorigen Form, aber weniger verbreitet.

Die Fauna dieser Schichten trägt, wie man sieht, einen ganz eigenthümlichen, entschieden alpinen Charakter an sich, ohne jedoch in ihrer Gesammtheit oder sogar nur in einer grösseren Anzahl von Arten mit einer andern bis jetzt bekannten Lias-Facies übereinzustimmen.

Gerade die entschiedensten mittelliasischen Formen, wie *Ammonites Davoei*, *A. Algovianus*, *A. Ragazzonii* sind überaus selten und werden an Häufigkeit von feinrippigen Falciferen übertroffen, die in ihrem ganzen Habitus mehr an ober- als mittelliasische Formen erinnern, obwohl sie auch von jenen specifisch verschieden sind. Unter den Brachiopoden deuten *Spiriferina rostrata* und *Rhynchonella subdecussata* auf mittlern Lias. Die häufigste und bezeichnendste Art ist jedoch *Terebratula Aspasia* Menegh., welche am Breitenberg im Salzburg'schen und bei Bicicola in der Lombardei mit oberliasischen Ammoniten vorkommt. *Terebratula Renierii* liegt in der Lombardei und in Süd-Tyrol jedenfalls nicht tiefer als oberer Lias, in den Apenninen dagegen findet man sie neben *Terebratula Aspasia* in den obersten Bänken des grauen Kalkes. Die Letztere und zwar die kleinere Varietät kommt indess an den Calzetten des Monte Catria schon in den tiefern Schichten vor, so dass ich keine Veranlassung zur Abtrennung verschiedener Zonen erhielt. Bei Prof. Orsini und im Museum von Pisa sah ich zahlreiche Exemplare der *Terebratula Erbaensis* von la Marconessa bei Cingoli, und zwar in einem Gestein, welches sich von dem des mittleren Lias nicht unterscheiden liess. Den paläontologischen Beweisen für die Existenz des mittleren Lias in den Central-Apenninen fehlt demnach, wie ich gerne zugestehe, die wünschenswerthe Schärfe und es lässt sich jedenfalls nicht in Abrede stellen, dass die oben beschriebenen grauen geschichteten Kalke Arten des mittleren und oberen Lias enthalten. Es wäre wohl denkbar, dass die obersten Bänke etwa mit den schwäbischen Posidonymenschiefern im Alter übereinstimmten, wofür auch der Umstand spräche, dass die rothen Ammonitenmergel vorzugsweise Arten der Radians-Mergel enthalten; doch auch für diese Annahme liegen zu wenig positive Beweise vor. Sehr sorgfältige Aufsammlungen von Versteinerungen können die Frage nach dem Alter der eben beschriebenen Schichten allein zur Entscheidung bringen. Wie diese aber auch ausfallen mag: in den Central-Apenninen und in ganz Italien überhaupt, soweit es mir bekannt ist, wird man die rothen Ammoniten-Mergel von den tieferen Ablagerungen stets trennen müssen. Kein Schichtencomplex ist nach unten und oben so scharf begrenzt als gerade der „Ammonitico rosso" Central-Italiens, über dessen Altersbestimmung nicht der leiseste Zweifel obwalten kann.

3. Oberer Lias.

Die rothen Ammoniten-Mergel mussten durch ihre auffallende Farbe und ihren Reichthum an wohlerhaltenen Versteinerungen nothwendiger Weise zuerst die Aufmerksamkeit der Geologen auf sich lenken.

Orsini und Spada Lavini erwähnen sie denn auch schon in ihrem ersten Aufsatze vom Jahre 1845, ohne sich jedoch über ihr Alter auszusprechen. Sie vereinigten sie mit dem „Ammonitico rosso" der Lombardei, welcher bekanntlich sehr verschiedene geologische Horizonte in sich begreift. Wie wenig präcis diese Bestimmung schon damals den französischen Geologen erschien, beweist die im Bulletin überlieferte Discussion in der Sitzung der Société géologique. Murchison beobachtete diese rothen, Ammoniten führenden Kalkmergel bei Cesi unfern Terni[1]), vergleicht sie ebenfalls mit dem Ammonitico rosso der Venetianischen Alpen und Spezzia und stellt sie auf Grund zweier als *Ammonites tatricus* und *biplex* bestimmter Ammoniten in die Oxfordgruppe.

Einem so kenntnissreichen Paläontologen wie Meneghini konnte die wahre Natur dieser Versteinerungen nicht lange verborgen bleiben. Schon in den im Jahre 1851 mit Savi herausgegebenen Considerazioni sulla Geologia di Toscana werden (S. 180—182) eine Anzahl oberliasischer Ammoniten aus Cesi, Assissi und Spoleto verzeichnet und in den Nuovi Fossili Toscani erhöht sich die Liste der aus rothen Mergeln stammenden Ammoniten auf 25 Arten, wovon 15 als oberliasisch angesprochen werden. Von den 10 übrigen sollten 5 mit Arten aus dem untern Oolith und 5 mit solchen aus dem mittleren Lias übereinstimmen. In Spada und Orsini's schon öfters erwähnter Abhandlung wird die Wichtigkeit des obern Lias für die geologische Orientirung in den Apenninen gebührend hervor-

[1]) Ueber den geologischen Bau der Alpen, Karpathen und Apenninen p. 117.

gehoben und dessen lithologischer Charakter sowie die Verbreitung ausführlich geschildert. Die Bestimmung der Versteinerungen hatte Meneghini übernommen und, wie schon erwähnt, bereits früher veröffentlicht. Die in Rede stehende Schrift enthält daher in dieser Beziehung keine neuen Thatsachen.

Der obere Lias ist in der That der beste geologische Horizont der Central-Apenninen und zeigt sich stets in Gestalt eines weichen ziegelroth gefärbten Kalkmergels von unregelmässigem erdigem Bruch. Einzelne festere, ebenfalls roth, weisslich oder grüngefärbte Kalkbänke mit knolliger Oberfläche und hin und wieder blutrothe oder grüne Feuersteinschichten unterbrechen häufig die weichen Mergel. Durch Desoxydation und Wegführung des starken Eisengehaltes nimmt die Oberfläche zuweilen eine lichte, oder wenn eine grosse Menge Eisenoxydhydrat zurückgeblieben ist, eine rostgelbe Färbung an. Immer ist das Gestein mehr oder weniger reich an Versteinerungen.

Die Mächtigkeit habe ich überall zwischen 2 und höchstens 15 Mètres schwankend gefunden und vermuthe daher, dass Spada und Orsini den rothgefärbten Theil der Aptychenschiefer dem Lias zugezählt haben, wenn sie dessen Mächtigkeit auf 20—60 Mètres veranschlagen.

Gewöhnlich bildet der obere Lias ein schmales, von den darunter und darüber liegenden lichten Kalksteinen grell abstechendes und weithin sichtbares Band, das den domförmigen Bau der einzelnen Gebirgsketten am besten zur Anschauung bringt. Am Monte Catria steigt er bis zu einer Höhe von 1200 Mètres auf, setzt aber niemals die Decke eines der zahlreichen Schichtengewölbe zusammen.

Die versteinerungsreichsten Punkte im obern Lias sind Val Urbia an der Strasse zwischen Scheggia und Isola Fossara, die Gehänge des Monte Catria und Monte Petrano zwischen Cagli und Cantiano, sowie la Marconessa bei Cingoli, nach Spada und Orsini ausserdem der Monte Faito.

Nicht minder ausgezeichnet ist die Localität Cesi, wo namentlich *Ammonites complanatus*, *A. discoides* und *A. Comensis* in schönen Exemplaren vorkommen. Von Monticelli endlich verzeichnet Ponzi zahlreiche Versteinerungen, darunter mehrere Arten, die anderwärts nicht vorkommen.

Eine Gliederung des oberen Lias der Apenninen in mehrere paläontologische Zonen scheint mir unstatthaft. Die Fauna ist eine durchaus einheitliche im ganzen Schichtensystem, man findet dieselben Arten in den tiefsten wie in den höchsten Lagen und obwohl man nicht sagen kann, dass sie ausschliesslich einer der in neuerer Zeit aufgestellten Zonen entspricht, so lässt sich doch eine grössere Uebereinstimmung mit den Formen der höchsten als der tiefsten Schichten des oberen Lias erkennen.

Meneghini ist augenblicklich mit der Monographie der Cephalopoden des oberen Lias in Italien beschäftigt, welche, wie sich aus dem bis jetzt veröffentlichten Heft schliessen lässt, ein wahres Fundamental-Werk dieser Formation zu werden verspricht.

Das folgende Verzeichniss enthält nur die von mir mitgebrachten Arten, bei deren Bestimmung ich mich des freundlichen Beirathes von Professor Meneghini in zuvorkommendster Weise zu erfreuen hatte.

Phylloceras heterophyllum. Sow. sp.
Cagli, Monte Catria, Monte Nerone, Madonna del Sasso bei Pergola, Furlo, Val Urbia, la Marconessa, Cesi etc. überall häufig.

Phylloceras Nilssoni. Héb. sp.
Noch häufiger als die vorige Art.

Lytoceras Germainei. d'Orb sp.
Cagli, Monte Catria, Cesi.

Lytoceras cornu copiae. Young & Bird. sp.
Cagli, Furlo, Monte Catria, Val Urbia, Cesi, Perugia etc.

Ammonites eximius. Hauer.
Selten am Furlo bei Fossombrone.

Ammonites Mimatensis. Hauer.
Selten bei Cagli.

Ammonites bifrons. Brug.
Ueberall gemein.

Ammonites Comensis. Buch.
In zahllosen Varietäten, überall häufig.

Ammonites Mercati. Hauer.
Häufig bei Cagli, am Monte Catria, Cesi etc.

Ammonites discoides. Ziet.
Ziemlich selten bei Cagli und am Monte Catria, häufiger bei Cesi unfern Terni.

Ammonites complanatus. Brug.
Cagli, Rave Cupa am Monte Catria, Cesi.

Ammonites falcifer. Sow.
Selten bei Cagli.

Ammonites radians. Rein.
Selten bei Cagli, am Monte Nerone und bei Cesi unfern Terni.

Ammonites subcarinatus. Young & Bird.
Nicht häufig bei Cagli.

Ammonites sternalis. Buch.
Selten bei Cagli.

Ammonites Reussi. Hauer.
Cagli selten.

Ammonites insignis. Schübl.
Cagli, Monte Catria, Cesi.

Ammonites cfr. variabilis. Sow.
Selten bei Cagli.

Ammonites fibulatus. Sow.
Gemein bei Cagli, am Monte Catria, Furlo, Cesi etc.

Ammonites subarmatus. Young & Bird.
Ziemlich häufig bei Cagli, Monte Catria, Cesi etc.

Ammonites crassus. Phil.
Cagli.

Ammonites Desplacei. d'Orb.
Cagli selten.

Ammonites annulatus. Sow.
Sehr selten bei Cagli.

Ammonites nsp. (cfr. Braunianus). d'Orb.
Cagli.

Terebratula Erbaensis. Suess. Taf. 15. Fig. 5. 6. 7. 8. 9. 10.

1852. *Terebratula diphya* var. Suess Stzgsber. K. K. Ak. VIII. p. 557. t. 31. fig. 18. 19.
1855. — *lampas*. Spada et Orsini Bull. soc. géol. 2ème sér. vol. XII. p. 1205.
1857. — *mutica*. Stoppani (pars Exemplar von Suello*) Studii geologici e paleontologici sulla Lombardia p. 229.
1857. — *digona*, *incisiva*, *circumvallata*, *longicollis*, *Villae*. Stopp. l. c. p. 229.
1859. — *incisiva*, *circumvallata*. Stoppani. Rivista geologica della Lombardia p. 77.
1867. — *Erbaensis*. Pictet Mél. pal. III. Etudes monogr. des Terebr. de la groupe de la T. diphya p. 184. pl. 33. fig. 8.

Die auf ein einziges Exemplar begründete Beschreibung Pictet's ent-

---

*) Die Stücke von Val di Lesso gehören nebst *Terebratula aurita* Stopp. zu *Terebratula Euganeensis* Pictet.

hält alle wesentlichen Merkmale dieser schönen und charakteristischen Art des oberen Lias. Dieselben bestehen in der dreieckigen Form der gegen den Schnabel verschmälerten, manchmal langhalsigen, sehr flachen Schale; in dem gerundeten Stirnrand, an welchem sich beide Klappen gleich stark umbiegen, und in dem Mangel jeglicher hervorragenden Verzierung der glatten Oberfläche.

Ein reiches Material, welches ich theils der Güte der Herren Meneghini, Stoppani und von Fischer verdanke, theils selbst aus den Central-Apenninen mitgebracht habe, veranlasst mich zu einigen ergänzenden Bemerkungen.

Die verschiedenen Alterszustände zeigen ziemlich bedeutende Abweichungen von der erwachsenen Form.

Ganz junge Individuen zeichnen sich durch längliche, schmale, in der Schnabelregion verdickte Gestalt aus. Sie besitzen einen dünnen schneidenden Stirnrand und geradlinige, kaum eingesenkte, seitliche Commissuren. Der Name *Terebratula digona* Stopp. bezieht sich auf diesen Entwicklungszustand.

Bis zu einer Länge von 25 Millim. bleibt die Form wie oben beschrieben, nur im obern Theil der Schale, unter den Ohren, senken sich die Seitenflächen etwas ein.

Später breitet sich die Stirnregion mehr und mehr aus, so dass Länge und Breite der Schale nahezu gleich gross werden; die eingesenkten Seitenflächen werden nun durch Kanten ziemlich scharf begrenzt und die Commissuren zeigen einen schwach gebogenen oder auch geraden Verlauf. Der Stirnrand bleibt anfänglich noch scharf, später stülpen sich beide Schalen gleichmässig um und verstärken dadurch die Stirnregion bis zur Dicke der übrigen Schale.

Mehrere Steinkerne von Erba lassen die Muskel- und Gefässeindrücke der kleinen Schale deutlich erkennen, welche sowohl nach Zahl als Verlauf von denen der *Terebratula diphya* abweichen.

Terebratula Adnethica Suess in Gümb. Geogn. Beschr. der Bayer. Alpen darf nicht mit der vorliegenden Art verwechselt werden. Die erstere stammt aus dem mittleren Lias und unterscheidet sich leicht durch ihre viel kürzere und dickere Schale.

Vorkommen: Von den 32 untersuchten Exemplaren stammen sechs aus den Central-Apenninen und zwar vier aus dem rothen Ammoniten-Mergel von Cagli; ein fünftes fand ich in einem abgerollten Block in Gesellschaft von *Phylloceras heterophyllum* am Furlo und das letzte erhielt ich von Senator Orsini, angeblich aus mittlerem Lias von Marconessa.

Zahlreiche Stücke aus den Sammlungen von Prof. Stoppani und Villa in Mailand stammen aus dem rothen Lias der Lombardei und zwar aus Suello, Bicicola, Luera, Iduno und Pusiano.

Mehrere zum Theil sehr schön erhaltene Exemplare hatte Herr Hofrath von Fischer am Breitenberg im Salzburg'schen in Gesellschaft zahlreicher charakteristischer Ammoniten des oberen Lias gesammelt.

Terebratula Rotzoana. Schaur. Taf. 15. Fig. 4.

Benecke. Geogn. Pal. Beitr. I. p. 167. T. 3 Fig. 1—5.

Zwei Exemplare dieser höchst charakteristischen und unverkennbaren Art erhielt ich aus rothem Ammoniten-Mergel der Cava Villa moderne bei Cagli. Von Prof. Stoppani wurden mir sechs weitere als *Terebratula sphaeroidalis* und *intermedia* bezeichnete Stücke anvertraut, von welchen drei aus dem oberen Lias von Bicicola und Brescia, die übrigen aus dem sogenannten „Corso" von Virle bei Brescia stammen.

In Süd-Tyrol und Venetien gilt *Terebratula Rotzoana* als Leitmuschel für die pflanzen- und conchylienreichen grauen Kalke, welche bisher in den Dogger gestellt wurden.

4. Unterer Dogger.

In den Profilen des Monte Nerone und des Furlo wurde eines gelblich gefärbten, sandigen, von weissen Mergeln begleiteten Kalkes gedacht, der in geringer Mächtigkeit unmittelbar auf dem oberen Lias liegt und von festen grünlich grauen Kalken mit *Phylloceras ptychoicum* bedeckt wird.

Spada und Orsini kannten diesen Horizont entweder gar nicht oder vereinigten ihn vielleicht mit dem oberen Lias oder mit jüngeren Jurabildungen.

Versteinerungen finden sich am Monte Nerone oberhalb Piobico, sowie am Furlo-Pass ziemlich zahlreich. Für die Altersbestimmung haben davon nachstehende Arten besonderen Werth:

Phylloceras ultramontanum
— *connectens*
— *Circe*
Ammonites Murchisonae
— *fallax*
— *scissus*
— *gonionotus* etc.

Die Fauna entspricht durchaus jener, welche Benecke aus dem Oolith von San Vigilio am Garda-See beschrieben und den Schichten des *Ammonites Murchisonae* in Nordeuropa gleichgestellt hat.

Auffallender Weise schliessen sich diese Kalkmergel mit *Ammonites fallax* und die Aptychenschiefer gewöhnlich gegenseitig aus.

Am Monte Catria sind die Letzteren beträchtlich entwickelt und die Ersteren fehlen vollständig, und am Monte Nerone und Furlo sieht man umgekehrt keine Spur der Aptychenschiefer, sondern tithonischer Kalk mit *Lytoceras quadrisulcatum* und *Phylloceras ptychoicum* bilden das unmittelbare Hangende der Schichten mit *Ammonites fallax.*

Die Annahme, dass die Aptychenschiefer das zeitliche Aequivalent der eben beschriebenen Ablagerung darstellen, halte ich nicht für wahrscheinlich. Beide Gebilde werden allerdings vom obern Lias unterlagert und von tithonischem Kalke bedeckt, allein die in den Schiefern verbreiteten Aptychen weisen bestimmt auf ein viel jüngeres Alter hin. Ob aber die ganze verkümmerte Entwickelung der Juraformation in den Apenninen durch eine zeitweilige Emersion, oder durch Mangel an Sediment wegen grosser Entfernung vom Ufer, zu erklären sei, und ob im ersteren Falle ausgiebige Denudationen die Ablagerung des ehemaligen Meeresgrundes beseitigten, lässt sich aus den bisherigen Beobachtungen nicht ermitteln.

Ueber die Verbreitung des untern Doggers kann ich nur weniges anführen. Ich fand denselben am Monte Nerone und am Furlo; seine Existenz an der Marconessa verbürgt ein Exemplar von *Ammonites Bayleanus* im Museum von Pisa; in der Universitätssammlung zu Florenz sah ich dieselbe Art vom Monte Cucco, sowie einen *Ammonites fallax* vom Monte Tezio bei Perugia.

Ich kenne bis jetzt folgende Versteinerungen aus diesen Schichten.

Phylloceras Circe. Héb. Taf. 13. Fig. 1 a. b.

Bull. Soc. géol. de Fr. 2ème Sér. XXIII. p. 526.

Das abgebildete Exemplar, welches ich oberhalb Piobico am Monte Nerone sammelte, gehört ohne Zweifel zu *Phylloceras Circe* Héb., von welchem mir auch Exemplare aus dem unteren Oolith von Bayeux und Digne zum Vergleiche vorliegen. Hébert's Beschreibung bedarf keiner Ergänzung, dagegen schien mir eine genauere Abbildung für die sichere Feststellung der Art nicht überflüssig.

Phylloceras ultramontanum. Zitt.

Jahrb. k. k. geol. Reichs-Anst. 1869. XIX. l. p. 66. Taf. I. Fig. 4—6.

Sehr charakteristische Form, die sich sowohl am Furlo als bei Piobico ziemlich häufig findet.

Phylloceras connectens. Zitt.

l. c. p. 67. Taf. I. Fig. 7—10.

Ziemlich häufig oberhalb Piobico.

Phylloceras. sp. ind.

Mehrere Steinkerne eines glatten, furchen- und faltenlosen *Phylloceras* lassen sich wegen mangelnder Schale nicht sicher bestimmen.

Piobico und Furlo häufig. Die nämliche Form liegt auch vom Cap San Vigilio am Garda-See vor.

Ammonites fallax. Benecke.

Geogn. Pal. Beitr. I. p. 171. T. VI. Fig. 1—3.

Häufig bei Piobico und am Furlo in schön erhaltenen Exemplaren.

Ammonites gonionotus. Benecke.

l. c. p. 172. T. VII. Fig. 3.

Selten am Furlo.

Ammonites Bayleanus. d'Orb.

Monte Nerone, Monte Cucco, Furlo.

Ammonites cfr. **Humphriesianus.** Sow.

Von der typischen Form des untern Oolith durch niedrigere Windungen und weiteren Nabel unterschieden.

Furlo.

Ammonites Vindobonensis. Griesb.

Jahrb. k. k. geol. Reichs-Anst. 1868. p. 126 T. IV.

Ein fast 250 Millim. grosses Exemplar, das sich von *A. Bayleanus* d'Orb nur durch viel stärkere Dicke der Windungen unterscheidet. Im unteren Oolith von Schwaben finden sich ganz übereinstimmende Stücke, welche unter der Bezeichnung *A. Bayleanus* in den Sammlungen liegen.

Piobico.

Ammonites polyschides. Waagen.

Ben. Geogn. Paläont. Beitr. I. p. 630.

Furlo.

Ammonites scissus. Benecke.

l. c. p. 170. T. 6. Fig. 4.

Mehrere Exemplare dieser charakteristischen Art von Piobico und vom Furlo.

Ammonites Murchisonae. Sow.

Ein Fragment von Piobico.

Ammonites cfr. insignis. Schübl.

Zwei Fragmente eines bei Piobico gesammelten Ammoniten vermag ich nicht von *A. insignis* zu unterscheiden.

5. Aptychenschiefer.

Die feuersteinreichen, dünnschichtigen Kalkschiefer, deren lithologischer Charakter schon früher zur Genüge erörtert wurde, bilden beinahe allenthalben das Hangende des oberen Lias. Meistens scheiden sie sich schon durch ihre lichtgrünliche Farbe sehr scharf von diesem; erscheint dagegen ihre untere Abtheilung roth gefärbt, wie dies am Monte Catria nicht selten der Fall ist, so erfordert die Trennung einige Umsicht. Man wird übrigens nicht lange vergeblich nach Aptychen suchen, von denen ich im oberen Lias nie eine Spur entdecken konnte. Aber auch abgesehen von diesem paläontologischen Merkmal gibt das Ueberhandnehmen zahlreicher dünner Feuersteinschichten einen sichern Fingerzeig, dass die Aptychenschiefer begonnen haben. Ihre Mächtigkeit mag an manchen Stellen wohl 30—40 Mètres betragen.

Ausser *Aptychus punctatus*, *A. cfr. lamellosus*, *A. Beyrichi*, *A. laevis*, *A. obliquus* habe ich oberhalb der Fonte del Soglio am Monte Catria eine *Terebratula cfr. Bouei* und bei Castelaccio kleine Kronen von *Phyllocrinus*, *Rhyncholeuthis*-Schnäbel und winzige kugelige, schon früher erwähnte Bivalvenschalen, welche die Schichtflächen manchmal in zahlloser Menge bedecken, gefunden. In Betreff dieser Schichten befinde ich mich mit Spada und Orsini in einem unlöslichen Widerspruche. Ihre Ablagerung VI „calcaire impur, verdâtre ou blanchâtre, et marnes en couches très-minces“ mit *Aptychus Didayi* und *Aptychus Seranonis* Coq. repräsentirt unzweifelhaft die Aptychenschiefer, allein nach den beiden Beobachtern bilden sie das Hangende der „Terrains oolitiques“, unter welchen jedenfalls auch der später zu beschreibende tithonische Kalk mit *Phylloceras ptychoicum* und *Lytoceras quadrisulcatum* inbegriffen ist. Dieser Letztere bedeckt aber überall die Aptychenschiefer und wird seinerseits regelmässig von den mächtigen „Felsenkalken“ überlagert.

Ich glaube jedoch in der Beschreibung der „terrains oolitiques“ die Aptychenschiefer ebenfalls zu erkennen und vermuthe deshalb, dass Spada und Orsini in ihrer schematischen Zusammenstellung ein und dieselbe Ablagerung unter zwei Namen und in verschiedenem Niveau anführen. Es lässt sich dieser Irrthum leicht durch den Umstand erklären, dass der tithonische Kalk, welchen sie zur Oolithformation rechneten, häufig zu fehlen scheint oder wenigstens keine Versteinerungen führt und in diesem Falle von den Aptychenschiefern selbst schwer zu unterscheiden ist. Es konnte alsdann scheinen, dass Schichten mit Aptychen unmittelbar vom vermeintlichen Hippuritenkalk bedeckt wurden, während man sie an anderen Stellen unter oder in inniger Verbindung mit Oolithschichten beobachet hatte. Der rasche

Wechsel in der Gesteinsbeschaffenheit und der Färbung mochte viel zur Annahme von zwei verschiedenen Aptychen führenden Ablagerungen beigetragen haben.

Paläontologisch konnte diese Auffassung ganz unbedenklich erscheinen, da im Oolith *Aptychus lamellosus, A. longus* und *Parkinsoni*, in den „calcaires verdâtres ou blanchâtres" aber lediglich *Aptychus Didayi* und *Seranonis*, also zwei charakteristische Neocomienarten citirt werden. Ich kann jedoch versichern, dass alle im Museum zu Pisa und in der Sammlung von Orsini zu Ascoli mit diesen Namen bezeichneten und aus den Apenninen stammende Stücke entweder zu *Aptychus punctatus* oder zu *Aptychus cfr. lamellosus* und *Beyrichi* gehören. Die beiden Neocomienarten scheinen in Central-Italien zu fehlen oder bis jetzt wenigstens nicht aufgefunden worden zu sein.

Die Aptychenschiefer besitzen im Ellipsoid des Monte Catria und Monte Nerone, in den Sibyllinischen Bergen, bei Cesi, Monticelli und vielleicht auch in Toscana eine beträchtliche Verbreitung und Mächtigkeit. Eine scharfe Parallele mit irgend einem bestimmten Horizont des ausseralpinen Jura wage ich nicht zu ziehen, da die Versteinerungen zwar auf Malm hinweisen, aber doch nicht genügen, um irgend ein bestimmtes Niveau zu fixiren. Sie sind jedenfalls das Aequivalent der Aptychenschiefer der Nordalpen, sowie eines Theils der Majolica in den Südalpen, welche beide möglicherweise schon der tithonischen Stufe angehören oder doch jedenfalls einen hochjurassischen Horizont vertreten.

Die wenigen bis jetzt aus diesen Schichten bekannten organischen Ueberreste wurden bereits oben angeführt.

6. Tithonische Stufe.

An der oberen Grenze der Aptychenschiefer entwickelt sich zuweilen ein zwischen drei und sechs Mètres mächtiger lagerhafter harter Marmorkalk von grünlich grauer Farbe mit unebenen, narbigen Schichtflächen. Er wird am Furlo in mehreren Steinbrüchen ausgebeutet und lässt sich in grossen dicken Platten gewinnen, die zu verschiedenen technischen Zwecken, z. B. Steinröhren, Trögen, Hausteinen etc. verwendet werden und früher bis nach Mailand verschickt wurden. Wie die meisten kalkigen Ablagerungen der Apenninen enthält er Feuerstein und zwar in Lagen oder einzelnen Knollen von grünlich grauer Farbe, doch nur in mässiger Menge.

Eine überaus reiche Cephalopoden-Fauna von wunderbar günstigem Erhaltungszustand charakterisirt diese Stufe. Die meist lichtgrünlich gefärbten Schalen der Ammoniten zeigen noch die feinsten Skulpturen der Oberfläche und an Stellen, wo dieselbe fehlt, tritt die Lobenzeichnung mit unvergleichlicher Schärfe hervor. Leider erschwert die grosse Härte des Gesteins die

Gewinnung dieser Fossilien sehr und am Furlo, wo allein Steinbrüche in demselben im Betriebe stehen, sind die organischen Reste so innig mit dem Nebengestein verwachsen, dass sie sich kaum herauslösen lassen.

Der „Calcaire à dalles“ von Spada und Lavini entspricht ohne Zweifel dem in Frage stehenden Horizont, wie ich mich an den von Graf Spada am Monte Faito (oder Canfaito)[1]) gesammelten und im Museum zu Pisa aufbewahrten Belegstücken überzeugen konnte. Die im Bulletin citirten Arten sind zwar grösstentheils fehlerhaft bestimmt, die Aehnlichkeit der ganzen Fauna mit dem oberen Malm aber richtig hervorgehoben.

Meneghini erkannte später unter dem in Pisa befindlichen Material einige tithonische Arten, deren Liste er mir schon im Winter 1867 mit der Vermuthung mittheilte, dass Spada und Orsini's „Oolith“ Ablagerungen verschiedenen Alters enthalte.

Ein besonderes Verdienst um die Fauna der tithonischen Stufe hat sich Prof. Piccinini in Pergola durch die Entdeckung der reichhaltigen Localität Rave Cupa bei Avellana erworben (im October 1865). Die Mehrzahl der unten verzeichneten Arten stammt von diesem Punkte und zwar aus einer einzigen in der oberen Hälfte der vielleicht sechs Mètres mächtigen Ablagerung befindlichen Schicht, welche ich unter Beihilfe meiner Freunde und einiger Arbeiter ausbeuten liess.

Schon in der Sammlung zu Pergola hatte ich unter vielen sehr charakteristischen tithonischen Arten einige oberjurassische Formen bemerkt und gab mir daher viele Mühe, oberen Jura und tithonische Stufe aufzufinden und auseinanderzuhalten. Schliesslich musste ich mich aber überzeugen, dass die gesammte Fauna einer einzigen Schicht entstammt und daher keinenfalls zwei verschiedenen geologischen Horizonten angehören kann.

Am Monte Catria ist der tithonische Kalk verbreitet, ich sah ihn am Passo del Prete bei Casteluccio, im Rave Cupa und Val Grottone und unterhalb der Spitze des Monte Acuto. Auch am Monte Nerone enthält er über der Grotte di Tropello und am Passo dei Vitelli oberhalb Piobico zahlreiche Versteinerungen. Furlo und Monte Faito wurden schon oben genannt; ausserdem kenne ich noch tithonische Ammoniten vom Monte Cucco, von la Marconessa, vom Monte della Castellata, von Cesi bei Terni, von Monticelli bei Rom u. s. O. Aus Scarabelli's Beschreibung des Monte Conaro bei Ancona geht mit ziemlicher Sicherheit hervor, dass die tiefsten Schichten des östlichsten von den Fluthen der Adria

---

[1]) Die Lage dieses Fundortes konnte ich weder auf der vorzüglichen Generalstabskarte Central-Italiens, noch durch Erkundigungen bei Prof. Orsini ermitteln.

bespülten Hebungs-Ellipsoids der Apenninen der tithonischen Stufe angehören.

Terebratula diphya ist bis jetzt noch nicht in den Apenninen gefunden worden; die Schalen, welche Spada und Orsini mit diesem Namen bezeichneten, gehören zu *Terebratula triangula*. Die nachstehende Liste enthält alle bis jetzt bekannten organischen Einschlüsse aus diesen Schichten.

Belemnites conophorus. Opp.

Zittel, Palaeontol. Mittheilungen aus dem Mus. des Bayer. Staats. 1868. p. 34. T. 1. Fig. 1—5

Ein sicher bestimmbares Exemplar von Rave Cupa bei Avellana am Monte Catria.

Belemnites strangulatus. Opp.

Zitt. l. c. p. 35. Tab. 1. Fig. 6. 7.

Die Bestimmung der hieher bezogenenen wenig zahlreichen Stücke könnte vielleicht wegen der etwas mangelhaften Erhaltung angefochten werden.

Rave Cupa.

†*[1]) **Belemnites Zeuschneri.** Opp.

Zeitschr. d. deutsch. geol. Ges. 1865 p. 575.

Mehrere Exemplare, die mit solchen von gleicher Grösse aus dem Diphyakalk von Volano und der Muschelbreccie von Rogoznik vollkommen übereinstimmen.

Rave Cupa.

†* **Aptychus punctatus.** Voltz.

Zitt. l. c. p. 52. Tab. 1. Fig. 15.

Etwas häufiger, als in den Aptychenschiefern. Die Stücke sind meist vortrefflich erhalten und zeigen die punktirte Schicht sehr deutlich.

Rave Cupa; Passo del Prete; Grotte di Tropello am M. Nerone.

†* **Aptychus cfr. Beyrichi.** Opp.

Zitt. l. c. p. 54. Tab. 1. Fig. 16—19.

Dieser zur Gruppe der Lamellosi gehörige Aptychus erreicht häufig eine ansehnlichere Grösse als bei Stramberg, stimmt aber im Verlauf der Rippen gut mit *Aptychus Beyrichi* überein. Zahlreiche Stücke dieser auch im Aptychenschiefer der Apenninen häufig vorkommenden Art wurden mir von Dr. Neumayr aus rothem Schiefer der Karpathen gezeigt.

Rave Cupa, Monte Nerone etc.

* **Aptychus sp. ind.**

Mehrere Schalen eines sehr grob gefalteten lamellosen Aptychus stim-

---

[1]) Die mit * bezeichneten Arten finden sich auch im Diphyakalk der Süd-Alpen und die mit † versehenen in der Muschelbreccie von Rogoznik in den Karpathen.

men vortrefflich mit einem Abguss aus dem Calcaire de la Porte de France überein, welcher mir von Herrn Prof. Hébert unter der Bezeichnung *Aptychus Seranonis* Coq. mitgetheilt wurde. Die nämliche Form findet sich auch in Süd-Tyrol.

Rave Cupa, Monte Acuto.

† * **Aptychus latus.** Park. sp.

Ueberall ziemlich häufig; der Ausschnitt am vordern Rande ist etwas tiefer, als bei den Stücken aus Solenhofen.

† **Aptychus** cfr. **obliquus.** Quenst.

Rave Cupa; ganz übereinstimmend auch in der Muschelbreccie von Rogoznik.

† * **Phylloceras ptycholcum.** Quenst. sp.

Zitt. l. c. p. 59. Taf. 4. Fig. 3—9.

Es ist höcht auffallend, dass die zahlreichen Exemplare aus den Apenninen fast ausnahmslos auch auf dem gekammerten Schalentheil mit Falten versehen sind, während sich dieselben bei den Stramberger Stücken fast ausschliesslich auf die Wohnkammer beschränken. Alle übrigen Merkmale dagegen stehen in völliger Uebereinstimmung. Die Rogozniker Form schliesst sich näher an die Varietät aus den Apenninen als an die Stramberger an.

Häufig bei Rave Cupa, Monte Acuto, Monte Nerone, Furlo; Canfaito, Monti dei piani Giugoli (M. P.[1]).

† * **Phylloceras Kochi.** Opp. sp.

Zitt. l. c. p 65. Tab. 6. Fig. 1 und Tab. 7. Fig. 1. 2.

Erreicht riesige Dimensionen; gut erhaltene Stücke zeigen die feine Streifung sehr deutlich.

Rave Cupa; Canfaito (M. P.), Monti dei Giugoli (M. P.); Cesi bei Terni (M. P.).

* **Phylloceras ptychostoma.** Benecke sp.

Zitt. l. c. p. 68. Tab. 7. Fig. 3. 4.

Selten. Rave Cupa.

† * **Phylloceras serum.** Opp. sp.

Zitt. l. c. p. 66. Tab. 7. Fig. 5. 6.

Es liegen mir zahlreiche trefflich erhaltene Stücke dieser schönen Art vor, welche sich insgesammt durch etwas beträchtlichere Dicke von der Stramberger Form auszeichnen. Die verglichenen Exemplare aus der

---

[1]) Die mit M. P. bezeichneten Localitäten sind durch Exemplare im Museum zu Pisa festgestellt.

Muschelbreccie von Rogoznik und aus dem Diphyakalk der Süd-Alpen stimmen dagegen in diesem Merkmal aufs genaueste mit denen der Apenninen überein.

Rave Cupa; Canfaito (M. P.).

† Phylloceras cfr. Zignodianum. d'Orb sp.

Abgesehen von der flacheren Form vermag ich keinen Unterschied zwischen Stücken aus dem Callovien aufzufinden. Aus der Muschelbreccie von Rogoznik liegen mir ganz identische Fragmente vor.

Sehr selten bei Rave Cupa.

† * Lytoceras montanum. Opp. sp.[1])

Nebst *Aspidoceras cyclotum* und *Ammonites Staszycii* die häufigste Art in den Central-Apenninen; fast immer beschalt und prachtvoll erhalten, zuweilen von riesiger Grösse. Genau mit Stücken aus der Muschelbreccie von Rogoznik übereinstimmend. Die rohen Steinkerne aus dem Diphyakalk von Süd-Tyrol, welche ich nach der allgemeinen Schalenform früher zu *Lytoceras municipale* gestellt hatte, gehören wahrscheinlicher hieher. Ohne Schale ist jedoch eine scharfe Bestimmung unmöglich.

Rave Cupa; Monte Nerone; Furlo; Canfaito (M. P.); Marconessa (M. P.); Castelletto bei Pierasaro (M. P.); Monti dei piani Giugoli (M. P.); Cesi bei Terni (M. P.); Mitola (M. P.).

† * Lytoceras quadrisulcatum. d'Orb sp.

Zitt. l. c. p. 71. T. 9. Fig. 1—5.
(= *Ammonites quadrisulcatus*. Cat.)
(= *Ammonites quinquecostatus*. Cat.)

Häufig bei Rave Cupa, Monte Acuto, Monte Nerone, Furlo; Monte Faito (M. P.), Canfaito (M. P.), Mitola (M. P.).

† * Ammonites Staszycii. Zeuschn.

Gemein und trefflich erhalten bei Rave Cupa; Monte Acuto, Monte Nerone, Canfaito (M. P.).

† * Ammonites verruciferus. Menegh. M. S.

Mit diesem Namen hatte Prof. Meneghini mehrere im Museum zu Pisa befindliche Stücke einer merkwürdigen Ammoniten-Art bezeichnet, welche in ihrer Gesammtform mit *Ammonites carachtheis* übereinstimmt und nur grössere Dimensionen erreicht. Auf der Wohnkammer fehlen jedoch

[1]) Diese sowie die folgenden theils neuen, theils wenig bekannten Arten werden im zweiten Heft meiner Paläontologischen Studien über die Grenzschichten der Jura- und Kreideformation beschrieben und abgebildet werden.

die für letztere Art so charakteristischen Einschnitte und statt deren befindet sich auf der gerundeten Ventralseite hinter dem Mundsaume ein dicker, erhabener Wulst.

Rave Cupa, Monte Acuto, Canfaito (M. P.), Mitola (M. P.). Auch im Diphyakalk der Süd-Alpen und in der Muschelbreccie von Rogoznik.

† * **Ammonites carachtheis.** Zeuschn.

Zitt. l. c. p. 84. Tab. 15. Fig. 1—3.

Ziemlich selten bei Rave Cupa, Monte Acuto, Canfaito (M. P.), Monti della Serra (M. P.).

† **Ammonites rasilis.** Opp.

Die Stücke sind zum Theil viel grösser als jene von Rogoznik.

Rave Cupa, Monte Acuto, Canfaito (M. P.).

† * **Ammonites semiformis.** Opp.

Mehrere ausgezeichnet schöne Stücke von Rave Cupa.

Ammonites Waageni. Zitt.

Tenuilobat mit gerundetem Ventraltheil. Die Seiten wie bei *Ammonites aspidoides* mit vereinzelten entfernt stehenden Sichelrippen versehen. In der äusseren Form kaum von Letzterem oder von *Ammonites subradiatus* verschieden, dagegen durch die abweichende Lobenzeichnung kenntlich.

Rave Cupa; ein Exemplar aus rothem Klippenkalk von Csorstyn befindet sich in der Sammlung der k. k. geologischen Reichsanstalt zu Wien.

† * **Ammonites Folgariacus.** Opp.

Opp. Pal. Mitth. aus dem Mus. des Bayer. Staats I. p. 199. T. 54. Fig. 6.

Beschreibung und Abbildung dieser charakteristischen Art bedürfen mancherlei Ergänzung.

Rave Cupa.

† * **Ammonites compsus.** Opp.

Opp. Pal. Mitth. aus dem Mus. des Bayer. Staats. I. p. 215. Tab. 57. Fig. 1.

Ich bin nicht im Stande, eine kleine Anzahl von Stücken aus Rave Cupa, dem Süd-Tyroler Ammonitenkalk und der Muschelbreccie von Rogoznik von der jurassischen Art zu unterscheiden.

Ammonites Picciuinii. Zitt.

Schöne evolute Form von eigenthümlichem Typus. Zu beiden Seiten des glatten Ventraltheils stehen kräftige correspondirende Knoten; eine zweite viel schwächere Knotenreihe befindet sich in der Nähe der Naht. Von den inneren Knoten entspringen mehrere Rippen, welche sich rückwärts biegen und mit den äusseren verbinden.

Rave Cupa.

† * **Ammonites contiguus.** Cat.

Sehr ähnlich *Ammonites transitorius* Opp., aber ohne Ventralfurche und mit verschmälertem Aussentheil. Ich glaube nicht zu irren, wenn ich diese sowohl in den Süd-Alpen und Karpathen, wie in den Apenninen überaus häufige Art mit obigem Namen bezeichne. Eine sichere Ermittelung der Identität wird aber nur mit Hilfe des Catullo'schen Original-Exemplars möglich sein.

Rave Cupa, Monte Nerone, Furlo; Canfaito (M. P.), Marconessa (M. P.).

† * **Ammonites contiguus var. geron.** Zitt.

Hochmündige, feinberippte, enggenabelte Varietät der vorigen Art mit sehr stark geschlitzten Lobenlinien. *Ammonites geron* verhält sich zu *Ammonites contiguus* ganz genau wie *Ammonites senex* zu *A. transitorius*.

Rave Cupa.

† * **Ammonites rupicalcis.** Zitt.

Planulat mit entfernten, über der Nabelkante zu Knoten angeschwollenen Rippen, welche sich schräg nach vorn neigen, indem sie sich schon ziemlich tief in zwei weit auseinander stehende Aeste spalten.

Rave Cupa.

* **Ammonites fasciatim-costatus.** Zitt.

Sehr ähnlich *Ammonites exornatus* Cat., aber die Rippen stehen viel entfernter, sind kräftiger und senden schon in den inneren Umgängen einen Bündel von Aesten über die Ventralseite.

Rave Cupa.

† * **Ammonites** sp.?

Planulat aus der Gruppe des *Ammonites biplex*, der auch bei Rogoznik und in Süd-Tyrol vorkommt. Vielleicht mit einer Catullo'schen Art übereinstimmend.

Rave Cupa.

† **Ammonites Albertinus.** Catullo.

Catullo. Intorno ad una nuova classificatione delle calcaree rosse ammonitiche delle Alpe Venete. 1853. tab. II. fig. 3.

Rave Cupa, Monte Faito (M. P.), Canfaito (M. P.).

* **Ammonites Catrianus.** Zitt.

Die inneren Windungen des evoluten Gehäuses sind glatt, mit wenigen aber tiefen Einschnürungen wie bei *Ammonites strictus* Cat. versehen. Die Wohnkammer trägt über der Naht eine Reihe Knötchen, von welchen feine

Rippenbündel entspringen, welche sich gegen Aussen verstärken und ununterbrochen über die Ventralseite verlaufen.

Rave Cupa.

***Ammonites admirandus.** Zitt.

Zwischen *Ammonites biruncinatus* und *Volanensis* stehend. Die inneren Windungen sind beinahe glatt, die äusseren über der Naht und zu beiden Seiten des breiten, etwas abgeplatteten Ventraltheils mit mässig starken Knotenreihen versehen. Die spitzen Knötchen der beiden äusseren Reihen alterniren wie bei *Ammonites biruncinatus*. Die Einschnürungen sind wenig zahlreich, aber tief.

Rave Cupa.

† Ammonites adversus. Opp.

Ein einziges Exemplar von Rave Cupa befindet sich im Besitze des Prof. Piccinini.

***Ammonites Volanensis.** Opp.

Rave Cupa, Monte Faito (M. P.), Monti della Serra (M. P.).

†* Ammonites hybonotus. Opp.

Zwei sicher bestimmbare Fragmente, von welchen das grössere aus dem nämlichen Block mit einem *Lytoceras montanum* ausgebrochen wurde.

***Aspidoceras bispinosum.** Ziet. sp.

(= *Ammonites hoplisus.* Opp.)
(= ? *Ammonites iphicerus.* Opp.)

Das wohlerhaltene Stück wurde von mir selbst aus den höchsten Schichten des tithonischen Kalksteins bei Rave Cupa gesammelt. Es ist mir unmöglich, eine Verschiedenheit mit *A. bispinosus* Zieten aus dem obern Malm aufzufinden. Die beiden Oppel'schen Arten *A. hoplisus* und *iphicerus* scheinen mir schlecht begründet zu sein, wenigstens finde ich keine namhaften Differenzen mit der vorliegenden Form. Im dunkelrothen untern Klippenkalk der Karpathen (den sogenannten Czorstyner Schichten) kommen zahlreiche Stücke des *Ammonites bispinosus* vor, während derselbe in der Muschelbreccie entweder gänzlich fehlt oder doch sehr selten zu sein scheint.

Rave Cupa.

†* Aspidoceras Rogoznicense. Zeuschn.

Zitt. l. c. p. 116. Tab. 24. Fig. 4. 5.

Prachtvolle Stücke von ungewöhnlicher, hie und da mehr als 160 Millimètres erreichender Grösse.

Rave Cupa.

Aspidoceras Apenninicum. Zitt.

Aehnlich *A. bispinosum;* verhältnissmässig weit genabelt, mit zwei Stachelreihen. Die Stacheln der äussern Reihe stehen entfernter, als die inneren und sind weiter nach aussen gerückt, als bei irgend einer verwandten Art.

Rave Cupa.

Aspidoceras Altenense. d'Orb sp.

d'Orb Pal. Fr. Terr. Jur. I. pl. 204.

Nicht zu unterscheiden von schwäbischen Exemplaren oder der d'Orbigny'schen Abbildung.

Rave Cupa, selten.

Aspidoceras acanthomphalus. Zitt.

Sehr ähnlich *Ammonites Radisensis* d'Orb, aber mit langen, nach innen gerichteten Stacheln über dem Nabel. Die Seiten und der Ventraltheil glatt, nicht gefaltet.

Rave Cupa; findet sich auch im Klippenkalk von Czorstyn.

† * **Aspidoceras cyclotum.** Opp. sp.

Ziemlich häufig in grossen beschalten Stücken. *Ammonites simplus* d'Orb aus dem Neocomien scheint sich in der Jugend nicht von der vorliegenden Art zu unterscheiden. Da von ersterem aber nur kleine Kieskerne bekannt sind, so dürfte es vorsichtiger sein, die beiden Formen vorläufig wenigstens zu trennen.

Rave Cupa, Monte Nerone, Furlo; Monte Faito (M. P.), Canfaito (M. P.).

† **Aspidoceras Avellanum.** Zitt.

Form und Grösse des Gehäuses ganz wie bei *A. cyclotum*, mit welchem auch die Lobenzeichnung übereinstimmt. Der enge Nabel ist jedoch, wie bei *A. circumspinosum* von einer Stachelreihe bekränzt. Von letzterem unterscheidet sich vorliegende Art durch breitere, viel schwächer zerschlitzte Loben.

Rave Cupa.

† * **Ancyloceras gracile.** Opp.

Ein Exemplar von Rave Cupa.

* † **Terebratula triangula.** Lam.

(= *Terebratula diphya.* Spada und Orsini non. Col.)

Ziemlich selten bei Rave Cupa und Grotte di Tropello am M. Nerone.

Pecten sp. ind.

Rave Cupa.

Lima sp. ind.

Rave Cupa.

Phyllocrinus sp. nov.

Mehrere Kronen einer kleinen, zierlichen Art, welche auch schon in den Aptychenschiefern vorkommt.

Die Untersuchung dieser reichhaltigen, fast ganz und gar aus Cephalopoden bestehenden Fauna liefert wichtige Aufschlüsse über das Alter und die Gliederung der tithonischen Stufe.

Dass die in Frage stehenden Schichten der Central-Apenninen mit dem Diphyakalk von Süd-Tyrol und Venetien und mit der Muschelbreccie von Rogoznik gleichalterig sind, steht ausser allem Zweifel. Beinahe Art für Art lässt sich die Identität nachweisen.

Rechnet man die drei letzten Namen der obigen Liste, welche wegen ihrer unsichern Bestimmung keinen Anhalt zur Vergleichung mit anderen Localitäten bieten, ab, so bleiben noch 45 Arten übrig.

Von diesen finden sich 31 im Diphyakalk und 29 in der Muschelbreccie von Rogoznik. Ueberzeugender kann die Gleichalterigkeit von zwei entfernt gelegenen Ablagerungen wohl nicht nachgewiesen werden. Allein es ist nicht nur die Zahl der identischen Arten, sondern auch die Vertheilung der Individuen, welche die Uebereinstimmung so schlagend hervortreten lässt. Die häufigsten Arten des Klippenkalks und Diphyenkalks treten mit geringen Ausnahmen auch in den Apenninen in grösster Individuenzahl auf und die selteneren Formen dieser Schichten bleiben gleichmässig selten, mag man sie am Monte Catria oder in Süd-Tyrol oder oder in den Karpathen aufsuchen.

Es ist ferner der gleichartige Habitus der Arten hervorzuheben. Zwischen Exemplaren von *Aspidoceras cyclotum*, *Phylloceras serum*, *Phylloceras Kochi*, *Ammonites contiguus*, *Lytoceras montanum*, *quadrisulcatum* etc. von Rogoznik, Rave Cupa oder Volano lässt sich nicht der geringste Unterschied wahrnehmen. Grösse der Individuen, kleine Eigenthümlichkeiten in den Oberflächen-Verzierungen bleiben sich an allen drei Localitäten vollständig gleich.

Ganz anders sind die Beziehungen zum Stramberger Kalk. Es stimmen zwar immerhin noch 13 Arten aus dem grünlichgrauen Marmor der Central-Apenninen mit Stramberg überein, allein die meisten dieser Arten treten an der einen Localität selten, an der andern häufig auf (wie z. B. *Belemnites conophorus*, *Ammonites Volanensis*, *Aspidoceras Rogoznicense*, *Phylloceras serum*), oder man bemerkt zwischen den Exemplaren von Stramberg kleine Differenzen, welche zwar nicht zur specifischen Unterscheidung ausreichen, aber den Stücken der verschiedenen Localitäten ein etwas abweichendes Aussehen verleihen. Solche kleine Unterschiede wurden z. B. namhaft gemacht bei *Phylloceras ptychoicum*, *serum*, sie könnten aber auch bei anderen Arten, wie z. B. bei *Phylloceras ptychostoma, Lytoceras quadrisulcatum, Belemnites strangulatus* erwähnt werden.

Eine zeitliche Gleichstellung der hier beschriebenen Schichten mit jenen von Stramberg dürfte sich nach diesen Thatsachen als unstatthaft erweisen, andererseits gibt es aber keine Fauna, welche sich inniger an die uns vorliegende anschlösse, als gerade die des Stramberger Kalks. 13 Arten unter 45 repräsentiren immerhin eine ganz ansehnliche Quote und berücksichtigt man ausserdem, dass der Diphyakalk von Süd-Tyrol eine noch grössere Anzahl von Arten mit dem Stramberger Kalk gemein hat, so bleibt die Eintheilung der beiden Faunen in eine einzige Formation oder Stufe, wie man dies bezeichnen will, durchaus gerechtfertigt.

Die tithonische Stufe zerfällt demnach in zwei, wie es scheint fast immer getrennt auftauchende Abtheilungen und verhält sich als Zwischenbildung der Jura- und Kreideformation genau ebenso, wie die Rhätische Stufe zu Trias und Lias.

Die eine Abtheilung würde der Stramberger Kalk, der Korallenkalk vom Pirgl am Wolfgang-See, von Wimmis, vom Mont Salève, der Kalkstein mit *Terebratula janitor* von der Porte de France, der Nerineen-Kalk von Palermo und einige andere gleichzeitige Ablagerungen bilden; in die andere würden der Klippenkalk von Rogoznik, Maruczina etc., der Diphyakalk der Süd-Alpen und der grünliche Marmor der Central-Apenninen fallen.

Schon früher (Pal. Mitth. II. p. 14 und 16) hatte ich der Annahme Mojsisovic's entgegen die Vermuthung ausgesprochen, dass die letztere Abtheilung die ältere sei. Diese Muthmaassung scheint mir nun nach näherer Untersuchung der Cephalopoden des Monte Catria und des Klippenkalks aus paläontologischen Gründen zur Gewissheit erhoben zu sein. [1])

Die Cephalopoden des Stramberger Kalkes besitzen, wie an anderm Orte ausführlich nachgewiesen wurde, eine grössere Verwandtschaft mit den Formen der untersten Kreide, als mit denen des obersten Jura.

Aus dem tithonischen Marmor der Central-Apenninen geht *Lytoceras quadrisulcatum* allein in die untere Kreide über. Das Gepräge der ganzen Fauna dagegen ist viel eher jurassisch als cretacisch. Die starke Entwickelung der Gruppe *Aspidoceras* sowie der ächten *Planulaten*, das Auf-

---

[1]) Aus den soeben erschienenen Verhandlungen der k. k. geologischen Reichsanstalt ersehe ich mit Vergnügen, dass Herr Dr. M. Neumayr meiner Auffassung über die Beziehungen der Muschelbreccie von Rogoznik zum Stramberger Kalk beipflichtet.

April 1869.

treten von *Flexuosen* und *Tenuilobaten* spricht gegen eine Annäherung an die untere Kreide. Allein nicht nur der allgemeine Eindruck deutet auf ein höheres Alter unserer Schichten, sondern es liegen dafür positive Thatsachen vor. Unter den 45 Arten reicht, wie schon bemerkt, nur *Lytoceras quadrisulcatum* in die untere Kreide hinauf; dieser wird aber durch vier oberjurassische Arten: *Ammonites compsus* Opp., *A. hybonotus* Opp., *Aspidoceras bispinosum* Ziet sp. und *Aspidoceras Altenense* d'Orb sp. reichlich aufgewogen.

Diesen ganz entscheidenden und sicher bestimmten Arten könnten noch *Aptychus latus* und *obliquus*, *Phylloceras cfr. Zignodianum*, sowie *Ammonites lithographicus* aus dem Diphyakalk und Rogoznik als jurassische Typen zur Seite gestellt werden.

Trotz dieser Thatsachen halte ich es ebensowenig für statthaft, einen einzigen oder beide Horizonte der tithonischen Stufe mit einer ausseralpinen Jura-Etage, z. B. dem Kimmeridgien oder Portlandien in Parallele zu stellen, als dieselben einfach in das Neocomien oder die untere Kreide überhaupt einzuschieben.

Am meisten Berechtigung scheint mir daher noch immer die Annahme zu besitzen, dass die tithonische Stufe in zeitlicher Beziehung den Purbeck- und Wealden-Bildungen Nord-Europa's entspricht und wie die Rhätische Stufe als marine Zwischenbildung die Lücke zwischen zwei in Nord-Europa scharf geschiedenen Formationen ausfüllt.

7. Neocomien.

Die in den früher beschriebenen Profilen als „Felsenkalk" bezeichneten Gesteine sind für den landschaftlichen Charakter der Central-Apenninen von hoher Bedeutung. Sie setzen zuweilen ganze Gebirgszüge zusammen oder bilden noch häufiger die Decke der höheren Schichtgewölbe, denen sie alsdann ein steriles, steiniges und wildes Aussehen verleihen.

Der lichtgefärbte, graue oder weisse Kalkstein erscheint am häufigsten in sehr festen, plumpen, dünnschichtigen, von zahlreichen späthigen Adern netzförmig durchwobenen Massen, welche mit unebenem Bruch in klotzige Blöcke zerfallen, zuweilen ein dolomitisches Aussehen besitzen, seltener in der Form eines weissen, kieselreichen, regelmässig geschichteten, mit ausgezeichnet muscheligem Bruch und hellem Ton zerspringenden Gesteins auftreten. Knollige und schichtförmige Ausscheidungen von aschgrauem Feuerstein bemerkt man reichlich in der ersteren Varietät.

Spada und Orsini's „dépôt hippuritique" entspricht genau dieser Abtheilung. Der Name Hippuritenkalk (lucus a non lucendo) wurde eingeführt, um die Uebereinstimmung mit den Rudisten führenden lichten Kalksteinen im Neapolitanischen anzudeuten. Diese lediglich auf lithologische Gründe basirte Identification erwies sich als irrig. Trotz der sorgfältigen und langjährigen Bemühungen Piccinini's und Mariotti's ist es bis jetzt nie gelungen, in den Central-Apenninen Spuren von Rudisten zu entdecken. Eine am Monte Catria gefundene Schale von *Terebratula cfr. Euganeensis* Pictet wurde mir von Piccinini als die einzige Versteinerung des sogenannten Hippuritenkalkes gezeigt. Meine Freude war daher nicht gering, als ich bei Besichtigung der Mariotti'schen Sammlung sofort einige typische Neocomien-Ammoniten erkannte und am folgenden Tage ihren Fundort besuchen konnte. Sie stammten von der Spitze eines kleinen, Mandruccio genannten Felsenkammes in der Nähe von Secchiano bei Cagli, dessen Tektonik sich im Thal des dicht darunter hinfliessenden Busso vortrefflich studiren lässt.

Ueber dem mittleren Lias folgt das rothe Band des oberen Lias, darüber Aptychenschiefer mit Feuerstein, auf diesen Felsenkalk, in dessen obersten weissen, mit hellem Klang und muscheligem Bruch zerspringenden Schichten ohne Schwierigkeiten eine Anzahl Neocomien-Ammoniten gesammelt werden konnten. Es ist sehr wahrscheinlich, dass Mariotti's fernere Aufsammlungen die Zahl der unten bezeichneten Arten erheblich vermehren werden, aber die wenigen Formen genügen vollständig, um das Vorhandensein der unteren Kreide und zwar der Neocomien-Stufe in den Central-Apenninen ganz unzweifelhaft festzustellen und jeden Gedanken an eine Vereinigung mit dem Hippuritenkalk des südlichen Italiens zu verbannen.

Der Neocomkalk besitzt eine Mächtigkeit von mehr als 100 Mètres. Seine Verbreitung im Ellipsoid des Monte Catria und Monte Nerone lässt sich schon von weitem an den lichtgefärbten Felswänden und steinigen Decken der Schichtgewölbe erkennen; er fehlt auch nicht in den Sibyllinischen Bergen, erreicht aber das Maximum seiner Entwickelung zwischen Norcia und Spoleto, wo er wesentlich zur Erhöhung der landschaftlichen Reize dieses malerischen, aber wenig bereisten Theiles Italiens beiträgt. Ich habe dasselbe Gestein ferner bei Cesi und Terni, sowie bei Monticelli und Tivoli in mächtiger Entwickelung angetroffen und zwar stets ohne eine Spur von Rudisten.

Die Ausbeute an Versteinerungen beschränkt sich bis jetzt auf folgende Formen:

Phylloceras infundibulum d'Orb sp. (= *Ammonites Rouyanus* d'Orb)
Phylloceras Thetys d'Orb sp.
Lytoceras quadrisulcatum d'Orb sp.
— *subfimbriatum* d'Orb sp.
} von Secchiano

Ammonites Grasianus d'Orb
— *Didayanus* d'Orb
— *intermedius* d'Orb } von Secchiano
Hamites sp.

- *Terebratula Euganeensis* Pictet vom Monte Catria.

8. Mittlere und obere Kreide.

Der mächtige Schichtencomplex, welcher über den plumpen Neocomienkalken folgt, besteht aus einer Reihe wohlgeschichteter, roth- oder buntgefärbter, höchst fossilarmer Gesteine, welche ihrer Lagerung nach der mittleren oder oberen Kreide angehören müssen. Der obersten Abtheilung fehlt es nicht an einigen charakteristischen, die genaue Altersbestimmung ermöglichenden Arten, die tieferen dagegen wurden in Ermangelung entscheidender paläontologischer Anhaltspunkte vorläufig zur mittleren Kreide gerechnet. In petrographischer Beziehung unterscheidet man leicht drei Stufen, von denen die beiden unteren jedoch möglicherweise nur locale Bedeutung besitzen.

a. Fucoidenschiefer.

Unter dieser Bezeichnung wird eine Schichtenreihe von veränderlicher, aber niemals sehr bedeutender Mächtigkeit zusammengefasst, welche sich durch eine Anzahl von Merkmalen im Gebiete der Central-Apenninen überall mit Leichtigkeit erkennen lässt. Unsere Schiefer zeichnen sich durch ihre bunte, wechselnde Färbung, ihre geringe Härte, schieferige Struktur und ihren Quellenreichthum aus. Erkundigt man sich in den Central-Apenninen nach Quellen, so kann man fast darauf rechnen, entweder zum obern Lias oder zu den Fucoidenschiefern geführt zu werden.

Einzelne Bänke enthalten zahlreiche pflanzliche Ueberreste und zwar verschiedene Arten von Fucoiden, auf deren nähere Bestimmung aus Mangel an genügendem Material verzichtet werden musste. Wenn diese Schichten vorläufig auch keinen scharfen Vergleich mit andern alpinen oder ausseralpinen Kreideablagerungen gestatten, so nehmen sie doch eine so bestimmte bathrologische Stellung ein, und lassen sich schon von weitem an ihrer auffallenden Farbe, sowie ihrer schieferigen Struktur erkennen, dass sie wenigstens für die Central-Apenninen einen ganz wichtigen geologischen Horizont liefern. Am Monte Catria und noch mehr auf der Höhe des quellen- und wiesenreichen Monte Nerone, sowie am Furlo treten sie überall zu Tage, und an der Strasse zwischen Norcia und Spoleto sieht man sie häufig an den Seiten der domförmig gewölbten Berge erscheinen.

b. Rosenrother Kalk.

Der absolute Mangel an organischen Ueberresten gestattet keine scharfe Altersbestimmung dieser verbreiteten und meist über 100 Mètres mächtigen Ablagerung. Sie verdient jedoch wegen ihrer auffallenden und leicht kenntlichen Gesteinsbeschaffenheit besondere Berücksichtigung. Die buntgefärbten und dünnschichtigen Fucoidenschiefer schneiden gewöhnlich plötzlich ab und werden ohne allmähligen Uebergang von einem schön rosenrothen Kalkstein von geringer Härte, erdigem, aber ausgezeichnet muscheligem Bruch und überaus regelmässiger Schichtung überlagert. Es ist überflüssig, die schon früher angeführten Merkmale dieses Gesteins zu wiederholen, welches in seltener Gleichförmigkeit an weit entfernten Punkten auftritt und als geologischer Orientirungshorizont beinahe dem oberen Lias und dem tithonischen Ammonitenmarmor zur Seite gestellt werden kann.

Man wird den rosenrothen Kalkstein in seiner typischen Entwickelung nicht leicht mit einer anderen Ablagerung verwechseln. Nur in seiner obersten Abtheilung fällt es schwer, eine scharfe Grenze gegen die Scaglia zu ziehen. Auch die letztere zeigt eine (allerdings intensivere) rothe Färbung, denselben erdigen Bruch, allein der Ueberfluss an Feuerstein, welcher sich sofort mit der Scaglia einstellt, liefert ein vortreffliches Hilfsmittel zur Unterscheidung der beiden Ablagerungen. Im rosenrothen Kalk scheinen die Quellen der Kieselerde versiegt, und nur in den tiefsten Bänken bemerkt man zuweilen einzelne Karniolschichten, die jedoch bald gänzlich verschwinden, und erst in der Scaglia wieder in reichlicher Zahl zum Vorschein kommen. Nächst dem Neocomien spielt diese Ablagerung so ziemlich die wichtigste Rolle in Bezug auf die orographische Gestaltung der Apenninen. Die weithin leuchtende rothe Farbe verleiht den niedrigeren Parallelketten, welche zur Mehrzahl mit diesem Gestein umhüllt sind, ein ganz charakteristisches Gepräge. Die sanft gewölbten domförmigen Berge reihen sich zu anmuthigen Ketten an einander, zahllose Erosionsthälchen und Gräben entblössen vielfältig das Gestein, dessen Zersetzungsprodukte einen vortrefflichen, namentlich dem Weinbau günstigen Boden liefern. Besteigt man eine der höheren Spitzen der Centralkette mit beherrschender Aussicht, so lässt sich aus der Vogelperspektive das tiefer liegende Hügelland leicht nach der Farbe der Oberfläche geognostisch coloriren. Die der Erhebungsaxe etwas ferne liegenden und mit Macigno bedeckten Hügel sowie die aus jüngeren Tertiärschichten zusammengesetzte Ebene lassen sich durch ihre aschgraue Farbe schon von Weitem von der rothgefärbten Kreide und den lichten, kühner gestalteten Neocomien-, Jura- und Liasbergen unterscheiden.

11*

Aber auch in den Centralketten besitzt der rosenrothe Kalk nebst der stets damit verbundenen Scaglia eine beträchtliche Verbreitung.

Am Monte Vettore steht er am Westabhang oberhalb der Casina in verhältnissmässig geringer Mächtigkeit zu Tage, dagegen findet er sich zwischen Norcia und Spoleto wieder in sehr bedeutender Entwickelung und wird in diesem, wie es scheint versteinerungsarmen Gebiete den Geologen einen unschätzbaren Anhaltspunkt zur Orientirung bieten.

c. Scaglia (Senonische Kreide).

Dem schon früher über die Scaglia Gesagten habe ich hier nur wenige Worte beizufügen. Ihre untere Hälfte zeichnet sich durch eine grellziegelrothe Färbung und einen Ueberreichthum an rothem Karniol aus, welcher in zusammenhängenden Schichten oder in Knollenschnüren zwischen den Kalkbänken auftritt. Weiter oben wird die Farbe lichter, rothe, grünliche und aschgraue Partieen wechseln miteinander ab, Feuerstein wird seltener oder verschwindet ganz, die Schichtung wird dünnschieferig, das Gestein erdig und stark zerklüftet. Schliesslich herrscht die grünlich graue oder aschgraue Färbung gänzlich vor und die Scaglia nimmt allmählig den Charakter des concordant darüber liegenden tertiären Macigno an, gegen welchen eine scharfe Abgrenzung überhaupt unmöglich ist.

Die Mächtigkeit der Scaglia schwankt in geringer Entfernung sehr bedeutend. Am äusseren Gehänge des Catria, in der Gegend von Fabriano, Sassoferrato und im Hügelland zwischen dem Furlo und dem Ellipsoid des Catria kommt sie beinahe der des rosenrothen Kalkes gleich. Am Monte Vettore dagegen, wie überhaupt in den Sibyllinischen Bergen ist sie bedeutend reducirt.

Vom „Calcare alberese“ oder der „Pietra forte“, welche in den Toskanischen Apenninen eine nicht unwichtige Rolle spielen, konnte ich in dem von mir untersuchten Gebiete keine Anzeichen entdecken und die einzige Stelle bei Aqua santa unfern Ascoli, an welcher Spada und Orsini (l. c. p. 1210) ein der Pietra forte entsprechendes Gestein beschreiben, dürfte nach dem ganzen Bau des dem Monte Vettore vorliegenden Hügellandes eher zum Macigno als zur Scaglia gehören.

Versteinerungen finden sich am Monte Catria und Monte Nerone überaus spärlich, doch sollen nach Piccinini's Mittheilungen organische Reste am Monte Cucco, bei San Felice, Emiliano, Perticano etwas häufiger vorkommen. Die bis jetzt aufgefundenen Arten genügen übrigens vollständig zur genauen Altersbestimmung dieser Schichten. In der Sammlung von Prof. Piccinini sah ich

Cardiaster Italicus und
Archiacia nasica.

Noch wichtiger ist der von Scarabelli erwähnte Fund von *Ananchytes ovata* Lam[1]) vom Monte de Capuccini bei Fossombrone. In Spada und Orsini's vielgenannter Abhandlung werden ausserdem folgende Arten citirt:

Lucina lenticularis Goldf.
Inoceramus sp.
Pecten membranaceus d'Orb
— *Matronensis* d'Orb
— *Espaillaci* d'Orb
— *cretosus* d'Orb
Ostrea canaliculata Goldf.
Clypeaster Leskei Goldf.
Pygorhynchus Sopitianus d'Arch.
Amorphospongia ficoidea Goldf.
Cystoscistites Orsinii Menegh.

und zahlreiche andere Fucoiden.

Nach diesen paläontologischen Daten kann die Eintheilung der Central-italiänischen Scaglia in die obere oder Senon-Kreide eben so wenig zweifelhaft bleiben, als die Uebereinstimmung mit der gleichnamigen Ablagerung in den Lombardischen und Venetianischen Alpen.

---

[1]) Massalonga e Scarabelli, Studii sulla Flora fossile e la Geologica stratigrafica del Sinigalliese p. 11.

III.

Vergleich der Lias-, Jura- und Kreide-Bildungen der Central-Apenninen mit denen der Süd-Alpen und Toscana's.

Bei der Vergleichung entfernt gelegener Sedimentbildungen wird zwar der allgemeine Charakter der aus den eingeschlossenen Versteinerungen zu ermittelnden Flora und Fauna in erster Linie ins Gewicht fallen, aber auch die Gesteinsbeschaffenheit der einzelnen Schichten, ihre Mächtigkeit, die Reihenfolge ihrer Anordnung, sowie die Art und Weise ihres Aufbaues verdienen eine sorgfältige Berücksichtigung. Sie werden namentlich dann werthvolle Anhaltspunkte bieten, wenn es sich nicht darum handelt, das absolute Alter einer Ablagerung, sondern deren Beziehung zu anderen mehr oder weniger fern gelegenen zu ermitteln. Schon im vorigen Abschnitte wurde der Versuch gemacht, die verschiedenen Schichten der Lias-, Jura- und Kreide-Formationen der Central-Apenninen mit Hilfe der organischen Ueberreste zu gliedern und in das geologische System einzureihen.

Fassen wir nun die lithologische Natur, Mächtigkeit und Gruppirung derselben ins Auge, so fehlen uns bei den gleichalterigen Ablagerungen im nördlichen und nordöstlichen Europa alle greifbaren Vergleichungspunkte. Weder im Anglo-Gallischen und Norddeutsch-Russischen Becken, noch im Süddeutsch-Helvetischen findet man im Lias oder in der Kreide gleichzeitige Ablagerungen, welche auch nur eine entfernte Aehnlichkeit in ihrer Gesteinsbeschaffenheit mit den oben beschriebenen besässen und auch der ganze Charakter der erloschenen Faunen weist auf getrennte Verbreitungsbezirke und abweichende äussere Existenzbedingungen hin. Auch im südwestlichen Frankreich herrschen im Wesentlichen andere geologische Verhältnisse, und nur im provençalischen Becken, in welchem die Gewässer der die Alpen umfluthenden Meere mit denen des nordeuropäischen sich vermischten, erkennt man im Lias einige Analogien, die aber viel weniger auf Uebereinstimmung der Gesteine als der Fossilreste beruhen.

Die glänzende Entwickelung der tithonischen Stufe in den Central-Apenninen weist uns mit grosser Bestimmtheit nach einem einzigen, aber weit ausgedehnten Gebiet, nämlich nach Marcou's Hispano-Alpiner Provinz, welche man ebensogut Mediterrane Region nennen könnte. Bekanntlich besitzen die mesozoischen Ablagerungen der Karpathen und Alpen, nebst allen südlich davon gelegenen Theilen Europa's, sowie das nordwestliche Afrika eine gewisse Aehnlichkeit unter einander, wie sie sich nur durch Ablagerung in einem zusammenhängenden Meeresbecken erklären lässt, andererseits ist die hochgradige Differenz mit den gleichzeitigen Bildungen Nord-Europa's nicht minder anerkannt. Zwischen Nord- und Südrand der Alpen bestehen ebenfalls ansehnliche Differenzen, namentlich in Bezug auf Gesteinsbeschaffenheit und Gruppirung der einzelnen Glieder, allein sie erscheinen unerheblich im Vergleich zu dem überraschenden Dualismus, welcher zwischen nord- und südeuropäischen mesozoischen Ablagerungen herrscht.

Für die massigen, versteinerungsarmen Kalke des unteren (?) Lias der Central-Apenninen liessen sich am Nordrande der Alpen ähnliche Gesteine von gleichem Alter in der Südwestschweiz und noch entschiedener in den Hierlatzkalken Bayerns und Oesterreichs finden, welche ja theilweise dem unteren Lias angehören.

Auch der mittlere Lias differirt nicht allzusehr. Ich habe schon bei der Beschreibung des Furlo auf die Aehnlichkeit des Gesteins mit rothem Hierlatzkalk hingewiesen und wenn sich überhaupt eine liasische Fauna mit der reichhaltigen und eigenthümlichen des mittleren Lias in den Apenninen vergleichen lässt, so kann man nur an die Hierlatzschichten denken, in welchen ebenfalls zahlreiche eigenthümliche Brachiopoden vorkommen, die sich, wenn schon specifisch fast durchgehends verschieden, in ihrem ganzen Habitus am nächsten den oben beschriebenen Formen des mittleren Lias Central-Italiens anschliessen.

Am Monte Vettore war mir die Aehnlichkeit des grauen dünnschichtigen mittleren Lias mit den Fleckenmergeln der bayerischen und Vorarlberger Alpen geradezu überraschend. Ein exquisit alpines Gepräge besitzt ferner der obere Lias. Der obere Theil der Adnetherschichten zeigt dieselbe Farbe und Gesteinsbeschaffenheit, und enthält auch so ziemlich die nämlichen Versteinerungen.

Ein ähnliches gleichalteriges Gestein mit *Ammonites Comensis*, *bifrons* etc. findet sich auch bei Hutty Polane im Tatragebirg.

Im Lias stimmen, wie man sieht, Nordalpen und Apenninen noch ziemlich gut mit einander überein. Im Oolith dagegen fehlt jede Analogie; von Klaus- oder Vilserschichten, von den Kalken mit *Belemnites giganteus* wie in der Schweiz ist in Italien nichts zu finden und erst mit den Aptychenschiefern und der tithonischen Stufe lassen sich wieder direkte Parallelen aufstellen. In den Karpathen findet man allerdings die Schichten mit *Ammonites Murchisonae* und *scissus* sowie die Aptychenschiefer und tithonische Stufe trefflich entwickelt, aber in ganz anderer lithologischer Form als in den Central-Apenninen.

In der Kreideformation hören sowohl in den Nord-Alpen als in den Karpathen alle Vergleichungspunkte auf, so dass die speciellere Betrachtung der einzelnen Glieder überflüssig erscheint.

Wenn das soeben betrachtete Gebiet nur deswegen in den Kreis unserer Betrachtung gezogen wurde, weil es doch viel grössere Analogien bietet als die erstgenannten Regionen, so werden die Beziehungen erheblich grösser, sobald wir uns an den Südabhang der Alpen, und zwar an den Theil versetzen, welcher die Po-Ebene im Norden begrenzt.

Die Piemontesischen Berge bieten in Bezug auf Sekundärbildungen geringes Interesse. Was man mit mehr oder weniger Wahrscheinlichkeit der Jura- und Kreideformation zutheilt, stellt sich als tief metamorphosirtes Gestein fast ohne organische Ueberreste dar, welches bis jetzt wenigstens keinerlei Parallelen zulässt. In der Lombardei dagegen sind einzelne Horizonte der Jura- und Kreideformation seit Langem durch ihren Versteinerungsreichthum berühmt und es fehlt nicht an Anhaltspunkten, welche eine innige Uebereinstimmung gewisser Formationsglieder mit den gleichalterigen der Central-Apenninen bekunden.

Leider liegt jedoch hier eine Schwierigkeit besonderer Art vor. Zwei der competentesten Kenner der lombardischen Geologie, Stoppani und Hauer, differiren in ihren Anschauungen so weit, dass es überaus schwer wird, aus der Literatur ein ungetrübtes Bild der Verhältnisse zu erhalten, um so mehr, als leider für die Mehrzahl der jurassischen und cretacischen Bildungen nur Listen von Versteinerungen vorliegen, deren Zuverlässigkeit entweder nicht über alle Zweifel erhaben ist, oder in denen eine erhebliche Anzahl neuer Arten figuriren, von welchen man sich in Ermangelung von Abbildungen nur eine ungenügende Vorstellung machen kann. Zu meinem Bedauern hatte ich nicht Gelegenheit, durch eigene Anschauung ein Bild der geologischen Zusammensetzung der Lombardei zu erwerben und bin somit lediglich auf die Literatur angewiesen.[1])

---

[1]) Ich habe die verwendeten Thatsachen hauptsächlich nachstehenden Schriften ent-

Dieselbe lässt uns schon bei der tiefsten Abtheilung des eigentlichen Lias (mit Ausschluss der Rhätischen Stufe, welche wir mit Gümbel zum Keuper rechnen) einigermaassen im Stich.

Die Lagerung des fossilreichen Kalksteins von Saltrio und Arzo nebst den damit gleichzeitigen Gebilden zwischen den jüngsten Schichten der Rhätischen Stufe und dem „Ammonitico rosso" (oberer Lias) steht ausser Frage, allein Stoppani's umfangreiche Liste von Versteinerungen (Studii p. 233) bietet ein so buntes Gemenge von Formen aus dem unteren und mittleren Lias und sogar aus dem Dogger und Malm, dass eine sichere Entscheidung, ob wir es hier mit dem unteren oder mittleren Lias zu thun haben, vorläufig unmöglich ist.[1])

Der petrographische Charakter der Formation ist höchst veränderlich. Bald tritt sie in Form von chloritischem oder dunkelgefärbtem Kalkstein, bald als bunter Marmor oder sogar als Sandstein auf. Es ist nicht unwahrscheinlich, dass der Kalkstein von Saltrio und Arzo dem unteren, vielleicht auch noch dem mittleren Lias der Apenninen entspricht, doch muss ich die schärfere Parallele bis zur näheren Kenntniss der lombardischen Versteinerungen dahingestellt lassen.

Den sichersten Horizont liefert der „Ammonitico rosso" von Erba, Biccicola u. s. w., der sowohl in Bezug auf Gesteinsbeschaffenheit als organische Ueberreste eine fast absolute Uebereinstimmung mit dem oberen Lias der Apenninen besitzt, wie dies Meneghini in seiner trefflichen Monographie der Italiänischen Lias-Ammoniten bereits ausgesprochen hat und noch näher begründen wird. Ich rede hier aber nur vom „Ammonitico rosso" im engeren Sinne, denn abgesehen von den Aptychenschiefern und der Majolica dürfte schon der sogenannte Medolo aus der Gegend von Brescia, den man in der Regel als den localen Stellvertreter des oberen Lias betrachtet, nach seiner Cephalopoden-Fauna vielleicht eher zum mittleren als zum oberen Lias gehören, oder diese beiden Stufen zusammen vertreten.

---

nommen: Stoppani, A., Studii geologici e paleontologici sulla Lombardia. Milano 1857. — Stoppani, A., Rivista geologica della Lombardia. Atti della società geologica di Milano. 1859. — Hauer, Fr. von, Erläuterungen zu einer geologischen Uebersichtskarte der Lombardei. Jahrb. k. k. geol. Reichs-Anst. IV. p. 445. 1858.

[1]) So wenig ich in den Alpen die Wahrscheinlichkeit des Zusammenvorkommens von Formen, die man in Nord-Europa in verschiedenen bathrologischen Stufen zu finden gewohnt ist, in Abrede stellen möchte, so wäre es dennoch sehr wünschenswerth, wenn der verdienstvolle Verfasser der Paléontologie Lombarde den nächsten Band seines Werkes den Versteinerungen von Saltrio widmen und die Belege seiner von den allgemeinen Erfahrungen immerhin abweichenden Ansicht durch Wort und Bild zur sicherern Beurtheilung bringen wollte.

Stoppani hält noch neuerdings (Rivista p. 68) mit Bestimmtheit an seiner früheren Ansicht fest, dass Ammonitico rosso, Aptychenschiefer und Majolica ein untrennbares Ganze ausmachen.

Ich werde später auf diesen Gegenstand zurückkommen und will für jetzt nur bemerken, dass sich die Uebereinstimmung des oberen Lias der Lombardei und der Apenninen nicht allein auf die Mehrzahl der Ammoniten erstreckt, sondern dass auch zwei höchst charakteristische Brachiopodenarten, *Terebratula Erbaensis* Pictet und *Terebratula Rotzoana* Schauroth beiden Gebilden gemeinsam sind. Dieselben finden sich bei Bicicola unfern Suello, also an einer Localität, über deren Zugehörigkeit zum liasischen Ammonitico rosso weder von Stoppani noch von Hauer ein Zweifel erhoben wird. Diese Thatsache scheint mir von grosser Wichtigkeit zu sein für die Altersbestimmung einer in Süd-Tyrol und Venedig sehr verbreiteten, mächtigen und versteinerungsreichen Ablagerung. Es ist bekannt, dass die Existenz des oberen Lias oder vielmehr des Lias überhaupt in Süd-Tyrol und den Venetianischen Alpen mit Ausnahme einer isolirten Scholle in der Umgebung von Lienz von allen neueren Autoren geläugnet wird.

Auf Hauer's geologischer Uebersichtskarte der österreichischen Monarchie (Blatt V) erhält diese Anschauung ihren drastischen Ausdruck. Westlich vom Garda-See spielt die blaue Farbe am Südrand der Alpen keine unbedeutende Rolle, ist in der Etschbucht noch hin und wieder verzeichnet, fehlt aber im südlichen Alpengebiet Venetiens vollständig. Dafür macht sich aber dort ein mit schwarz und roth schraffirtes Blau breit, welches in der Farbenscala als unterer Oolith bezeichnet wird.

Benecke (Pal. Beitr. I. p. 103) hat sich ausführlich mit diesen Ablagerungen und deren Geschichte beschäftigt, welche ich nicht nöthig habe zu reproduciren.

Der Dogger in Süd-Tyrol zerfällt nach seinen Untersuchungen in drei verschiedene Glieder:

1) Graue Kalke mit *Terebratula fimbria* und Oolith von San Vigilio,
2) Schichten der *Rhynchonella bilobata* und
3) Posidonomyen-Gestein.

Die beiden Letzteren gehören ohne Zweifel in den Dogger, Nr. 3 sogar schon in dessen obere Hälfte, und auch der Oolith von San Vigilio mit *Ammonites Murchisonae*, *fallax* etc. kann seinen Versteinerungen nach nur in unteren Oolith gestellt werden. Es bleibt somit noch ein einziges Glied übrig, welches indess alle anderen in Bezug auf Verbreitung und Mächtigkeit weit überragt. Es ist dies der graue Kalk mit *Terebratula fimbria*, sowie die dazu gehörigen Schichten von Rotzo, Pernigotti etc. in den Sette Communi, aus welchen Baron Zigno eine wundervolle Flora gesammelt und theilweise auch schon monographisch bearbeitet hat.

Nach Zigno gehören die grauen pflanzenführenden Kalke in's Bathonien; Benecke dagegen stellt sie an die Basis des unteren Ooliths und erklärt sie für eine „Facies" des Ooliths von San Vigilio. Die Wichtigkeit der in Rede stehenden Schichten für die Geologie der Süd-Alpen, sowie der Umstand, dass meine Beobachtungen in den Apenninen nicht mit der herrschenden Ansicht über deren Alter in Einklang zu bringen sind, nöthigt mich etwas näher auf diese Frage einzugehen und namentlich die Gründe zu beleuchten, welche Benecke vermocht haben, die Schichten mit *Terebratula fimbria* in den Dogger zu stellen und sie für gleichalterig mit dem Oolith von San Vigilio mit *Ammonites Murchisonae* anzusehen. Das Liegende beider Gebilde konnte bis jetzt nicht beobachtet werden, „das Hangende", bemerkt Benecke, „bilden für die Kalke mit *Terebratula fimbria* überall die Marmore mit *Rhynchonella bilobata*, die ich zwar unmittelbar über den Oolithen von San Vigilio nicht anstehen sah, indem ich hier gleich auf Posidonomyen-Gestein stiess, an deren Vorhandensein aber kaum zu zweifeln ist. Jedenfalls steht stratigraphisch der Annahme einer nahezu gleichzeitigen Bildung der Oolithe und der grauen Kalke, die sich paläontologisch erweisen lässt, nichts im Wege."

Für so unanfechtbar wie Benecke halte ich die Annahme einer stratigraphischen Uebereinstimmung nicht. Für die Kalke mit *Terebratula fimbria* besteht über das Hangende kein Zweifel. Es wird überall von den Schichten mit *Rhynchonella bilobata* gebildet, welche ihrerseits von Ablagerungen bedeckt werden, die unzweifelhaft im Alter dem „Bathonien" gleichstehen. Die Schichten mit *Rhynchonella bilobata* sind aber an dem schönen Aufschluss zwischen Garda und Torri über dem Oolith weder von Benecke, Schloenbach, Waagen und Neumayr, noch von mir selbst beobachtet worden. Sind sie dennoch vorhanden oder fehlen sie?

Das erstere müsste noch bewiesen werden; doch ich lege auf diesen Punkt eben so wenig Gewicht, wie Benecke, und will die Möglichkeit eines späteren Auffindens schon deswegen nicht in Abrede stellen, weil ich es für wahrscheinlich halte, dass die Schichten mit *Rhynchonella bilobata* mit dem Oolith von San Vigilio identisch sind. Vom stratigraphischen und lithologischen Standpunkte wird sich gegen diese Annahme wohl nichts Erhebliches einwenden lassen und auch das locale Anschwellen einer Ablagerung, wie dies beim Oolith am Garda-See in diesem Falle angenommen werden müsste, gehört in den Alpen zu den gewöhnlichsten Erscheinungen.

In paläontologischer Beziehung freilich besteht zwischen der armseligen Fauna der Bilobata-Schichten und der Cephalopoden-Fauna vom Garda-See wenig Uebereinstimmung. Allein es liegen mir immerhin vom Cap San Vigilio Brachiopoden vor, und unter diesen eine unbeschriebene Rynchonella, welche Herr Dr. Waagen sowohl in den Schichten mit *Ammonites Murchisonae* bei San Vigilio, als bei Ponte di Tierno unfern Roveredo gesammelt hat. Mein Freund Gümbel hatte ferner das Glück, die *Rhynchonella bilobata* selbst im Oolith des Garda-See's zu entdecken.

Ich glaube, dass das Vorkommen dieser beiden Arten schwerer ins Gewicht fällt, als die Thatsachen, welche Benecke zum „Beweis der nahezu gleichzeitigen Bildung" der Oolithe und grauen Kalke anzuführen im Stande ist.

Die ziemlich reichhaltige Liste von Versteinerungen der letzteren, welche Benecke (l. c. p. 108) mittheilt, enthält nicht eine einzige gemeinsame Art mit dem Oolith von San Vigilio und ebenso wenig haben spätere Aufsammlungen in Süd-Tyrol etwas Identisches geliefert. Auch Schauroth's Katalog des Herzoglich Coburg'schen Museums liefert aus der Gegend von Rotzo keinerlei anderwärts bekannte und auf ein bestimmtes Alter hindeutende Formen.

Von einer paläontologischen Uebereinstimmung lässt sich hier also wohl nicht reden. Benecke glaubt jedoch in localen Ursachen bei der Ablagerung, wie in der grösseren Entfernung vom Ufer bei den oolithischen, und in der schlammigen Beschaffenheit des Untergrundes bei den grauen Kalken die Erklärung dieser Erscheinung finden zu können.

Trotz der plausiblen Darstellung dieser Hypothese wird doch Niemand darin einen wirklichen Beweis von der Gleichalterigkeit beider Schichten erkennen.

Wirft man auf die Liste von Versteinerungen, welche Benecke aus dem grauen Kalke anführt, einen Blick, so findet man neben einer grossen Anzahl neuer oder doch auf diese Schicht beschränkter Arten von meist sehr indifferentem Habitus eine einzige ausseralpine Art, *Terebratula fimbria*. Nach dieser ist denn auch der Horizont unglücklicherweise benannt.

Durch die zuvorkommende Gefälligkeit Dr. Benecke's hatte ich Gelegenheit, diejenigen Exemplare zu untersuchen, welche die Bestimmung der angeblichen *Terebratula fimbria* aus Süd-Tyrol veranlasst hatten. Ich habe bereits früher (p. 123) nachzuweisen versucht, dass die südalpine Form in wesentlichen Merkmalen von der englischen aus dem unteren Oolith abweicht, und lediglich als eine flachere Varietät der *Terebratula Renierii* Catullo (*Terebratula fimbriaeformis* Schaur.) zu betrachten ist. Mit *Terebra-*

tula fimbria fällt aber die einzige Oolith-Art fort und da die Lagerungsverhältnisse mindestens ebensogut auf Lias wie auf untern Oolith hinweisen, so müsste man nach dem bisher Gesagten die Frage nach dem Alter dieser Schichten, wenn wir Süd-Tyrol allein berücksichtigten, für eine offene erklären.

Man wird nun nicht läugnen können, dass *Terebratula Rotzoana*, *T. Renierii* und *T. hexagona* durch Häufigkeit, günstige Erhaltung und charakteristische Merkmale die leitenden Formen dieses Horizontes bilden, mit welchen sich an geologischer Wichtigkeit nur der freilich in beschränkterem Grade verbreitete *Megalodus pumilus* Ben. vergleichen liesse.

Von diesen Arten finden sich aber zwei (*Terebratula Rotzoana* und *Renierii*) wie früher nachgewiesen, im Lias der Central-Apenninen und der Lombardei.

Auffallend bleibt es mir immer, dass *Terebratula Renierii* in den Apenninen ein tieferes Niveau einnimmt als *Terebratula Rotzoana*, während die beiden Arten in Süd-Tyrol zwar ebenfalls gewöhnlich getrennt vorkommen, an einzelnen Localitäten aber (z. B. Sega di Noriglio) sicher beisammen liegen und auch in der Lombardei neben einander im obern Lias vorkommen. Es entspricht nun den bisherigen Erfahrungen und den in der Geologie herrschenden Grundsätzen sicherlich viel besser, wenn man Gebilde mit mehreren identischen Arten von Versteinerungen für gleichzeitig erklärt, sofern nicht andere entscheidende Gründe das Gegentheil beweisen, als anzunehmen, jene identischen Arten hätten in Süd-Tyrol später gelebt als in der Lombardei und den Central-Apenninen. Im hiesigen Museum liegt aber ausserdem noch eine im grauen Kalk eingewachsene Schale von *Spiriferina verrucosa* oder einer nahestehenden Art, welche der Petrefaktensammler Fleck, Oppel's Begleiter auf seiner Süd-Tyroler Reise, bei Mezzo Monte unweit Calliano gefunden hatte.[1])

Obwohl ich auf die specifische Bestimmung des mangelhaft erhaltenen Stückes kein Gewicht legen will, so scheint doch das Vorkommen des Geschlechtes *Spiriferina*, von welchem die jüngsten bekannten Arten im Lias liegen, einen weiteren Anhaltspunkt zur Altersbestimmung dieser Schichten zu liefern.

Aehnliches liesse sich auch von *Megalodus pumilus* sagen.

---

[1]) Den Verdacht, dass Fleck diesen *Spirifer* nicht im Gestein, sondern vielleicht in seiner Rocktasche gefunden habe, glaube ich füglich zurückweisen zu dürfen. Für eine solche Täuschung lag keine Veranlassung vor; auch ist das in Frage stehende Stück viel zu unansehnlich, um zur Erlangung einer Belohnung benützt zu werden.

Berücksichtigt man nur die thierischen Ueberreste der grauen Kalke von Süd-Tyrol und Venetien, so ergibt sich das Resultat, dass neben einer grossen Anzahl meist schlecht erhaltener Elatobranchier und Gastropoden von höchst indifferentem Charakter, sowie einiger Crustaceen und Fischreste, drei ausgezeichnete und leicht erkennbare Brachiopoden vorkommen, deren liasisches Alter keinem Zweifel unterliegt.

Verbindet man diese Thatsachen mit den früheren aus den Lagerungs-Verhältnissen gewonnenen, so bleibt für den Süd-Tyroler grauen Kalkstein einzig und allein die Eintheilung in den Lias, und zwar in dessen obere Abtheilung, übrig.[1]) In Benecke's trefflicher Arbeit über Trias und Jura in den Süd-Alpen wurde bereits der Nachweis geliefert, dass sich die pflanzenführenden Schichten von Rotzo, Pernigoti und anderen Localitäten der Venetianer Alpen als gleichalterige Gebilde dem grauen Kalkstein Süd-Tyrols anschliessen und man wäre demnach genöthigt, auch diese in den oberen Lias herabzusetzen. Diese Annahme, von deren Richtigkeit ich durchaus überzeugt bin, steht in offenkundigem Widerspruche mit den Resultaten, welche Baron A. de Zigno aus der Untersuchung der fossilen Pflanzen gewonnen und veröffentlicht hat. Der Charakter der fraglichen Flora weist nach Zigno auf ein weit jugendlicheres Alter hin und veranlasste die Eintheilung des grauen Kalksteins in den oberen Dogger (Etage Bathonien d'Orb). Das lebhafte Bedauern, mit einem so ausgezeichneten Gelehrten und trefflichen Kenner der Venetianer Alpen in Widerspruch zu gerathen, veranlasste mich, meine Bedenken über das Alter der „Flora fossilis oolitica" Herrn von Zigno mitzutheilen, welcher mich mit seiner gewohnten und jedem Padua besuchenden Naturforscher bekannten liebenswürdigen Zuvorkommenheit in den Besitz des nachstehenden Schreibens setzte. Obwohl dessen Inhalt nicht mit meinen Ansichten übereinstimmt, halte ich mich zur unparteiischen Beleuchtung dieser Frage für verpflichtet, das Wesentlichste daraus anzuführen.

„1. Die Flora von Rotzo, Valdassa, Morano, Pernigotti, Roverè di Velo, Monte Albo etc. ist bemerkenswerth durch den Reichthum an *Zamites*, *Otozamites* und *Coniferen*. Unter den Faren fand ich Formen, welche sich denen von Scarborough beträchtlich nähern und sogar

---

[1]) Wenn *Terebratula Renierii* Cat. in den Apenninen bereits in den höchsten Schichten des mittleren Lias auftritt, so ist zu berücksichtigen, dass diese Art in der Lombardei stets *Terebratula Rotzoana* und *Terebratula Erbaensis*, zwei unzweifelhaft oberliasische Formen, begleitet, und dass ausserdem die Möglichkeit nicht ausgeschlossen ist, dass ein Theil der dem mittleren Lias zugerechneten Bildungen der Central-Apenninen schon dem oberen Lias zugehört.

Fragmente von *Phlebopteris contigua* L. H., *Phleb. polypodioides* Brongt., *Polypodites crenifolius* und *undans* Goepp., sowie *Sagenopteris cuneata* Morris. Der Erhaltungszustand dieser Stücke könnte ihre Bestimmung vielleicht zweifelhaft erscheinen lassen, und obwohl ich diesen Zweifel nicht theile, mögen wir ihn doch für den Augenblick annehmen. Allein man findet auch ein *Brachiophyllum*, welches nicht von *Brachiophyllum mammillare* Brongt. von Scarborough zu unterscheiden ist und besonders in grosser Zahl und in vollkommener Erhaltung *Otopteris tenuata* Bean & Leckenby von Scarborough, welche nichts anderes ist als mein *Otozamites Bunburyanus* von Rotzo und Roverè di Velo; fügen wir noch hiezu, dass meine *Cycadopteris Beaniana* und *heterophylla* in der Schweiz und in Frankreich in einem noch höheren Horizonte gefunden wurden, so entfernt sich unsere Flora noch mehr von der des Lias.[1])

„2. Prof. Catullo ist der Einzige, welcher den *Ammonites bifrons* Brug. aus dem Ammoniten-Kalk von Castel Lavazzo im Bellunesischen Gebiet citirt. Ich habe ihn niemals gefunden. Uebrigens scheint es, als ob die Pflanzenschicht sich nicht nach dieser Richtung ausbreitet, wenigstens habe ich sie bis jetzt daselbst nicht beobachtet.

Da zwischen den weissen und grauen dolomitischen Kalken, welche die Basis der Thäler der Sette Communi und der Brenta bilden, und den pflanzenführenden Schichten ein ansehnlicher, zuweilen enormer verticaler Zwischenraum existirt, welcher ausgefüllt wird durch Schichten von mehr oder weniger compakter, manchmal breccienartiger und noch öfter oolithischer Struktur, wie ich in meinen verschiedenen Profilen dieser Gegenden angezeigt habe, so müsste man also, um die Pflanzenschichten in den Lias zu versetzen, den Beweis liefern, dass diese geschichtete Masse, welche entschieden tiefer liegt, sicher der Rhätischen Stufe angehöre, und auch dann müsste man noch annehmen, dass bei uns eine vollständige Unterdrückung des unteren Ooliths (im engeren Sinne), des Gross-Ooliths (Bathonien) und sogar des mittleren Ooliths vorhanden sei, wenn man den „Ammonitico rosso" in das Kimmeridge versetzt, wie diess Benecke thun will."[2])

[1]) Ich fühle mich in keiner Weise competent, die Richtigkeit dieser Thatsachen anzuzweifeln, allein es ist doch immerhin zu bedenken, dass der ausseralpine obere Lias fast gar kein Vergleichsmaterial liefert und dass daher eine grosse Aehnlichkeit mit der im Alter am nächsten stehenden dem Bathonien angehörigen Flora von Scarborough kein Erstaunen erregen darf. Jedenfalls scheint aus Zigno's Bestimmungen hervorzugehen, dass die Pflanzen der Juraformation eine viel längere Lebensdauer besassen, als die thierischen Meeresbewohner. Z.

[2]) Das Fehlen der eigentlichen Jura-Schichten würde an und für sich nichts Auf-

Die hohe Wichtigkeit einer sichern Altersbestimmung der pflanzenführenden Schichten für die Geologie und Paläontologie der Süd-Alpen bewog mich zur ausführlichen Besprechung derjenigen Meinungen, welche bis jetzt in der geologischen Literatur vorzugsweise Eingang gefunden haben.

Ich kann übrigens die Frage nach dem Alter der grauen Kalke nicht verlassen, ohne eine Meinungsverschiedenheit zwischen Hauer und Stoppani zu erwähnen, deren definitive Entscheidung mir von grosser Wichtigkeit zu sein scheint. In geringer Entfernung östlich von Brescia bei San Euphemia sieht man auf Hauer's Karte der Lombardei die Farbe des obern Lias plötzlich abbrechen und der Bezeichnung des Jura Platz machen. Dieser aus hellweissem, zuckerkörnigem Kalkstein bestehende Juraзug erstreckt sich gegen den Garda-See und folgt dessen westlichem Ufer bis in die Gegend von Riva. Stoppani erklärt denselben (Rivista p. 78) aus stratigraphischen Gründen für Lias, und bestätigt sich diese an sich sehr wahrscheinliche Annahme, so haben wir hier das direkte Bindeglied des Lombardischen und Venetianischen Lias. Der unbestreitbare geologische Dualismus der Länder östlich und westlich vom Garda-See würde sich alsdann im Lias wenigstens auf abweichende Gesteinsbeschaffenheit, sowie auf einen in den Alpen so überaus häufigen Wechsel der Faciesbildung beschränken und verlöre einen guten Theil der bisher vermutheten Schärfe.

Kehren wir nach dieser Abschweifung zu unserem Vergleiche zurück. Für die Schichten mit *Ammonites fallax, gonionotus* etc. ergibt sich als chronologisches Aequivalent der Oolith von San Vigilio ganz von selbst. Die palaeontologische Uebereinstimmung ist so vollständig wie möglich. Bemerkenswerth scheint mir in den Apenninen das Zusammenschrumpfen dieser am Garda-See so ungeheuer mächtigen Ablagerung auf eine Schicht von wenigen Mètres, die zudem nur an einzelnen Stellen zur Entwickelung gelangt. Vielleicht lässt sich aber gerade in dieser Eigenthümlichkeit eine weitere Uebereinstimmung mit den Süd-Alpen finden. Man kennt in jenen bis jetzt Schichten mit *Ammonites fallax* nur am Garda-See, wo sie wegen ihrer grossen Mächtigkeit die Aufmerksamkeit der Beobachter auf sich ziehen mussten.

Sollten sie nicht auch in der Lombardei und in Venetien in ähnlich reducirter Weise wie in den Apenninen existiren und vielleicht bisher übersehen worden sein? Auch diese Frage verdiente die Aufmerksam-

---

fallendes besitzen, im Gegentheil einen weiteren Beweis für die Uebereinstimmung der geologischen Verhältnisse der Venetianer Alpen und der Central-Apenninen liefern. Z.

keit der mit den Süd-Alpen beschäftigten Geologen. Für die Aptychenschiefer existirt in der Lombardei ein Aequivalent, das sich in petrographischer Beziehung durch seine schieferige Struktur, seinen Reichthum an Feuersteinstraten und durch seine rothe Farbe ganz und gar mit den Aptychenschiefern der Apenninen, namentlich mit deren unterer, rothgefärbter Abtheilung übereinstimmt. Auch die Aptychen gehören, wie ich mich im Museum von Pisa zu überzeugen Gelegenheit hatte, den nämlichen Arten an.

Stoppani betrachtet bekanntlich Ammonitico rosso, Aptychenschiefer und Majolica als ein untrennbares Ganzes, obwohl er in seinen Profilen die drei Glieder stets unterscheidet. Hauer rechnet die Aptychenschiefer zum Jura und trennt die Majolica in eine untere jurassische und eine obere, dem Biancone entsprechende cretacische Hälfte. Unter den Belegen, welche Stoppani für seine Ansicht anführt, spielen abgesehen von der petrographischen Uebereinstimmung, das Durchgreifen des *Ammonites tatricus* und der *Terebratula diphya* (im weiteren Sinne) eine wichtige Rolle. Nachdem jedoch durch Pictet's werthvolle Monographie der Terebrateln aus der Gruppe der *Diphya*, sowie durch die neueren Untersuchungen über *Ammonites tatricus*[1]) diese beiden Argumente jegliches Gewicht verloren haben, schliesse ich mich umsomehr der Hauer'schen Auffassung an[2]), als meine Beobachtungen in den Apenninen ganz mit derselben harmoniren.

Meine Zweifel an der Möglichkeit einer scharfen Trennung der Aptychenschiefer vom tithonischen Kalk habe ich schon früher geäussert; jedenfalls haben diese Schiefer mit dem obern Lias und der untern Kreide absolut nichts gemein.

Im Venetianischen fehlen eigentliche Aptychenschiefer, dagegen findet sich dort tithonischer Diphyakalk mit zahlreichen Versteinerungen, die zum grössten Theil auch in den Central-Apenninen vorkommen. Abgesehen von der Farbe des Gesteines, welches in Venetien roth, in Mittel-Italien weiss oder grünlich grau ist, haben wir in der tithonischen Stufe einen zweiten ebenso präcisen synchronistischen Vergleichs-Horizont, wie im Ammonitico rosso oder oberen Lias der Lombardei.

Auffallend mag es erscheinen, dass von einer ausgesprochenen Entwickelung der Schichten des *Ammonites acanthicus* in den Apenninen keine Rede sein kann, sondern dass hier entweder unmittelbar auf die Aptychenschiefer oder auf den unteren Oolith sofort die tithonische Stufe folgt.

Dass übrigens die Letztere auch in der Lombardei nicht fehlt, glaube

---

[1]) Zittel, im Jahrb. der k. k. geol. Reichsanstalt 1869. XIX. I. p. 49—68.

[2]) Man vergl. Hauer's Sitzungsber. k. k. Akad. d. Wissensch. Vol. XLIV. p. 418 etc.

ich nach Besichtigung einiger im Museum zu Pisa befindlicher tithonischer Cephalopoden und Brachiopoden aus der unteren Majolica versichern zu dürfen.

Hält man mit Hauer[1]) und Mortillet die obere Majolica der Lombardei für identisch mit dem venetianischen Biancone, so haben wir in diesen beiden Gebilden das petrographisch und paläontologisch übereinstimmende Aequivalent der untercretacischen Felsenkalke. In der mittleren Kreide gehen Süd-Alpen und Apenninen stellenweis etwas auseinander. Die Rudistenkalke der Lombardei und Venetiens fehlen in den nördlichen Theilen der Central-Apenninen vollständig und kommen erst weiter im Süden zum Vorschein, allein sie besitzen bekanntlich auch in den Oberitaliänischen Alpen nur eine beschränkte Verbreitung und fehlen in der Etschbucht sogar gänzlich, so dass hier wie in den Apenninen Biancone unmittelbar von den rothgefärbten Schichten der oberen Kreide bedeckt wird. Diese Letzteren fasst man in den Süd-Alpen allgemein unter der Bezeichnung Scaglia zusammen und stellt sie in d'Orbigny's Etage Senonien; in den Apenninen lassen sie sich in drei petrographisch unterscheidbare Gruppen gliedern, welche früher unter der Bezeichnung „Fucoidenschiefer", „rosenrother Kalk" und „Scaglia im engeren Sinne" beschrieben wurden. Aus den bisherigen Erörterungen wird die Schlussfolgerung gestattet sein, dass die Lombardischen, Süd-Tyroler und Venetianischen Alpen im Grossen und Ganzen, wenigstens was Lias-, Jura- und Kreide-Formation betrifft, eine den Central-Apenninen in Bezug auf Gesteinsbeschaffenheit, Gruppirung und Umfang der einzelnen Schichten ähnliche Zusammensetzung besitzen und von diesen nicht in höherem Grade abweichen, als die Lombardischen, Venetianischen oder Süd-Tyroler Alpen unter sich. Da nun auch die Versteinerungen diese Uebereinstimmung bestätigen, so erscheint demnach die Annahme einer Ablagerung der beiden Gebirge in einem einstmaligen gemeinsamen Meeresbecken durchaus gerechtfertigt.

Betrachten wir nun in ähnlicher Weise die Secundär-Gebilde in den westlichen Theilen Central-Italiens[2]), insbesondere in Toscana.

---

[1]) Hauer l. c. p. 420.

[2]) Das Material der nachfolgenden Zusammenstellung ist theils brieflichen Mittheilungen meines verehrten Freundes Meneghini in Pisa, theils folgenden Quellen entnommen:

J. Cocchi, Description des Roches ignées et sedimentaires de l'Italie centrale. Bull. Soc. Géol. Fr. 2 Sér. vol. XIII. p. 226.

L. Pilla, Trattato di Geologia 1817—51.

L. Pilla, Saggio comparativo dei terreni, che compongono il suolo d' Italia. Pisa 1845,

Die beiden Hauptgebirgszüge dieser Provinz, welche aus dem niedrigeren Hügellande hervorragen, müssen nach ihrem geologischen Bau scharf geschieden werden. Der einförmige etruskische Apennin besteht nur aus Gesteinen der Kreide und Tertiärformation, während wir dagegen in der „Catena metallifera" ein complicirt gegliedertes, aus höchst mannigfaltigen Elementen zusammengesetztes Gebirge vor uns haben. Dasselbe besteht (vergl. Cocchi, Bull. Soc. geol. XIII. p. 228) aus einer Anzahl isolirter Höhenzüge oder ellipsoidischer Berge, welche insgesammt derselben Streichrichtung folgen, ohne jedoch mit einander zusammenzuhängen oder in einer einzigen Linie zu liegen. Die kühn geformten Apuanischen Alpen mit ihrem unerschöpflichen Reichthum an Marmor überragen alle übrigen Theile des Erzgebirges bedeutend an Höhe; man rechnet ausser diesen auf dem Festland noch zum gleichen Gebirgssystem die Parallelketten zu beiden Seiten des Golfes von Spezia, die Pisaner Berge, die Hügel von Siena, die isolirten Ellipsoide von Gerfalco, Montieri und Cetona, sowie die Berge von Campiglia Maritima und von Gavorrano. Die Cardinalunterschiede gegenüber den Central-Apenninen beruhen

1) in der gewaltigen Entwickelung von Ablagerungen der paläozoischen Periode und der Trias;
2) in der Häufigkeit eruptiver Gesteine;
3) in der ausgezeichnet metamorphischen Beschaffenheit der meisten Gesteine und
4) in dem verwickelteren tektonischen Bau.

Wenn der geologischen Untersuchung schon durch die beiden letztgenannten Eigenschaften Hindernisse bereitet werden, so sehen wir sie durch die Seltenheit und dürftige Erhaltung der Versteinerungen in der Mehrzahl der Ablagerungen beträchtlich vermehrt. Nachdem durch Capellini und Cocchi die Stellung der Schichten der Rhätischen Stufe (Infralias), welche man früher zum Theil in die untere Kreide gestellt hatte, sowie der Mehrzahl der berühmten, früher für liasisch gehaltenen Marmore richtig bestimmt

---

Rod. Murchison über den Gebirgsbau der Alpen, Apenninen und Karpathen. 1850. p. 109 etc.

Savi und Meneghini, Considerazioni sulla Geologia stratigraphica della Toscana 1851 nebst Appendix von Meneghini (Nuovi Fossili Toscani 1853).

Capellini, Descrizione geologica dei dintorni del Golfo di Spezia 1864.

J. Cocchi, Sulla Geologia dell' Italia centrale 1864.

G. vom Rath, Zeitschrift der deutschen geol. Ges. 1868. p. 315 etc.

Meneghini, G., Saggio sulla costituzione geologica della Provinzia di Grosseto. 1865. Firenze.

waren, wurden die Resultate des Fundamentalwerkes über Toscanische Geologie von Savi und Meneghini so wesentlich modificirt, dass dasselbe jetzt nur mit Vorsicht und mit sorgfältiger Vergleichung der späteren Literatur zu benützen ist.

Unter diesen Verhältnissen sind Cocchi's Vorlesungen Sulla Geologia dell'Italia centrale von hohem Werthe, da sie allein die gegenwärtigen Anschauungen der Italiänischen Geologen über Toscana darlegen. Unter Berücksichtigung Capellini's trefflicher Skizze des Golfes von Spezia, der Considerazioni von Savi und Meneghini, sowie der neuesten Mittheilungen Meneghini's über Campiglia lässt sich für Lias, Jura und Kreide die nebenstehende Gliederung aus der Literatur ermitteln.

Ueber den insbesondere bei Spezia und den Apuanischen Alpen mächtig entwickelten Rhätischen Schichten, deren reiche Fauna Capellini monographisch behandelt hat[1]), folgt:

1. Unterer Lias[2]). Schwarzer schieferiger Kalkstein mit zahlreichen Belemniten und Ammoniten bei Spezia und in den Apuanischen Alpen; bei Campiglia weisser Marmor und krystallinischer gelblicher Kalkstein, erfüllt von *Posidonomya Janus* Menegh.; ferner gefleckte Schiefer und erdige weiche gelbe Mergel bei Spezia mit Abdrücken von Ammoniten und den schon durch Guidoni entdeckten kleinen verkiesten Ammoniten (*Ammonites Coregonensis* Sow., *cylindricus* Sow., *comptus* Sow., *fimbriatus* Sow., *Conybeari* Sow etc.).

2. Mittlerer Lias. Rother fester Ammonitenkalk oder grauer Kalk mit Feuerstein; reich an Versteinerungen in den Bergen bei Spezia, Corfino, Cetona und besonders bei Campiglia maritima. Meneghini citirt von letzterer Localität 18 Ammoniten, 4 Belemniten und

---

[1]) Capellini, Giov., Fossili infraliassici dei dintorni del Golfo della Spezia. Bologna 1866.

[2]) Ueber den Lias Toscana's verdanke ich Prof. Meneghini folgende Mittheilung:

„In unserm rothen Kalk mit Arieten-Ammoniten, welcher stets geringe Mächtigkeit besitzt, ist es unmöglich, Unterabtheilungen wie im Adnether-Kalk aufzustellen. In Campiglia, Grosseto und in den Pisaner-Bergen hat man dieselbe Ausbildung des mittleren Lias, und zwar besonders dessen unterer Abtheilung; bei Cetona kommt ein Fetzen des oberen rothen Ammonitenkalkes zum Vorschein, und zwischen beiden finden sich Schichten von lichter Farbe mit den Falciferen-Ammoniten, welche sich gegenwärtig in Ihren Händen befinden." (Es war dies *Ammonites radians* sowie eine unbeschriebene Art. Z.) „Vielleicht findet sich auch bei Corfino eine Partie des oberen Lias, wie bei Cetona. Anderwärts finden sich über dem rothen Ammonitenkalk (mittlerer Lias) und dem lichtgrauen Kalk mit Feuerstein (welcher dieselben Versteinerungen enthält) Schiefer mit *Posidonomya Bronni*. Unter dem mittleren Lias liegen bei Spezia mächtige Schieferablagerungen mit verkiesten Ammoniten, welche den unteren Lias repräsentiren, während an allen übrigen Orten der Letztere nur durch eine dünne Kalkschicht vertreten ist, die mit kleinen Ammoniten oder fast ausschliesslich mit *Posidonomya Jani* erfüllt ist."

-, Jura- und Krei(

Ober-Italien.

Süd-Tyrol oscana

1 Orthoceras. Ich erinnere mich im Museum von Pisa unter den Belemniten mehrere Exemplare von *Atractites alpinus* Gümb, sowie auch walrscheinlich *Xiphoteuthis* gesehen zu haben. Ueberhaupt weist die Fauna des rothen Ammonitenkalkes schon im Erhaltungszustande grosse Aehnlichkeit mit den Formen aus den mittlern Adnether- und Hierlatz-Schichten der Nord-Alpen auf.

3. Oberer Lias. Gelbliche oder graue Schiefer mit *Posidonomya Bronni* von Spezia und den Apuanischen Alpen.

Bei Cetona und Corfino weicher mergeliger rother Kalkstein mit *Ammonites bifrons*, *Comensis*, *radians* etc.

Der gesammte Lias besitzt bei Spezia und in den Apuanischen Alpen nur geringe Mächtigkeit, die einzelnen Glieder und insbesondere die obere Abtheilung weichen sowohl in ihrer petrographischen Beschaffenheit von den gleichalterigen der Central-Apenninen sehr bedeutend ab, dagegen nähern sich in den östlichsten Ausläufern der Catena metallifera wie bei Cetona die Verhältnisse allmählig denen der Apenninen.

Ueber dem Lias, in welchem sich wenigstens hin und wieder Versteinerungen finden, folgt in concordanter Lagerung fast allerwärts

4. ein Complex grünlicher oder bunter Schiefer von sehr verschiedener lithologischer Beschaffenheit, in welchem mit Ausnahme eines *Pecten* von indifferentem Aussehen bis jetzt keinerlei organische Ueberreste gefunden wurden.

Savi, Meneghini und Capellini betrachten diese Schiefer als Vertreter der Jura-Formation, während sie Cocchi schon zur Kreide zu zählen scheint.

5. Diese Letztere ist vertreten durch fossilfreie mergelige Schiefer (Schisti galestrini) oder grauen dichten Kalkstein mit zahlreichen ausgeschiedenen Feuersteinknollen, sowie durch die bekannte „Pietra forte" der Italiäner, ein fester graulich grüner sandiger Kalk, welcher sich nach den neueren Entdeckungen Cocchi's in drei Zonen zerlegen lässt, und zwar:

a. eine untere mit *Ammonites peramplus, A. varians; Crioceras, Scaphites, Turrilites* etc.;

b. eine mittlere mit *Inoceramen;*

c. eine obere mit *Fucoiden* und *Nemertiliden.*

Diese drei Zonen werden dem Cenomonien, Turonien und Senonien d'Orbigny's gleichgestellt.

So bedeutend die Verschiedenheiten der einzelnen Glieder der Jura- und Kreideformation in den Apenninen und Toscana auch sein mögen, so fehlt es doch nicht an gewissen Vergleichspunkten.

Trotz der differenten Facies der Fauna dürfte der rothe Ammonitenkalk

Toscana's den mächtig entwickelten mittleren Lias der Apenninen vertreten und es würden sich diese beiden Gebilde ähnlich zueinander verhalten wie Adnether und Hierlatzkalk in den Nord-Alpen. In den darunter liegenden marmorartigen Gesteinen liessen sich ferner Aequivalente des untern Lias finden, deren Gleichartigkeit durch spätere Untersuchungen wahrscheinlich noch näher nachzuweisen sein wird. Der in den Apenninen so versteinerungsreiche obere Lias scheint dagegen in einem grossen Theile Toscana's durch Denudation entfernt zu sein, oder ist in den westlichsten Gegenden durch fossilarme Posidonomyenschichten vertreten; begibt man sich aber in die östlichsten Inselberge der Catena metallifera, so erscheint auch hier unser Horizont mit den so charakteristischen petrographischen und paläontologischen Merkmalen der Apenninen.

Eine bedeutsame Uebereinstimmung beider Gegenden besteht in der erstaunlichen Reduction der Jura-Gebilde. Während sich im östlichen Gebirgszug noch einige versteinerungsreiche Zonen nachweisen lassen, findet man in Toscana als zeitliches Aequivalent bunte fossilfreie Schiefer von mässiger Mächtigkeit.

Die Kreideschichten des östlichen und westlichen Central-Italiens bieten unzweifelhaft die geringsten Analogien; vergleicht man dieselben aber mit den gleichzeitigen Ablagerungen anderer Theile Europa's, so wird man immerhin noch eine grössere Aehnlichkeit der Italiänischen unter sich als mit jenen zugestehen müssen.

Zur leichtern Uebersicht der in diesem Abschnitte ausführlich besprochenen Thatsachen habe ich in nebenstehender synchronistischer Tabelle die Entwickelung der Lias-, Jura- und Kreide-Gebilde in den Central-Apenninen, der Lombardei, Süd-Tyrols und Venetiens, sowie der Catena metallifera in Toscana darzustellen versucht. (S. die Tabelle.)

Zur Vervollständigung dieser Vergleichung hätte ich noch auf die Uebereinstimmung der Fauna des obern Lias Italiens mit jener der ammonitenreichen Liasmergel von Milhaud (Lozère), La Verpillière und der Gegend von Salins im südlichen Frankreich hinzuweisen. Dieselbe bestätigt die schon öfter ausgesprochene Ansicht von der einstigen Verbindung der Provençalischen und Italiänischen Meeresbecken.

Berücksichtigt man die paläontologischen und lithologischen Eigenthümlichkeiten der Secundär-Gebilde in den Apenninen, so springt die grosse Uebereinstimmung mit den Süd-Alpen sofort in die Augen.

In tektonischer Beziehung dagegen sind die Apenninen wie die Catena metallifera Toscana's genau nach denselben Gesetzen aufgebaut. Die domförmige Wölbung der Schichten, welche im ersten Abschnitte ausführlich geschildert wurde, tritt auch in allen Profilen Toscana's, freilich mehr oder weniger deutlich, entgegen. Die kleinen isolirten Hebungs-Ellipsoide von Cetona, Gerfalco und Montieri bilden nicht minder regelmässige Kuppeln, als die niedrigen Parallelketten der Apenninen (vergl. Profil des Furlo). In den höheren Gebirgen, wie in den Apuanischen Alpen, den Bergen von Spezia und Campiglia, scheint zwar der regelmässige Aufbau zuweilen durch bedeutende Schichtenstörungen, gewaltige Verwerfungen und Ueberstürzungen verschwunden, allein berücksichtiget man die viel stärkere Emporhebung der älteren Gesteine in den Gewölb-Axen, so wie deren zuweilen grosse horizontale Verbreitung, so wird man nicht lange über den domförmigen Bau auch dieser Gebirge im Unklaren bleiben.[1])

In den Süd-Alpen stellt sich die Kalkzone als eine mantelförmige Seitenhülle einer ungeheuer mächtigen Centralaxe dar, und folgt dieser wie ein breites, durch viele Längs- und Querspalten zerrissenes, durch lokale Störungen zerrüttetes, unregelmässig gefaltetes oder aufgerichtetes und theilweise verstürztes Band, dessen Tektonik dem Beobachter die grössten Schwierigkeiten entgegenstellt. Die entsprechende Hülle auf der Nordseite der Central-Axe zeigt bekanntlich ähnliche Verhältnisse, und jede dieser Kalk-Zonen ist ihrerseits wieder von einem Gürtel jüngerer, meist sandsteinartiger Gesteine umgeben. Gewissermaassen Miniaturbilder dieses gigantischen, in der Mitte aufgesprengten, langgezogenen Gewölbes sind alle die vereinzelten Hebungsellipsoide oder Gebirgsketten Italiens. Hier ist von einer gemeinsamen Central-Axe keine Rede, jeder Höhenzug ist ein abgeschlossenes Ganzes für sich, und wenn ich mich des Vergleiches bedienen darf, so stellt Central-Italien eine Fläche dar, welche von beiden Seiten zusammengedrückt eine Anzahl ungleicher Runzeln erhalten hat. Einige derselben überragen die andern an Höhe und Breite, sind entweder aufgeborsten oder durch Querspalten zerrissen und lassen entsprechend ihren Dimensionen in ihrem Innern die mehr oder weniger tiefen Theile der Fläche erkennen. Eine besondere Eigenthümlichkeit Central-Italiens sind die ringsum geschlossenen ellipsoidischen Schichtgewölbe, welche sowohl in den Apenninen als in Toscana durch ihre Regelmässigkeit die Bewunderung der Geologen erregen; gewöhnlich gehören sie zu einem vorhandenen Gebirgszuge, aus welchem sie vielleicht durch localen unterirdischen Druck emporgepresst wurden, und nur höchst selten tauchen sie als isolirte Berge aus der umliegenden Ebene oder dem Hügellande auf.

---

[1]) Man vergleiche z. B. das auch von Cocchi reproducirte Profil Savi und Meneghini's durch die Apuanischen Alpen. Considerazioni Profiltafel Fig. VII.

Die Hebung der Italiänischen Gebirge fällt bekanntlich in eine viel spätere Periode, als die Bildungszeit der in diesem Aufsatze geschilderten Schichten, aber die ausserordentliche Verkümmerung der Juraformation sowohl in Toscana als in den Apenninen scheint trotz der regelmässigen Aufeinanderfolge der Schichten auf Störungen eigenthümlicher Art hinzuweisen.

Dieser Mangel an Absatz während einer langen geologischen Periode lässt sich schwierig erklären. Für eine Hebung am Ende der Liasformation und einer zeitweiligen Trockenlegung der älteren Schichten fehlen alle triftigen Beweise. Man bemerkt nirgend eine Discordanz der Lagerung, nirgend Spuren der Thätigkeit einer ehemaligen Brandung oder strandbewohnender Thiere, wie Bohrmuscheln, Balanen und Serpeln. Dennoch wird die Lösung dieses Problems nur durch eine Hebung des Bodens und gewaltige Denudationen zu erklären sein, von welchen alle Ablagerungen der Juraformation, bis auf wenige geschützte Stellen, deren Anwesenheit uns jetzt der untere Dogger und die Aptychenschiefer bekunden, beseitigt wurden. Man wird um so mehr zur Hypothese einer Oscillation des Bodens Zuflucht nehmen müssen, als der Mangel an Sediment nicht aus einer ungewöhnlich weiten Entfernung vom Ufer erklärt werden kann.

Das schöne Italien mit seiner wechselvollen Zusammensetzung bietet dem Geologen eine unversiegbare Quelle der Anregung und Belehrung. Seine thätigen Feuerberge, seine erloschenen Vulkane, seine mannigfaltigen Eruptivgesteine sind seit Langem das Wallfahrtsziel zahlreicher Jünger unserer Wissenschaft, sein Ueberfluss an prächtig erhaltenen Versteinerungen die Freude der Paläontologen, seine Ebenen und Berge eine wahre Schule der Stratigraphen. Wer die Lagerungsverhältnisse der nordeuropäischen Becken gewohnt ist, wird in den Tertiär-Bildungen Italien's bekannte Erscheinungen begrüssen; das Studium der Central-Apenninen lehrt domförmige Hebungen, Schichtenfaltungen, Verwerfungen u. s. w. bei Ablagerungen von entschieden alpinem Charakter in der einfachsten, die toscanischen Berge schon in schwierigerer Form kennen; in den complicirten Verhältnissen der Alpen endlich findet der erfahrenste Stratigraph stündlich Gelegenheit, seinen Scharfsinn zu erproben. Suum quivis reperit!

Inhalt

Berichtigungen.

Statt Serra d'Abbondia auf p. 101 (13). 120 (32) lese man **Serra S. Abondio.**

Statt Casteluccio auf p. 101 (13). 120 (32). 124 (36). 125 (37) etc. lese man **Castelaccio.**

DIE FORMENREIHE

DES

AMMONITES SUBRADIATUS.

VERSUCH

EINER

PALÄONTOLOGISCHEN MONOGRAPHIE

VON

DR. W. WAAGEN

IN MÜNCHEN.

MÜNCHEN 1869.

R. OLDENBOURG.

Vorwort.

Es war schon lange mein Wunsch, die während einer Reihe von Jahren an Tausenden von Ammoniten, welche innerhalb dieser Zeit durch meine Hände gegangen sind, gemachten Beobachtungen einmal in einer allgemeinern Arbeit über diese Thiergruppe zu veröffentlichen, doch stets blieb ich, bei mehrmaligen Versuchen, den Plan durchzuführen, mitten im Werke wieder stecken, denn stets fand ich wieder Punkte, über die ich noch nicht hinlänglich im Klaren zu sein glaubte, für deren Bereinigung aber das Material nur äusserst schwer zusammenzubringen war. Wenn ich auch heute mich noch nicht hinlänglich befähigt erachte, um über die ganze Thiergruppe etwas Endgiltiges dem wissenschaftlichen Publikum vorzulegen, so dürften meine Beobachtungen über eine kleinere Reihe von Formen doch vielleicht schon so weit gediehen sein, dass ich es wagen darf, damit in die Oeffentlichkeit zu treten. Für die Richtigkeit der hier gegebenen Thatsachen nun glaube ich mit Entschiedenheit einstehen zu können; ob dagegen die daraus gezogenen Folgerungen nicht allzu sehr ins Bereich der Phantasie hinüberspielen, kann der Autor selbst, nachdem er sich Monate lang mit diesen Dingen beschäftigt hat, kaum mehr beurtheilen: mir schienen die Gründe zwingend, und andere Erklärungen nicht zulässig.

Die nächste Veranlassung zur Abfassung des vorliegenden Aufsatzes war der mir von Herrn Prof. Zittel gegebene Auftrag, wo möglich festzustellen, ob die Formen aus der Gruppe des *Ammonites subradiatus*, welche mein Freund Schlönbach in eine Art zusammengezogen hatte, sich wirklich nicht auseinanderhalten liessen, oder ob es möglich sei, mehrere Arten zu unterscheiden. Die Resultate wollte Zittel unter meinem Namen in einen seiner Aufsätze einschalten, doch wurde meine erste Bearbeitung bereits so umfangreich, dass diess unterbleiben musste. Ich zog nun auch noch all die übrigen verwandten Formen bei, und so entstand die Monographie, welche den Inhalt der vorliegenden Abhandlung bildet. Das zu Grunde gelegte Material habe ich theils unserem von der Staatsregierung so grossartig geförderten kgl. paläontologischen Museum, theils meiner eigenen Sammlung entnommen. Von einigen Stücken lagen mir auch nur Schwefelabgüsse vor, zu denen sich die Originalien in der fürstlich von Fürstenbergischen Sammlung zu Hüfingen befinden. Ein Stück von *Amm. Mamertensis* endlich stammte aus der Sammlung des Herrn Obermedizinalrathes von Fischer hier. Herrn Prof. Zittel, Herrn Berginspektor Vogelgesang und Herrn Obermedizinalrath von Fischer sage ich für die mir geleistete Hilfe durch Rath oder die Ueberlassung von Stücken meinen aufrichtigsten Dank.

Es ist das erste Produkt meiner rein paläontologischen Studien, welches ich dem wissenschaftlichen Publikum hiemit vorzulegen wage, um so mehr aber muss ich mir erlauben die Bitte auszusprechen, dieser meiner Arbeit das gleiche milde Urtheil angedeihen zu lassen, wie meinen bisherigen Publikationen. Leider sah ich mich genöthigt, manche Neuerung einzuführen und manche bereits eingebürgerte Ansicht in Zweifel zu ziehen; doch liess sich diess, wenn ich nicht, ohne Berücksichtigung naheliegender Schlüsse, mich in dem Kreise gewöhnlicher Anschauungen fortbewegen wollte, nicht umgehen. Man hat bisher die Paläontologie als etwas der Zoologie vollkommen Entsprechendes aufgefasst, so dass zwischen beiden Wissenschaften nur der Unterschied bestehe, dass diese die lebenden, jene dagegen nur die ausgestorbenen Thierformen zu behandeln habe. Dabei hat man aber übersehen, dass in der Paläontologie noch ein wesentliches Moment hinzukomme, nämlich die Chronologie. Für diese ist in der zoologischen Systematik gar nicht vorgesehen: um diese Verhältnisse darzustellen, müssen also in der Paläontologie neue Begriffe, neue Bezeichnungen geschaffen werden; für die Art habe ich einstweilen gewagt, eine solche in Vorschlag zu bringen, bald wird man aber sich in die Nothwendigkeit versetzt sehen, für andere Abtheilungen Aehnliches zu thun; doch lässt sich das nicht Alles auf einmal abmachen. So muss denn auch die Darstellung in der Paläontologie von der in der Zoologie gewöhnlich gebräuchlichen vollkommen abweichen, denn während es sich hier nur darum handelt, die Form zu fixiren und durch eine genaue Beschreibung auch für Andere kenntlich zu machen, kommt es in der Paläontologie vor allen Dingen darauf an, den historischen Zusammenhang der einzelnen Typen richtig aufzufassen, die organische Entwickelung einer Form aus der andern im Laufe der Zeiten nachzuweisen.

Es ist natürlich, dass sich bei einer solchen Auffassung die Annahme der Mutationstheorie bis zu einem gewissen Grade nicht umgehen lässt. Wenn ich nun auch durchaus nicht sagen kann, dass ich ein grosser Freund jener extremen Richtung wäre, wie dieselbe in neuerer Zeit vielfach in Büchern und Vorträgen ausgesprochen wird, so glaube ich doch in dem kleineren Kreise von Formen, welchen ich bisher meinen specielleren Studien unterworfen habe, solche Uebergänge nachweisen zu können, dass eine Abstammung der Formen von einander in beschränkterem Maasse dadurch wenigstens wahrscheinlich wird. Ob aber in der ganzen organischen Welt eine geschlossene Kette vorliege, in der ein Glied an dem andern hängt, eines das andere bedingt, diese Frage ernstlich zu erörtern kann einem Forscher vor der Hand wohl kaum noch in den Sinn kommen; denn es fehlen uns hiezu noch so zu sagen alle Daten.

München im Februar 1869.

Dr. W. Waagen.

Einleitung.

Es ist ein bekannter, meist aber zu wenig berücksichtigter Erfahrungssatz, dass, wenn wir auf irgend einem Gebiete menschlichen Wissens uns genauere, ins Speciellere eingehende, gründliche Kenntnisse anzueignen die Absicht hegen, wir zu diesem Zwecke am klügsten den historischen Weg einschlagen, und so in unserem Geiste dieselbe Stufenleiter erklimmen, welche das Menschengeschlecht im Allgemeinen in seinem Bildungsgange, oder die einzelnen Forscher im Speciellen in ihren allmähligen Entdeckungen durchwandert haben. Auch die Paläontologie könnte von diesem Satze Vortheil ziehen, freilich in einem anderen Sinne, als diess zunächst vermuthet werden möchte. Wenn man das Ziel, welches die Paläontologie im Grunde genommen verfolgt, näher fixiren will, so kann nur die Absicht als solches bezeichnet werden, sämmtliche Organismen, welche je unsere Erde bewohnten, unserem Geiste, mithin unserem Erkenntniss- und Fassungsvermögen zugänglich zu machen. Nun ist es aber eine Reihe sich successive folgender und gegenseitig sich verdrängender Faunen und Floren, welche uns in diesen Organismen vorliegen, so dass es historische Daten sind, mit welchen wir hier zu thun haben. Wenn wir uns also eine genauere gründliche Kenntniss aller die Organismen betreffenden Verhältnisse verschaffen wollen, werden wir auch hier am besten den historischen Weg einschlagen, und so dürfte es denn für den Paläontologen nicht allein das morphologische, sondern namentlich, und ich glaube sagen zu dürfen, vor allen Dingen das historische Moment sein, auf welches er bei Untersuchung der Organismen seine volle Aufmerksamkeit zu richten hat. Nur bei specieller Berücksichtigung der historischen Entwicklung der Arten wird es gelingen, einerseits schliesslich zu einer Geschichte der Organismen zu gelangen, was ja heutzutage allein mehr das Bestreben der Paläontologie sein kann, andererseits der Geognosie brauchbares Material zur Schichtenbestimmung zu liefern. Doch stehen wir erst an der Schwelle jener Epoche in der Geschichte der Wissenschaft, welche eine derartige Behandlung des Gegenstandes in den Vordergrund stellen wird: es fehlen bis jetzt noch in den meisten Fällen die Daten, welche zu einem solchen Vorgehen nöthig sind, nämlich die genaueste, bis ins minutiöseste gehende Kenntniss des successiven Auftretens der Faunen, und das speciellste Vertrautsein mit den die einzelnen Faunen zusammensetzenden Thierformen. Anfänge sind aber bereits gemacht, und die Art und Weise der Behandlung des Stoffes, welche Rütimeyer in seinen Publikationen angebahnt hat, sowie die von Oppel begründeten Anschauungen in geognostischen wie in paläontologischen Fragen mussten schliesslich auch für die mesozoischen Faunen und Ablagerungen zu ähnlichen Bestrebungen führen.

Es sind vornehmlich die jurassischen Cephalopoden, welche sowohl in Rücksicht auf ihr geognostisches Auftreten als auch in Bezug auf die Kenntniss der einzelnen Formen hinlänglich studirt sind, um eine Darstellung mit besonderer Berücksichtigung des historischen Moments zu ermöglichen. Sehr häufig zeigt sich nämlich bei den hieher gehörigen Ammoniten, dass mehrere auf einander folgende Schichten Formen ein und desselben Bildungstypus beherbergen, welche einander äusserst nahe stehen, die mit einander näher verwandt sind, als mit allen übrigen in den gleichen Schichten liegenden Arten, bei denen endlich nur bei sehr eingehenden Studien und sehr reichlichem Materiale endlich Unterschiede gefunden werden können, die sich in allen Fällen als stichhaltig erweisen. Solche Bildungstypen kann man oft durch eine grosse Zahl von Schichten hindurch verfolgen, aber in jeder Schicht zeigen die Individuen eine von den vorhergehenden und nachfolgenden etwas abweichende Gestalt; das Ganze bildet eine zusammenhängende Reihe, die man am besten mit dem technischen Ausdrucke „Formenreihe“ belegen könnte. Beyrich, in seiner so hervorragenden Arbeit über die Muschelkalk-Cephalopoden, hat diesen Ausdruck bereits in die Wissenschaft eingeführt, doch gebraucht er dieses Wort in etwas umfassenderer Bedeutung, als diess von mir hier geschieht, so dass meine Formenreihe als ein besonderer Fall der Beyrich'schen aufgefasst werden muss. Noch praktischer und bedeutungsvoller möchte vielleicht in dem hier vorliegenden Sinne die Bezeichnung „Collectivart“ gewählt werden, denn meine Formenreihe stellt wirklich ungefähr das dar, was man so gewöhnlich eine „gute Art“ nennt. Dabei ist nun aber wohl zu berücksichtigen, dass die einzelnen, in den betreffenden Individuen und Schichten zum Ausdrucke gelangten Erscheinungsweisen dieser Formenreihe oder Collectivart von Varietäten streng zu unterscheiden seien: sie eben sind die Arten, die einerseits zusammen die Collectivart bilden, andererseits aber selbst wieder in mehrere Varietäten zerfallen können; denn es lässt sich gewiss nicht leugnen, dass jede dieser Formen in dem Zeitalter, in welchem sie auftrat, eine von allen mitvorkommenden wohl unterschiedene Art bildete. Im Verhältnisse zu der früher vorhandenen Form des gleichen Bildungstypus mag die spätere vielleicht als Varietät erscheinen, doch ist dann das etwas ganz Verschiedenes von unseren heutigen, zoologischen oder botanischen Varietäten, welche in einer und der gleichen Zeitperiode neben einander auftreten: man muss daher streng unterscheiden zwischen räumlichen oder zeitlichen Varietäten. Um jene zu bezeichnen, wird der schon lange gebrauchte Name „Varietät" hinreichen, für diese dagegen möchte ich der Kürze halber einen neuen Ausdruck „Mutation" vorschlagen. Die Art kann also an und für sich als Art, in Rücksicht auf ihren Zusammenhang mit früheren oder späteren Formen aber als Mutation aufgefasst und betrachtet werden. Aber auch in Bezug auf den Werth dieser beiden eben festgestellten Begriffe (Varietät und Mutation) wird sich bei näherer Betrachtung ein ganz verschiedener Werth herausstellen. Während die erstere, höchst schwankend, von geringem systematischem Werth erscheint, ist letztere, wenn auch in minutiösen Merkmalen, höchst constant, stets sicher wieder zu erkennen; es ist deshalb auch auf die Mutationen ein weit grösseres Gewicht zu legen, sie sind sehr bestimmt zu bezeichnen und mit grosser Consequenz festzuhalten. Man hat aus diesem Grunde bisher jede einzelne Form innerhalb einer Reihe mit einem Artnamen belegt, doch dadurch vielfach grossen Anstoss erregt, denn nicht leicht wird über etwas mehr Lärm geschlagen, als über die schlechten Arten, welche die Paläontologen zu Tage fördern. Wird diess nun besser werden, wenn wir bei der Bezeichnung auf die Abstammung der Mutation Rücksicht nehmen?

Wenn wir nun von Abstammung überhaupt sprechen wollen, müssen wir jedenfalls einen genetischen Zusammenhang zwischen den einzelnen Mutationen einer und derselben Formenreihe annehmen, und es lässt sich auch wirklich der Gedanke nur schwer zurückweisen, dass so nah verwandte Formen nicht auseinander hervorgegangen sein sollten. Diess findet auch darin noch einen Stützpunkt, dass gewöhnlich die Unterschiede zwischen den einzelnen Mutationen um so minutiöser sind, je inniger verbunden die Schichten erscheinen, denen die Stücke entstammen.

Es ist nun nicht nur der Wunsch, den kritischen Bemerkungen mancher Fachgenossen bei der oft unumgänglich nothwendigen Aufstellung neuer Arten zu entgehen, sondern auch ein in mir selbst liegendes inneres Widerstreben, aus all den zeitlichen Abänderungen selbstständige Species zu machen, ohne auf die Verwandtschaft mit früheren Formen genauer hinzuweisen, welches mich veranlasst, einige Neuerungen in die paläontologische Nomenklatur einzuführen, die die Möglichkeit in sich schliessen, den genetischen Zusammenhang gewisser Formenreihen sogleich deutlich in die Augen fallend zu machen. Die Schwierigkeit hiebei ist nur, einen Modus zu finden, welcher es ermöglicht, solches im Namen auszudrücken, ohne dass die Schärfe und das Concrete der Linné'schen Speciesbezeichnung hiebei geschwächt oder vernichtet werde. Man war schon früher bemüht, durch gewöhnliche Varietätennamen den Zusammenhang gewisser Arten hervorzuheben, doch scheiterten solche Versuche einerseits daran, dass man weder bei der Wahl des Art- noch des Varietäten-Namens nach Prioritätsregeln verfuhr, und sehr häufig, ohne Rücksicht darauf zu nehmen, ob Unterschiede vorhanden seien oder nicht, nur den Schichtnamen als Varietätsnamen beisetzte, andererseits aber lag das Misslingen hauptsächlich darin, dass hier ein quid pro quo mit unterlief, dass man die Mutationen als Varietäten bezeichnete, und sich so die Art in eine Summe von unbestimmten, nebelhaften Begriffen auflöste, die Niemand mehr zu definiren im Stande war. Die Wissenschaft bedarf aber höchst concreter und bestimmter Ausdrücke, um fortschreiten zu können, und je mehr Darwinianistische Doktrinen und Ideen sich in ihr festzusetzen beginnen, um so bestimmter und concreter muss sie sich auszudrücken im Stande sein, damit sie nicht Gefahr laufe, dass ihr die gesammte organische Welt in ein unentwirrbares Chaos in einander verschwimmender Formen zusammen fliesse.

Wenn nun auch das einfache Anhängen von Varietätsnamen zur Charakterisirung der Mutationen nicht zulässig erscheint, so wird doch eine trinomische Bezeichnung für dieselben um so weniger umgangen werden können, als hiebei in dem Namen drei Begriffe ausgedrückt werden sollen: Gattung, Stammart und Mutation. Der Vorschlag, welchen ich nun in dieser Beziehung machen möchte, ist einfach der, dass man die Stammart durch das der Mathematik entlehnte Zeichen $\sqrt{}$ hervorheben, und der Mutation beisetzen möchte; die Mutation selbst ist als Art zu behandeln und bei Wahl des Namens für dieselbe streng nach Prioritätsregeln zu verfahren. Man kann dann schreiben z. B. *Ammonites subcostarius* Opp. ($\sqrt{}$ *subradiatus* Sow.) oder auch *Ammonites* $\frac{\textit{subcostarius}\ \text{Opp.}}{\sqrt{\textit{subradiatus}\ \text{Sow.}}}$ Der Vortheil bei dieser Bezeichnung ist nur, dass durch dieselbe die Möglichkeit gegeben ist, den genetischen Zusammenhang gewisser Formen graphisch darzustellen; das ist aber gerade das, was die heutige Nomenklatur bedarf. — Als Stammart ist wohl in der Regel die älteste Art einer Formenreihe aufzufassen. Es können

13*

indess auch Fälle eintreten, dass die älteste Art zur Zeit der monographischen Bearbeitung einer Formenreihe noch nicht bekannt war, und erst später entdeckt wird: eine solche später entdeckte Art kann dann als Vorläufer der Stammart betrachtet und als solcher bezeichnet werden. Gesetzt den Fall, man hätte den *Amm. aspidoides* als Stammart einer Formenreihe aufgefasst und erst später den *Amm. subradiatus* entdeckt, dann würde man schreiben *Ammonites subradiatus* (Λ *aspidoides*) oder *Ammonites* $\Lambda\frac{aspidoides}{subradiatus}$. Dass man sich nicht streng in allen Fällen an diese Bezeichnung zu binden habe, unterliegt wohl keinem Zweifel. In den meisten Fällen, in denen man mit dem Anführen einer Art nur einen geognostischen Zweck verbindet, wo die Art also nur als Leitversteinerung dient, wird es hinreichen, den einfachen Artnamen anzuführen, die Art also als Art, nicht als Mutation aufzufassen. Wenn man dagegen, ohne nähere Bezeichnung der Mutation, nur die Formenreihe hervorheben will, so kann man dieselbe als Collektivart mit dem Namen der Stammart mit vorgesetztem Zeichen $\sqrt{\ }$ belegen, und so dem Leser anschaulich machen. *Ammonites* $\sqrt{}$*subradiatus* würde also die Collectivart, respektive irgend eine nicht näher zu bestimmende Form aus derselben bezeichnen; im letzteren Falle lässt sich übrigens auch schreiben *Amm. sp.* $\sqrt{}$*subradiatus.* — Es sind mancherlei Erwägungen, welche mich veranlasst haben, gerade das der Mathematik entlehnte Zeichen $\sqrt{\ }$ zur Hervorhebung der Wurzelart zu wählen, und ich muss dieselben hier auseinander setzen, da diese, wie es scheinen möchte, etwas unglückliche Wahl wohl der näheren Begründung bedarf. Wenn man den streng mathematischen Sinn des Zeichens ins Auge fasst, so würde z. B. *Amm.* $\sqrt{}$ *subradiatus* im mathematischen Sinne bedeuten, dass etwas zu suchen sei, was sich durch irgendwelche Veränderungen zu der Potenz *subradiatus* herangebildet habe. Diess ist nun allerdings durchaus falsch, und darin liegen nicht die geringsten Anhaltspunkte zur Anwendung dieses Zeichens in unserem Falle. Geht man dagegen auf die ursprüngliche Bedeutung des Zeichens selbst zurück, so findet sich, dass dasselbe nur ein verstümmeltes lateinisches *r* ist, und nichts anderes als r a d i x, W u r z e l, bezeichnet. Wenn man dann, zurückgreifend auf diese Bedeutung, beim Ueberfliegen des Textes dieses Zeichen statt „Wurzel aus" als „R" (radix) liest, fällt jedes mögliche Missverständniss weg. Fassen wir daher das Zeichen als Anfangsbuchstaben dieses Wortes auf, so lässt sich nichts dagegen einwenden, es in dem von mir angedeuteten Sinne zu gebrauchen. Nun könnte man freilich eben so gut schreiben *Ammonites R. subradiatus*, doch hat gegen diese Schreibweise die Anwendung eines Zeichens Manches voraus. Erstens fällt ein Zeichen viel mehr in die Augen als ein einfacher Buchstabe, zweitens kann ein Buchstabe leicht zu Verwechselungen mit einem abgekürzten Untergattungsnamen führen, der ebenfalls zwischen Gattungs- und Artnamen eingefügt wird, drittens aber gewährt das Zeichen $\sqrt{}$ auch noch den Vortheil, dass dasselbe es ermöglicht, die Namen der Wurzelart und der Mutation über einander zu schreiben, so dass schon aus dem einfachen Betrachten der Formel deutlich erhellt, welches von beiden die höher liegende, jüngere Form sei. Endlich darf ich vielleicht auch noch darauf hinweisen, dass es nichts so ganz Ausserordentliches sei, dass ein Begriff aus einer Wissenschaft in übertragener Bedeutung in eine andere übergeführt wird, ich erinnere hier nur an das Wort „Zone", welches durch Oppel in der Geognosie ein Bürgerrecht erlangte.

Der Haupteinwand, welcher gegen diese Bezeichnungsweise erhoben werden wird, ist die Unbequemlichkeit derselben. Letztere kann nun allerdings nicht geleugnet werden, und ich selbst entschloss mich nur sehr ungern, zu einer Nomenklatur meine Zuflucht zu nehmen, in der man drei Namen verwenden muss, um das einfachste Ding zu bezeichnen. Dennoch liess sich das nicht umgehen, denn zu je unabsehbareren Massen das Material nach und nach anwächst, desto mehr muss man bestrebt sein, das Zusammengehörige zusammen zu fassen, ohne deshalb die nöthigen Unterscheidungen dabei aufgeben zu müssen; das einzige Mittel hiezu ist eine etwas complicirtere Nomenklatur. Jeder Systematiker wird gerne zugeben, dass das Linné'sche System der Namengebung bereits nach und nach recht herzlich abgenützt sei. Botaniker wie Zoologen gebrauchen schon zwei übereinander geschriebene Speciesnamen, um constantere Zwischenformen dadurch zu bezeichnen. Mit den Mutationen ist es ähnlich, es sind constante Abänderungen, welche aber nicht neben einander, sondern über einander, zeitlich nach einander folgen, und ich schlage desshalb auch für sie eine ähnliche Nomenklatur vor.

Andere werden überhaupt diese scharfen Unterscheidungen für überflüssig halten, indem sie glauben, dass auf so minutiöse Merkmale, wie die Mutationen dieselben gewöhnlich darbieten, kein besonderer Werth zu legen sei; wer sich indess je mit stratigraphischer Paläontologie praktisch beschäftigt hat, wird den hohen Werth derselben für die Wissenschaft zugeben müssen, denn gerade diese skrupulösen Trennungen, wie die Paläontologen sie vornehmen, haben allein die Stratigraphie auf eine solche Höhe der Ausbildung gebracht, dass man für irgend eine Mutation einer Formenreihe genau den Zeitpunkt ihres Auftretens und ihres Verschwindens anzugeben im Stande ist. Fallen die scharfen paläontologischen Unterscheidungen, wird auch bald die Stratigraphie wieder auf jenen Standpunkt zurücksinken, auf welchem den schwankendsten Ansichten freiester Spielraum gegönnt ist. Aber nicht nur für die Geognosie, auch für die Paläontologie sind dieselben von Wichtigkeit, denn nie wird man dazu kommen, den Zusammenhang entfernter stehender Formen nachzuweisen, wenn nicht vorher die Bindeglieder auf's bestimmteste festgestellt worden sind.

Die von mir vorgeschlagene Bezeichnungsweise ist indess schwerer anzuwenden, als es vielleicht den Anschein haben möchte, und nur in eingehenden paläontologischen Monographien wird es möglich sein, dieselbe durchzuführen. Nicht nur ist hiezu nöthig, dass man die mannigfaltigen, allseitigen Beziehungen jeder einzelnen Form zu allen übrigen genau kenne, sondern man muss auch den Bildungstypus durch eine Reihe von Schichten nach aufwärts oder abwärts zu verfolgen im Stande sein, um die Stamm- oder Wurzel-Art mit einiger Sicherheit feststellen zu können; grosses, sehr grosses Material ist vor Allem hiebei unerlässlich.

Beispiele solcher Formenreihen sind:

1) Die des *Amm. Eucharis* Orb. = *Amm.* $\sqrt{}$*Eucharis*; zu ihr gehören: *Amm. Eucharis* Orb., *Amm. Arolicus* Opp., *Amm. nudisipho* Opp., *Amm. trimarginatus* Opp.
2) Die des *Amm. audax* Opp. = *Amm.* $\sqrt{}$*audax*; sie besteht aus *Amm. audax* Opp., *Amm. Renggeri* Opp., *Amm. crenatus* Brug., *Amm. dentatus* Rein., ..., *Amm. macrotelus* Opp.
3) Die des *Amm. oolithicus* Orb. = *Amm.* $\sqrt{}$*oolithicus*; hieher sind zu zählen: *Amm. oolithicus* Orb., *Amm. psilodiscus* Schloenb., *Amm. ferrifex* Zitt., *Amm. Voultensis* Opp., ..., *Amm. Erato* Orb. u. s. w.

Die Formenreihe des Ammonites subradiatus

= Ammonites √ subradiatus.

Die Formenreihe beginnt, soweit unsere Kenntnisse bis jetzt reichen, in den tieferen Lagen des Unteroolithes. Die ersten hieher gehörigen Individuen zeigen sich in der Malière der Umgebungen von Bayeux, doch sind dieselben hier ausserordentlich selten, so dass ich nicht im Stande bin, obwohl ich einzelne Stücke besitze, über die specifischen Verhältnisse dieser Erfunde mich mit genügender Schärfe auszusprechen. Auch die höher folgenden Schichten des *Amm. Sauzei* Orb. sind sehr sparsam mit Vorkommnissen aus der Gruppe des *A. subradiatus* ausgestattet. Erst mit *Amm. Humphriesianus* erscheinen dieselben in grosser Häufigkeit, um von hier bis in die unteren Kellowayschichten stets ein bedeutendes Contingent zur Zusammensetzung der einzelnen betreffenden Faunen zu stellen. Mit der Zone des *Amm. macrocephalus*, welche überhaupt einen Wendepunkt in der Geschichte unseres centraleuropäischen Jura bezeichnen, scheint auch die Formenreihe des *Amm. subradiatus* in ein neues Stadium der Entwicklung getreten zu sein, indem hier nicht nur mehrere andere Formenreihen sich von ihr abzweigen, sondern auch sie selbst ihren eigenthümlichen Charakter, den sie bisher so streng bewahrt hatte, verliert, und man gezwungen ist, die nächstfolgenden Typen als den Ausgangspunkt einer neuen Formenreihe zu betrachten. Die historische Entwickelung, welche *Amm.* √ *subradiatus* im Laufe der Zeiten genommen hat, bietet manches interessante Faktum. In den ersten Zeiträumen nur immer durch je eine Art vertreten, nimmt die Variabilität derselben nach und nach so zu, dass man sich bei *A. fuscus* z. B. nur nach eingehenderem Studium überzeugen kann, dass sämmtliche Varietäten nur zu einer Art gehören. In die Bathgruppe übergetreten, zerspaltet sich denn auch die Formenreihe in vier Arten, welche Differenzirung in der Zone des *A. macrocephalus* bereits so weit gediehen ist, dass die einzelnen Arten als Ausgangspunkte neuer Formenreihen betrachtet werden müssen. Aber schon im Unteroolith macht sich neben *Amm. subradiatus* eine andere Form geltend, welche entweder mit der eben genannten Art gleiche Abstammung besitzt, oder in dieser selbst wurzelt; ich habe dieselbe *Amm. genicularis* genannt. Dieser entwickelt sich indess im Verlaufe unabhängig zu einer eigenen Collektivart, die ich als *Amm.* V *genicularis* bezeichne. Die letzten zu dieser Formenreihe gehörigen Glieder finden sich wahrscheinlich in der Zone des *A. athleta*.

Das Ganze in Form einer Tabelle gebracht, stellt sich folgendermaassen dar:

Schichten	Formenreihe	*A.* V *subtililob.* (Höhere Schichten, Zone des *Amm. athleta*) / *Amm.* V *subradiatus* (Zone des *Amm. Sowerbyi* bis Zone des *Amm. macrocephalus*)	*Amm.* V *flector*	*Amm.* V *superbus*	*Amm.* V *genicularis*
Höhere Schichten	Mehrere Arten aus den *Tenuilobaten*	?	Viele Arten aus den *Flexuosen*		
Zone des *Amm. athleta*	*Amm. subtililobatus*	?	*A. denticulatus*	*Amm. bicostatus*	*Amm. Baugieri*
Zone des *Amm. anceps*	?	?	?	?	?
Zone des *Amm. macrocephalus*	*Amm. Mamertensis*,	*Amm. subcostarius*	*Amm. flector*	*Amm. superbus*	*Amm. graniger*
Zone des *Amm. aspidoides*	*Amm. aspidoides*, *Amm. subdiscus*, *Amm. latilobatus* *Amm. biflexuosus*				*Amm. serrigerus*
Zone der *Ter. digona*					
Zone des *Amm. ferrugineus*	*Amm. fuscus*				*Amm. subfuscus*
Zone des *Amm. Parkinsoni*	*Amm. subradiatus*				*Amm. genicularis*
Zone des *Amm. Humphriesian.*					
Zone des *Amm. Sauzei*	*Amm. subradiatus* (der ächte?)				
Zone des *Amm. Sowerbyi*					
Tiefere Schichten	?				

Sämmtliche Arten aus der Formenreihe des *A. subradiatus* besitzen in ihrem allgemeinen Habitus eine gewisse typische Uebereinstimmung, welche sie auf den ersten Blick erkennen lässt. Im Allgemeinen kann man dies durch Folgendes charakterisiren: Die äussere Form der ausgewachsenen Individuen ist meist die eines Ammoniten aus der bisherigen Gruppe der

Disci: der Nabel eng, die Höhe der Mundöffnung die Breite weit überwiegend. Die Seiten des Gehäuses sind mit sichelförmigen Rippen geziert, von denen meist nur der äussere, stark geschwungene Theil deutlich sichtbar ist; Siphonalseite gewöhnlich mehr oder weniger deutlich gekielt oder gekantet. Von all diesen Angaben finden sich bei einer oder der anderen Art indess Ausnahmen, darin aber stimmen alle Formen überein, dass der Kiel oder die Kante der Siphonalseite auf der Wohnkammer verschwindet und hier einer vollständig gerundeten Ventralseite Platz macht, so dass die Wohnkammer vollständig der eines Flexuosen gleicht. Der Mundrand ist in der Jugend mit Ohren versehen, später einfach sichelförmig geschwungen.

Die Grenzen, innerhalb welcher die Mutationen sich dieser Diagnose zufolge bewegen können, sind so nicht sehr weit gezogen, die verschiedene Beschaffenheit der Siphonalseite, die Art und Weise der Berippung, endlich die Loben geben die einzigen Anhaltspunkte zur Unterscheidung der einzelnen Formen. Dennoch sind innerhalb der Formenreihe schon eine ganze Anzahl von Arten unterschieden worden, von denen freilich manche untereinander keine Unterschiede bieten, trotzdem mussten noch mehrere neue hinzugefügt werden, so dass die Kette aus ziemlich vielen Gliedern zusammengesetzt erscheint, wie dies schon aus der vorstehenden Tabelle ersichtlich ist.

Nr. 1. Ammonites subradiatus Sow.

Tab. XVI (1) Fig. 1—5.

1823. *Ammonites subradiatus* Sow.: M. C. V. p. 23 tb. 421 f. 2.
1831. „ *depressus* (Bosc.) Buch: Rec. de Pl. de Petrif. rem. p. 1 tb. I f. 4 (non 1. 2. 3. 5.)
1845. „ *subradiatus* (Sow.) Orbigny: Pal. fr. Terr. jur. I p. 362 tb. 118 u. tb. 129 f. 3.
1851. „ *depressus* (Buch) Bronn: Leth. geogn. IV. p. 323 (z. Th.).
1852. „ *subradiatus* (Sow.) u. *A. depressus* (Buch) Giebel: Fauna d. Vorw. III p. 524 u. 527 (z. Th.).
1856. „ *subradiatus* (Sow.) Oppel: Juraform. p. 372.
1865. „ *subradiatus* (Sow.) Schloenbach: Beitr. z. Paläontolog. d. Jura- u. Kreideform. im n.-w. Deutschl., Erstes Stück: Jurass. Amm. (Sep. aus Paleontogr. Bd. XIII) p. 33 (z. Th.).
1867. „ cf. *subradiatus* (Sow.) Waagen: Zone des A. Sowerbyi, Geogn. pal. Beitr. I p. 600.

Die Anzahl der mir zur Untersuchung vorliegenden ausgewachsenen Exemplare dieser Art beläuft sich auf etwa 30, denen sich noch eine Reihe von Jugendformen anschliesst. Die Mehrzahl derselben stammt von Bayeux, wenige von einigen anderen französischen und von englischen Lokalitäten. Aus Deutschland kenne ich nicht ein Stück dieser Art, wohl aber besitze ich ein Exemplar, das ich in den Humphriesianus-Schichten des Cantons Aargau gesammelt habe.

Alle diese Vorkommnisse stimmen in einigen wesentlichen Merkmalen ausgezeichnet miteinander überein, und lassen *Amm. subradiatus* als eine von späteren Formen scharf und leicht unterscheidbare Art erscheinen.

Das älteste Exemplar, welches ich kenne, stammt aus der Malière von Sully bei Bayeux und gehört vielleicht den Murchisonae-Schichten, wahrscheinlicher aber den Schichten des *Amm. Sowerbyi* an. Es hat eine Grösse von nur 44 Mm. Durchmesser, zeigt aber trotzdem manche Eigenthümlichkeiten, so dass ich es vorziehe, dasselbe gesondert für sich zu beschreiben. Die allgemeinen Formverhältnisse sind die des *Amm. subradiatus.* Von einem ziemlich engen Nabel erstrecken sich kaum sichtbare Sichelrippen gegen aussen und treffen am Aussenrande jene charakteristischen feinen Rippenansätze, welche dem *Amm. subradiatus* zukommen. Von ihnen finden sich bei dem vorliegenden Stücke 60 auf dem letzten Umgange. Das Eigenthümliche liegt aber in dem Querschnitte der Windungen: die Seitenflächen laufen vom Nabel fast parallel gegen eine vollständig gerundete, ziemlich breite Siphonalseite, welche weder am Steinkerne, noch an beschalten Stellen eine Spur von einem Kiele oder einer Kante trägt. Da nun im Allgemeinen die Formenreihe des *Amm. subradiatus* bis zu einem gewissen Stadium das Bestreben erkennen lässt, die Siphonalseite immer mehr zuzuschärfen, muss es auffallen, dass das älteste Vorkommen die Schale hier am meisten gerundet zeigt. Es wäre daher wohl möglich, dass man bei hinreichendem Materiale die Form der Murchisonae- oder Sowerbyi-Zone als besondere Mutation unterscheiden könnte, die Formel dafür wäre dann *Amm.* $\Lambda\frac{\textit{subradiatus}}{\textit{sp. nov.}}$.

Alle anderen Formen bis zur Zone des *Amm. Parkinsoni* fasse ich zusammen unter der Bezeichnung *Amm. subradiatus.* Es ist zwar nicht zu leugnen, dass die den Humphriesianus-Schichten entstammenden Stücke gewöhnlich eine etwas rundere Siphonalseite zeigen, als die mit *Amm. Parkinsoni* zusammen vorkommenden, doch findet sich nicht die hinlängliche Constanz in diesem Verhältnisse, um beide Typen mit einiger Schärfe auseinanderhalten zu können.

Die Jugendzustände des *Amm. subradiatus* sind höchst variabel. Die ganz kleinen, bis zu etwa 10 Mm. Durchmesser sind stets weit genabelt und ziemlich niedrigmündig. In der frühesten Jugend fehlt auch die Berippung und die Schale erscheint ganz glatt, jedoch schon bei 6 Mm. Durchmesser zeigt sich am Siphonalrande des Gehäuses eine Skulptur, die aus kurzen, etwas geschwungenen Rippenansätzen besteht. Aeusserst schwache, kaum zu bemerkende Sichelrippen bedecken ausserdem in grösseren oder kleineren Zwischenräumen die ganze Schale. Erst später, bei 20 Mm. Durchmesser, stellen sich einzelne, kräftigere Rippen ein, welche vom Aussenrande der Schale in starker Biegung nach vorn gegen die Mitte der Seiten verlaufen, und von hier, bedeutend schwächer werdend, wieder etwas nach rückwärts gewendet dem Nabelrande zustreben. Zwischen den kräftigeren Rippen finden sich dann am Siphonalrande gewöhnlich 3, selten 4 kurze Rippenansätze eingeschaltet. Exemplare von bedeutenden Dimensionen verlieren diese Zwischenrippen etwas früher oder später wieder, und es sind dann nur noch jene stark gekrümmten Sicheln sichtbar, welche von der Mitte der Seiten nach dem Aussenrande sich hinziehen. Auf dem grössten in meinem Besitze befindlichen Exemplare von 125 Mm. Durchmesser zähle ich auf dem letzten Umgange 25 solcher Sichelrippen, und dies ist die gewöhnliche Anzahl, seltener finden sich 17—20.

Der Nabel ist, wie schon erwähnt, im Jugendzustand dieser Art ziemlich weit. Bei zunehmender Grösse des Gehäuses verengt sich indess derselbe verhältnissmässig immer mehr, indem die Involution der Schale immer beträchtlicher wird. Während bei einem Exemplar von 30 Mm. Grösse der Nabel 0,2 des Gesammtdurchmessers beträgt, stellt sich dies Verhältniss bei 125 Mm. Durchmesser nur zu 0,08 heraus. Oft kommt es aber auch vor, dass grössere Stücke einen nicht nur relativ, sondern selbst absolut engeren Nabel aufweisen als junge Individuen. Diese Verengerung des Nabels wird dadurch bewirkt, dass die anfangs senkrecht der Naht zu fallende Nahtfläche sich immer mehr nach einwärts biegt und so die weit vortretende stumpfe Nabelkante den Nabel mehr und mehr schliesst. Diese theilweise Schliessung des Nabels tritt bei einigen Individuen etwas früher ein, bei anderen etwas später, und hierin besteht namentlich die grosse Variabilität der Jugendformen von *Amm. subradiatus*.

Sehr charakteristisch ist die Siphonalseite. Bis zu einem Durchmesser des Gehäuses von 10 Mm. zeigt dieselbe (Steinkern wie Schale) eine stumpfe Kante, die sich indess auf dem Steinkern bald verliert, um einem in engem Bogen gewölbten Aussenrande Platz zu machen. Beschalte Stücke tragen häufig bis zu einem Durchmesser von etwa 45 Mm. einen stumpfen, schwach gegen die Seiten des Gehäuses abgesetzten Kiel, bei weiterem Wachsthum verschwindet indess derselbe vollständig und Schale wie Steinkern besitzen dann eine Siphonalseite, welche sich in engem Bogen vollständig rundet und nicht eine Spur eines Kieles oder einer Kante erkennen lässt.

Die Grösse, welche die Art erreichte, scheint nicht sehr beträchtlich gewesen zu sein, denn einzelne Exemplare zeigen schon bei 85 Mm. Durchmesser Spuren des Ausgewachsenseins, während sämmtliche mir zur Beobachtung vorliegende Stücke von über 100 Mm. Durchmesser Anfang der Wohnkammer besitzen. Der Mundrand ist in der Jugend mit einem schmalen, lanzettlichen Ohr versehen, das die Abbildung bei Orbigny, Pal. fr. Terr. jur. tb. 129 f. 3 gut wiedergibt. Im Alter ist der Mundrand einfach sichelförmig geschwungen. Die Länge der Wohnkammer beträgt gewöhnlich etwas mehr als einen halben Umgang, die Ventralseite ist auf derselben breiter gerundet als auf den übrigen Windungen.

Die Loben sind höchst charakteristisch: die Lobenkörper breit, wenig verzweigt, Sättel nach rückwärts weit geöffnet. Siphonallobus 2theilig, jeder Theil in 3 Spitzen endigend, Aussensattel durch einen Sekundärlobus in 2 ungleiche Theile getheilt; Sekundärlobus selbst 3spitzig, sonst nicht verzweigt. Erster Seitenlobus so lang oder etwas länger als der Siphonallobus, 3spitzig, mittlere Spitze am längsten, erster Seitensattel viel weiter nach vorn reichend als der Aussensattel, Sekundärlobus in demselben kaum angedeutet, zweiter Seitenlobus beträchtlich kürzer als der erste, unsymmetrisch 3spitzig endigend, folgen noch bis zur Naht 5—6 nach und nach kleiner werdende Hilfsloben.

Die Variabilität der grösseren Exemplare liegt hauptsächlich in der Dicke oder dem Querdurchmesser des Gehäuses. Die grösste Dicke des Querschnittes der Windungen findet sich an der Nabelkante. Von hier bis zum ersten Dritttheil der Windungshöhe gegen die Siphonalseite zieht sich die Schale wieder etwas zusammen, um bald wieder anzuschwellen und sich im zweiten Dritttheil nochmals etwas einzusenken. Hiedurch entstehen an den besagten Stellen seichte Vertiefungen, welche in spiralem Verlaufe die Seiten des Gehäuses zieren; die äussere derselben kann auch an einzelnen Stücken durch eine wulstartige Erhöhung vertreten sein. Um dies an einem Beispiele klar zu machen, will ich die betreffenden Maasse eines Exemplares beifügen. Es beträgt bei 110 Mm. Durchmesser die Dicke des letzten Umganges

an der Nabelkante	24 Mm.
im ersten Drittel der Windungshöhe	22 Mm.
etwas höher	23 Mm.
im zweiten Dritttheil	21 Mm.

Bei dem aufgeblähtesten Individuum von *Amm. subradiatus*, welches mir vorliegt, verhält sich der Durchmesser des Gehäuses zur Dicke der letzten Windung wie 1 : 0,28. Das gewöhnliche Verhältniss ist indess 1 : 0,20. Diese beiden Zahlen geben zugleich die Grenzen an, innerhalb welcher die Art in Bezug auf die Dicke variirt.

Ich lasse nun schliesslich noch die Maasse einiger Individuen folgen. Sie stammen sämmtlich aus der Zone des *Amm. Humphriesianus* von Bayeux bis auf Nr. 6, das den dortigen Parkinsoni-Schichten angehört.

	I.	II.	III.	IV.	V.	VI.	VII.	VIII.
Ganzer Durchmesser des Gehäuses	16.	28.	29.	45.	73.	103.	119.	125.
Weite des Nabels	5.	5.	6.	6.	8.	6.	7.	8½.
Höhe des letzten Umganges von der Naht	6¼.	15.	14.	24½.	40.	56.	68.	67.
Höhe des vorletzten Umganges	3.	5.	5.	9.	16.	25.	30.	34.
Dicke des letzten Umganges	—	6.	8.	12.	18.	21.	32.	25.
Dicke des vorletzten Umganges	—	3.	4½.	6.	9.	12.	20.	17.
Nichtinvoluter Theil des vorletzten Umganges	1½.	¾.	1.	1.	⅓.	⅓.	¼.	½.

Bemerkungen. Die von meinem Freunde Schlönbach vorgenommene Vereinigung von *Amm. subradiatus* Sow., *Amm. fuscus* Quenst. und *Amm. aspidoides* Opp. in eine Art macht eine genaue und specielle Darstellung der Unterschiede nothwendig, durch welche sich genannte drei Arten auseinander halten lassen. Allerdings war es sehr verführerisch, diese Vereinigung vorzunehmen, und es darf einem Forscher durchaus nicht zur Last gelegt werden, wenn er sich hiezu verleiten liess, denn die constanten Unterschiede, welche vorhanden sind, sind nur an wenigstens nahezu ausgewachsenen Stücken zu erkennen, und dann noch sind dieselben sehr gering und wenig in die Augen fallend. Sehr begreiflich ist es, wenn solche Kennzeichen zur Begründung einer Art nicht auszureichen schienen, mir selbst ging es gegen das natürliche Gefühl, diese so wenig abweichenden Erscheinungsweisen ein und desselben Grundtypus als durchaus gesonderte Arten aufzufassen. Dennoch aber sind Unterschiede und zwar höchst constante Unterschiede vorhanden, Unterschiede, welche sich gänzlich an das geologische Alter der Stücke binden. Diese Beobachtungen haben mich zu den Reflexionen geführt, welche ich in den einleitenden Bemerkungen niedergelegt habe.

Diese Unterschiede müssen aber, einmal erkannt, festgehalten werden, nicht nur im Interesse der Geognosie, sondern auch vor allem im Interesse der Paläontologie und der Entwickelungsgeschichte der Arten. Sie sind, sobald man darauf aufmerksam geworden ist, sehr einfach und leicht aufzufinden. Das Hauptcharakteristikum liegt in der Siphonalseite des Gehäuses. Alle Stücke, welche tiefer als Fullers earth (Zone des *Amm. ferrugineus*), also im eigentlichen Unteroolith liegen, zeigen diesen Theil der Schale gerundet, während alle Vorkommnisse der Bathgruppe eine scharfe Siphonalseite tragen. An der Grenze beider Schichtengruppen sind diese Unterschiede weniger in die Augen fallend, als bei geologisch älteren und jüngeren Exemplaren, da, wie schon vorher erwähnt, die Stücke der Parkinsoni-Schichten häufig eine in engerem Bogen gewölbte Siphonalseite besitzen als die früheren Vorkommnisse, dennoch sind diese Verschiedenheiten immer da, und man wird nie in Verlegenheit kommen, wohin man das eine oder das andere Exemplar zu stellen habe. Einen weiteren, wenn auch nicht so sicheren Anhaltspunkt zum Auseinanderhalten der Mutationen bieten die Loben, und es ist namentlich der erste Seitenlobus, welcher sich zur Vergleichung eignet. Bei *Amm. subradiatus* sind nämlich die Lobenkörper breit zungenförmig, während bei allen späteren Formen dieselben keilförmig bis schmächtig erscheinen. Dies ist übrigens nur an Individuen, welche bereits eine gewisse beträchtlichere Grösse erreicht haben, zu beobachten; Jugendexemplare aller 3 Arten zeigen fast durchaus übereinstimmende Loben. Hierin, sowie in dem Umstande, dass unter 30—60 Individuen der jüngeren Mutationen eines oder das andere wieder zur Lobenform der Stammart mehr oder weniger zurücksinkt, liegt die geringere Anwendbarkeit der den Loben entnommenen Kennzeichen zur Unterscheidung der Arten.

Das bisherige mag hinreichen, den *Amm. subradiatus* festzustellen. Es erübrigt nur noch Einiges über die Synonymik beizufügen.

Amm. depressus Buch wurde theilweise mit *Amm. subradiatus* verwechselt (Bronn. Leth. geogn.), weil Buch wirklich fig. 4 einen zu dieser Art gehörigen Ammoniten abbildet, in der Meinung, dass das eigenthümliche Aussehen nur vom Erhaltungszustande herrühre. D'Orbigny hat dies bereits richtig erkannt und in Folge dessen die betreffende Figur mit *Amm. subradiatus* vereinigt. Unrecht hat er dagegen, fig. 1, 2, 3 und 5 bei Buch zu *Amm. Murchisonae* zu stellen. Wie er überhaupt *Amm. Murchisonae* Sow. unglücklich deutete, so ist auch das angeführte Synonym hier nicht am Platze; im Gegentheile glaube ich, dass *Amm. depressus* Buch eine wohl unterscheidbare Art darstelle, die mir aber bis jetzt nur in den Murchisonae-Schichten der Normandie und des südlichen England vorgekommen ist. Aber noch eine andere Art wird sehr häufig als identisch mit *Amm. subradiatus* angeführt, es ist dies

Amm. Waterhousi Morr. & Lyc. (Gr. Ool. Moll. I Univalves p. 13 tb. I f. 4). Mir liegen 2 Exemplare dieser sehr seltenen Art vor, das eine von mir selbst gesammelt bei Symondsbury, das andere aus der Oppel'schen Sammlung von Burton Bradstock (beides in Dorsetshire) stammend. Wenn man nur die von den Autoren gegebene Synonymik berücksichtigt, ohne Naturexemplare vergleichen zu können, ist es natürlich, diese Art mit *Amm. aspidoides*, resp. mit *Amm. subradiatus* zu vereinigen. Wenn man dagegen nur ein einziges Stück zur Untersuchung verfügbar hat, wird man sich von der grossen Verschiedenheit beider Arten bald überzeugen. Schon der überaus enge Nabel fällt auf, noch mehr die abgestumpfte Siphonalseite mit dem aufgesetzten scharfen Kiel. Wenn man diesen selbst genauer betrachtet, findet sich bald, dass er gegen das übrige Lumen der Röhre durch eine besondere Scheidewand abgeschlossen sei, dass mithin die Art zu den Quenstadt'schen Dorsoavaten gehöre. Gut erhaltene Exemplare zeigen ausserdem Spiralstreifen, so dass wir die Verwandtschaft von *Amm. Waterhousi* eher bei *Amm. Truellei* als bei *Amm. subradiatus* zu suchen haben.

Untersuchte Stücke, Vorkommen. Von dem mir von *Amm. subradiatus* vorliegenden Materiale stammen 15 Stücke aus dem Unteroolith von Sully bei Bayeux, 12 von St. Vigor, 5 von Le Mesnil-Louvigny bei Caen, 2 von Symondsbury bei Bridport und 1 von Nevers, Département Nièvre; 1 von der Betzenau im Canton Aargau.

Nr. 2. Ammonites fuscus Quenst.

Tab. XVI (1) fig. 6, 7 u. Tab. XVII (2) fig. 4, 5.

1836. *Amm. depressus* (Buch) Roemer und *Amm. fonticola* (Menke) Roem.: Oolithengeb. p. 186 u. 187 (z. Th.).
1843. „ *hecticus* (Rein.) var. Quenst.: Flötzgeb. p. 366.
1845. „ *canaliculatus fuscus* Quenst.: Cephalop. p. 119 tb. 8 fig. 7—9.
1851. „ *Henrici* (Orb.) Kudernatsch: Ammon. von Swinitza (Abh. d. k. k. geol. Reichsanst. Bd. I, Abth. 2) Sep. p. 11 tb. II fig. 9—13.
1852. „ *discus* (Buch.) Quenst.: Hdb. Petrefaktenk. p. 364 (z. Th.).
1856. „ *aspidoides* Opp.: Juraform. p. 474 (z. Th.).
1856. „ *fuscus* Quenst.: Jura p. 475 tb. 64 fig. 1—3.
1862. „ *bisculptus* Opp.: Pal. Mitth. p. 149.
1864. „ *orbis* (Gieb.) Seebach: Hann. Jura p. 146 (z. Th.) und *A. fuscus* (Quenst.) Seeb. ibid. p. 153.
1864. „ *fuscus* (Quenst.) Brauns: Hilsmulde (Paläontogr. Bd. XIII) Sep. p. 56 (z. Th. ?).
1865. „ *subradiatus* (Sow.) Schloenbach: Beitr. z. Pal. der Jura- u. Kreideform. (Paläontogr. Bd. XIII) Sep. p. 33 (z. Th.) tb. V fig. 2—12 (11 ?).

Schon die oben gegebene Synonymik lässt auf die Schwierigkeiten schliessen, welche die hier zu behandelnde Art in Bezug auf Feststellung und Abgrenzung bietet. Fast von jedem Forscher ist dieselbe bisher wieder anders aufgefasst worden, und wenn man erst die Synonymen-Verzeichnisse, welche die oben gegebenen Citate in sich schliessen, näher durchgeht, entsinkt fast der Muth, hier noch je zu einer scharfen Definirung der Art durchzudringen.

Dennoch ist es möglich, dies auszuführen und so eine Form zu charakterisiren, welche stets ein ganz bestimmtes geologisches Niveau einnimmt und sicher wieder erkannt werden kann. Es ist nur schwer, die feinen Merkmale, die die Art auszeichnen, in Worte zu kleiden und so auch Anderen zugänglich zu machen.

Wie bei *Amm. subradiatus* ist der erste Jugendzustand vollständig glatt, meist ziemlich niedrigmündig und weit genabelt, doch zeigt sich in Bezug auf letztere beide Eigenschaften schon in der frühesten Jugend eine Neigung zum Variiren. Mit einem Durchmesser von 5—10 Mm. fängt die Schale an sich mit Rippen zu bedecken, doch geschieht dies gewöhnlich in anderer Weise als bei *Amm. subradiatus*. Man sieht hier vom Nabel meist schwache, ziemlich feine Rippen in verschiedener Anzahl ausstrahlen, welche auf der Mitte der Seiten unter einer mehr oder weniger auffallenden Knickung nach vorne in 2—3 stärkere Rippen zerfallen, welch letztere in ihrem ganzen Verlaufe deutlich zu erkennen in sichelförmiger Biegung der Siphonalseite zustreben. Jene feinen Rippenansätze, welche bei *Amm. subradiatus* wie Kerbungen den Aussenrand zieren, kommen bei der vorliegenden Art nur sehr selten vor, doch ist in Fig. 6 bei Schlönbach ein derartiges Stück abgebildet; unter 60 verkiesten Exemplaren von Oeschingen finden sich ebenfalls 2 so beschaffene Individuen. Bis zu einem Durchmesser von etwa 40 Mm. bleibt die Berippung gewöhnlich ziemlich dicht und man kann dann meist auf dem äussern Theile des letzten Umgangs zwischen 30 und 40 ziemlich kräftige Sichelrippen zählen, von da ab rücken die Rippen etwas weiter auseinander, so dass die grössten mir vorliegenden Exemplare von 75 Mm. Durchmesser deren nur noch 25 erkennen lassen. Wie bei *Amm. aspidoides* ist dann der innere Theil der Rippen nur noch durch schwache Anwachsstreifen angedeutet, welche vom Nabel bis auf die Mitte der Seiten sich erstrecken, hier auf einen spiral verlaufenden schwachen Medianwulst stossen und verschwinden, um den auf der zweiten Hälfte der Windungshöhe sich findenden ziemlich kräftigen Sicheln Platz zu machen. In Bezug auf die Skulptur liegt also das Charakteristische bei der in Rede stehenden Art darin, dass bei weitaus der grössten Zahl der Exemplare sämmtliche der an dem Siphonalrande des Gehäuses beobachtbaren Sichelrippen in deutlichem Verlaufe bis auf die Mitte der Seiten zu verfolgen sind, und dass bei ausgewachsenen Exemplaren sich mindestens 22 solcher Sicheln auf dem letzten Umgang finden.

Die Siphonalseite verhält sich bei den grossen Exemplaren verschieden, je nachdem der Nabel weit oder eng, der Querschnitt der Windungen mehr oder weniger aufgebläht erscheint. Bei den mir vorliegenden hochmündigen

Stücken ist der Aussenrand des Gehäuses scharf und schneidend, während die niedrigmündigen Individuen eine breitere mehr gerundete, indess mit scharfer Kante in der Mitte versehene Siphonalseite zeigen. Zwischen beiden Extremen finden sich Zwischenformen. Sämmtliche Varietäten der Art aber runden ihre Siphonalseite auf der Wohnkammer fast vollständig zu, so dass hier nur mehr eine stumpfe Kante zu bemerken ist, oder auch selbst diese völlig fehlt. Die Jugendformen zeigen, wie bei der ganzen Formenreihe, so auch hier, einen meist nicht sehr deutlich gegen die Seiten des Gehäuses abgesetzten Kiel.

Das Auffallendste an *Amm. fuscus* ist die Variabilität der Windungshöhe. Bis zum dritten Umgang, i. e. bis zu einem Durchmesser von etwa 4 Mm. sind sämmtliche Varietäten weit genabelt mit verhältnissmässig dicken gerundeten Windungen. Von hier an aber beginnt schon eine Differenzirung sich geltend zu machen. Die einen nehmen rasch an Windungshöhe zu, der Nabel erweitert sich nur sehr langsam und der grösste Theil der vorhergehenden Windung wird involvirt. Haben die so beschaffenen Individuen indess einen Durchmesser von 45 Mm. erreicht, so hört bei weiterem Wachsthum der Nabel gewöhnlich auf an Grösse zuzunehmen, ja es kommen Fälle vor, dass er sich dann, wie bei *Amm. subradiatus*, wieder theilweise verengert. Eine andere Gruppe von Individuen bleibt auch nach Vollendung der ersten Paar Umgänge noch ziemlich niedrigmündig, die Windungen sind weniger involut und der Nabel in Folge dessen offener. Derartige Exemplare zeichnen sich gewöhnlich auch noch dadurch aus, dass sie stärkere Rippen tragen und kleiner bleiben als die hochmündigen, doch ist dies nicht durchgehends der Fall. All diese hier besprochenen Varietäten sind von Schlönbach auf tb. V seiner „Beiträge zur Paläontologie der Jura- und Kreide-Formation, Stück I" ausgezeichnet abgebildet, so dass das bisher Gesagte genügen mag und ich für alles Weitere auf diese höchst gelungenen Figuren hinweisen kann.

Der Mundrand der Art scheint in der Jugend immer mit Ohren geziert zu sein, welche theils eine einfach zungenförmige, theils eine löffelartige Gestalt besitzen. Im Alter scheinen dieselben zu fehlen, doch gestattet das mir vorliegende Exemplar von Shipton Gorge (Dorsetshire) in dieser Beziehung keine ganz sichere Beobachtung; andere grössere Exemplare sind nicht bis zum Mundrande erhalten. Die Länge der Wohnkammer beträgt etwas über $1/2$ bis $2/3$ Umgang. Die Art scheint nicht sehr gross geworden zu sein, indem meine sämmtlichen Exemplare zwischen 50 und 70 Mm. Durchmesser den Anfang der Wohnkammer, theilweise mit Spuren des Ausgewachsenseins, tragen.

Die Loben sind, namentlich bei Jugendexemplaren, denen von *Amm. subradiatus* ausserordentlich ähnlich, später zeigen sie in ihrer Form manches Charakteristische. Die Lobenkörper sind breit, keilförmig, die daranhängenden Zacken sind fein ausgefranst, wie dies bei *Amm. subradiatus* nicht der Fall ist. Der den Aussensattel unsymmetrisch halbirende Sekundärlobus besitzt Sekundärzacken, während ihm dieselben bei *Amm. subradiatus* mangeln u. s. f. Besser als sich dies mit Worten geben lässt, wird man die Unterschiede erkennen, wenn man die Figuren vergleicht. Ausserdem aber zeigt *Amm. fuscus* bis zur Nabelkante bereits 5 Hilfsloben, während *Amm. subradiatus* bei gleicher Grösse erst 3 aufweist.

Es bleibt nun nur noch übrig, Einiges über die Maassverhältnisse beizufügen. Wenn man den Durchmesser als Einheit betrachtet, so ist bei einem ausgewachsenen, niedrigmündigen Exemplar der Nabel gleich 0,17, die Dicke 0,26, bei einem ebensolchen hochmündigen Stück dagegen der Nabel 0,10, die Dicke 0,23. Die grösste Dicke der Windungen liegt hier nicht, wie bei *Amm. subradiatus*, an der Nabelkante, sondern auf der Mitte der Seiten. Es misst bei 75 Mm. Durchmesser des Gehäuses die letzte Windung

an der Nabelkante . .	12½ Mm.
auf der Mitte der Seiten	15 Mm.

Die absoluten Maasse der Gehäuse hat Schlönbach bereits von sieben norddeutschen, grösstentheils verkiesten Exemplaren gegeben, ich will diesen noch jene von den Individuen einiger anderen Lokalitäten beifügen. Nr. I ist eine grobrippige, weitgenabelte Varietät von Oeschingen (Württemberg), Nr. II feinrippige, hochmündige Varietät, ebendaher, beide verkiest; Nr. III Exemplar von St. Pezenne bei Niort, Nr. IV und V aus den Oolithen von Bopfingen (Württemberg), Nr. VI von Shipton-Gorge bei Bridport (Dorsetshire), Nr. VII von Yeovil (Somersetshire).

	I.	II.	III.	IV.	V.	VI.	VII.
Ganzer Durchmesser des Gehäuses. . .	29.	44.	41.	49.	50.	70.	76.
Weite des Nabels	7.	6.	6.	8.	7.	5.	6¼.
Höhe des letzten Umganges von der Naht	13.	24.	22.	25.	27½.	40.	44.
Höhe des vorletzten Umganges von der Naht	6.	8½.	9.	10½.	9.	17.	17½.
Dicke des letzten Umganges.	6½.	9.	9.	13.	10½.	14½.	15.
Dicke des vorletzten Umganges. . . .	4.	4½.	5.	5.	5.	?	6½.
Nicht involuter Theil des vorletzten Umganges	2.	½.	½.	1½.	1.	¾.	1.

Bemerkungen. *Amm. fuscus* ist eine der interessantesten Ammonitenarten, schon wegen der merkwürdigen Veränderlichkeit seiner Formen. Man kann unter allen Varietäten zwei Haupttypen hervorheben, deren Verschiedenheit schon aus den tb. XVI fig. 6 und 7 gegebenen Darstellungen hinlänglich erhellt. Diese Abweichung ist so auffallend, dass jeder, der nur die Extreme kennen würde, zwei Arten vor sich zu haben überzeugt wäre. Die einen haben einen mässig weiten Nabel, ziemlich niedrige Windungen und erreichen schon bei höchstens 55 Mm. Durchmesser das Ende ihres Wachsthums. Sie haben dann eine Wohnkammer, welche gegen den Mundrand zu rasch an Dicke zunimmt und den Kiel bis auf eine geringe Spur verliert. Der Mundrand selbst ist an den Seiten in grosse, löffelförmige Ohren ausgezogen, am Siphonaltheil aber ragt er in einem breiten, gerundeten, kurzen Lappen nach vorne. — Die anderen zeigen einen engen Nabel, hohe Windungen, und scheinen erst bei etwa 80 Mm. Durchmesser ausgewachsen zu sein. Die Wohnkammer ist gegen das übrige Gehäuse nicht unverhältnissmässig dick, verliert aber ebenfalls den Kiel. Der Mundrand besitzt keine Ohren, sondern nur ein Ventrallappen ragt etwas nach vorne.

Beide Varietäten finden sich stets beisammen, doch ist erstere meist etwas seltener als letztere; ich kenne jene von Nipf bei Bopfingen und von Shipton-Gorge bei Bridport, ausserdem bildet sie Schlönbach von Gelmkebach bei Goslar ab.

Ob nicht doch zwei Arten hier vorliegen, wer kann es sagen? Liegt nicht die Möglichkeit nahe, dass häufige Bastardbildung die Form der einen oder der anderen Art mehr oder weniger verschwimmen liess, so dass die Formübergänge nur scheinbar vorhanden wären? Ich denke hiebei an den später zu beschreibenden *Amm. subfuscus*, der in seiner reinen Ausbildung eine geknickte Wohnkammer besitzt, in seiner Bastardform dieses Knie aber leicht verloren haben kann. Lägen lauter bis zum Mundrand erhaltene Exemplare vor, könnte man wohl in dieser Frage zu einer Entscheidung gelangen, so aber hat man es in der Paläontologie fast ausschliesslich mit unvollständigen Stücken, meist nur mit inneren Windungen zu thun, so dass man hierin nur äusserst schwer zu bestimmten Resultaten durchzudringen im Stande ist. Die verschiedene Ausbildung des Mundrandes und die stets verschiedene Grösse dürften vielleicht auf Thiere verschiedener Organisation schliessen lassen.

Amm. fuscus ist durch die scharfe oder deutlich gekielte Siphonalseite stets leicht von *Amm. subradiatus* zu unterscheiden, auch die Loben ausgewachsener Exemplare bieten meist deutliche Differenzen, wie ich bereits oben bemerkte. Schwieriger ist es, *Amm. fuscus* und *Amm. aspidoides* auseinander zu halten, doch will ich, um Wiederholungen zu vermeiden, die Unterscheidungsmerkmale erst bei der Beschreibung letzterer Art näher besprechen.

Die Synonymik bedarf indess noch einiger erläuternder Bemerkungen. Das Vorkommen des südwestlichen Deutschlands hat Quenstedt erst als *Amm. hecticus* var., dann als *canaliculatus fuscus* und schliesslich als *fuscus* beschrieben, doch unterscheidet er davon nicht scharf seinen *Amm. discus* Buch, und es mag Manches, was er zu letzterer Art stellt, noch zu *Amm. fuscus* zu zählen sein. In seiner „Juraformation" hat auch Oppel noch den *Amm. fuscus* ziemlich bestimmt mit *Amm. aspidoides* vereinigt, während ihm bei Bearbeitung letzterer Art für die „Paläontologischen Mittheilungen" diese Vereinigung schon fraglicher geworden war. Wenn er nun auch im Texte die verkiesten Vorkommnisse von Oeschingen noch als *Amm. aspidoides* anführt, so hat er dieselben in seiner Sammlung doch nur als *Amm. cf. aspidoides* bezeichnet, und er betrachtete so nur die grossen verkalkten Exemplare vom Nipf bei Bopfingen als Typus seiner Species. — Für die norddeutschen Vorkommnisse hat bereits Schlönbach die Synonymik ziemlich vollständig zusammengestellt, und ich bin ihm fast durchgehends gefolgt, nur ist möglicher Weise ein Theil dessen, was Seebach *Amm. orbis* und Brauns *Amm. fuscus* nennt, zu *Amm. aspidoides* zu ziehen. Schlimmer steht es mit der Bezeichnung dieser Art in England und Frankreich. In der Literatur ist sie nirgends ganz sicher erwähnt, wenigstens kann man nie mit Bestimmtheit schliessen, dass wirklich unsere Art gemeint sei, in Sammlungen dagegen liegt sie gewöhnlich als *Amm. discus* Orb. oder *Amm. subradiatus* Sow. etiquettirt. — Das alpine Vorkommen hat Oppel als

Amm. bisculptus unterschieden. Mir scheint dieser Name überflüssig, da, wie aus der Vergleichung von Naturexemplaren hervorgeht, diese Erfunde mit *Amm. fuscus* vollständig übereinstimmen.

Genetische Formel: *Ammonites* $\sqrt{\,}$ *fuscus* Quenst. / *subradiatus* Sow.

Untersuchte Stücke: 152 und zwar stammen 67 von Oeschingen, 1 von Laufen bei Balingen und 2 vom Nipf bei Bopfingen (Württemberg); 1 aus der Gegend von Bamberg und 2 von Thalmässing (Franken); 2 von der Egg bei Aarau (Schweiz); 15 von Mont Crussol bei Valence (Ardèche); 6 von St. Pezenne bei Niort (Deux Sèvres); 1 von Port-en-Bessin (Calvados), 8 von Shipton-George bei Bridport (Dorsetshire); 2 von Yeovil (Somersetshire); 2 von der Klausalp bei Hallstadt; 7 von der Mitterwand bei Hallstadt; 2 von Swinitza im Banat; 2 von Civezzano bei Trient; 30 von Brentonico bei Roveredo.

Vorkommen. Dass die vorliegende Art eine sehr bedeutende geographische Verbreitung besitzt, geht schon aus dem eben gegebenen Lokalitätenverzeichniss hervor, von noch grösserem Interesse aber ist ihr geologisches Vorkommen. Es ist durch unmittelbare Beobachtung an zahlreichen Punkten festgestellt, dass *Amm. fuscus* stets ein Niveau einnimmt, welches etwas jünger ist als die jüngsten Schichten des Unteroolithes, und etwas älter als die eigentlich typischen Ablagerungen der Bathgruppe, das Cornbrash u. s. w. In Frankreich, wo man dieselbe schon lange unterschied, belegte man diese Schicht mit der Bezeichnung Fullers earth, in Deutschland dagegen, wo die Trennung von den nächstliegenden Bildungen schwieriger durchzuführen ist, vereinigte man lange das Niveau des *Amm. fuscus* mit den Bathschichten oder dem Unteroolith im Allgemeinen, ohne es besonders auszuzeichnen. Erst im Jahre 1865 wurden zuerst durch Schlönbach, etwas später, doch fast gleichzeitig, durch Oppel Namen hiefür auch in Deutschland eingeführt, indem ersterer diese Schicht in Norddeutschland als „Zone des *Amm. ferrugineus*", letzterer am Mont Crussol ebendieselbe als „Zone des *Amm. zigzag* oder des *Amm. linguiferus*" bezeichnete. Sie bildet in Süddeutschland die Unterregion der Quenstedt'schen Dentalienthone, welche sich durch ihre eigenthümliche Fauna sehr charakteristisch auszeichnen. *Amm. fuscus* ist nun eines der hervorstechendsten Glieder dieser Fauna, die ausserdem noch einige andere bezeichnende Ammonitenformen enthält, wie:

Amm. ferrugineus Opp.
„ *polymorphus* Orb.
„ *sulcatus* Hehl.
„ *zigzag* Orb.
„ *linguiferus* Orb.
„ *Defrancei* Orb.
„ *subrugosus* Opp.
„ *psilodiscus* Schl.

Andere Arten setzen noch in die Zone des *Amm. aspidoides* hinauf fort, so *Amm. Württembergicus, subcontractus, aurigerus, arbustigerus* u. s. w.

Ueberall nun, wo *Amm. fuscus* auftritt, bringt er alle oder wenigstens einige der obengenannten Arten mit sich und bezeichnet so sehr bestimmt eine Zeitperiode, in welcher sich die so zusammengesetzte Fauna über Centraleuropa verbreitete. So finden wir ihn bei Niort in Begleitung des *Amm. zigzag, polymorphus, dimorphus, sulcatus, linguiferus*, ebenso bei Port-en-Bessin, wo noch *Bel. Bessinus* hinzukommt. Zu Shipton-George sammelte ich ihn in einem Scyphienlager an der Basis der Fullers Earth zusammen mit vielen prachtvollen Echinodermen, die ich indess noch nicht näher bestimmte. Eine sehr wichtige Lokalität für die in Rede stehende Art ist der Mont Crussol bei Valence. Nachdem ich unser von dort stammendes Material genau durchgegangen habe, kann ich nicht umhin, sämmtliche Stücke, die Oppel in seinem Aufsatze über diese Gegend als *Amm. aspidoides* anführt, dem *Amm. fuscus* zuzuweisen. Sowohl in den harten grauen Kalken mit *Amm. tripartitus* Nr. 5, als auch darüber in den eisenschüssigen Mergeln mit *Amm. linguiferus* kommt er hier ziemlich zahlreich vor und man darf hieraus vielleicht schliessen, dass, wie dies ja schon von einigen Arten nachgewiesen ist, die Orbigny'schen Angaben von *Amm. tripartitus* im Callovien auf einem Irrthum beruhen, insoweit letztere Art zu jenen zu zählen sei, welche wenigstens in den meisten Fällen ein Glied der Fauna der Zone des *Amm. ferrugineus* bilden. Auch was Quenstedt über das Lager seines *Amm. polystoma* sagt, steht damit nicht in Widerspruch. Interessant ist das häufige Vorkommen von *Amm. fuscus* in Südtyrol. Wir treffen ihn hier nicht nur in allen Varietäten, fein und grob gerippt mit weitem und engem Nabel, sondern auch häufig mit vollständigem mit Ohren geziertem Mundsaume. Er lebte hier in derselben Gesellschaft wie zu Niort, Port-en-Bessin oder Eimen (Braunschweig), indem mit ihm zusammen

Amm. ferrugineus Opp.
„ *polymorphus* Orb.
„ *sulcatus* Hehl
„ *psilodiscus* Schlönbach

u. s. w. nicht selten angetroffen werden. — Das Auftreten von *Amm. fuscus* und einiger anderer gewöhnlich mit ihm das Lager theilenden Arten zu Swinitza im Banat beweist eine noch weiter gegen Osten sich erstreckende Fortsetzung seiner Schichten.

Nr. 3. Ammonites aspidoides Opp.

Tab. XVIII (3) fig. 1—5 und tab. XX (3) fig. 9.

1845. *Ammonites discus* (Sow.) Orbigny: Pal. fr. Terr. jur. I. p. 394 (tb. 131?) z. Th. (non Sow.).
1845. „ *discus* (Buch) Quenstedt: Cephalop. p. 121 tb. 8 fig. 12 (non Buch).
1850. „ *discus* (Buch) Bronn: Leth. geogn. IV p. 330 (tb. 22 fig. 6a, b?) z. Th.
1852. „ *orbis* Giebel: Fauna d. Vorw. III p. 500 (z. Th.).
1856. „ *aspidoides* Oppel: Juraformation p. 474.
1856. „ *discus* (Buch) Quenst.: Jura p. 176 u. 477 (z. Th.).
1862. „ *aspidoides* Oppel: Paläont. Mitth. p. 147 tb. 47 fig. 1a, b.

1864. *Ammonites orbis* (Gieb.) Seebach Hannöv. Jura p. 146 (z. Th.).
1865. „ *subradiatus* (Sow.) Schlönbach: Beitr. z. Pal. d. Jura- u. Kreideform. (Paläontogr. Bd. XIII) Sep. p. 33 (z. Th.)

Amm. aspidoides ist die ansehnlichste Art der ganzen Formenreihe, offenbar hat letztere in ihr den Gipfelpunkt ihrer Entwicklung erreicht, von nun an beginnt sie dann wieder zu kleineren und unscheinbaren Formen zurückzusinken.

Die Art ist stets ziemlich leicht wieder zu erkennen und von den verwandten Formen zu unterscheiden, doch ist es hiezu nöthig, der Beschreibung von Oppel noch Einiges beizufügen.

Den ersten Jugendzustand, wie bei *Amm. subradiatus* und *fuscus* kenne ich bei der vorliegenden Art nicht, doch ist es sehr wahrscheinlich, dass derselbe ebenfalls eine glatte, weitgenabelte Form besitze. Das kleinste mir zur Verfügung stehende Exemplar misst bereits 10 Mm. Es ist noch vollständig glatt, hat einen mässig weiten Nabel und eine undeutlich gekantete Siphonalseite. Es stammt, wie alle die zunächst hier erwähnten Jugendformen, aus dem Innern eines mehrzölligen Exemplares von Balin. Bei etwas grösseren Stücken kommt es auch bei dieser Art vor, dass sie einen etwas weiteren Nabel zeigen, doch ist dies ziemlich selten. Unter 10 mir vorliegenden kleineren Individuen ist ein einziges, bei dem sich der Durchmesser zur Nabelweite verhält wie 1:0,21, gewöhnlich stellt sich das Verhältniss wie 1 : 0,18 und noch geringer heraus. Was die Skulptur betrifft, so ist dieselbe bei den Baliner Vorkommnissen bis zu einem Durchmesser von etwa 40 Mm. fast nicht zu bemerken, erst bei schief auffallendem Licht gewahrt man schwache, nur leicht gebogene Sichelrippen, welche die Seiten des Gehäuses gleichmässig bedecken. In einzelnen Fällen ist auch die Skulptur etwas kräftiger, doch sind das Ausnahmen. Die Siphonalseite ist in der Jugend, namentlich bei beschalten Stücken, mit einem deutlich aufgesetzten Kiele versehen, neben dem, etwas tiefer, zwei stumpfe Kanten verlaufen, die die Seitenflächen des Gehäuses von der Siphonalseite abgrenzen. Die Exemplare von Balin zeigen diese Kanten vollständig glatt, bei den Württemberger Vorkommnissen dagegen besitzen dieselben regelmässig jene feine Kerbung, welche die Jugendformen von *Amm. subradiatus* so häufig auszeichnet. Alle die bis jetzt erwähnten Stücke sind aus grossen, die Art-Charaktere deutlich an sich tragenden Individuen herausgeschält worden. Nun liegen aber auch 9 Exemplare von Balin vor, welche der weitgenabelten Varietät von *Amm. fuscus* ganz erstaunlich ähnlich sehen. Die seitlichen Rippen sind ziemlich stark geknickt und der äussere Theil derselben stark hervortretend. Es ist schwer zu entscheiden, ob man hier eine besondere

Art vor sich habe oder Jugendformen von *Amm. aspidoides*, da es mir trotz aller Mühe nicht gelungen ist, in einem der grossen Stücke als innere Windung eine ähnliche Form aufzutreiben. Dennoch ist es wahrscheinlich, dass man solche Erfunde als zu der in Rede stehenden Art gehörig betrachten müsse, da mehrere von ihnen eine fast vollständige Wohnkammer besitzen, ohne dass man auf derselben eine Zurundung der Siphonalseite oder eine Veränderung der Skulptur wahrnimmt.

Wenn die Stücke die Grösse von 40 Mm. überschritten haben, stellt sich die für die Art charaktoristische Skulptur in voller Deutlichkeit ein. Man bemerkt dann eine auf der Mitte der Seiten spiralig verlaufende wulstartige Erhöhung, von welcher gegen den Siphonalrand, 10 — 15 an Zahl, ziemlich kräftige schön geschwungene Sichelrippen ausstrahlen, von der Erhöhung nach innen zu zeigen sich wenige kaum bemerkbare Falten. Zugleich verschwinden die den Kiel begleitenden Kanten und dieser geht nun unmittelbar in die Seitenflächen über, wodurch sich das Gehäuse an der Siphonalseite in höchst charakteristischer Weise zuschärft, und der Querschnitt der Windungen jene ausgezeichnet pfeil-, ja fast pfriemenförmige Gestalt erhält, welche man an der bisherigen Familie der Disci vor Allem hervorhebt.

Die eben beschriebene Skulptur bleibt nun bis ins hohe Alter und selbst Stücke von mehr als 200 Mm. Durchmesser zeigen dieselbe noch, wenn auch allerdings etwas undeutlicher. Eine Veränderung ruft nur die Wohnkammer hervor. Die Seitenflächen behalten zwar ihre Sicheln, die Siphonalseite dagegen rundet sich vollständig zu und verliert jede Spur von Kiel oder Kante. Der Mundrand ist in der Jugend sehr wahrscheinlich mit Ohren geziert, im Alter dagegen fehlen dieselben und eine einfach sichelförmig geschwungene Linie bezeichnet das Ende der Schale.

Es ist noch eine besondere Skulptur zu erwähnen, welche der Schale selbst eigenthümlich und auf dem Steinkerne nicht zu beobachten ist. Man bemerkt nämlich unter der Loupe und bei günstiger Beleuchtung ausser den gröberen Sichelfalten auf der Schale zwei Streifensysteme, welche sich unter gewissen Winkeln kreuzen. Das eine verläuft radial und besteht aus den gewöhnlichen sichelförmig gebogenen Anwachsstreifen, das andere zieht sich vom Aussenrande des Gehäuses in äusserst schiefer Richtung nach vorne und innen, bis es auf den die Mitte der Seiten zierenden schwachen Spiralwulst trifft und hier verschwindet. Es kreuzt in diesem Verlaufe die Anwachsstreifen wie die Sichelfalten und gibt beiden ein etwas gestrahltes Ansehen. Schon *Amm. subradiatus* zeigt in einzelnen Fällen, jedoch nie so deutlich, diese Verzierung. Wahrscheinlich sind die Streifen des zweiten

Systems die Reste früher resorbirter Mundränder, welche nicht vollständig verwischt wurden.

Die Loben sind grösstentheils höchst charakteristisch, wenn sie auch im Allgemeinen nach dem bei der ganzen Formenreihe herrschenden Typus gebaut sind. Siphonallobus so lang oder etwas länger als der erste Seitenlobus, in 2 sehr verzweigte lange Aeste gespalten. Aussensattel durch einen sehr entwickelten, mehrfach verzweigten Sekundärlobus in 2 ungleiche Partien getheilt, etwas kürzer als der erste Seitensattel. Erster Seitenlobus mit schmächtigem, tief gespaltenem Lobenkörper, bei jüngeren Exemplaren unsymmetrisch 3spitzig, bei älteren 2spitzig endigend, jeder Ast mehrfach verzweigt. Erster Seitensattel durch einen nicht sehr entwickelten Sekundärlobus in 2 ungleiche Theile gespalten, deren innerer beträchtlich weiter als der Aussensattel heraufreicht. Zweiter Seitenlobus ähnlich dem ersten, jedoch kürzer; folgen noch bis zur Naht 6—7 nach und nach kürzer werdende Hülfsloben.

Was die Dimensionen betrifft, so wäre zunächst die Dicke des Gehäuses ins Auge zu fassen. Der grösste Querdurchmesser der Windungen liegt auf der Mitte der Seiten; von hier sowohl gegen den Nabel wie gegen den Aussenrand nehmen die Dimensionen ab. Es beträgt z. B. bei einem Stück von 220 Mm. Durchmesser die Dicke der letzten Windung

auf der Mitte der Seiten 40 Mm.
an der Nabelkante 37 Mm.

Endlich lasse ich noch die Maasse einiger Individuen folgen. Es stammt von diesen Nr. I, II, V, VI und X von Balin bei Krakau, Nr. III, IV und VII vom Nipf bei Bopfingen (Württemberg), Nr. VIII von Nevers (Département Nièvre) und Nr. IX von der Egg bei Aarau:

	I.	II.	III.	IV.	V.	VI.	VII.	VIII.	IX.	X.
Ganzer Durchmesser des Gehäuses	15.	26.	33.	48.	60.	99.	115.	125.	164.	218.
Weite des Nabels	4.	$5\frac{3}{4}$.	$4\frac{1}{2}$.	6.	7.	8.	8.	12.	14.	19.
Höhe des letzten Umganges von der Naht	6.	13.	18.	$25\frac{3}{4}$.	34.	55.	$64\frac{1}{2}$.	68.	92.	117.
Höhe des vorletzten Umganges von der Naht	3.	5.	$7\frac{1}{2}$.	$12\frac{1}{2}$.	13.	22.	$38\frac{1}{2}$.	31.	38.	58.
Dicke des letzten Umganges	3.	6.	7.	10.	12.	20.	25.	26.	31.	44.
Dicke des vorletzten Umganges	$1\frac{1}{4}$.	3.	$3\frac{1}{2}$.	5.	6.	$9\frac{1}{2}$.	$14\frac{1}{2}$.	14.	17.	22.
Nichtinvoluter Theil des vorletzten Umganges	1.	$\frac{1}{2}$.	$\frac{3}{4}$.	1.	$\frac{3}{4}$.	1.	2.	3.	4.	8.

Bemerkungen. Wenn man eine grössere Reihe von Individuen der vorliegenden Art aufmerksam betrachtet, fällt es sogleich auf, dass die Form derselben weit weniger Verschiedenheiten zeigt, als dies bei *Amm. fuscus* der Fall ist; es ist stets die flache, scheibenförmige Gestalt mit engem Nabel, wie sie Oppel in den paläontologischen Mittheilungen abgebildet hat, die uns hier entgegentritt. Man möchte glauben, dass dies nur in der Erhaltung seinen Grund habe, indem eben *Amm. fuscus* grossentheils in Thonlagern sich finde und dann verkiest erscheine, während *Amm. aspidoides* in der Regel verkalkt sei und dadurch ein anderes Aussehen erhalte. Doch ist dem nicht so, wie ich mich durch eingehendes Studium von etwa 100 verkalkten Exemplaren von *Amm. fuscus* auf's Bestimmteste überzeugte, und ich kann in Folge dessen mit Sicherheit behaupten, dass *Amm. aspidoides* eine sehr wohl unterscheidbare Art (Mutation) darstelle, welche stets wiedererkannt werden kann. Schon die eben erwähnte geringere Variabilität kann als Merkmal gelten, sodann die Grösse, dann, während *Amm. fuscus* bereits bei etwa 100 Mm. das Maximum seines Wachsthums erreicht hat, kann *Amm. aspidoides* bis zu einem Durchmesser von etwa 300 Mm. anwachsen. Mittelgrosse Stücke beider Arten lassen sich durch die Anzahl der Sicheln, welche auf dem äusseren Theil der Umgänge bemerkbar sind, unterscheiden. Bei *Amm. fuscus* sind dieselben nämlich immer in grosser Zahl vorhanden (wenigstens 20), während es *Amm. aspidoides* nur in seltenen Fällen bis auf 15 per Umgang bringt, die gewöhnliche Anzahl ist 10—12. Auch die Loben bieten einige Anhaltspunkte, indem dieselben bei letzterer Art gewöhnlich etwas complicirter erscheinen als bei *Amm. fuscus*, doch ist dies kein untrügliches Kennzeichen. Das am leichtesten zu beobachtende und sicherste Merkmal ist immer die Anzahl der Sicheln.

Jugendformen beider Arten bis zu einem Durchmesser von 30—40 Mm. lassen sich eigentlich nicht strikte unterscheiden. Man kann wohl sagen, dass der Jugendzustand von *Amm. aspidoides* gewöhnlich enger genabelt sei und schwächere Skulptur besitze als *Amm. fuscus*, doch kommen in tieferen Schichten auch immer wieder einzelne Stücke zum Vorschein, welche genau das Aussehen haben, wie die Jugendform der ersteren Art, die sich indess im Verlaufe zu typisch ausgeprägten *Amm. fuscus* entwickeln. Es bleibt also bei Bestimmung kleiner Exemplare stets eine gewisse Unsicherheit, die sich nicht vermeiden lässt. Ja selbst die Abgrenzung dieser noch nicht vollständig entwickelten Stücke gegen *Amm. subradiatus* wird schwierig, wenn auch nicht in dem Grade wie zwischen den beiden erstgenannten Formen, da sich die Verschiedenheit der Siphonalseite, die ja bei der einen Form gerundet, bei der andern schneidend ist, meist schon ziemlich früh deutlich entwickelt.

Bei grösseren Stücken von *Amm. aspidoides* weicht auch die Gestalt der Suturen sehr beträchtlich von jener bei *Amm. subradiatus* gewöhnlich vorkommenden ab, indem dieselben weit stärker zerschnitten erscheinen; kleinere Exemplare dagegen zeigen diese Eigenthümlichkeit noch nicht entwickelt, und die Loben gleichen dann mehr jenen der Sowerby'schen Art.

Die Synonymik der in Rede stehenden Art bedarf nicht sehr vieler Erläuterungen. Den zu wählenden Namen hat bereits Schlönbach durch einige sehr treffende Bemerkungen so ziemlich festgestellt, und es geht aus ihnen klar hervor, dass *Amm. aspidoides* als einzig richtiger Name angewendet werden müsse. Was nun den

Amm. discus Buch = **orbis** Giebel betrifft, so kann derselbe hier durchaus nicht in Betracht kommen, da er ganz sicher nicht der Formenreihe des *Amm. subradiatus* angehört, sondern, wenn sich dies nach der Abbildung überhaupt endgiltig entscheiden lässt, vielmehr dem *Amm. Tessonianus* genähert werden muss, der nach einem Stücke, das ich in den tieferen Lagen des englischen Unteroolithes sammelte, ganz ähnliche Loben besitzt. Wenn nun Giebel unter der Bezeichnung *Amm. orbis* auch noch Formen, die zu *Amm. aspidoides* gehören, vereinigt, so sind die letzteren, da Giebel seinen Artnamen in erster Linie auf *Amm. discus* Buch (non Sow.) übertragen hat, von der Giebel'schen Art zu trennen, und der Name *Amm. orbis* auf jene dem *Amm. Tessonianus* verwandte Form zu beschränken.

Amm. discus Orbigny (non Sow.) ist etwas schwieriger zu deuten, doch glaube ich mit Quenstedt annehmen zu dürfen, dass bei der Abbildung in der Paléontologie Française die Loben falsch gezeichnet seien. Zu dieser Annahme bestimmt mich namentlich auch ein Exemplar des hiesigen Museums, das aus der Baugier'schen Sammlung, die ja, wie bekannt, grösstentheils von Orbigny selbst bestimmt wurde, stammt, und die Bezeichnung *Amm. discus* d'Orb. trägt. Dasselbe stimmt in allen Beziehungen mit *Amm. aspidoides* überein und hat für die Abbildung auf tb. XVIII fig. 1 als Vorlage gedient.

Dass ein Theil dessen, was Oppel früher *Amm. aspidoides* genannt hat, dem *Amm. fuscus* zuzuweisen sei, habe ich schon oben erörtert.

Genetische Formel: *Ammonites* $\frac{aspidoides \text{ Opp.}}{\sqrt{subradiatus \text{ Sow.}}}$

Untersuchte Stücke: 89 und zwar stammen 11 vom Nipf bei Bopfingen (Württemberg), 1 von Vögisheim (Baden), 9 von der Egg bei Aarau (Schweiz), 2 von Nevers (Nièvre), 1 von Trois-Coigneaux bei Niort (Deux Sèvres); 73 von Balin, 1 von Trzebionka und 1 von Rudno bei Krakau.

Vorkommen. Ich habe hier unter den Württembergischen Vorkommnissen nur die verkalkten Stücke vom Nipf bei Bopfingen angeführt. Es ist sehr wahrscheinlich, dass auch unter den verkiesten Exemplaren, welche bei Oeschingen und an andern Lokalitäten gefunden werden, Individuen dieser Art vorkommen, doch sind diese Erfunde meist zu klein, um eine sichere Bestimmung zuzulassen. Hier, wie in Frankreich und wo sonst *Amm. aspidoides* sich zeigt, bezeichnet er sehr bestimmt die Oberregion der Bathgruppe, jene Schichten, in denen gewöhnlich auch *Macandrewia lagenalis* Schloth. sp. ihr Hauptlager hat. Die Verbreitung in Frankreich geht schon aus den obigen Citaten hervor. Orbigny gibt noch einige weitere Fundorte an. Aus England ist die Art noch nicht bekannt geworden, doch zweifle ich nicht, dass sie auch dort vorkomme. Am meisten Interesse bieten die Stücke des Krakauer Jura. Unter den sämmtlichen, von dort stammenden discus-artigen Ammoniten ist kein einziger, welcher sich mit *Amm. fuscus* oder *Amm. subradiatus* hätte identificiren lassen, aber auch alle anderen, tiefer als Cornbrash liegenden Formen fehlen, so dass die Erfunde an Cephalopodenresten ausschliesslich auf einen Zeitraum der Ablagerung jener Schichten vom obersten Bathonien bis zum oberen Callovien verweisen. Zu einem gleichen Resultate kamen die Herren Cotteau und Loriol durch die bei Gelegenheit ihres hiesigen Aufenthaltes vorgenommene Untersuchung der dort vorkommenden Echinodermen. Man darf somit die Angabe von Fallaux als durchaus richtig bezeichnen. Ich bestimmte unter den Ammoniten von Balin an für die Oberregion der Bathgruppe bezeichnenden Arten:

Amm. aspidoides Opp.
" *discus* Sow.
" *contrarius* Orb.
" *Julii* Orb.
" *Moorei* Opp.
" *arbustigerus* Orb.
" *Wagneri* Opp.
" *subcontractus* Morr. u. Lyc.
" *aurigerus* Opp.

Nr. 4. Ammonites subdiscus Orb.

Tab. XVII (2) fig. 3 und tab. XX (5) fig. 2, 3.

1846. *Amm. subdiscus* Orbigny: Pal. Fr. Terr. jur. I p. 421 tb. 146.

Die vorliegende Art gehört zu den seltensten, welche der Jura überhaupt aufzuweisen hat. Mir steht davon nur ein halbes Exemplar vom

Nipf bei Bopfingen und einige Bruchstücke vom Mont Crussol zu Gebote. Aus diesen unbedeutenden Resten ergibt sich aber bereits, dass *Amm. subdiscus* eine, wenn auch nicht sehr abweichende, so doch wohl unterscheidbare Art darstelle.

Auf den ersten Blick glaubt man ein Stück von *Amm. subradiatus* vor sich zu haben, bis man genauer untersucht und findet, dass *Amm. subdiscus* sich durch manche charakteristische Eigenthümlichkeiten auszeichne. Wie bei *Amm. subradiatus* besitzt das Gehäuse einen engen Nabel mit steil einfallender Nahtfläche und eine gerundete Siphonalseite, doch gibt Orbigny bei beschalten Stücken, die mir nicht zu Gebote stehen, einen aufgesetzten stumpfen Kiel an. Auf der Mitte der Seitenflächen verläuft ein sehr schwacher Spiralwulst, von dem aus sich sparsame, stark geschwungene Sichelrippen gegen den Aussenrand erstrecken. Die grösste Dicke der Windungen liegt auf der Mitte der Seiten. Die Lobenzeichnung ist, wenn auch im Allgemeinen die bei der ganzen Formenreihe herrschenden Verhältnisse zeigend, im Einzelnen doch charakteristisch. Der Siphonallobus in 2 grosse Hauptäste gespalten, von denen jeder sich nochmals in 2 Aeste theilt. Aussensattel durch einen wenig entwickelten Sekundärlobus in zwei ungleiche Partien getheilt, erster Seitenlobus etwa so lang als der Siphonallobus, in 2 Spitzen endigend; erster Seitensattel durch einen ziemlich ausgebildeten Sekundärlobus in 2 meist etwas ungleiche Theile gespalten, zweiter Seitenlobus etwas kürzer als der erste, sonst diesem ähnlich. Weiter folgen bis an die Nabelkante 4 nach und nach kleiner werdende Hülfsloben.

Die Maasse anzugeben wird mir schwer, da mir kein ganz vollständiges Exemplar vorliegt, doch eignet sich das Stück vom Nipf wenigstens bis zu einem gewissen Grade hiezu. Es beträgt daran:

der ganze Durchmesser etwa.	77	Mm.
Weite des Nabels	9	„
Höhe der letzten Windung von der Naht .	45	„
Höhe der vorletzten Windung von der Naht	21	„
Dicke der letzten Windung	20	„
Dicke der vorletzten Windung	10½	„
Nichtinvolvirter Theil des vorletzten Umganges	1½	„

Bemerkungen. Die Hauptkennzeichen, wodurch sich *Amm. subdiscus* von *Amm. subradiatus* unterscheiden lässt, sind die geringere Anzahl von Sichelrippen und die verschiedene Lobenzeichnung. Obwohl die Lobenkörper bei beiden Arten ziemlich breit erscheinen, sind sie bei der in Rede stehenden Art länger gefingert und zerschnittener als bei *Amm. subradiatus*, ausserdem besitzt der zweite Seitensattel einen ziemlich entwickelten Sekundärlobus, was bei der Sowerby'schen Art nie der Fall ist. Auch findet sich bei beschalten Stücken ein aufgesetzter Kiel, der bei *Amm. subradiatus* fehlt. Von *Amm. aspidoides* und *fuscus* unterscheidet sich die Art leicht durch ihre gerundete, nicht scharfe, Siphonalseite.

Genetische Formel: *Ammonites* $\sqrt{\frac{\textit{subdiscus}\ \text{Orb.}}{\textit{subradiatus}\ \text{Sow.}}}$

Untersuchte Stücke: 3, und zwar 1 vom Nipf bei Bopfingen (Württemberg) und 2 vom Mont Crussol bei Valence (Ardèche).

Vorkommen: Die Schicht, aus welcher das württembergische Exemplar stammt, ist nicht sicher bekannt, die südfranzösischen Stücke dagegen gehören der Zone des *Amm. ferrugineus* an und es ist mir wahrscheinlich, dass dies das gewöhnliche Lager der Art sei. Orbigny citirt die Species von Niort (Deux Sèvres).

Nr. 5. Ammonites biflexuosus Orb.

Tab. XVII (2) fig. 2 a—c.

1846. *Amm. biflexuosus* Orbigny: Pal. Fr. Terr. jur. I p. 422 tb. 147.
1857. „ *biflexuosus* (Orb.) Oppel: Juraform. p. 475.

Eben so selten als die vorhergehende Art ist die vorliegende Species auch in unserm Museum nur durch ein sehr spärliches Material vertreten, dennoch glaube ich für die Selbstständigkeit derselben einstehen zu können.

Amm. biflexuosus entfernt sich scheinbar ziemlich weit von dem in der ganzen Formenreihe herrschenden Typus, doch ist diese Abweichung nur scheinbar, und liegt eigentlich nur in den für die ganze Lebensdauer constant bleibenden Formenverhältnissen, wie man dieselben an Jugendexemplaren von *Amm. fuscus* nicht selten zu beobachten Gelegenheit hat. In ihrer allgemeinen Form erweisen sich ausgewachsene Exemplare sogleich als zur Gruppe der Disci gehörig durch ihren engen Nabel und die die Breite bedeutend überwiegende Höhe des Querschnittes der Windungen. Nicht so in der Jugend, in welcher sie, bei weiterem Nabel, mehr an *Amm. hecticus* erinnern, wie dies ja auch bei *Amm. fuscus* der Fall ist, den Quenstedt in seinem Flötzgebirge als Varietät von *Amm. hecticus* bezeichnete. Während aber letztere Art im Weiterwachsen ihre hecticus-artige Skulptur sehr bald verliert, behält *Amm. biflexuosus* dieselbe bis in's hohe Alter bei, und dieses ist es gerade, was ihn sehr charakteristisch auszeichnet. Es liegt mir ein Stück von 91 Mm. Durchmesser vor, dessen Seiten bis an's Ende mit kräftigen, gerundeten, vom Nabel ausstrahlenden Sichelrippen bedeckt sind. Auf der Mitte der Seiten spalten sich dieselben theilweise in zwei Aeste, theilweise schieben sich neue Rippen ein, so dass man in der Nähe der Nabelkante nur 15, am Aussenrande dagegen 27 solcher Rippen zu zählen im Stande ist. In die Augen fallend ist auch noch die eigenthümliche Wölbung der Seitenflächen, in Folge deren dieselben am Aussenrande unter einem ziemlich stumpfen Winkel zusammentreffen. Dieses Verhältniss ist aus der Orbigny'schen Zeichnung nicht ersichtlich, weshalb dieselbe einen von den Naturexemplaren etwas abweichenden Eindruck macht.

Die Zeichnung der Sutur dagegen ist bei Orbigny im Ganzen richtig zu nennen, wenn auch dieselbe bei meinen Stücken etwas feiner gezackt erscheint, doch fehlt der letzte Hülfslobus, der im Texte wohl angegeben wird. Der Siphonallobus ist in 2 zweispaltige Aeste getheilt, Aussensattel durch einen schwach ästigen Sekundärlobus in zwei ungleiche Theile gespalten, erster Seitenlobus etwa so lang als der Siphonallobus, undeutlich 3spitzig endigend, Lobenkörper schlank und lang, erster Seitensattel schmäler als der Aussensattel, etwas weiter heraufreichend, durch einen kaum angedeuteten Sekundärlobus in 2 Partien getheilt; zweiter Seitenlobus kürzer als der erste, sonst ähnlich gebildet; weiter folgen noch 5—6 nach und nach kleiner werdende Hülfsloben.

Die Maasse des vorliegenden Exemplars von Niort sind folgende:

Ganzer Durchmesser des Gehäuses	91	Mm.
Weite des Nabels	12	„
Höhe des letzten Umganges von der Naht	49	„
Höhe des vorletzten Umganges von der Naht	20	„
Dicke des letzten Umganges	?	„
Dicke des vorletzten Umganges	10	„
Nicht involvirter Theil des vorletzten Umganges	1	„

Die grösste Dicke der Windungen liegt etwas über dem ersten Drittheil der Windungshöhe. Es misst z. B. bei einem Durchmesser von 63 Mm die letzte Windung

an der Nabelkante	11	Mm.
etwas über dem ersten Drittheil der Windungshöhe	14	„

Bemerkungen. Schon oben wurde erwähnt, dass *Amm. biflexuosus* einer sehr vergrösserten Jugendform von *Amm. fuscus* ähnlich sehe, es ist daher nothwendig, die Unterscheidungsmerkmale beider Arten genauer anzugeben. Das auffallendste Kennzeichen liegt in der Skulptur, denn bei einem Durchmesser, wie ihn die vorliegende Art erreicht, ist bei *Amm. fuscus* schon längst der innere Theil der Rippen gänzlich verschwunden, und nur die stark geschwungenen Sicheln sind noch vorhanden, welche auf der äussern Hälfte der Seitenflächen das Gehäuse zieren; ausserdem sind hier die Rippen schärfer und schmäler, während sie bei *Amm. biflexuosus* breit und gerundet erscheinen. Auch die starke Wölbung der Seitenflächen zeichnet letztere Art vor *Amm. fuscus* aus. Die gleichen Merkmale lassen dieselbe auch von *Amm. aspidoides* unterscheiden, nur dass hier auch noch die geringere Anzahl der Rippen mit in Betracht kommt.

Um die in Rede stehende Art von den verwandten Formen der ächten Falciferen zu unterscheiden, reicht es schon hin, den beträchtlich engeren Nabel in's Auge zu fassen; aber auch die Wölbung der Seiten bietet Anhaltspunkte, welche eine Verwechslung mit den Arten aus der Gruppe des *Amm. hecticus* nicht zulassen.

Genetische Formel: *Ammonites* $\sqrt{\frac{\textit{biflexuosus}\ \text{Orb.}}{\textit{subradiatus}\ \text{Sow.}}}$

Untersuchte Stücke: Das hiesige Museum besitzt nur ein einziges Exemplar, welches ich mit Sicherheit als zu *Amm. biflexuosus* gehörig bezeichnen möchte, und zwar stammt dasselbe von Comporté bei Niort. Ausserdem aber liegen mir einige andere Stücke vor, welche ich vor der Hand nur zu dieser Art zähle, da ich sie sonst nirgends besser unterbringen kann, die aber, bei besserem Materiale, vielleicht als besondere Art aufgefasst werden dürften. Sie stammen von Balin und vom Kornberg bei Frick (Schweiz). Was Oppel von der Egg bei Aarau als *Amm. biflexuosus* anführt, sind Jugendformen von *Amm. aspidoides.*

Vorkommen. Nach Orbigny gehört die Art dem Bathonien an, und er citirt sie hieraus von Ranville und Niort. Auch das mir vorliegende unzweifelhafte Stück entstammt diesen Schichten, und zwar glaube ich, dass es die Oberregion der Gruppe sei, welche das Lager der in Rede stehenden Art bildet.

Nr. 6. Ammonites latilobatus Waagen n. sp.

Tab. XVII (2) fig. 1 a, b, fig. 6 a—c.

In der allgemeinen Form ist dieser Ammonit von jener flach scheibenförmigen Gestalt, welche sämmtliche Arten der ganzen Formenreihe auszeichnet, namentlich aber erinnert er an *Amm. biflexuosus*, als welchen ich ihn auch früher bestimmt hatte.

Jugendexemplare zeigen einen weiten Nabel, kräftige gerundete Sichelrippen, welche sich auf der Mitte der Seiten spalten und eine gewisse Aufgeblähtheit der Windungen, welche sie auf den ersten Blick erkennen lassen. Erst bei etwa 50 Mm. Durchmesser fängt der Nabel an sich etwas zu schliessen, um sich aber, sobald die Wohnkammer beginnt, wieder beträchtlich zu erweitern. Auch die Skulptur ändert sich mit zunehmendem Alter. Schon in der Jugend ist der von der Theilungsstelle nach innen, gegen den Nabel zu, gelegene Theil der Sichelrippen etwas schwächer als der äussere; dies tritt um so stärker hervor, je grösser die Stücke werden, und bei ausgewachsenen Exemplaren sieht man, wie bei *Amm. aspidoides* oder *fuscus*, nur jene schwach hervortretenden stark geschwungenen Sicheln, welche von der Mitte der Seiten dem Aussenrande zustreben. Von diesen zähle ich bei einem mir vorliegenden Individuum 12. Ausserdem kann man zwischen die stärkeren Sicheln eingeschoben am Aussenrande noch ein oder den anderen, selbst bei schief auffallendem Licht kaum bemerklichen Rippenansatz beobachten. Der den Nabel umgebende Theil der Windungen bis auf die Mitte der Seiten erscheint dann fast vollständig glatt.

Die Siphonalseite ist bei einem der mir vorliegenden Jugendexemplare mit einem eigenthümlich aufgesetzten und in die Höhe gezogenen Kiele versehen, bei dem anderen dagegen schärft sich dieser Theil der Schale einfach zu einer Kante zu. Auch ausgewachsene Stücke besitzen eine zugeschärfte Siphonalseite, wenn dieselbe auch gleich nicht so schneidend erscheint als bei *Amm. fuscus* oder *Amm. aspidoides*. Es hat dies seinen Grund in der bedeutenderen Wölbung der Seitenflächen, infolge deren letztere unter einem stumpferen Winkel zusammentreffen. Die Wohnkammer verliert Kiel oder Kante fast bis auf die letzte Spur und rundet sich so an der Ventralseite vollständig; sie wird ausserdem sehr evolut, wodurch sich der Nabel beträchtlich erweitert.

Sehr auffallend sind die Suturen, sie sind sehr grob gezackt und überhaupt sehr plump in ihren Formen, lassen aber trotzdem den in der ganzen Formengruppe herrschenden Typus nicht verkennen. Siphonallobus sehr kurz, in 2 zweispaltige Arme getheilt, Aussensattel kurz und sehr breit, Sekundärlobus in demselben so sehr dem Siphonallobus genähert, dass er fast als zu diesem gehörig erscheint. In der Jugend ist dies noch nicht der Fall, und es findet sich hier der sehr kleine Sekundärlobus noch ziemlich in der Mitte des Aussensattels; erst mit zunehmendem Alter des Thieres rückt derselbe immer weiter gegen den Siphonallobus hin. Erster Seitenlobus bedeutend länger als der Siphonallobus, Lobenkörper breit, in 5 Spitzen endigend. Erster Seitensattel bedeutend schmäler als der Aussensattel, ohne deutlichen Sekundärlobus. Zweiter Seitenlobus kürzer als der erste, nicht sehr breit, unsymmetrisch 2spitzig endigend; folgen bis zur Nabelkante noch 3 unsymmetrische, nach und nach kürzer werdende Hülfsloben.

Die Maasse zweier Exemplare von Balin sind folgende:

	I	II[1])
Ganzer Durchmesser des Gehäuses	36.	109.
Weite des Nabels	7.	13.
Höhe des letzten Umganges von der Naht .	18.	55.
Höhe des vorletzten Umganges von der Naht	7.	27.
Dicke des letzten Umganges	10.	24.
Dicke des vorletzten Umganges	$4\frac{1}{2}$.	14.
Nicht involvirter Theil des vorletzten Umganges	1.	5.

Die grösste Dicke der Windungen liegt auf der Mitte der Seiten.

Bemerkungen. Herr Direktor Hohenegger hatte bereits diese Art als neu erkannt und mit dem Namen *Amm. latilobatus* belegt, doch hatte er damit noch mehrere Stücke von *Amm. aspidoides* vereinigt, so dass ich für die neue Fassung der Art allein verantwortlich bin.

Am nächsten verwandt ist *Amm. latilobatus* mit *Amm. biflexuosus* Orb., dem namentlich Jugendformen ganz ausserordentlich gleichen. Das einzige Unterscheidungsmerkmal sind in diesem Falle die Loben, welche schon bei kleinen Stücken der vorliegenden Art durch ihre grobe Zackung ein sehr charakteristisches Aussehen besitzen. Später zeigt auch die Skulptur beträchtliche Differenzen, indem der innere Theil der Sichelrippen gänzlich verschwindet. Von *Amm. aspidoides* und *fuscus* lässt sich die neue Art nicht nur ebenfalls durch die Lobenzeichnung, sondern auch durch die eigenthümliche Wölbung der Seitenflächen leicht unterscheiden. Um die Art von *Amm. subradiatus* abzutrennen, reicht es schon hin, auf die Verschiedenheit der Siphonalseite hinzuweisen.

Genetische Formel: *Ammonites* $\sqrt{\frac{\textit{latilobatus}\ \text{Waagen}}{\textit{subradiatus}\ \text{Sow.}}}$

Untersuchte Stücke: 3 sämmtlich von Balin stammend.

Vorkommen: Bei der eigenthümlichen Entwicklung der Schichten, wie sie in den Oolithen von Balin zur Ausbildung gelangte, lässt es sich nicht mit Bestimmtheit angeben, welchem speciellen Niveau die in Rede stehende Art angehören werde, indess scheint es, dass man bei der Wahl nur zwischen den Zonen des *Amm. aspidoides* oder des *Amm. macrocephalus* schwanken könne, so dass dann also wahrscheinlich *Amm. latilobatus* der Fauna der höchsten Bath- oder der tiefsten Kelloway-Schichten beizuzählen sein wird.

[1]) Dieses Stück besitzt eine grösstentheils erhaltene Wohnkammer.

Nr. 7. Ammonites subcostarius Opp.

Tab. XIX (4) fig. 2—5.

1857. *Amm. flexuosus macrocephali* Quenstedt: Jura p. 482 tab. 64 fig. 7, 8.
1862. „ *subcostarius* Oppel: Paläontol. Mitth. p. 149 tab. 48 fig. 2 a, b.

Wie alle Mutationen aus der Formenreihe des *Amm. subradiatus*, so ändert sich auch *Amm. subcostarius* sehr bedeutend im Verlaufe seines Wachsthumes. In der ersten Jugend vollständig glatt und mit ziemlich weitem Nabel, verlieren sich diese Merkmale sehr bald, und Stücke von 15 Mm. Durchmesser zeigen bereits eine feine Kerbung am Aussenrande und einen ziemlich engen Nabel. Von dieser Grösse an erweitert sich der Nabel nur mehr sehr wenig, so dass die grösseren Stücke äusserst eng genabelt erscheinen. Die Skulptur der kleinen und mittelgrossen Individuen variirt sehr bedeutend, die einen bleiben bis zu einem Durchmesser von etwa 30 Mm. vollständig glatt, bei anderen, und zwar bei der Mehrzahl, stellen sich am Aussenrande feine Rippenansätze ein, so dass derselbe wie gekerbt erscheint, wie dies Oppel zeichnet, noch andere haben etwas gröbere Kerbungen, von denen dann jede ein schwaches Knötchen trägt; äusserst selten endlich finden sich Exemplare, wie ein solches tab. XIX (4) fig. 4 a, b abgebildet ist, welche kräftige, von der Mitte der Seiten dem Aussenrande zulaufende Sicheln tragen, deren jede mit einem Knoten endigt: Alle stimmen indess darin überein, dass sie den inneren, dem Nabel zugewendeten Theil der Sicheln nur äusserst schwach angedeutet, kaum bemerkbar zeigen.

Nicht weniger variabel verhält sich die Siphonalseite. Im ersten Jugendzustand ist dieselbe vollständig gerundet, doch bald stellt sich bei beschalten Stücken ein aufgesetzter Kiel ein, welcher, soweit ich es beobachten kann, bis an den Anfang der Wohnkammer sich erhält, dann aber wahrscheinlich verschwindet. An den Steinkernen fehlt entweder jede Spur eines Kieles, oder derselbe ist durch eine fortlaufende Kante angedeutet.

Bei einem Durchmesser von etwa 50 Mm. beginnt erst die constante Form sich geltend zu machen, und die verschiedenen Variationen der Jugendzustände sich auszugleichen. Die Kerbungen der Aussenseite, wenn welche vorhanden waren, verschwinden allmälig, ebenso die Knoten bei den geknoteten Stücken; bisher glatte Exemplare erhalten nun ziemlich kräftige von einem auf der Mitte der Seiten verlaufenden schwachen Medianwulst ausstrahlende, schön geschwungene Sichelrippen, welche dem Aussenrande zustreben. Es ist dies die gleiche Skulptur, auf welche die in früheren Stadien ihres Wachsthums stärker verzierten Individuen dieselbe nun reduciren.

Die Loben sind sehr variabel und halten nicht einmal die Gruppencharaktere mehr entschieden fest. Siphonallobus bald bedeutend länger, bald entschieden kürzer als der erste Seitenlobus, in zwei Aeste getheilt, welche sich wieder in 3—4 doppelt gezackte Aestchen spalten. Aussensattel durch einen nicht übermässig entwickelten Sekundärlobus in zwei meist ungleiche Partien getheilt; erster Seitenlobus länger oder kürzer als der Siphonallobus, in 3 feine Spitzen endigend; erster Seitensattel am Grunde ebenfalls mit einem ziemlich entwickelten Sekundärlobus; zweiter Seitenlobus ziemlich deutlich 2spitzig endigend, folgen noch bis zur Naht 4 nach und nach kleiner werdende Hülfsloben, welche die Gestalt des zweiten Seitenlobus wiederholen.

Die Seiten des Gehäuses sind in der Jugend flach, im Alter schwach gewölbt, und biegen sich am Aussenrande rasch gegen die sanft gewölbte Siphonalseite um. Die grösste Dicke der Windungen liegt auf der Mitte der Seiten.

Ich füge noch die Maasse einiger Individuen bei. Von diesen stammen Nr. 1 und 2 von Langheim (Franken), 3 von Filipowice und 5 von Balin bei Krakau, 4 und 6 endlich von Gutmadingen.

	I.	II.	III.	IV.	V.	VI.
Ganzer Durchmesser des Gehäuses . . .	15.	30.	36.	46.	56.	75.
Weite des Nabels	4.	5.	6.	5.	6.	7.
Höhe des letzten Umganges von der Naht	8.	17.	19.	27.	32.	43.
Höhe des vorletzten Umganges von der Naht	3.	5½.	8.	11.	13.	19.
Dicke des letzten Umganges	4.	8.	10.	13.	15.	19.
Dicke des vorletzten Umganges	2.	4.	5.	6.	7.	9½.
Nicht involvirter Theil des vorletzten Umganges	½.	1.	1.	?	1.	2.

Bemerkungen. *Amm. subcostarius* ist nicht sehr schwer von den meisten der übrigen nahe stehenden Formen zu unterscheiden. Die eigenthümlich abgestumpfte Siphonalseite mit aufgesetztem Kiel, das Flexuosenartige Ansehen der mit Knötchen gezierten Varietäten, endlich die eigenthümliche Skulptur der ausgewachsenen Stücke lassen die Art stets erkennen. Die mit *Amm. subcostarius* am meisten übereinstimmende Art ist *Amm. subdiscus* Orb., und man glaubt bei flüchtigem Ansehen, dass es nicht möglich sei, beide Arten auseinander zu halten. Dennoch gelingt dies, wenn man genauer vergleicht. Vor Allem sind die Jugendformen, nach Orbigny's Abbildung zu urtheilen, gänzlich verschieden, aber auch die ausgewachsenen Exemplare lassen sich unterscheiden. *Amm. subdiscus* besitzt einen offeneren Nabel, zahlreichere und stärker geschwungene Sicheln und gröbere, weniger verzweigte Loben als *Amm. subcostarius*. In letzterer Art kommt überhaupt schon mehr der Flexuosencharakter zum Durchbruch, während in ersterer noch mehr der Falciferencharakter vorherrscht. Von *Amm. aspidoides* und *Amm. fuscus* weicht die vorliegende Art durch die gerundete Siphonalseite allein schon hinlänglich ab, nur Jugendformen der Quenstedt'schen Art könnten Schwierigkeiten bereiten, doch bieten dann die eigenthümlich abgestumpfte Beschaffenheit der Siphonalseite, indem sich die Seitenflächen fast mit einer stumpfen Kante gegen dieselbe umbiegen, und die etwas abweichenden Loben Anhaltspunkte zur Unterscheidung. *Amm. subradiatus* zeichnet sich vor *Amm. subcostarius* aus durch den steten, auch bei beschalten Stücken sich findenden Mangel eines aufgesetzten Kieles auf der gerundeten Siphonalseite, durch die weit zahlreicheren Sichelrippen und endlich durch die viel einfacheren Loben.

Das auf tab. XIX (4) fig. 4 abgebildete Jugendexemplar von *Amm. subcostarius* gibt in Folge seiner eigenthümlichen Form Veranlassung zu mancherlei interessanten Betrachtungen. Wir sehen hier zum erstenmale einen deutlich ausgeprägten Flexuosentypus in der Formenreihe auftreten, doch hat dieser Typus in *Amm. subcostarius* noch nicht die hinlängliche Individualisirung erreicht. In fortschreitendem Wachsthum machen sich die Einflüsse der Abstammung wieder entschieden geltend und das Individuum kehrt in seiner allgemeinen Erscheinung wieder so sehr zur ursprünglichen Form des *Amm. subradiatus* zurück, dass ich beim Beginne der vorliegenden Arbeit zweifelhaft war, ob ich beide Arten überhaupt würde auseinander halten können. Ebenso ist es merkwürdig, dass nur einzelne, selten vorkommende Exemplare diese auffallende Form zeigen, andere kleine Stücke dagegen sich den Jugendformen von *Amm. fuscus* so sehr nähern, dass eine Unterscheidung schwierig wird. Nicht weniger zu beachten ist die grosse Variabilität in der Länge des Siphonallobus; es ist nämlich für alle Flexuosen und Tenuilobaten bezeichnend, dass sie einen Siphonallobus besitzen, der bedeutend kürzer ist als der erste Seitenlobus, während die Mutationen aus der Formenreihe des *Amm. subradiatus* bis auf wenige Ausnahmen ersteren Lobus bedeutend länger zeigen als den letzteren. Aus all diesen Verhältnissen scheint klar hervorzugehen, dass *Amm. subcostarius* eine Uebergangsform darstelle, welche als vermittelndes Glied zwischen der Formenreihe des *Amm. subradiatus* und den Gruppen der Flexuosen u. s. w. dient. Sehen wir uns nun nach den übrigen, die Zone des *Amm. macrocephalus* bevölkernden verwandten Ammonitenformen um, so zeigt sich, dass sich hier die bis jetzt leicht zu verfolgende Formenreihe des *Amm. subradiatus* in nicht weniger als 3 Linien spalte, welche nun nach verschiedenen Richtungen auseinander gehen. Wir haben erstens den

Ammonites flector Waagen n. sp. [tab. XX (5) fig. 1 a—c], welcher als der Stammvater der eigentlichen Flexuosen zu betrachten ist. Mit ihm beginnt eine neue Formenreihe, welche als Formenreihe des *Amm. flector* zu bezeichnen wäre. Das mir im Abgusse vorliegende Exemplar der fürstlich Fürstemberg'schen Sammlung zu Hüfingen besitzt einen Durchmesser von 50 Mm. und trägt einen Theil der Wohnkammer. Die inneren Windungen gleichen sehr gleichgrossen Stücken von *Amm. subcostarius*, doch lässt die ziemlich in die Augen fallende Aufgeblähtheit der Windungen eine Verwechslung nicht zu. Die Rippen sind theils schwächer, theils stärker, und nur einige sind mit Knoten geziert. Die Siphonalseite des Steinkerns (beschalte Stücke kenne ich nicht) zeigt eine stumpfe Kante, welche auf der Wohnkammer in eine zusammenhängende Reihe undeutlicher Höckerchen übergeht. Der Nabel ist eng, erweitert sich aber beim Beginne der Wohnkammer rasch und beträchtlich. Die Maasse des Stückes sind: Durchmesser 50 Mm., Weite des Nabels an der letzten Windung 10 Mm., dieselbe an der vorletzten Windung 5 Mm., Höhe des letzten Umganges von der Naht 26 Mm., in der Windungsebene 22 Mm.; Dicke des letzten Umganges 17 Mm.

Die zweite wichtige Form, welche sich von *Amm. subcostarius* abzweigt, und die Wurzel für eine besondere, wenn auch sehr kleine Formenreihe bildet, ist

Ammonites superbus Waagen n. sp. [tab. XIX (4) fig. 6 a—c]. Es ist eigentlich nur eine einzige Form, welche ausser der Stammart selbst noch zur Formenreihe dieses Ammoniten gezählt werden kann, nämlich *Amm. bicostatus* Stahl. Die Gestalt beider Species ist aber so eigenthümlich, dass man dieselben als selbstständig betrachten muss. Das mir im Abguss vorliegende Exemplar aus den Macrocephalus-Schichten von Gutmadingen hat 52 Mm. im Durchmesser. Es zeigt eine breite, auf ihrer Mitte mit deutlicher Kante versehene Siphonalseite und eigenthümlich flache Seitenflächen, welche von ziemlich kräftigen sichelförmigen Rippen bedeckt sind, die in der Mitte ein Knie besitzen. Am Aussenrande laufen meist je 2 von ihnen in einen kräftigen Knoten zusammen. Nabel eng, Wohnkammer nicht mehr vorhanden. Die Maasse sind folgende: Durchmesser 52 Mm., Weite des Nabels 7 Mm., Höhe des letzten Umganges von der Naht 30 Mm., dieselbe in der Windungsebene 20 Mm., Dicke des letzten Umganges 16 Mm.

Die dritte Art endlich, welche in den Macrocephalus-Schichten ihr Lager hat und in die Nähe von *Amm. subcostarius* gestellt werden muss, ist *Amm. Mamertensis* Waagen n. sp. Obgleich nun derselbe als der Ausgangspunkt für die Formengruppe der Tenuilobaten zu betrachten ist, so ist er doch in vielen Beziehungen, namentlich durch die Loben, noch so innig mit *Amm.*

subradiatus verbunden, dass ich ihn als Schlussglied dieser Formenreihe betrachte. Die nähere Beschreibung dieser Art lasse ich unter Nr. 8 folgen.

Genetische Formel: *Ammonites* $\sqrt{\frac{\textit{subcostarius} \text{ Opp.}}{\textit{subradiatus} \text{ Sow.}}}$

Untersuchte Stücke: 76. Davon stammen 17 von Langheim, 16 von Uetzing (Franken); 2 von Geisingen bei Donaueschingen, 4 von Gutmadingen (Baden); 1 von Buchberg bei Blumberg (Baden), 42 von La Voulte (Ardèche); 1 von Souché bei Niort (Deux Sèvres), 1 von Mamers (Sarthe); 1 von Balin und 1 von Filipowice bei Krakau.

Vorkommen: *Amm. subcostarius* gehört ausschliesslich der Zone des *Amm. macrocephalus* an und kann für dieselbe als Leitfossil gelten. Er ist indess nirgends besonders häufig, nur bei La Voulte scheint er in grösseren Mengen vorzukommen. Aus den Alpen kenne ich ihn noch nicht, denn was Zittel in seinem Aufsatz über die Klausschichten (Jahrb. d. k. k. geolog. Reichsanst. 1868 p. 604) nach meiner Bestimmung als *Amm. subcostarius* anführt, muss ich heute mit dem Namen *Amm. Mamertensis* belegen. Wenn wir indess je hoffen dürfen, die in Rede stehende Art in alpinen Bildungen aufzufinden, so dürften wir dieselbe allein in den Schichten des Brillthals oder ihnen äquivalenten Bildungen suchen.

Nr. 8. Ammonites Mamertensis Waagen n. sp.

Tab. XIX (4) fig. 1 a—c.

1868. *Amm. subcostarius* (Oppel) Zittel: Jahrb. d. k. k. geol. Reichsanst. 1868 p. 604.

Die vorliegende Art gehört zu den äusserst seltenen, so dass nur ein Paar Stücke mir zu Gebote stehen, um dieselbe zu begründen. Dennoch glaubte ich diese eigenthümliche Form nicht mit Stillschweigen übergehen zu dürfen, da sie über die Entwicklungsgeschichte gewisser Ammonitentypen einiges Licht zu verbreiten geeignet erscheint.

Es ist ein ziemlich flacher, scheibenförmiger Ammonit, welcher diese Art darstellt. Er gleicht noch sehr dem *Amm. subradiatus*, doch sind gewisse constante Merkmale vorhanden, welche die beiden Species leicht unterscheiden lassen. Die Jugendform von *Amm. Mamertensis* kenne ich nicht, doch ist es mir wahrscheinlich, dass sie sehr nahe mit den gleichen Alterszuständen von *Amm. subcostarius* übereinstimmte. Grosse Stücke zeigen einen äusserst engen Nabel und schwach gewölbte Seitenflächen, auf denen sich vom Nabel ausstrahlende, ziemlich zahlreiche feine Rippen bis auf die

Mitte der Seiten hinziehen. Hier verschwinden sie allmälig vollständig, um nicht wieder zu erscheinen. Ohne Zusammenhang mit diesen stellen sich nun in der zweiten Hälfte der Windungshöhe kurze kräftige Rippen, die man fast auch in die Länge gezogene Knötchen nennen könnte, ein, die aber wieder verschwinden, ehe sie die zahlreichen feinen Kerbungen erreichen, welche den Aussenrand in dichter Reihe zieren. Diese kurzen Rippen sind nicht gekrümmt, sondern streben in gerade radialer Richtung vom Centrum der Peripherie zu. Die Siphonalseite ist gerundet und bei beschalten Stücken mit einem aufgesetzten Kiele versehen.

Die Loben sind noch feiner verzweigt als bei *Amm. subcostarius*, die Lobenkörper fadenförmig. Siphonallobus etwas länger als der erste Seitenlobus, in 2 dreitheilige Aeste gespalten. Aussensattel durch einen Sekundärlobus und die Aeste der umgebenden Loben in viele tief eingeschnittene Lappen getheilt. Erster Seitenlobus 3spitzig endigend, erster Seitensattel ähnlich dem Aussensattel, zweiter Seitenlobus unsymmetrisch 3spitzig, kürzer als der erste, folgen bis zur Naht 4—5 nach und nach kleiner werdende Hülfsloben, sämmtlich nur mit einer Hauptspitze.

Die Maasse der beiden mir vorliegenden Stücke, deren eines von Mamers, das andere vom Brillthal stammt, sind folgende:

	I.	II.
Ganzer Durchmesser des Gehäuses	57.	119.
Weite des Nabels	5.	8.
Höhe des letzten Umganges von der Naht	34.	72.
Höhe des vorletzten Umganges von der Naht	15.	22.
Dicke des letzten Umganges	12.	30.
Dicke des vorletzten Umganges	6.	14.
Nicht involvirter Theil des vorletzten Umganges	1.	?

Bemerkungen. Jene Art, mit welcher die vorliegende Species auf den ersten Blick am meisten übereinzustimmen scheint, ist *Amm. subradiatus*. Der gleich enge Nabel, die am Aussenrande sich hinziehende feine Berippung, endlich überhaupt die ganze Erscheinung erinnern auffallend an die Stammform und lassen anfänglich eine Trennung schwierig erscheinen. Doch bald überzeugt man sich, bei genauerer Betrachtung, dass bestimmte Unterschiede vorhanden seien, welche die Aufstellung der neuen Species rechtfertigen. Vor Allem senkt sich die Schale bei *Amm. Mamertensis* in sanfter Rundung gegen die Naht zu, während bei *Amm. subradiatus* dies mit einem scharfen Knie geschieht und so eine deutliche Nahtfläche abgegrenzt wird, die ersterer Art fehlt. Die Hauptunterschiede liegen aber in der Siphonalseite und in den Loben, da erstere bei beschalten Stücken einen aufgesetzten Kiel zeigt, letztere aber lang und fein zerschnitten erscheinen, bei *Amm. subradiatus* aber sich von beiden Eigenschaften das Gegentheil findet. Von den übrigen Mutationen aus der Formenreihe des *Amm. subradiatus* kommen nur noch *Amm. subdiscus* und *Amm. subcostarius* in Betracht, da alle übrigen durch ihre schneidende Siphonalseite leicht abzutrennen sind. Ersterer hat weniger zerschnittene Loben und eine andere Skulptur, letzterer dagegen besitzt, bei sonst ziemlich gleichen Verhältnissen, ebenfalls eine einfachere Zeichnung. Eine Vergleichung der Abbildungen wird indess die Unterschiede deutlicher hervortreten lassen, als ich dies mit Worten hier darzustellen im Stande bin.

Von höherem Interesse ist die Verwandtschaft der vorliegenden Art mit später nachfolgenden Formen. Schon beim blossen Ansehen fällt die Aehnlichkeit mit gewissen oberjurassischen Typen auf, welche Aehnlichkeit sich bei genauerer Vergleichung noch bedeutend vermehrt. Ich meine *Amm. tenuilobatus* und Consorten, für welche *Amm. Mamertensis* den Grundtypus zu bilden scheint. Der Gestalt und Verzierung dieser Arten zufolge möchte man sie als eine direkte Fortsetzung der Formenreihe des *Amm. subradiatus* zu betrachten geneigt sein, und ich muss gestehen, dass ich selbst einer solchen Ansicht beizutreten nicht abgeneigt wäre, wenn nicht einige praktische Rücksichten mich anders bestimmten. Es scheint nämlich nicht von Vortheil, den Formenreihen einen gar zu weiten Umfang zu geben, denn soll die Formenreihe gewissermassen eine Art, Collectiv-Art, darstellen, dann dürfen nur jene Formen in derselben zusammengefasst werden, welche gewisse, nicht vollkommen unwesentliche Merkmale gemein haben. Dies ist nun allerdings in der praktischen Anwendung auch nicht so strikte durchzuführen, als es wohl wünschenswerth wäre, da auch die Formenreihen, oder, wenn man lieber will, Collectiv-Arten, wie es scheint, vielfach in einander verschwimmen; dennoch kann man Grenzen ausfindig machen, wenn man sich dabei auch oft an etwas minutiöse Unterschiede halten muss, und es können dann Fälle eintreten, in denen man aus rein praktischen Gründen Schnitte machen muss, um nicht in die Lage zu kommen, der Collectiv-Art einen Umfang zugestehen zu müssen, der dem einer Gattung gleich kommt. Allerdings weicht man dann von dem oben ausgesprochenen Grundsatze ab, doch lässt sich dagegen nichts machen, da wir es eben nicht umgehen können, da wo die Natur auch keine Absätze gemacht hat, der Verständlichkeit und Fasslichkeit zu Liebe künstliche Absätze anzubringen. So ist es auch mit den Tenuilobaten in Bezug auf *Amm. Mamertensis*. Die Unterschiede beider liegen allein in den Loben, welche bei sämmtlichen Tenuilobaten im Siphonaltheil sehr verkürzt erscheinen, während der bedeutend entwickelte erste Seitenlobus denselben weit überragt. Die Wurzel-Art für die Tenuilobaten, welche zuerst dieses Kennzeichen deutlich ausgeprägt an sich trägt, liegt in den Ornatenthonen, Zone des *Amm. athleta*, und ich schlage für dieselbe den Namen

Amm. subtililobatus Waagen n. sp. [tab. XVII (2) fig. 7 a—d] vor. Es ist eine kleine Art von 50 Mm. Maximaldurchmesser. In ihrer allgemeinen Form steht sie dem *Amm. subcostarius* noch ungemein nahe, indem sie, wie dieser, am Aussenrande eine feine Kerbung zeigt, welche auf den Seiten und gegen den Nabel zu in verschwommene undeutliche Sichelrippen übergeht. Die abgestumpfte Siphonalseite trägt bei beschalten Stücken einen deutlich aufgesetzten, meist fein gezackten Kiel, welcher gegen das Ende der etwas mehr als einen halben Umgang betragenden Wohnkammer vollständig verschwindet. Nabel sehr eng, tief eingesenkt; Seitenflächen des Gehäuses flach, nur wenig gewölbt. Loben äusserst zerschnitten; Siphonallobus sehr kurz, doppelt 2theilig; erster Seitenlobus stark entwickelt, an Grösse alle anderen übertreffend. Nach dem zweiten Seitenlobus folgen noch 4—5 Hülfsloben. Zahlreiche Exemplare von Oeschingen und Laufen bei Balingen.

Amm. Mamertensis ist demzufolge, obwohl er in der allgemeinen Form sehr an Tenuilobaten erinnert, dennoch wegen des langen Siphonallobus der Formenreihe des *Amm. subradiatus* beizuzählen, und es stellt sich die genetische Formel folgendermaassen:

Genetische Formel: $\textit{Ammonites}\ \sqrt{\dfrac{\textit{Mamertensis}\ \text{Waagen}}{\textit{subradiatus}\ \text{Sow.}}}$

Untersuchte Stücke: 2, eines von Mamers (Sarthe), das andere vom Brillthal bei Ischl (Sammlung des Herrn Obermedizinalrathes von Fischer) stammend.

Vorkommen. Die Art gehört der Zone des *Amm. macrocephalus* an, worin sie an beiden oben genannten Lokalitäten sich findet.

Formenreihe des Ammonites genicularis

= Ammonites Vgenicularis.

Mit der vorhergehenden Art ist die Reihe der Formen, welche in gerader Linie von *Amm. subradiatus* abgeleitet werden können, soweit unsere Kenntnisse bis jetzt reichen, zu Ende, dennoch ist aber der Reichthum der Gestalten, die in der genannten Art wurzeln, noch nicht erschöpft, ein anderer Schössling hat sich nach einer anderen Richtung entwickelt, und diesen zu verfolgen ist noch unsere Aufgabe.

Die Formenreihe, welche uns auf den nächsten Seiten beschäftigen wird, besteht aus lauter kleinen, theilweise ziemlich unscheinbaren Arten, die bald mit Sichelrippen, deren innerer Theil fast verschwindet, bald mit Knötchen in der Nähe der Siphonalseite geziert sind. Sie zeichnen sich indess namentlich dadurch aus, dass ihr Mundsaum stets bis in's hohe Alter mit Ohren versehen ist und dass ihre Wohnkammer von der Spirale abweicht und eine knieförmige Biegung erleidet. Die Siphonalseite ist gekielt bis an den Anfang der Wohnkammer, hier aber verschwindet der Kiel. — Vertikal scheint die Formenreihe bis in die Zone des *Amm. athleta* zu reichen, höher vermag ich sie nicht mehr zu verfolgen.

Nr. 9. Ammonites genicularis Waagen n. sp.

Tab. XX (5) fig. 4 a—c.

Die erste Jugendform dieser Art kenne ich nicht. Bei 6 Mm. Durchmesser sind die Seiten noch glatt, der Siphonaltheil dagegen trägt bereits einen deutlichen Kiel. Sehr bald stellen sich indess nun am Aussenrande feine Kerbungen ein, welche bis an den Mundrand der ausgewachsenen Stücke sich erhalten. Bei einem der mir vorliegenden ausgewachsenen Stücke zähle ich etwa 60 solcher Kerbungen oder Rippenansätze, welche in der Nähe des Kieles beginnen und sich in ziemlich gerader Richtung bis fast auf die Mitte der Seiten erstrecken. Der übrige Theil der Seitenflächen der Windungen ist glatt, und nur stark nach vorne gekrümmte Anwachsstreifen deuten auf successiv resorbirte Ohren. Die Siphonalseite ist bis gegen das Ende der Wohnkammer bei beschalten wie bei unbeschalten Stücken mit einem gerundeten Kiele geziert, gegen das Ende der Wohnkammer aber verliert sich derselbe vollständig und macht einer breit gerundeten Ventralseite Platz.

Charakteristisch für diese, wie für sämmtliche noch weiter folgende Formen ist, dass die Wohnkammer merklich von der Spirale abweicht und ein Knie bildet, das die hieher gehörigen Arten leicht erkennen lässt. Der Nabel ist stets weit geöffnet, wird aber bei der Bildung des Knies noch beträchtlich weiter. Die Seitenflächen sind mehr oder weniger flach gewölbt. Loben fein gezackt mit ziemlich breiten Körpern, erster Seitenlobus länger als der Siphonallobus, auf den zweiten Seitenlobus folgen noch 2 Hülfsloben.

Die Maasse dreier mir vorliegender Exemplare von Sully bei Bayeux sind folgende:

	I.	II.	III.
Ganzer Durchmesser des Gehäuses	12.	21.	27.
Weite des Nabels	4.	6.	8.
Höhe des letzten Umganges von der Naht	5.	9.	11.
Höhe des vorletzten Umganges von der Naht	2½.	4.	5½.
Dicke des letzten Umganges	3.	5.	7.
Dicke des vorletzten Umganges	2.	2½.	4.
Nicht involvirter Theil des vorletzten Umganges	1.	2.	3.

Bemerkungen. Es scheint gewagt, den *Amm. genicularis* von *Amm. subradiatus*, dem er jedenfalls ausserordentlich nahe steht, abzutrennen; dennoch glaube ich dies rechtfertigen zu können, einestheils weil ich denke, dass es doch auf tiefer gehende Unterschiede hindeute, wenn die Wohnkammer in einem Knie von der Spirale abweicht, anderntheils, weil die Entwicklung, welche die vorliegende Form im Laufe der Zeiten genommen hat, eine so eigenthümliche ist, dass sie sich weiter von der Stammform entfernt als alle die bisher betrachteten Mutationen. Die Unterschiede von *Amm. subradiatus* sind indess einfach: weiter Nabel, Vorhandensein eines Kieles und Knie in der Wohnkammer. Schwieriger ist es *Amm. genicularis* von *Amm. fuscus* abzutrennen. Hier bestehen die Abweichungen nur in der eigenthümlichen Geradheit der kurzen Rippchen, welche sich nie bündeln, und in der geknickten Wohnkammer.

Genetische Formel. Obgleich die Abstammung des *Amm. genicularis* von *Amm. subradiatus* ziemlich sicher erscheint, so glaube ich, ist es doch praktischer, nicht zu schreiben *Amm.* $\frac{\text{genicularis}}{\sqrt{\text{subradiatus}}}$, sondern diese Art als Stammart anderer Formen zu betrachten und selbstständig für sich aufzufassen.

Untersuchte Stücke: 6, und zwar stammen 5 von Sully bei Bayeux und 1 von Le Mesnil Louvigny bei Caen.

Vorkommen. *Amm. genicularis* gehört dem Unteroolithe an, und zwar findet er sich in Begleitung des *Amm. subradiatus* in der Oolite ferrugineuse, welche den Zonen des *Amm. Humphriesianus* und *Amm. Parkinsoni* von Oppel entspricht. Von anderen als den oben angegebenen Fundorten kenne ich die Art noch nicht.

Nr. 10. Ammonites subfuscus Waagen n. sp.

Tab. XX (5) fig. 6 a, b.

Es ist sehr gewagt von mir, diese Art aufzustellen, da mir nur ein einziges, ziemlich verdrücktes Exemplar von Niort vorliegt, auf das ich dieselbe begründen kann. Da aber doch einmal das vorhandene Stück beweist, dass Bindeglieder zwischen *Amm. genicularis* und den späteren Formen bestehen, so gebe ich diesen Bindegliedern eben obigen Namen, die Beschreibung so gut es geht nach dem vorliegenden Individuum entwerfend.

Die Art scheint klein zu bleiben, wenigstens überschreitet das der Beschreibung zu Grunde liegende Stück den Durchmesser von 28 Mm. nicht. Der Jugendzustand ist sehr wahrscheinlich glatt, grössere Stücke besitzen dagegen deutliche, sehr stark geknickte Sichelrippen, deren oberer (äusserer) Theil sich auffallend stark nach rückwärts legt. Auf den inneren Windungen gabeln sich diese Rippen zum Theil, auf den letzten zwei Dritttheilen des letzten Umganges aber ist dies nicht der Fall, dagegen schmückt sich jedes der Rippchen am Aussenrande mit einem feinen Knoten, von dem aus die Rippe wieder nach vorn gewendet gegen den Kiel verläuft. Kurz vor dem Mundrande verschwindet fast jede Skulptur, und die Röhre wird beinahe vollkommen glatt. Die Siphonalseite ist mit einem deutlichen Kiele geziert, der übrigens auf dem letzten Theile der geknickten, einen halben Umgang betragenden Wohnkammer völlig verschwindet oder doch einer kaum bemerklichen Kante Platz macht. Nabel weit geöffnet, schwach eingesenkt, Seitenflächen des Gehäuses sanft gewölbt, auf ihrer Mitte theilweise mit einer seichten Furche versehen. Mundsaum seitlich mit Ohren geziert, an der Ventralseite in einem gerundeten Lappen vorspringend.

Die Maasse kann ich wegen der Verdrückung des Stückes leider nicht genau angeben.

Bemerkungen. Es ist nichts schwieriger, als *Amm. subfuscus* von *Amm. fuscus* abzutrennen. Junge Exemplare, glaube ich, wird man auch bei grosser Uebung nicht sicher zu scheiden im Stande sein, erst wenn die geknickte Wohnkammer leitet, lassen sich auch noch andere Merkmale auffinden, so die stärker zurückgelegten Sicheln, das Endigen der Sicheln mit

Knötchen, endlich die fehlende Gabelung der Rippen bieten Anhaltspunkte zur Unterscheidung.

Diese nahe Uebereinstimmung beider Formen ist etwas höchst Auffallendes. Der eigenthümliche Entwicklungsgang, den die Descendenz des *Amm. genicularis* und speciell des *Amm. subfuscus* im Laufe der Zeiten genommen hat, lässt doch ein ziemlich abweichend gebautes Thier voraussetzen. Nun aber treten uns Formenübergänge zwischen den zwei Entwicklungsreihen (der des *Amm. subradiatus* und der des *Amm. genicularis*) entgegen, welche ein Auseinanderhalten beider Reihen als sehr schwierig erscheinen lassen. Worin der Grund dieser Erscheinung liegen möge, ist kaum anzugeben; wir können nur vermuthen, dass entweder eine häufige Bastard-Bildung die Zwischenformen erzeugt habe, oder aber, dass die noch junge Formenreihe des *Amm. genicularis* in ihren specifischen Merkmalen noch nicht hinlänglich individualisirt gewesen sei, und so einzelne Individuen von *Amm. subfuscus* durch Rückfall die Form der Stammart wieder mehr oder weniger angenommen haben, wodurch eine grössere oder geringere Aehnlichkeit mit *Amm. fuscus* entstand. Doch sind das Hypothesen, die der wissenschaftlichen Begründung so ziemlich entbehren.

Die Unterscheidung des *Amm. subfuscus* von *Amm. genicularis* macht keine Schwierigkeiten, indem die weit gröberen mit Knötchen versehenen Rippen des ersteren beide Arten auf den ersten Blick erkennen lassen.

Genetische Formel: *Ammonites* $\sqrt{\frac{\textit{subfuscus} \text{ Waagen}}{\textit{genicularis} \text{ Waagen}}}$

Untersuchte Stücke: ein charakteristisches und einige unsichere.

Vorkommen: Zone des *Amm. ferrugineus* von Niort und wahrscheinlich auch in Norddeutschland.

Nr. 11. Ammonites serrigerus Waagen n. sp.

Tab. XX (5) fig. 7 a—c, 8 a—c.

Diese Art liegt mir in zahlreichen Exemplaren vor, welche alle eine sehr charakteristische Form in grosser Uebereinstimmung zeigen.

In der Jugend ist die Art vollständig glatt mit flachen Seiten und gekanteter Siphonalseite. Später stellen sich undeutliche, stark gebogene Sichelrippen ein, die dem Ammoniten ein etwas *hecticus*- oder *fuscus*-artiges Ansehen geben, da ein weiter Nabel die Aehnlichkeit mit diesen Arten vermehrt. Sobald die Wohnkammer beginnt, stellt sich bei vielen Exemplaren eine seichte Spiralfurche ein, die auf der Mitte der Seiten gegen den Mundrand verläuft, um hier in einem langen gestielten Ohre zu endigen. Von dieser Furche nach aussen ziehen sich wenig gebogene, meist ziemlich kräftige, stark nach rückwärts gerichtete Rippen, welche, am Aussenrande angekommen, entweder gerade abgeschnitten endigen, oder sich hier in einem stumpfen Winkel nochmals nach rückwärts richten, um dann sehr bald zu verschwinden, oder endlich in seltneren Fällen sich ohne Bildung eines Knötchens in einem scharfen Knie wieder nach vorn gerichtet verlaufen. Die Siphonalseite ist mit einem deutlichen Kiele versehen, welcher sehr häufig von zwei stumpfen Kanten begleitet wird, durch die die Seitenflächen von der Siphonalseite abgegrenzt werden. Der Kiel verschwindet auf dem letzten Stück der Wohnkammer völlig oder ist hier nur mehr durch eine Linie angedeutet. Wohnkammer geknickt, Mundrand mit langen seitlichen Ohren und einem gerundeten Ventrallappen.

Loben wenig charakteristisch: Siphonallobus kürzer als der erste Seitenlobus, dieser 3spitzig endigend mit breitem Lobenkörper; zweiter Seitenlobus kürzer als der erste, sonst ähnlich, folgen noch bis zur Naht 2—3 nach und nach kürzer werdende Hülfsloben.

Die Maasse zweier Exemplare von **Balin**, I ohne und II mit Wohnkammer, sind folgende:

	I.	II.
Ganzer Durchmesser des Gehäuses	17.	35.
Weite des Nabels	5.	10.
Höhe des letzten Umganges von der Naht	8.	15.
Höhe des vorletzten Umganges von der Naht	3½.	7.
Dicke des letzten Umganges	4.	9.
Dicke des vorletzten Umganges	3.	4½.
Nicht involvirter Theil des vorletzten Umganges	1.	3.

Bemerkungen. *Amm. serrigerus* ist nicht sehr schwierig von den nahestehenden Formen zu unterscheiden. *Amm. genicularis* kommt wegen der Feinheit seiner Rippen hier gar nicht mehr in Betracht. Näher steht *Amm. subfuscus*, doch lässt sich auch dieser leicht abtrennen, indem sich die vorliegende Art durch den Mangel der Knötchen und die meist nach rückwärts gerichtete äussere Umbiegung der Rippen sehr charakteristisch auszeichnet.

Genetische Formel: *Ammonites* $\sqrt{\frac{\textit{serrigerus}\ \text{Waagen}}{\textit{genicularis}\ \text{Waagen.}}}$

Untersuchte Stücke: 33, von diesen stammen 27 von **Balin**, 3 von **Koscielec bei Krakau**, 2 von der **Egg bei Aarau (Schweiz)** und 1 von **Ranville (Calvados)**.

Vorkommen: *Amm. serrigerus* gehört der Zone des *Amm. aspidoides* an und bildet eine ihrer charakteristischen Versteinerungen. Aus den eben angegebenen Fundorten geht eine ziemliche Verbreitung hervor, doch ist die Art überall selten, ausser bei Balin, wo sie in ziemlichen Mengen zum Vorschein gekommen ist.

Nr. 12. Ammonites conjungens K. Mayer.

Tab. XX (5) fig. 5 a—c.

1846. *Amm. bipartitus* (Ziet.) Orbigny: Pal. Fr. Terr. jur. I p. 445 (z. Th.) tab. 158 fig. 3 (non fig. 1, 2, 4, non Zieten).

1865. *Amm. conjungens* K. Mayer: Journ. de Conch. XIII p. 322 tab. VIII fig. 6.

Es ist eine höchst interessante, aber auch eine äusserst seltene Art, welche unter dem Namen *Amm. conjungens* von K. Mayer beschrieben wurde.

In der Jugend einem *Amm. subcostarius* nicht unähnlich, unterscheidet er sich von demselben doch leicht durch den weiten Nabel und die äusserst scharfe Nabelkante, die Skulptur dagegen erinnert sehr an die genannte Art. Das Gehäuse erscheint ganz glatt bis gegen den Aussenrand, nur wenn man es im Lichte glänzen lässt, bemerkt man kaum sichtbare Sichelrippen, welche sich über die Seitenflächen erstrecken. Am Aussenrande zeigen sich sehr feine Kerbungen, weit feiner als bei *Amm. genicularis*, welche sich nach vorn gewendet gegen den deutlich aufgesetzten Kiel hinziehen. Sobald indess die Wohnkammer beginnt, erhält das ganze Gehäuse ein anderes Aussehen: die feine Kerbung verschwindet, statt ihrer stellen sich kräftige Knoten ein, 6—8 an Zahl, der Kiel zwischen ihnen erhebt sich, wie bei *Amm. crenatus* und Aehnlichen, jedoch in geringerem Maasse, in gezackten Wellenlinien, und zugleich nimmt die Höhe des Querschnitts der Windungen merklich zu. Doch dauern diese Verhältnisse nicht lange; bald verschwinden die Knoten wieder und mit ihnen der Kiel, die Windungshöhe verringert sich rasch wieder und die Contour der Siphonalseite verläuft in einem stumpfen Knie zu der an der Ventralseite vollständig gerundeten niedrigen Mündung, deren Seitenränder in lange Ohren ausgezogen erscheinen. Es ist eine besonders extreme Varietät, welche ich hier beschrieben habe. Die Abbildungen von Orbigny und K. Mayer zeigen diese Veränderungen in minderem Grade, wenn gleich auch sie die Knötchen am Anfange der Wohnkammer aufweisen.

Die Jugendformen von *Amm. conjungens* scheinen ähnlich zu variiren wie jene von *Amm. subcostarius*, indem mir ein Stück, freilich ohne Wohnkammer, so dass die Bestimmung nicht ganz sicher ist, vorliegt, das statt der

Kerbungen am Aussenrande einzelnstehende kräftige Knoten zeigt, ähnlich wie ich dies bei einigen Exemplaren von *Amm. subcostarius* beobachtet habe.

Die Loben besitzen breite Lobenkörper und ebenso breite Sättel. Der Siphonallobus ist beträchtlich kürzer als der erste Seitenlobus, der erste Seitensattel reicht weiter herauf als der Aussensattel. Die Loben sind alle gleich gebildet, nur an Grösse nach und nach abnehmend. Nach dem zweiten Seitenlobus zeigen sich noch 4 Hülfsloben.

Die Maasse zweier Exemplare, beide mit erhaltener Wohnkammer, deren eines von Niort, das andere von Balin stammt, sind folgende:

	I.	II.
Ganzer Durchmesser des Gehäuses	28.	41.
Weite des Nabels am letzten Umgang . . .	7.	12.
Weite des Nabels am vorletzten Umgang . .	4.	5½.
Höhe des letzten Umganges von der Naht .	11.	16.
Höhe des vorletzten Umganges von der Naht	6.	10.
Dicke des letzten Umganges	5.	10.
Dicke des vorletzten Umganges	?	5.
Nicht involvirter Theil des letzten Umganges	3.	6.

Bemerkungen. *Amm. conjungens* ist leicht von allen nahestehenden zu unterscheiden. Die Merkmale, durch welche man ihn von *Amm. subcostarius* abtrennen könne, habe ich schon oben angegeben. Von den Mutationen seiner eigenen Formenreihe ist seine Gestalt, obgleich sich die typische Aehnlichkeit nicht verkennen lässt, doch so abweichend, dass es kaum nöthig erscheint, die einzelnen Unterscheidungsmerkmale genauer aufzuzählen; ein Blick auf die Abbildung genügt, um Alles klar zu machen. Allen anderen fehlen die eigenthümlich gestellten Knoten und die feine Kerbung im Jugendzustand.

Genetische Formel: *Ammonites* $\sqrt{\frac{\textit{conjungens}\ \text{K. Mayer}}{\textit{genicularis}\ \text{Waagen.}}}$

Untersuchte Stücke: 4, davon stammen 2 von Balin bei Krakau, 1 von Niort (Deux-Sèvres) und 1 von La Voulte (Ardèche).

Vorkommen: Die vorliegende Art gehört der Zone des *Amm. macrocephalus* an, worin sie an den obengenannten Lokalitäten sich findet. Von weiteren Punkten kenne ich dieselbe bis jetzt noch nicht.

Obgleich die Bindeglieder bis jetzt noch nicht aufgefunden worden sind, so glaube ich doch, dass noch eine Art aus der Zone des *Amm. athleta* hieher gezogen werden müsse, und dass diese den Schluss der Formenreihe des *Amm. genicularis* bilde, nämlich:

Ammonites Baugieri Orb. = *Amm. bidentatus* Quenst. So sehr ich bedauere die so treffende Quenstedt'sche Bezeichnung nicht anwenden zu können, so ist dies eben doch nicht möglich, da man prinzipiell in keinem Falle die Prioritätsregeln ausser Acht lassen darf, indem sonst die ganze Nomenklatur in ein Meer von Willkür versinkt.

Dass *Amm. Baugieri* noch zu der in Rede stehenden Formenreihe zu zählen sei, scheint mir einerseits die eigenthümliche Beschaffenheit seiner Wohnkammer, andererseits aber auch die, wenn auch ziemlich verschiedene, so doch typisch an die des *Amm. conjungens* anbindende Skulptur zu beweisen. Etwas Endgültiges hierüber zu sagen, wird nicht möglich sein, bis nicht die vermittelnden Glieder zwischen beiden in der Zone des *Amm. anceps* aufgefunden sein werden. Vor der Hand glaube ich aber, dass man die

Genetische Formel dieser Art schreiben dürfe:

$$\textit{Ammonites} \sqrt{\frac{\textit{Baugieri} \text{ Orb.}}{\textit{genicularis} \text{ W.}}}$$

Folgerungen.

Nachdem ich nun den ganzen Formenreichthum, welcher sich aus der einfachen Wurzel des *Amm. subradiatus* im Laufe der Zeiten herausgebildet hat, im Speciellen dem Leser vorzuführen mich bemühte, möge es mir noch gestattet sein, in einem kurzen Rückblick auf das bisher Erörterte auf einige Verhältnisse genauer hinzuweisen, welche vielleicht geeignet erscheinen, auf manche der brennendsten geologischen Tagesfragen einiges Licht zu verbreiten oder wenigstens Perspektiven zu eröffnen, welche den Weg erkennen lassen, auf dem man möglicher Weise mit der Zeit zur endgültigen Lösung dieser und ähnlicher Probleme gelangen könne.

1) Gesetzmässigkeit der Entwicklung.

Vergleichen wir zunächst die beiden Formenreihen, die des *Amm. subradiatus* und die des *Amm. genicularis* genauer mit einander, so tritt uns hier die höchst merkwürdige Thatsache analoger Formen entgegen, welche, obgleich verschiedenen Formenreihen angehörig, in den gleichen Schichten sich stets in gleicher Weise wieder finden. Die Jugendformen der einen stimmen in jeder geologisch unterscheidbaren Gebirgsabtheilung mit den gleichen Formen der anderen Formenreihe namentlich in hohem Grade überein. Erst bei ausgewachsenen Stücken treten Unterschiede deutlich hervor, und diese werden um so auffallender, je älter die Formenreihen werden, d. h. je weiter sie sich zeitlich von ihrem Ausgangspunkte entfernen. Dies wird noch deutlicher erkannt werden, wenn wir die analogen Formen der einzelnen Zeitabschnitte einander gegenüber stellen. Wir haben dann

in der Zone des *Amm. Humphriesianus* und *Amm Parkinsoni:*

Amm. subradiatus Sow. *Amm. genicularis* W.,

16*

in der Zone des *Amm. ferrugineus*:

Amm. fuscus Quenst. *Amm. subfuscus* W.,

in der Zone des *Amm. aspidoides*:

Amm. aspidoides Opp. *Amm. serrigerus* W.,

in der Zone des *Amm. macrocephalus*:

Amm. subcostarius Opp. *Amm. conjungens* M.,

in der Zone des *Amm. athleta*:

Amm. bicostatus Stahl *Amm. Baugieri* Orb.

Dies lässt sich sogar noch weiter, in andere Formenreihen hinüber fortsetzen; so haben wir z. B.

in der Zone des *Amm. tenuilobatus*:

Amm. tenuilobatus Opp. *Amm. dentatus* Rein,

im Tithon:

Amm. zonarius Opp. *Amm. macrotelus* Opp. u. s. w.

Wenn nun in so vielen Fällen die gleiche Erscheinung wiederkehrt, wenn wir stets die Jugendformen der analogen Arten in auffallendem Grade einander nahe stehend finden, dagegen ebenso beobachten können, wie sich nach und nach so ganz verschiedene Formen aus den ähnlichen Jugendzuständen herausbilden, und zwar bei den gleichen Formenreihen stets in gleichem Sinne, so ist die Vermuthung nicht wohl zurückzuweisen, dass hier eine tiefere, allgemeiner wirkende Ursache zu Grunde liege, und dass so die einzelnen übereinstimmenden Daten nur als der Ausfluss einer und derselben Kraft, eines und desselben Gesetzes zu betrachten seien.

Der nächstliegende Gedanke, der bei Betrachtung der obigen Uebersicht sich uns aufdrängt, ist wohl der, dass eben in der einen Formenreihe die Männchen, in der andern dagegen nur die Weibchen ein und derselben Reihe von Arten zusammengestellt seien, wodurch dann die Aehnlichkeit der Jugendformen leicht erklärt, die sich später entwickelnde Verschiedenheit aber als ein Zeichen eintretender Geschlechtsreife angesehen werden kann. Bei der jetzt so beliebten Anschauung, verschiedene Ammonitenformen nur als geschlechtliche Verschiedenheiten ein und derselben Art aufzufassen, möchte vielleicht für die soeben ausgesprochene Ansicht auf ziemlich leichten Eingang in der Gelehrtenwelt gezählt werden dürfen, dennoch glaube ich aber, dass dieselbe nicht die richtige sei, und zwar aus folgenden Gründen:

Erstens muss es schon beim Durchgehen der auf den vorhergehenden Bogen gegebenen Artenbeschreibungen auffallen, dass die Anzahl der der Formenreihe des *Amm. subradiatus* angehörigen Arten in dem gleichen Complex von Schichten weit beträchtlicher sei als die Anzahl der Formen aus der Reihe des *Amm. genicularis*. Wenn man nun auch die Selbstständigkeit ein oder der anderen von mir unterschiedenen Art anzuzweifeln geneigt sein möchte, so bleiben trotzdem noch sehr ausgezeichnete Formen übrig, welche des Männchens oder Weibchens entbehren würden, was doch nicht ganz wahrscheinlich sein dürfte. Dass spätere Erfunde solche Lücken auszufüllen geeignet sein möchten, kann allerdings nicht als unmöglich bezeichnet werden, doch kann ich mich hier nur an das thatsächlich Bekannte halten, denn die Zukunft wird noch manches Weitere aufhellen als gerade die Frage über die Geschlechtsverhältnisse der Ammoniten, und es ist oben dem Menschen nur in seltenen Fällen gegönnt, seiner Zeit vorauszueilen.

Ein zweiter Grund, die Sexualhypothese nicht anzunehmen, ist die Vertheilung der einzelnen als Männchen und Weibchen zu betrachtenden Formen auf verschiedene Lokalitäten, oder das äusserst seltene Vorkommen der einen Form gegenüber dem häufigen der anderen. Von *Amm. genicularis* sind mir im Ganzen nicht mehr als 6 Stück bekannt, während mir von den gleichen Lokalitäten 32 Stück von *Amm. subradiatus* vorliegen; noch auffallender ist dies bei *Amm. fuscus;* ich habe von dieser Art nicht weniger als 150 Exemplare untersucht, diesen gegenüber steht ein einziges Stück von *Amm. subfuscus*, und zwar ist zu bemerken, dass z. B. an den Württembergischen Lokalitäten, wo *Amm. fuscus* so häufig gefunden wird, noch kein Exemplar von *Amm. subfuscus* zum Vorschein gekommen ist, derselbe dagegen weit im Westen bei Niort und da nur vereinzelt auftritt. Was haben aber da in Württemberg all die Weibchen ohne Männchen gethan, wenn wir den *Amm. subfuscus* als männliche Form auffassen? Nicht anders steht es mit *Amm. serrigerus* und *Amm. aspidoides:* Erstere Art fehlt in Württemberg, Baden und dem ganzen südlichen und westlichen Frankreich, nur in der Schweiz und bei Balin kommt sie zusammen mit *Amm. aspidoides* vor, ist aber auch dort viel seltener als dieser. Es würde zu weit führen, von jeder einzelnen Art die Daten in dieser Beziehung zu wiederholen, das bisher Gesagte möge daher genügen.

Der dritte Grund endlich, welcher gegen die Annahme der Sexualhypothese spricht, ist, dass man die Formen, welche man als Weibchen und Männchen einer und derselben Art zu betrachten geneigt sein möchte, nicht selten auf verschiedene Schichten, wenn auch innerhalb ein und derselben Zone vertheilt findet. Bei den Formenreihen des *Amm. subradiatus* und *genicularis* tritt dies weniger deutlich hervor, als bei etwas höher liegenden Arten, wo die grosse Mächtigkeit der Schichten eine Sonderung der einzelnen Arten in verschiedene Bänke bedeutend erleichtert. Ich habe schon oben den *Amm. tenuilobatus* und *Amm. dentatus* Rein. einander gegenüber gestellt, und muss hier die Versicherung wiederholen, dass diese beiden Arten genau in demselben morphologischen Verhältniss zu einander stehen wie *Amm subcostarius* und *Amm. graniger*. Nun aber ist es eine ganz gewöhnliche Erscheinung, und man könnte fast darauf Zonen-Unterschiede gründen, dass *Amm. dentatus* Rein. beträchtlich höher liegt als *Amm. tenuilobatus* und so noch öfter. Ebenso kann man sich aber auch fragen: wo sind denn die Männchen von all den anderen Tenuilobaten und Flexuosen des mittleren und oberen Malm geblieben, welche, obgleich auf's innigste verwandt mit *Amm. subcostarius*, doch keine Arten von der allgemeinen Form des *Amm. conjungens* neben sich verbreitet zeigen? Andererseits: welches sind die weiblichen Formen für *Amm. audax, Renggeri, crenatus?*

Es ist eine Unzahl von zum Theil unlösbaren Schwierigkeiten, auf welche uns die Annahme der Sexualhypothese führt, von ihr also können wir die Lösung eines Problemes nicht erwarten. Dann aber taucht von neuem die Frage auf: Welches ist jene tiefere, allgemeiner wirkende Ursache, die jene Erscheinungen hervorruft, wie wir sie oben näher bezeichneten.

Dass die im Bisherigen der Reihe nach aufgezählten Arten wirklich aus einander hervorgegangen seien, beide Formenreihen sich aber unabhängig von einander entwickelt haben, wird, nachdem die Annahme verschiedener Geschlechter nicht durchführbar erscheint, bei der grossen Verwandtschaft und ununterbrochenen Aufeinanderfolge in der Zeit einerseits, und bei der doch ziemlich durchgreifenden Verschiedenheit andererseits, wohl nicht mehr leicht Jemand bezweifeln. Um so mehr muss es auffallen, dass die Entwickelung beider Formenreihen so sehr gleichen Schritt hielt, dass bei gleichem geologischen Alter die Jugendformen bis zu einem gewissen Grade ähnlich sich gestalteten. Auf diese Aehnlichkeit ist Gewicht zu legen, denn nie wird man, ausser vielleicht bei *Amm. fuscus*, absolute Uebereinstimmung antreffen. Aber auch die Grade der Aehnlichkeit sind nicht in allen Fällen die gleichen, namentlich wird man finden, dass zwischen geologisch älteren Arten der beiden Formenreihen grössere Uebereinstimmung herrscht, als bei den jüngeren derselben. Diese nach und nach sich einstellende bedeutendere Abweichung kommt vor allem in den Suturen zum Ausdruck, welche in der Formenreihe des *Amm. subradiatus* das Bestreben zeigen, sich stets mehr zu spalten und feiner auszufransen, während dieselben in der Formenreihe des *Amm. genicularis* immer breite Lobenkörper mit einfachen kurzen Zacken aufweisen. Diese Verhältnisse habe ich hier hervorgehoben, um zu beweisen, dass in den beiden Formenreihen uns nicht vollkommen parallele Bildungen vorliegen, sondern dieselben eine gewisse, wenn auch geringe Divergenz besitzen, so dass sie sich, je älter sie werden, immer weiter von einander entfernen. Desto bedeutungsvoller dürfte aber dann die nahe Uebereinstimmung der einzelnen Mutationen in bestimmten Entwickelungsstadien der Individuen und Zeitabschnitten erscheinen, besonders da nicht für alle Mutationen, welche an den verschiedensten Punkten Europa's geologisch gleichzeitig erscheinen, überall dieselben Lebensbedingungen vorausgesetzt werden können, und sich also nicht hieraus diese Uebereinstimmung ableiten lässt. Der Grund dieser merkwürdigen Erscheinung kann also nicht ausserhalb, nicht in der äusseren Umgebung des Ammoniten, er muss im Ammonitenthier selbst gesucht werden, hier aber kann er nur in einem dem Organismus innewohnenden Gesetze liegen, nach welchem sich derselbe im Laufe der Zeiten verändert. Dieses nun ist ein wesentlicher Punkt, worin ich von den Anschauungen Darwin's abzuweichen mich gezwungen sehe, da er ja allein von den äusseren Umständen die Entwickelung der Arten abhängig gemacht hat.[1] Gewiss ist nicht zu läugnen, dass die äusseren Umstände diesen Vorgang begünstigten (Wagners „Migrationsgesetz"), in vielen Fällen, und ich glaube dass dies noch häufiger eintrat, denselben aber auch zu verzögern, zu verhindern oder selbst so sehr zu unterdrücken im Stande waren, dass Rückbildungen hervorgerufen wurden. Allein das Gesetz der Entwickelung, das dem Organismus innewohnte, konnte nie vernichtet werden, stets ging das Streben, wenn auch vielleicht nach einer anderen Richtung, wieder aufwärts zu grösserer Complizirung der Organe, zu vollkommenerer Ausbildung der Form. Wie im Grossen und Ganzen, so bestätigt sich dies auch im Kleinen und Einzelnen. Betrachten wir die ganze Gruppe der Ammoneen, so sehen wir die Suturen von den einfach geknickten Linien der Goniatiten zu den allseitig blättrig gezackten Loben der Ammoniten sich entfalten; fassen wir die kleine Formenreihe des *Amm. subradiatus* in's Auge, so können wir den gleichen Vorgang, das Fortschreiten vom Einfacheren zum Complizirteren, an den Lobenzeichnungen beobachten. Bei der Formenreihe des *Amm. genicularis*

[1]) Doch findet sich auch in Ch. Darwin's Buch: „Ueber das Variiren der Thiere und Pflanzen im Zustande der Domestikation", Uebersetzung von V. Carus, unter Anderem folgende höchst beachtenswerthe Stelle. Er bespricht auf p. 529 des ersten Bandes die Zuchtwahl durch Knospen und das Variiren in den Knospen überhaupt, und sagt in einigen zusammenfassenden Sätzen: „Wenn wir uns aber fragen, was die Ursache irgend einer besonderen Knospenvariation ist, so bleiben wir im Zweifel, da wir in einigen Fällen dazu veranlasst werden, die direkte Einwirkung der äusseren Lebensbedingungen für hinreichend zu halten und in anderen Fällen die tiefe Ueberzeugung erlangen, dass diese letzteren eine völlig untergeordnete Rolle gespielt haben, von keiner grösseren Bedeutung als der des Funkens, welche eine Masse brennbarer Substanz in Feuer setzt."

ist es die reichere Verzierung der Wohnkammer und des Mundsaums, welche den Fortschritt bekundet.

Welches nun das Gesetz selbst sei, sowie die Art und Weise seiner Wirksamkeit zu erkennen, so dass wir aus einer gegebenen Grundform schon alle möglichen Umbildungen zu entwickeln im Stande wären, das zu ergründen wird noch viele Mühe kosten. Vor der Hand müssen wir uns damit begnügen, nur erkannt zu haben, dass überhaupt ein im Organismus selbst begründetes Gesetz hier vorliege.

2) Systematik.

In zweiter Linie ist es interessant, näher in's Auge zu fassen, welcher Art eigentlich die Veränderungen seien, die die oben beschriebenen Formenreihen im Laufe der Zeiten erleiden. Durchgehen wir gerade in Rücksicht darauf die einzelnen Mutationen, so tritt es sehr bald hervor, dass nur gewisse Theile des Gehäuses sich nach und nach umbilden, während andere Theile in ihrer allgemeinen Anordnung eine hohe Constanz bewahren. Am auffallendsten ist dabei, dass als das Variabelste und Unbestimmteste an der ganzen Ammonitenschale die allgemeine Form sich darstellt. Gleichgültig, welches Kennzeichen, das mit der allgemeinen Form im Zusammenhange steht, wir in's Auge fassen, stets werden wir finden, und die oben erörterten Formen bezeugen es, dass es nicht Stich hält, dass die nächst verwandten Arten sich höchst verschieden verhalten. Betrachten wir die Weite des Nabels, so zeigt sich, dass nicht nur bei einem und demselben Individuum in der Jugend ein weiter, im Alter ein enger, in noch höherem Alter vielleicht sogar wieder ein weiter Nabel vorkommen könne (*Amm. latilobatus*), sondern dass auch in ein und derselben Art Exemplare mit weitem und engem Nabel sich vereinigt finden (*Amm. fuscus*), dass endlich in ein und derselben Formenreihe einige der Mutationen einen weiten, andere einen engen Nabel besessen haben. Mit der Verschiedenheit des Nabels ändert sich natürlich auch die Involution, da beide in innigem Zusammenhange stehen. Keine geringere Variabilität lässt die Ventralseite beobachten: man sieht sie bei den nächst verwandten Formen bald vollständig gerundet, bald schneidend, bald mit einem deutlichen abgesetzten Kiele versehen. — Die einzige leidliche Constanz in der allgemeinen Form liegt in dem Verhältniss des Höhendurchmessers der Windungen zum Querdurchmesser derselben, indem ersterer den letzteren beträchtlich überwiegt. Doch selbst diese Eigenschaft ist bei jungen Exemplaren von *Amm. subradiatus* hie und da nicht deutlich ausgeprägt.

Das direkte Gegentheil von der allgemeinen Form ist in Bezug auf ihr Verhalten im Laufe der Zeiten die Skulptur des Ammonitengehäuses. Jene in allen ihren Theilen veränderlich, unbestimmt, schwankend, diese im höchsten Grade constant, sich durch ganze Formenreihen nur in unwesentlichen Merkmalen ändernd. Sämmtliche Mutationen der ganzen Formengruppe tragen stärker oder schwächer hervortretend jene charakteristisch gebogenen Sichelrippen, welche, in ihrer Constanz noch weit über die behandelten Formen hinausreichend, die Falciferen im Allgemeinen auszeichnen. Da bei den Ammoniten sich die Formen des Thieres in der Schale genau ausprägen, indem innere und äussere Schalenfläche einander durchaus entsprechen, da ferner die Skulptur in ihrer allgemeinen Anordnung den Anwachsstreifen genau folgt, so ist es sehr wohl denkbar, dass in der Skulptur feinere Organisationsunterschiede zum Ausdruck gelangten, worauf auch die grosse Constanz der ersteren hinweisen dürfte.

Aehnlich wie die Skulptur verhalten sich auch die Loben. Innerhalb einer Formenreihe sind es stets nur sehr geringe Differenzen, welche sich bei den einzelnen Mutationen an den Loben bemerklich machen, bei allen findet sich eine gewisse typische Aehnlichkeit, die die einzelnen Formen nur schwer auseinanderhalten lässt. Nur wenn wir Arten aus einander ziemlich fern stehenden Gruppen in Hinsicht auf ihre Suturen vergleichen, treten grössere Unterschiede deutlich hervor.

Das am meisten Constante, das am wenigsten Veränderliche am ganzen Ammonitengehäuse ist aber die Form der Wohnkammer und des Mundrandes, indess wohl zu bemerken, innerhalb gewisser Variationsgrenzen. Sämmtliche oben beschriebene Mutationen, sie mögen eine gerundete, scharfe oder gekielte Siphonalseite besitzen, zeigen diesen Theil des Gehäuses auf der Wohnkammer sanft gerundet, ohne jede Spur von Kiel oder Kante; nur ein Unterschied macht sich bemerklich, nämlich dass die Formenreihe des *Amm. genicularis* hier ein Knie besitzt, welches der Formenreihe des *Amm. subradiatus* fehlt. Nachdem sich indess beide Formenreihen in den genannten Arten individualisirt haben, wird das trennende Merkmal hinwiederum so constant, als dies nur irgend gewünscht werden kann. Aehnlich steht es mit dem Mundrand: die Mutationen aus der Formenreihe des *Amm. subradiatus* zeigen in der Jugend Ohren, während sie im Alter dieselben constant verlieren, die sich davon abzweigende Formenreihe des *Amm. genicularis* dagegen besitzt in all ihren Abänderungen constant Ohren, und es gibt hier gar keine Exemplare, welche diese eigenthümliche Verzierung nicht an sich trügen. Also einmal Abänderung, dann aber wieder Constanz mit grosser Beharrlichkeit.

Fassen wir das bisher Gesagte nochmals zusammen, so können wir daraus ersehen, dass bei Entstehung neuer Mutationen das am leichtesten Veränderliche, die allgemeine Gestalt, zuerst von dem Bestreben der Formumbildung ergriffen werde, zunächst die Lobenzeichnung, dann die Form der Wohnkammer und des Mundsaumes, endlich die Skulptur. Es ist nun von selbst einleuchtend und mit anderen Erfahrungen durchaus nicht im Widerspruche stehend, wenn ich sage, dass dasjenige, was am leichtesten den Einflüssen der Variation unterliegt, die geringste Bedeutung für die innere Organisation des Thieres haben müsse, dass dagegen das, was den kräftigsten Widerstand leiste, mit dem anatomisch-morphologischen Aufbau des Thieres in gewissem Zusammenhang stehe, so dass eine Veränderung an diesen Theilen eine mehr oder weniger wesentliche Veränderung in den genannten Eigenschaften bekunden würde. Dieser Satz wird von Wichtigkeit, wenn wir ihn auf die Classification der Ammoneen anwenden. Es wird uns dann für diesen Zweck dasjenige, was man in so vielen Fällen als den wichtigsten Eintheilungsgrund hervorgehoben hat, die allgemeine Gestalt, als das Bedeutungsloseste erscheinen, während das, was man bis auf Süss ganz vernachlässigte, der Mundrand und die Wohnkammer, die wichtigsten Grundlagen bilden werden.

Die Classificationsfrage der Ammoneen ist eine der schwierigsten aus denen, welche die Paläontologie in diesem Augenblicke lebhafter diskutirt, die Ansicht jedoch, dass jene Gruppe von Gehäusen einer gänzlich ausgestorbenen Cephalopodenfamilie, welche mit dem Namen *Ammonites* belegt wurden, einen Complex von Formen umfasse, der nach und nach zu wahrhaft monströsen Dimensionen heranwachse, dass es daher schon aus rein praktischen Gründen im höchsten Grade wünschenswerth sei, dieses anscheinende Chaos verschiedener Thiergestalten nach gewissen Prinzipien in Unterabtheilungen zu bringen, diese Ansicht hat sich nach und nach im Bewusstsein der meisten Paläontologen festgesetzt, sie wurde nicht nur in Deutschland, sondern auch in Frankreich, England und Italien schon vielfach ausgesprochen, und hat endlich auch schon Veranlassung zu mancherlei eingehenden Erörterungen und ausgezeichneten Untersuchungen gegeben. — Diese Prinzipien aber waren schwankend, unsicher, nicht festgestellt. Im Allgemeinen kann man wohl sagen, dass sich zwei Wege geltend machten, auf welchen man dieser Frage beizukommen suchte. Die Einen, und dies waren namentlich die älteren Forscher, wie Lamarck, Montfort, de Haan und Andere, glaubten auf die allgemeine Form des Gehäuses den grössten Werth legen zu müssen, und bis in die neueste Zeit hat man sich von dieser Anschauung noch nicht ganz loszureissen vermocht, indem viele von den Gruppen, welche heute noch aufrecht erhalten werden, fast ausschliesslich auf damit zusammenhängende Merkmale gegründet sind, — die Anderen, und diese Ansicht hat sich namentlich in neuerer Zeit durch die Arbeiten meines verehrten Freundes Süss mehr Bahn gebrochen, suchen mehr die physiologische Bedeutung der einzelnen Theile des Gehäuses zu ergründen und darnach ihre Unterabtheilungen anzubringen, während Beyrich mehr im Buch'schen Sinne diesen Theil der Wissenschaft zu fördern sucht.

Die erste Anregung zu dieser zweiten Richtung hat nämlich bereits Buch gegeben, indem er in der gleichen Abhandlung, in welcher er seine Familieneintheilung der Ammoniten in deutscher Sprache begründete, auch die beiden Gruppen *Goniatites* und *Ceratites* einführt, bei denen in erster Linie die Loben als dasjenige hervorgehoben werden, was sie charakterisire; wenn auch allerdings bei den übrigen Formen auf die den Suturen entnommenen Merkmale für die Gruppirung ebenso grosses Gewicht gelegt wird. Als man nun später gerade und ausschliesslich die Gruppen *Goniatites* und *Ceratites* zu Gattungen erhob, darf dies vielleicht als ein feiner Takt gegenüber den zu lösenden classificatorischen Fragen bezeichnet werden, denn wenn auch die Verschiedenheit der Suturen allein wohl nicht hinreichen mag, eine Gattung vollkommen zu begründen, so waren eben doch die Loben das damals einzig bekannte Kennzeichen, nach welchem sich tiefer gehende Differenzen der Thiere beurtheilen liessen, und die genannten Gruppen trugen dies Merkmal am ausgeprägtesten zur Schau.

Der Verfolg dieses hiedurch eingeschlagenen Weges hat nun nach und nach schon manche Früchte getragen, so gering auch die Mittel waren, die hiebei verfügbar gewesen. Die Entdeckung ammonitischer Nebenformen wie *Choristoceras*, *Rhabdoceras* und *Cochloceras*, welche zeitlich den Gattungen *Ceratites* und *Clydonites* am nächsten stehend, auch die gleichen Verhältnisse der Suturen zeigten, liess schon ahnen, dass neben den unserer Beobachtung zugänglichen Loben noch weitere durchgreifende Unterschiede im anatomischen Bau der Thiere bestanden haben müssten. Ich will nun damit zwar nicht behaupten, dass *Ceratites* und *Clydonites* hinreichend festgestellte und namentlich hinreichend begrenzte Gattungen bildeten, nur das wollte ich durch das angeführte Beispiel hervorheben, dass diese und ähnliche Studien und Entdeckungen nach und nach die Ansicht unter den Forschern zu verbreiten und zu befestigen geeignet waren, dass die einstige Gattung *Ammonites* Thiere der verschiedenartigsten Entwickelung und Ausbildung in sich schliesse, und dass die Untersuchungen namentlich darauf gerichtet werden müssten, Mittel ausfindig zu machen, durch welche man in den Stand gesetzt würde, diese Differenzen nachzuweisen, und dann auf sichererer Grundlage die Classification der Ammoneen weiter zu führen. Dass die Loben allein hiezu nicht ausreichten, wurde bald klar, schon aus den heftigen Anfechtungen, welche die auf die Verschiedenheit der Suturen gegründeten Gattungen von allen Seiten zu erfahren hatten. Es verstrich indess lange Zeit, ohne dass man die Sache recht gründlich und ernstlich in Angriff nehmen konnte, da einestheils die hiezu erforderlichen Entdeckungen nur sehr allmälig und mehr durch Zufall als planmässig gemacht werden mussten, anderntheils aber auch das Studium der jetzt lebenden Thiere in Bezug auf ihre Anatomie und Physiologie im Verhältniss zu ihren schon früher ausgestorbenen Verwandten zu wenig vorgeschritten war. Seitdem indess Leopold v. Buch seine Ammoniteneintheilung bekannt gemacht hat, sind schon viele äusserst wichtige Thatsachen aufgefunden worden, und besonders die neuere Zeit hat manches für die Classification dieser Thiere in hohem Grade Bedeutungsvolle an's Licht gezogen. Man hat erkannt, dass der *Aptychus* einen integrirenden Theil vieler Ammonitenthiere gebildet habe, und schon Quenstedt deutete wiederholt die Brauchbarkeit dieses Theiles zu classificatorischen Zwecken an, man hat die Mundränder vieler Arten kennen gelernt, und erst neuerlichst hat Süss eingehend darauf hingewiesen, wie nothwendig es sei, bei solchen Fragen die Länge der Wohnkammer zu berücksichtigen. Wir haben also bereits vier wichtige Punkte in Betracht zu ziehen gelernt, um auf den Bau der verschiedenen Bewohner der Ammonitengehäuse schliessen zu können: Loben, Aptychen, Mundrand und Länge der Wohnkammer. In den auf den vorhergehenden Seiten gegebenen Bemerkungen habe nun ich es mir zur Aufgabe gemacht, die Bedeutung und Brauchbarkeit der einzelnen Theile am Gehäuse für die Classification nachzuweisen. Um sämmtliche eben berührte Punkte in solcher Weise einer Prüfung zu unterwerfen, bietet die kleine Reihe von Formen, welche ich meinem Aufsatze zu Grunde gelegt habe, zu wenig Anhaltspunkte, doch geht aber daraus hervor, dass bei einer Gruppirung der Ammoniten zu natürlichen Unterabtheilungen neben den der Wohnkammer und dem Mundrande entnommenen Merkmalen auch die Skulpturverhältnisse eingehende Berücksichtigung finden müssen.

Die Schwierigkeit der Frage liegt nun aber darin, soll man es bei einer Classification der Ammoniten bei der bisher üblichen Familieneintheilung bewenden lassen, oder soll man, wie dies neuerlich mehrfach in Vorschlag gebracht worden ist, neue Gattungen schaffen. — Es ist gewiss nicht zu leugnen, dass die Eintheilung der Ammoniten, wie Buch sie in Vorschlag gebracht hat, höchst geistreich genannt werden müsse; dennoch ist aber die

Nachwirkung heute nicht mehr kräftig genug, um noch praktischen Nutzen zu bringen: die Menge der Arten vermehrt sich bis in's Unendliche, und das Fachwerk dieser Classification erweist sich als zu schwach, um das Gleichartige fest zu vereinigen und das Verschiedene für immer zu trennen. Hier können nur Gattungsnamen helfen, dass man aus dem Namen sogleich erkenne, zu welcher Abtheilung irgend eine Species zu zählen sei. Natürlich müssen solche Gattungen auf gewissen Merkmalen des Gehäuses fussen, welche auf tiefergehende Differenzen im Bau der Thiere hindeuten; dass es aber möglich sei, solche Merkmale aufzufinden, mag aus den bisherigen Erörterungen zur Genüge erhellen. Es ist deshalb weder in wissenschaftlicher, noch in praktischer Beziehung zulässig, einfach die bisherigen Familien oder Gruppen, wie dies von Hyatt versucht wurde, zu Gattungen zu erheben, da diese Familien bisher errichtet wurden, ohne den morphologischen Aufbau der die Gehäuse bewohnenden Thiere dabei zu berücksichtigen.

Die Constanz der wichtigen Merkmale mag bei Aufstellung und Abgrenzung neuer Gattungen in diesem Falle am sichersten leiten, und allein gestützt auf diese Constanz einiger hervorragender Kennzeichen, wage ich es, für die Gruppe von Ammoniten, welcher die hier behandelte Formenreihe des *Amm. subradiatus* angehört, folgenden neuen Gattungsnamen vorzuschlagen.

Gattung Harpoceras Waagen.

1832. Familie: *Falciferi* Buch: Ueber Ammoniten pag. 10.
" " *Flexuosi* Buch: " " " 16 (z. Th.).
1841. " *Falciferi* (Buch) Orbigny: Pal. Fr. Terr. cret. I. pag. 405.
" " (?) *Flexuosi* (Buch) Orbigny: " " " " " " 410.
1849. " *Falciferen* Quenstedt: Cephalopoden pag. 105.
" " *Disci* Quenstedt: " " 120 (z. Th.).
" " *Denticulaten* Quenstedt: " " 125 (z. Th.).
1852. " *Disci* sive *Clypeiformes* Giebel: Fauna der Vorwelt III pag. 498 (z. Th.).
" " *Falciferi* Giebel: l. c. pag. 505 (z. Th.).
" " *Flexuosi* Giebel: " " " 563 (z. Th.).
1854. " *Falciferi* (Buch) Pictet: Traité de Paléontolog. 2. Aufl. II pag. 672.
" " *Pulchelli* (Orb.) Pictet: l. c. pag. 678 (z. Th.).
" " *Clypeiformi* (Orb.) Pictet: l. c. pag. 680 (Section des *Disci* Pict.).
" " (?) *Flexuosi* (Buch) Pictet: l. c. pag. 680.
1864. " *Falciferi* Seebach: Hannoverscher Jura pag. 140.
" " *Insignes* Seebach: " " " 145.
" " *Disci* Seebach: " " " 146.
" " *Flexuosi* Seebach: " " " 153.
1867. " (?) *Falcoiden* Quenstedt: Handbuch, 2. Aufl. pag. 427.
" " *Falciferen* Quenstedt: " " " " 433.
" " *Discen* Quenstedt: " " " " 436 (z. Th.).

1867. Familie: *Denticulaten* Quenstedt: Handbuch, 2. Aufl. pag. 437.
1868. Gattung: *Phymatoceras* (?) Hyatt: The fossil Cephalopods of the Museum of comparative zoology: Bulletin of the Museum of comparative zoology pag. 89.
" " *Hammatoceras* Hyatt: l. c. pag. 88.
" " *Tropidoceras* Hyatt: " " " 93.
" " *Ophioceras* Hyatt: " " " 93.
" " *Pelecoceras* Hyatt: " " " 98.
" " *Hildoceras* Hyatt: " " " 99.
" " *Grammoceras* Hyatt: " " " 99.
" " *Leioceras* Hyatt: " " " 101.
Familien: *Phymatoidae*, *Cycloceratidae*, *Discoceratidae* (z. Th.) und *Hildoceratidae* Hyatt.
(Etym.: ἅρπη = Sichel und κέρας = Horn.)

Thier unbekannt. Schale äusserlich, spiral eingerollt, genabelt, durch mannigfach gefaltete Scheidewände in viele Kammern getheilt; Sipho dieselben am Ventralrande durchbrechend, bald sehr fein, bald verhältnissmässig eine bedeutende Dicke erreichend; an den Suturen stets ein Siphonal- und 2 Lateral-Loben erkennbar, denen noch einige Auxiliar-Loben folgen; Sättel klein gezackt, nicht blätterig; Siphonalseite gekielt, gekantet oder gerundet, Seiten mit sichelförmigen Skulpturen geziert, welche verschieden ausgeprägt sein können; Wohnkammer $^1/_2 - ^2/_3$ Umgang betragend, Mundsaum mit Ohren versehen oder sichelförmig, Ventrallappen kurz, zugespitzt oder gerundet; Aptychus zweitheilig, kalkig, mehr oder weniger gefaltet.

Obgleich das Thier unbekannt ist, lässt die Beschaffenheit der Schale doch manche Schlüsse auf dasselbe zu. Die kurze Wohnkammer, die bei den meisten Arten auffallend nach vorne gezogenen Seitenflächen machen es wahrscheinlich, dass das Thier nicht ganz von der Schale bedeckt, sondern theilweise nackt gewesen sei, und ebenso dass die Haftmuskeln weit nach vorne gelegen, sich unmittelbar an den Rand der Schale festsetzten. Der Mangel eines sogenannten „Halskragens" aber, jener oft sehr breiten glatten oder mannigfach abweichend gefalteten Zone, welche z. B. bei den Planulaten die Mundöffnung umgibt, belehrt uns, dass bei *Harpoceras* jenes muskulöse Band, welches beim *Nautilus* die Haftmuskeln um die Ventralseite herum miteinander verbindet, sehr schwach gewesen sei, so dass es nur in wenigen Fällen eine schwache Aufstülpung des Mundrandes zu bewirken vermochte. Ebendies ist auch der Grund, weshalb der in Rede stehenden Gattung „Einschnürungen" gänzlich fehlen, da letztere als die Reste nicht vollständig resorbirter Halskrägen betrachtet werden müssen.

Das Weibchen war mit einer sehr entwickelten Nidamental-Drüse versehen, welche einen von allen übrigen Ammoneen abweichenden Bau besass, wie aus dem eigenthümlichen, nur dieser Gattung zukommenden Aptychus hervorgeht.

Die Charaktere der Schale habe ich schon oben hinreichend bezeichnet, es bleibt mir nur noch übrig, die Unterscheidungsmerkmale dieser Gattung von anderen, nahestehenden anzugeben. Zunächst könnte *Phylloceras* in Betracht kommen, da sich auch hier häufig ein schwach sichelförmig geschwungener Mundrand zeigt, doch lassen die sehr verschiedene Lobenzeichnung, der stete Mangel von Ohren an den Seiten des Mundrandes, endlich das Fehlen eines *Aptychus* bei *Phylloceras* eine Verwechslung leicht vermeiden. Ausser *Phylloceras* sind es namentlich noch die Arieten, für die ich hier vorläufig den Namen *Arietites* vorschlage[1]), welche in ihrer

[1]) Ausser *Harpoceras* bin ich im Stande, noch einige weitere Gattungen zu charakterisiren, welche sich von den übrigen Ammoniten nicht weniger scharf abgrenzen lassen als die genannte. Wenn man bei der Eintheilung der Ammoniten auf den Aptychus ein Hauptgewicht legen wollte, so könnte man unter den mit *Aptychus* versehenen 2 Gruppen unterscheiden, nämlich solche mit eintheiligem, hornigem und solche mit zweitheiligem, kalkigem Aptychus. Die ersteren zerfallen mir vor der Hand in 3 Gattungen: *Aegoceras*, *Arietites*, *Amaltheus*, die letzteren dagegen werden vielleicht in mehr Gattungen zu zerlegen sein, doch vermag ich vor der Hand ebenfalls nur 3 zu unterscheiden: *Harpoceras*, *Stephanoceras* und *Aspidoceras*.

1) **Aegoceras** (αἴξ = Ziege, κέρας = Horn). Dieser Gattung lege ich die Buch'sche Familie der Capricornier zu Grunde, doch füge ich noch Manches hinzu, was dieser Forscher davon ausgeschlossen hatte. Die hieher gehörigen Formen zeichnen sich aus durch einen gewöhnlich sehr weiten Nabel, meist sehr zerschnittene Loben, gerundete Siphonalseite und eine Skulptur, welche von der Naht in ziemlich gerader Richtung gegen den Aussenrand verläuft und hier sich einfach nach vorne wendet, ebenso verhalten sich die Anwachsstreifen bei den glatten Arten. Die Wohnkammer beträgt ²/₃—¹/₁ Umgang. Den Mundrand bezeichnet eine einfache, schwach aufgeworfene, verdickte oder eingezogene Lippe, welche in einem gerundeten Ventrallappen nach vorne ragt, seitliche Fortsätze fehlen vollständig. *Anaptychus*. — Die Gattung beginnt im Muschelkalk mit *Amm. incultus* Beyr., für welche Art Beyrich bereits in seiner so hervorragenden Arbeit über die Muschelkalkcephalopoden die richtige verwandtschaftliche Stellung erkannt hat. Im Lias ist *Amm. planorbis* Sow., *angulatus* Schloth., *planicosta* Sow., *Birchi* Sow., *armatus* Sow., *Jamesoni* Sow., *Henleyi* Sow. und endlich *Amm. capricornus* hieher zu zählen.

2) **Arietites** (*aries* = Widder). Es ist die bisherige Familie der Arieten, welche die Hauptmasse der hieher gehörigen Formen enthält. Die Gattung zeichnet sich aus durch die meist wenig zerschnittenen Loben, die stets ziemlich deutlich gekielte Siphonalseite und die von der Naht gerade nach aussen verlaufende Skulptur. Die Wohnkammer erreicht eine Länge von 1—1¹/₄ Umgang, der Mundrand ist einfach ausgeschnitten, nur mit einem langen spitzen Fortsatz an der Ventralseite. *Anaptychus*. *Arietites* beginnt wahrscheinlich in den Hallstädter Schichten, vielleicht noch tiefer, und setzt bis in die Oberregion des unteren Lias fort: *Ar. Bucklandi* Sow. ist der bezeichnendste Vertreter.

3) **Amaltheus** Montf. zeichnet sich aus durch seine ziemlich stark zerschnittenen, aber breiten Loben, durch die mit einem glatten geknoteten oder schneidenden Kiel versehene, hie und da aber auch gerundete Siphonalseite und durch eine ziemlich gerade Skulptur, die sich am Aussenrande nach vorne richtet. Die Wohnkammer beträgt ¹/₂—²/₃ Umgang,

Unterscheidung von *Harpoceras* Schwierigkeiten verursachen, und bei schlecht erhaltenen Stücken ist es oft wirklich kaum möglich zu entscheiden, welcher

---

der Mundrand ist einfach ausgeschnitten, an der Ventralseite mit einem Fortsatz versehen, der sich an seinem Ende löffelartig ausbreitet oder nach einwärts krümmt. *Anaptychus*. Die Gattung scheint im Muschelkalk mit *Amm. megalodiscus* Beyr. zu beginnen. Im Lias ist *Amm. Guibalianus* Orb. der älteste Vertreter. Höher folgen *Amm. oxynotus* Quenst., *lynx* Orb., *margaritatus* Mtf., *fissilobatus* Waagen, *Truellei* Orb., *pustulatus* Rein., *cordatus* Sow., *Lamberti* Sow., *alternans* Buch.

4) **Harpoceras.** Die Diagnose wurde bereits oben gegeben.

5) **Stephanoceras** (*στεφάνη* = Kranz, *κέρας* = Horn). Hieher rechne ich die Coronaten, Planulaten, Macrocephalen und (?) Ornaten. Sie alle zeichnen sich aus durch eine Skulptur, welche gleich einem Ringe die Windungen umfasst, und nur hie und da an der Siphonalseite, über die sie gewöhnlich gerade, selten etwas nach vorne gerichtet verläuft, eine kleine Unterbrechung erleidet. Wohnkammer $^{3}/_{4}$ — $^{1}/_{1}$ Umgang betragend, Mundrand in der Jugend meist mit Ohren, später glatt mit gerundeten Ventrallappen; sehr entwickelter Halskragen, meist Einschnürungen. *Aptychus* dünn, kalkig, zweitheilig, mit Wärzchen besetzt. Beginnen im Lias mit *Steph. commune* und *subarmatum* und setzen bis in die Kreide fort.

Diese Gattung lässt sich mit Leichtigkeit noch in mehrere Gruppen zerlegen, welche ziemlich durchgreifend von einander abweichen. Ich kann unterscheiden:

a. Die eigentlichen Stephanoceras; sie besitzen nur in wenigen Fällen in der Jugend ausgebildete Ohren, meist besteht ihr Mundrand in einer etwas aufgeworfenen Lippe mit ziemlich weit vorspringendem Ventrallappen; die Länge der Wohnkammer beträgt 1 — 1$^{1}/_{4}$ Umgang, Einschnürungen fehlen ihnen gänzlich. Hieher *Steph. commune* Sow. und Verwandte, *Steph. Humphriesianum*, *Blaydeni*, *polyschides*, *Macrocephalum*, *bullatum*, *coronatum* u. s. w.

b. Eine andere Gruppe, für die ich den Untergattungsnamen Perisphinctes (*περισφίγγω* = umschnüren) vorschlagen möchte, zeichnet sich dadurch aus, dass ihr Mundsaum in der Jugend, oder selbst bis zu vorgeschrittenem Wachsthum mit Ohren versehen ist und dass die Individuen, wenigstens auf den ersten Windungen, stets deutliche Einschnürungen zeigen. Die Länge der Wohnkammer beträgt $^{2}/_{3}$ — $^{3}/_{4}$ Umgang. Zu diesem Subgenus gehören alle ächten Planulaten des mittleren und oberen Jura, ausserdem *Per. anceps*, *Astierianus* u. s. w.

c. Die dritte Gruppe bilden die Ornaten, die man wohl Kosmoceras (*κοσμέω* = schmücken, *κέρας* = Horn) nennen könnte und die sich durch ihre kurze, kaum mehr als $^{1}/_{2}$ Umgang betragende Wohnkammer auszeichnen.

6) **Aspidoceras** Zittel besitzt breite, meist nur wenig verzweigte Loben, eine gerade über die Siphonalseite hinwegsetzende Skulptur, die indess auch oft nur aus einzelnen Stacheln besteht, und eine Wohnkammer, welche $^{1}/_{2}$—$^{2}/_{3}$ Umgang beträgt. Sehr selten finden sich in der Jugend Ohren, im Alter ist die Mundöffnung stets einfach mit gerundetem Ventrallappen; *Aptychus* kalkig, dick, zweitheilig, zellulos. Hieher sind zu zählen (? *Asp. annulare*, *Arduennense*, *transversarium*, *athleta*), *perarmatum*, *bispinosum*, *cyclotum*, *orthoceras*, *Lallierianum* etc.

Ich konnte hier nur eine kurze, sehr flüchtige Skizze mittheilen. Eingehendere Angaben behalte ich mir vor für eine spätere grössere Arbeit über die Ammoneen überhaupt.

Gattung dasselbe zuzuzählen sei, indess werden die stets geraden Rippen, der einfach ausgeschnittene Mundsaum ohne seitliche Hervorragungen, die Länge der einen ganzen Umgang betragenden Wohnkammer, endlich das Vorhandensein eines *Anaptychus* bei *Arietites* bei Stücken, welche nur eines dieser Merkmale deutlich erkennen lassen, die Zweifel über die Stellung eines Erfundes bald zu zerstreuen geeignet sein. Ich muss hier bemerken, dass es ein Irrthum ist, wenn Keferstein den *Anaptychus* als ein Aequivalent der Kapuze beim *Nautilus* beanspruchen zu müssen glaubt. Der *Anaptychus* gibt sich durch seine Lage in der Wohnkammer, hinter den Ansatzstellen der Haftmuskel entschieden als das Analogon des *Aptychus* bei den anderen Ammoneen zu erkennen, und er hat wohl auch wie diese als Decke der Nidamentaldrüse bei den Weibchen gedient. Etwas anderes ist es mit den eigenthümlichen Schüppchen der *Goniatiten;* sie sind meines Wissens noch nie in natürlicher Lage an der betreffenden Stelle der Wohnkammer beobachtet worden, und bei ihnen mag so die Annahme, dass sie eine hornige Stütze der Kapuze gebildet und als Deckel gedient haben, vielleicht vollständig berechtigt sein. Ist dies richtig, so folgt daraus eine grössere Differenz des *Ammoniten*- und *Goniatiten*-Thieres, als man bisher irgend geahnt hatte.

Die übrigen Gruppen der Ammoniten, wie *Aspidoceras*, *Stephanoceras*, *Aegoceras* (siehe die vorige Anmerkung) etc., stehen ferner und lassen sich schon durch das blosse Ansehen leicht von *Harpoceras* unterscheiden, nur die Gattung *Amaltheus* Mtf. könnte noch Schwierigkeiten bereiten, doch bieten der einfache, seitlich nie mit Ohren versehene Mundrand, die stark nach vorn verlängerte und dann nach einwärts gebogene Ventralseite, die bei den geologisch älteren Formen vorhandene Spiralstreifung, endlich das Vorhandensein eines *Anaptychus* hinlängliche Unterscheidungspunkte.

Die durch die obige Diagnose unter dem Gattungsnamen *Harpoceras* zusammengefassten Ammonitenformen zerfallen nun bei genauerer Untersuchung in einige sehr natürliche Gruppen, welche in nicht unwesentlichen Merkmalen von einander abweichen. Fassen wir zunächst die Wohnkammer in's Auge, so findet sich, dass dieselbe bei den älteren Formen im Allgemeinen anders gebaut ist, indem sie nicht nur gewöhnlich etwas länger erscheint, sondern auch gekielt ist, während die jüngeren Arten den Kiel auf derselben verlieren u. s. w. Der Mundrand ist bei allen hieher gehörigen Formen in der Jugend mit Ohren versehen. Diese zeigen eine verschiedene Form und man könnte sitzende und gestielte unterscheiden; erstere hängen nämlich mit einer sehr breiten Basis an den Seitenflächen des Gehäuses fest, während bei letzteren diese Basis nur schmal erscheint.

Nun ist es zwar nicht gerade die Verschiedenheit im Bau der Ohren, welche verschiedenen Gruppen eigen waren; dennoch glaubte ich aber diese Verschiedenheit constatiren zu müssen, um die technischen Ausdrücke dafür zu erhalten. Dasjenige, was die Ohren bei der Unterscheidung von Gruppen innerhalb der Gattung als von Wichtigkeit erscheinen lässt, ist die Persistenz derselben, und es muss beigefügt werden, dass nur gestielte Ohren Persistenz zeigen. Endlich bietet auch noch der Aptychus Anhaltspunkte, indem die eine Summe von Arten einen dünnen, wenig gefalteten, an der Innenseite von einer leicht abfallenden Conchiliolin-Hülle überzogenen Aptychus zeigt, während die anderen denselben sehr kräftig, stark gefaltet und ohne Conchiliolin-Hülle entwickelt haben. Gestützt auf solche Merkmale ist es möglich ein Paar Untergattungen zu unterscheiden.

I. Untergattung Harpoceras Waagen.

In der Jugend sitzende oder gestielte Ohren, im Alter nur sitzende Ohren, welche oft fast völlig obliteriren. Wohnkammer an der Ventralseite bis an's Ende gekielt, Kiel meist vorspringend. *Aptychus* dünn, nur theilweise gefaltet, an seiner Innenseite mit einer dicken, sich leicht ablösenden Conchiliolin-Schicht belegt. Hieher gehören die Falciferen des Lias, welche in *Harp. Actaeon*, *Masseanum* und *arietiforme* sich von den Capricorniern abzweigen. An sie schliessen sich die Insignes, die Falciferen des braunen Jura mit gekielter Wohnkammer: *Harp. opalinum*, *Eduardianum*, *hecticum*, *Henrici*, *canaliculatum*, *trimarginatum*, endlich *Harpoceras Zio* Opp. als letzter Repräsentant der Untergattung an, da ich wegen Mangels an hinreichendem Materiale nicht zu entscheiden im Stande bin, ob die nahe stehenden Kreideformen noch hieher zu zählen seien oder nicht.

II. Untergattung Oppelia Waagen.

Die Jugendformen mit sitzenden oder gestielten Ohren, ausgewachsene Stücke stets nur mit sitzenden Ohren, die in vielen Fällen nur schwach angedeutet, in anderen dagegen stark entwickelt sind. Ventralseite am ganzen Gehäuse, jedenfalls aber auf der Wohnkammer vollständig gerundet, ohne Kiel oder Kante, Ventraltheil des Mundsaumes daher stets nur in einem gerundeten Lappen vorspringend. *Aptychus* kräftig, stark gefaltet, an seiner Innenseite mit einer sehr dünnen, mit dem Körper der Schale fest verwachsenen Conchiliolin-Schicht belegt.

Die älteste hieher gehörige Form ist die oben behandelte *O. subradiata*, nebst den von ihm in gerader Linie abstammenden Arten. Ihnen schliessen sich die ächten Flexuosen und Tenuilobaten an. Eine andere Formengruppe, welche zufolge ihres Baues ebenfalls dieser Untergattung beigezählt werden muss, wird gebildet durch *Opp. psilodiscus* und die verwandten Arten (*Opp. Erato, elimata* u. s. w.) bis zu *Opp. grasiana;* ihnen schliesst sich an *Opp. fialar, lophota* und einige andere.

Ich habe diese Untergattung meinem unvergesslichen Lehrer und Freunde Oppel zu Ehren benannt, da er der Erste war, welcher die Gruppe der Flexuosen genauer bearbeitete.

III. Untergattung Oekotraustes Waagen.

Im Jugendzustand mehr oder weniger sitzende, im Alter stets sehr ausgebildete gestielte Ohren vorhanden. Gehäuse an der Siphonalseite gekielt oder gerundet, Ventralseite der Wohnkammer gegen das Ende stets gerundet; Wohnkammer von der Spirale abweichend, ein Knie bildend.

Die Formen, welche dieser Untergattung angehören, sind nicht sehr zahlreich. Sie beginnen im Unteroolith mit *Oe. genicularis*, höher folgen *Oe. conjungens, auritulus, Renggeri, dentatus* Rein., bis sie im Tithon mit *Oe. macrotelus* endigen.

Mit diesen 3 Untergattungen scheint der Formenreichthum erschöpft. Manchem wird es scheinen, dass weder die Gattung *Harpoceras*, noch die Subgenera von anderen nahe stehenden Formengruppen hinlänglich scharf abgegrenzt sei, und es lässt sich auch wirklich nicht leugnen, dass in manchen Fällen die Grenzen in der That beinahe verschwimmen; soll man es aber deshalb gänzlich aufgeben, Gruppen zu unterscheiden und sie mit Namen zu belegen? Es unterliegt wohl keinem Zweifel, dass, je mehr einzelne Abtheilungen des Thierreichs und einzelne Formengruppen in der von mir hier angeregten Weise zur Bearbeitung gelangen, desto häufigere, bisher vielleicht ungeahnte Uebergänge zwischen sonst sich ziemlich fern zu stehen scheinenden Thieren werden aufgefunden werden, und dass dadurch die Grenzen einer sogenannten natürlichen Gattung stets, endlich bis in's Monströse, sich erweitern werden. Die Gattung nach unseren heutigen Begriffen ist, man muss es sich gestehen, eigentlich doch nur ein Fachwerk, in dem in gewissen morphologischen und anatomischen Eigenschaften übereinstimmende Thierformen vereinigt werden. Die wahre Verwandtschaft, d. h. die Abstammung, kann bei der Aufstellung der Gattungen doch nicht in Betracht kommen, einestheils weil wir in dieser Beziehung noch allzu wenig wissen, anderntheils weil die Verwandtschaften durch Abstammung zu sehr sich verzweigen und wir so, um nicht zu grosse Unterabtheilungen zu erhalten, wieder gezwungen sein werden, künstliche Schnitte zu machen. Dennoch brauchen wir Unterabtheilungen, da es dem menschlichen Geiste nicht gegönnt ist, zugleich mit dem Allgemeinen auch alle Einzelnheiten scharf zu erfassen, sondern für ihn hierin ein Nacheinander unerlässlich erscheint, und so werden wir dann zu dem Schlusse geführt, dass wir, in möglichster Berücksichtigung sämmtlicher Eigenschaften, die am meisten übereinstimmenden Thierformen zu Gattungen zu vereinigen gezwungen sind, deren Umfang einerseits durch die genauere oder weniger genaue Kenntniss der Uebergangsformen, anderseits durch den classifikatorischen Takt des Einzelnen, drittens endlich durch das praktische Bedürfniss bestimmt werden wird. Dass dieser letztere Fall bei den Ammoneen namentlich in Betracht komme wurde schon oben angedeutet und von diesen Erwägungen getrieben, habe ich versucht auf einem anderen als den von Süss eingeschlagenen Wege den classifikatorischen Werth einige Merkmale am Gehäuse der Ammoniten festzustellen, um dann da, wo mir die geringsten Uebergänge vorhanden zu sein schienen, die Grenzen der Gattungen abzustecken.

Um den vorliegenden Gegenstand erschöpfend zu behandeln, wären nun noch 2 Fragen zu erörtern, nämlich erstens die Frage nach dem Zeitraum, welcher erforderlich war, um alle die im Vorhergehenden beschriebenen Arten zur Entwicklung zu bringen, und zweitens jene nach der Abstammung der ganzen Formenreihen, nach der Abstammung von *Oppelia subradiata* selbst. Beide sind Gegenstände von hoher Wichtigkeit und Bedeutung, und doch kann ich beide nur ganz flüchtig berühren, denn die Voraussetzungen, welche die Beantwortung solcher Fragen in sich schliesst, sind noch nicht erforscht, noch nicht festgestellt.

Damit man mit einiger Sicherheit den Bildungszeitraum für die beschriebenen Formenreihen feststellen könnte, müsste man vor allem die Schichten, welche noch heute in unseren Meeren sich bilden, oder jene über das Meeresniveau emporgehobenen Muschelablagerungen mit jetzt noch lebenden Molluskenarten einem genauen Studium unterwerfen, und von möglichst vielen Punkten dieselben mit den Formationsabtheilungen vergleichen, welche den behandelten Arten zur Lagerstätte dienen. Nun sind aber in Beziehung auf recente Gebilde erst so wenige Thatsachen bekannt, dass dieselben durchaus nicht als Grundlage zu derartigen Erörterungen benützt werden können. Die einzige Ueberzeugung, welche man aus der Literatur hierüber gewinnen kann, ist die, dass seit dem Auftreten der jetzt noch unsere Meere bevölkernden Molluskenarten an mehreren Punkten der Erde bereits mächtige Schichtensysteme abgesetzt worden seien. — Die Maximalsumme, welche ich durch Addiren der grössten Mächtigkeitswerthe der einzelnen Schichten an verschiedenen Punkten in ganz Europa für die hier zum Vergleiche in Betracht kommenden mesozoischen Ablagerungen vom Unteroolith bis Callovien auszurechnen im Stande war, beträgt 850 Fuss. In diesen Schichtencomplex sind aber nicht weniger als 10 grösstentheils von einander verschiedene Faunen eingeschlossen, so dass also auf eine Fauna im Maximum ein Schichtenmaterial von 85 Fuss Mächtigkeit käme. Sehr häufig bleibt aber der wahre vertikale Durchschnitt jener Straten, in denen ein und dieselbe Fauna verbreitet ist, hinter dieser Maximalsumme weit zurück, und wenn man dann in der Natur vor jenen Ablagerungen steht, welche, gefüllt mit den Resten einer untergegangenen Molluskenfauna in geschlossener Reihe vor einem aufragen, so drängt sich wiederholt der Gedanke auf: Ist es denn möglich, dass zur Bildung dieser vielleicht 10' mächtigen Bank ein Zeitraum erforderlich gewesen sei, so gross, als die ganze quatrenäre Periode, mit all ihren Gletschern und Niveauschwankungen? Und doch zeigen sich im Liegenden, wie im Hangenden bereits veränderte Molluskenfaunen! Diesen Wechsel aus Wanderungen zu erklären, scheint nicht wohl zulässig, da wir die Stammältern der einzelnen Arten in den gleichen Meeresbecken verbreitet finden, in welchen wir die Abkömmlinge ebenfalls antreffen, und so bleibt ein ungelöstes Missverhältniss zwischen der Mächtigkeit der Schichten und den eingeschlossenen Faunen, dessen Vorhandensein bereits Hébert (Mers anciennes) fühlte. Dieser bedeutende Gelehrte sucht nun eine Lösung des Räthsels darin, dass er annehmen zu dürfen glaubt, dass in der jurassischen Epoche nicht nur die auf- und absteigende Bewegung der Länder viel langsamer vor sich gegangen, als wir dies z. B. heute bei Schweden beobachten können, sondern auch an den Küsten weit weniger Sediment abgesetzt worden sei, als an den Ufern unserer Meere, und ebenso Brandung und Strömungen weniger thätig gewesen sein als heutzutage. Er schildert die jurassische Zeit als eine Periode unendlicher Ruhe, in welcher die unendliche Langsamkeit der Bewegungen der Erdkruste nur in seltenen Fällen schwache Verwerfungen zu erzeugen im Stande war. Im Allgemeinen lässt sich nun gegen die Möglichkeit solcher Verhältnisse wenig einwenden, nur dagegen könnten sich Bedenken geltend machen, dass Meeresströmungen und Brandung, jene Hauptagentien in der Erzeugung von Ablagerungen, zu irgend einer Zeit des Bestehens unseres Erdkörpers ihre Thätigkeit vermindert haben sollten, denn gerade sie sind ja in gewissen uns bekannten physikalischen Gesetzen begründet, welche ihre Wirksamkeit seit Erschaffung unseres Weltkörpers stets in gleicher Weise geltend gemacht haben werden. Wir müssen daher auch für die jurassische Periode einen Wechsel von Ebbe und Fluth, wir müssen Meeresströmungen und Stürme annehmen, welche die Ufer mit Brandungswogen peitschten. Um so auffallender ist es aber dann, dass den jurassischen Ablagerungen, auch wenn sie noch so nahe dem Strande sich gebildet hätten, durch Geröllbänke bezeichnete Uferlinien fast gänzlich fehlen. Sollte diese Seltenheit der Gerölle nicht die Vermuthung nahelegen, dass damals die auf- und absteigende Bewegung der Ufer verhältnissmässig so rasch und so stetig vor sich ging, dass es nicht zur Abschwemmung festerer Gesteinsmaassen kam, sondern dass sich die Ufer stets veränderten, und so keine Zeichen ihrer einstigen Existenz zurückliessen? Eine Stütze dieser Ansicht bieten die zahlreichen schwachen Diskordanzen, welche Deslongchamps in seinem ausgezeichneten Buche „Sur les Etages jurassiques inférieures" für die Normandie nachgewiesen hat. Dass bei solchen Niveau-Schwankungen der Ufer häufig eben gebildete Ablagerungen wieder an die Oberfläche des Meeres gehoben wurden, und so das noch unconsolidirte Schichtenmaterial bedeutenden Abschwemmungen durch Strömungen und Brandung ausgesetzt war, dies beweist unter anderm das Cornbrash der Normandie, welches, während es anderwärts eine Mächtigkeit von 40' erreicht, hier als Schichte gänzlich zerstört wurde, und nur durch einige abgerollte Versteinerungen vertreten ist, die sich an der Basis der Macrocephalusschichten finden. Diese Abschwemmungen reichten aber stets nur bis auf die nächsten bereits consolidirten Bänke, auf denen sich dann jene Serpeln, Austern und Lithodomen ansiedelten, auf welche die französischen Geognosten so grosses Gewicht gelegt haben. Wie rasch es aber gehen könne, dass Gesteine von solchen bohrenden Mollusken durchlöchert werden, zeigen unsere heutigen Meeresküsten zu Genüge, wo einige wenige Jahre hinreichen, um den härtesten Marmor oder den festesten kieseligen Sandstein in ein schwammartig poröses Gebilde umzuwandeln. Aus dieser wenn auch sehr flüchtigen Skizze mag man nun vielleicht ersehen, dass sich in dem Zustandekommen der in Rede stehenden mesozoischen Ablagerungen ein Punkt findet, der noch nicht hinlänglich aufgeklärt ist: Frühere Schriftsteller suchten die Lösung desselben darin, dass sie glaubten, für die Bildung dieser Schichten längere Zeiträume und grössere Ruhe voraussetzen zu müssen, als wir dies für die Gebilde der Meere der quatrenären und jetzigen Periode beobachten, ich aber glaube mit dem gleichen, vielleicht mit noch grösserem Rechte annehmen zu dürfen, dass die Bedingungen zum Zustandekommen von Ablagerungen in früheren Perioden im Allgemeinen genau dieselben waren, als heutzutage; dass dagegen die Faunen rascher wechselten, indem sich die Arten (vielleicht durch „Umprägung") rascher veränderten, als man dies bisher anzunehmen geneigt war. Wenn wir irgend einen Organismus nur in seiner vollen Kraft, im Zustande seines vollen Ausgewachsenseins zu beobachten im Stande wären, und die physiologischen und morphologischen Veränderungen, die an ihm vorgehen, feststellen könnten, würden wir da uns nicht gewaltig täuschen, wenn wir aus der Langsamkeit dieser Vorgänge darauf schliessen wollten, dass dieser Organismus zu seiner Entwicklung vielleicht ein Jahrhundert gebraucht habe, während in Wahrheit höchstens ein Paar Jahrzehnte hingereicht haben, dies zu Stande zu bringen? Könnten wir uns nicht möglicher Weise gegenüber der gesammten organischen Welt in einem ähnlichen Falle befinden?

Ich habe hier nur der einen Hypothese eine andere gegenüber gestellt, ohne im entferntesten behaupten zu wollen, dass nicht auch irgend eine andere Lösung die richtige sein könne. Die Entscheidung wird erst möglich werden, wenn das Studium der recenten Ablagerungen so weit vorgeschritten sein wird, dass dieselben eine direkte Vergleichung zulassen, so lange aber muss die Frage als eine offene betrachtet werden.

Die letzte Frage endlich, nach der Abstammung von *Oppelia subradiata* ist ebenso wenig sicher zu beantworten, als die oben erörterte. Obgleich ich vermuthe, dass die Art mit *Harpoceras opalinum* in Zusammenhang stehe, so fehlen mir hiefür doch alle Belege, und trotz vieler Mühe konnte ich kein Stück auftreiben, welches diese meine Vermuthung zu bestättigen im Stande gewesen wäre: Vielleicht wird man die Uebergangsformen im mittelländischen Jurabeken, vielleicht sogar in aussereuropäischen Bildungen suchen müssen. A priori liesse sich weder das Gelingen, noch das Fehlschlagen eines solchen Unternehmens behaupten, denn wenn ich auch soeben eine Vermuthung wegen der Abstammung ausgesprochen habe, so ist es doch, sollten sich auch alle andern Faktoren günstig stellen, noch keineswegs durch unwiderlegliche Thatsachen festgestellt, ob auch wirklich die Hauptformen im Reiche der Organismen genetisch zusammenhängen, und ob nicht nach der ersten urzeugenden Erschaffung des ersten Organismus durch neue Akte schöpferischer Thätigkeit auch später neue Organismen ins Dasein gerufen worden seien. Hier ist ein weites Feld der Forschung. Nachdem eine Hypothese aufgestellt ist und die nöthige Anregung gebracht hat, ist es nicht mehr Sache der Wissenschaft, dieselbe noch weiter auszuspinnen, sondern unumstössliche Thatsachen an's Licht zu ziehen, welche die Hypothese beweisen oder fallen machen können, das ist die Aufgabe, welche die Forschung sich stellen muss. So muss auch die Paläontologie die Reihen ordnen, die Formen sichten, welche vielleicht den Stammbaum der Organismen zusammensetzen; Lücken müssen durch neues reichliches Material ausgefüllt und so die Perspektiven eröffnet werden, welche zur endlichen Lösung der die Wissenschaft bewegenden Fragen führen können.

Berichtigung.

In der Tabelle auf pag. 192 (14), Columne 6, Abtheilung 4 von oben ist zu lesen: *Amm. conjungens* statt: *Amm. graniger*.

GEOGNOSTISCH-PALÄONTOLOGISCHE

BEITRÄGE.

HERAUSGEGEBEN

VON

DR. E. W. BENECKE,

PROFESSOR AN DER UNIVERSITÄT STRASSBURG

ZWEITER BAND.

III. Heft.

ENTHALTEND

ÜBER DIE UMGEBUNGEN VON ESINO IN DER LOMBARDEI VON PROFESSOR DR. BENECKE.
DIE ORNATENTHONE VON TSCHULKOWO UND DIE STELLUNG DES RUSSISCHEN JURA VON PROFESSOR DR. NEUMAYR.

MÜNCHEN, 1876.

DRUCK UND VERLAG VON R. OLDENBOURG.

ÜBER DIE

UMGEBUNGEN VON ESINO

IN DER LOMBARDEI

VON

DR. E. W. BENECKE,
PROFESSOR AN DER UNIVERSITÄT STRASSBURG.

(MIT 1 KARTE UND 3 TAFELN.)

MÜNCHEN, 1876.
DRUCK UND VERLAG VON R. OLDENBOURG.

Einleitung.

Unter den Fundstellen alpiner Triasversteinerungen zählen jene in den Umgebungen des lombardischen Dorfes Esino zu den berühmtesten. Von ihnen ist gesprochen worden, seit man die Gliederung der nördlichen und südlichen sedimentairen Nebenzonen der Alpen überhaupt ernstlich in Angriff nahm. Aehnlich wie von Hallstatter, Cassianer Schichten redete man bald auch von Esinokalk und Esinodolomit nicht mehr bloss als lokalen Vorkommnissen, sondern verstand darunter Formationsabtheilungen, die man auch anderswo in den Alpen wieder erkennen wollte. Diesem Umstande ist es aber zuzuschreiben, dass die Esinofrage eine der verwickeltesten in der ganzen Alpengeologie geworden ist. Lokalbezeichnungen sind zweckmässig und zumal in den Alpen ganz unvermeidlich. Sie müssen aber so lange lokale bleiben, bis man über die Verhältnisse an Ort und Stelle ganz im Klaren ist.[1]) Ueber die Lagerungsverhältnisse bei Esino wissen wir heutigen Tages leider noch nicht hinreichend Bescheid, um vereinfachen zu können, so bestimmt auch das Gegentheil versichert wird. Ein Gebiet, in welchem einem so eminenten Beobachter, wie Escher v. d. Linth vieles zweifelhaft blieb, bedarf einer genaueren Untersuchung,

---

[1]) Andrerseits müssen lokale Bezeichnungen, wenn sie durch allgemeinere ersetzt werden können, möglichst schnell aufgegeben werden, wenn nicht die Nomenklatur der Alpengeologie zu einem Ballast anwachsen soll, der das ganze Schiff in den Grund zieht. Sieht man unsere neueren in Deutschland erschienenen allgemeineren Werke über Geologie an, so vermisst man durchaus die den Alpen gebührende Berücksichtigung. Es darf aber wohl gefragt werden, ob diejenigen, die Alpengeologie zu ihrem Specialstudium gemacht haben, nicht nachgerade den ausseralpinen Geologen das Verständniss alpiner Verhältnisse unmöglich machen. Das Verdienst Hauer's, in seiner Geologie der österreichisch-ungarischen Monarchie wieder ein verständliches Uebersichtsbild gegeben zu haben, kann daher gar nicht hoch genug angeschlagen werden.

als sie den Gebirgen am Ostufer des Comer See bisher zu Theil geworden ist.

Die Hauptfrage war immer, liegen die Esinokalke, d. h. die Schichten mit den zahlreichen Gasteropoden und Cephalopoden über oder unter den wohlgeschichteten Kalken und bunten Mergeln am Südabhang des Sasso Mattolino, jenen Schichten, die man seit Escher's Entdeckung der *Gervillia bipartita* unter den Prati d'Agueglio als Raibler Schichten bezeichnen durfte? Wenn wir von älteren Autoren absehen[1], finden wir bei Hauer und Stoppani in den 50er Jahren gerade die entgegengesetzte Ansicht ausgesprochen. Jener, mehr wie irgend ein anderer zu vergleichenden Untersuchungen berufen, dieser am eingehendsten mit dem Studium der Fauna von Esino beschäftigt. Während Hauer nur ein Aequivalent des Hallstatter Kalkes, also von Bildungen, die unter den Raibler Schichten angenommen wurden, im Esinokalk sah, stellte Stoppani denselben über die Raibler Schichten. Raibler und Cassianer Schichten fielen dann zusammen und eine Uebertragung nordalpiner Bezeichnungen auf die Südalpen hatte keinen Sinn mehr. Curioni hat das ganz unbestreitbare Verdienst, bald darauf den Weg der Verständigung zwischen deutschen und italienischen Geologen über die Auffassung der ganzen oberen Trias überhaupt angebahnt zu haben, indem er den Nachweis lieferte, dass sowohl unter als über den Raibler Schichten an mehreren Punkten der Lombardei Versteinerungen führende Dolomite und Kalke lägen, und dass, da auch bei Esino diese beiden Complexe entwickelt seien, es sich zunächst frage, in welchem dann die berühmten Gasteropoden lägen. Nur in den unteren Kalken (Schichten von Ardese und vom Sasso Mattolino bei Esino) konnte man den Hallstatter Kalk wiederfinden wollen, während in den oberen eine dem nordalpinen Dachsteinkalk entsprechende Bildung gesucht werden durfte. Diese letzteren Schichten aber sah Curioni als das Lager der Esinopetrefakten an, ebenso wie es Stoppani gethan hatte. Ein wesentlicher Fortschritt war es jedenfalls, auch in den Südalpen einen Hallstatter Kalk als mächtige Entwicklung ausscheiden zu können, auffallend blieb, dass die auf der Nordseite für Hallstatter Kalk bezeichnenden Fossilien sich im Süden in einem höheren Niveau finden sollten, dem des Dachsteinkalkes.

Mit diesen Anschauungen Curioni's trafen die Resultate meiner eigenen Untersuchung in der Lombardei, im Anfang der 60er Jahre, soweit es

[1] Ausführlichere Mittheilungen findet man in meiner früheren Arbeit über Trias und Jura in den Südalpen. Geognost. paläontolog. Beiträge I. p. 91. 1866. Ich beschränke mich hier auf einige wenige orientirende Angaben.

sich um Lokalitäten ausserhalb Esino handelte, zusammen. Esino selbst konnte ich damals nicht besuchen. Ich beobachtete, zumal im Val di Scalve, einem westlichen Seitenthale der Val Cammonica, mächtige Kalke mit den sogenannten Riesenoolithen Escher's und undeutlichen Versteinerungen unter den Raibler Schichten, an vielen anderen Punkten sehr versteinerungsreiche Kalke und Dolomite über denselben. Wohl fand ich in diesen letzteren häufig einige Versteinerungen, die Stoppani für seine Dolomie moyenne, d. i. Lager der Esinopetrefacten und der in der übrigen Lombardei für äquivalent gehaltenen Bildungen angab, umsonst suchte ich aber nach den Ammoniten und Gasteropoden, die nach Stoppani's Abbildungen in dem ersten Bande der Paléontologie Lombarde doch entschieden der Esinofauna den bezeichnenden Stempel aufdrücken. Ich kam daher nach einer genauen Durchsicht der Litteratur zu dem Resultat[1]): „Dolomie moyenne (Stoppani's) mit *Avicula exilis*, *Gastrochaena obtusa* und ich füge hinzu: *Megalodon triqueter* Wulf. sp. (*M. Gümbeli* Stopp.) ist Hauptdolomit der Nordalpen. Esinokalk in Hauer's Sinn und speciell Dépôt der Fossilien von Esino bei Stoppani sind Complexe, welche wahrscheinlich den Hallstatter Kalken gleich zu stellen sind und unter den Raibler Schichten liegen. Ein bestimmtes Urtheil über dieselben auszusprechen wird erst dann gestattet sein, wenn das durch palaeontologische Nachweise wahrscheinlich gemachte auch stratigraphisch erwiesen ist.“ Ich war in jener Zeit der Ansicht, dass man für die übrige Lombardei unter Esinoschichten etwas anderes begriff, als bei Esino selbst und dass an diesem letzteren Punkte die Lagerung falsch gedeutet sei. Eine Verständigung war aber darum so schwer, weil die Mailänder Geologen ganz im Recht waren, wenn sie die Esinoschichten ausserhalb Esino über die Raibler Schichten stellten. Es waren diese aber nach meiner Ueberzeugung nicht die Esinokalke von Esino.

Da Stoppani inzwischen sich den Curioni'schen Ansichten über die Aufeinanderfolge der Abtheilungen der oberen Trias ebenfalls akkomodirt hatte und speciell in seiner dolomia di S. Defendente[2]) Aequivalente des Hallstatter Kalkes sah — der Sasso Mattolino Schichten bei Curioni — so blieb eben überhaupt nur der oben besprochene Punkt der Stellung der Esinopetrefakten bei Esino kontrovers. Ueber die übrige Lombardei, etwa Lenna ausgenommen, war man im wesentlichen einer Meinung.

[1]) Diese Beiträge Bd. I. pag. 95.

[2]) Dass Curioni nun gerade diesen Schichten eine andere Stellung anweisen möchte, lassen wir bei Seite. Es alterirt das die Uebereinstimmung im Ganzen nicht.

Ich glaubte damals die Frage so präcisirt zu haben, dass eine nochmalige Untersuchung von Esino auch die letzten Zweifel heben müsste, dennoch hat das letzte Decennium die Esinofrage nicht zum Abschluss gebracht. Zwar wurden dieselben Ansichten wie früher, zuweilen noch extremer gefasst ausgesprochen, aber eine genaue Untersuchung der Lokalität, die allein helfen konnte, wurde nicht unternommen.

Ich führe im Folgenden kurz einige der wichtigeren von 1866 bis 1875 erschienenen Arbeiten an, in denen Esino besprochen wird.[1] Von lombardischer Seite haben wir wiederum Curioni[2] zu nennen, der im Jahre 1870 in einer Arbeit über Val Trompia im wesentlichen seine früheren Anschauungen über die obere Trias wiederholt. Er unterscheidet p. 42 (sep.) folgende Abtheilungen:

1. Dolomia e calcarea metallifera. Dolomite und dolomitische Kalke, die mehrorts Bleiglanz und Blende neben anderen Mineralien führen.

Als petrographische Eigenthümlichkeit wird insbesondere der Riesen-Oolith Escher's angeführt, von dem jedoch die *Erinospongia cerea* Stopp. als dem Esinokalk angehörig und höher liegend getrennt wird. Wir kommen auf diesen Punkt später zurück. Occhiadino ist der Name für diese Gesteine, wo sie als Marmor gebrochen werden. Ganz bestimmt werden dieselben als ein Aequivalent des Hallstatter Kalkes angesehen. Ausser früher schon genannten Vorkommnissen verdient besonders jenes N-W von Menaggio am Comer See Beachtung, weil es noch westlich von Esino liegt. Fossilien sind im Allgemeinen nicht häufig, doch stimmt, was gefunden wurde, mit Hallstatt. Es handelt sich um eine mächtige Bildung, deren Bedeutung früher oft verkannt wurde.

2. Terreno di *Gervillia bipartita* (Terreno di Gorno, Raibel dei Tedeschi).

Wohlgeschichtete Kalke, bunte Mergel, deutschem Keuper ähnlich, Sandsteine, Rauchwacken und Gyps. Bezeichnende Fossilien wie *Gervillia bipartita, Myophorien, Myoconcha, Pecten filosus,* die höher und tiefer fehlen.

3. Dolomia di Esino ad *Avicula exilis* Stopp. Entsprechend dem Hauptdolomit der Deutschen mit *Avicula exilis*, *Megalodon triqueter* u. s. w. Eine Anzahl Fossilien mit jenen der Kalke unter den Raibler Schichten übereinstimmend. Lager der Esinopetrefakten.

---

[1] Auch hier liegt es nicht entfernt in meiner Absicht erschöpfend in den Litteratur-Angaben sein zu wollen. Zum Verständniss meiner eigenen Untersuchungen werden folgende wenige genügen.

[2] Osservazioni geologiche sulla Val Trompia. Memorie del R. Instituto Lombardo di scienze e lettere. Ser. III. Vol. II. 1870.

Für Esino ist Curioni's Ansicht dieselbe wie früher. Auffallend bleibt immer das Vorkommen einer so grossen Anzahl identischer Fossilien bei Esino über, an andern lombardischen Punkten unter den Raibler Schichten. Darauf möchte ich schon hier hinweisen, dass es immer nur Esino und etwan Lenna sind, die diese Anomalie zeigen. Und an diesen Punkten werden die betreffenden Ammoniten und Gasteropoden, als in unteren Lagen der dolomie moyenne liegend, angegeben, denn Stoppani unterscheidet[1]) dolomie moyenne proprement dite (*Gastrochaena obtusa*, *Avicula exilis*, *Esinospongia cerea*, *Cardium*, *Gastéropodes*) und tiefer (doch immer über Raibler Schichten) dépôt des pétrifications d'Esino (Esino-Kalk). Ganz besonders fällt in letzterem *Halobia Lommeli* auf, während *Avicula exilis* und *Cardium*, (d. i. *Megalodon*) ja, wie allgemein anerkannt, hoch liegen.

War man auf der Nordseite der Alpen bis in die Mitte der 60er Jahre gewohnt, die Hauer-Gümbel'sche Eintheilung der oberen Alpentrias als wohlbegründet anzusehen, so schien auf einmal Alles in's Schwanken zu kommen, als in einer Arbeit von Mojsisovics[2]) Wettersteinkalk mit *Diplopora annulata* über Raibler Schichten angegeben wurde. Der Hallstatter Kalk blieb zwar in seiner Stellung, allein Hallstatter Kalk und Wettersteinkalk, zwei Abtheilungen, die man stets für ganz oder nahezu gleichalterige Bildungen gehalten hatte, getrennt zu sehen, ferner die dem Schlerndolomit angewiesene Stellung zwischen Raibler- und den von diesen getrennten Torer Schichten, das Alles erschien dem ferner stehenden so fremdartig, dass der Muth entschwand sich mit Alpentrias noch zu befassen, ehe nicht eine neue, allgemein anerkannte Eintheilung gefunden war. Doch stellte sich in nicht zu langer Zeit durch Mojsisovics' eigene Untersuchungen wieder heraus[3]), dass die in früherer Zeit geltende Stellung des Wettersteinkalkes die richtige war, so dass wir von nun an in den Tabellen Wettersteinkalk und Hallstatter Kalk wieder neben einander figuriren sehen. Die Esinoschichten blieben aber hier und noch später[4]) über den Raibler Schichten. Hauer[5])

---

[1]) Petrifications d'Esino p. 147.

[2]) Ueber die Gliederung der oberen Triasbildungen der östlichen Alpen. Jahrb. d. geol. Reichsanst. 1869 Bd. XIX. p. 107—112. Tabelle p. 128.

[3]) Verhandlungen der geolog. Reichsanst. 1871 p. 215.

[4]) Jahrb. d. geolog. Reichsanst. 1870 p. 96, wo es heisst, Esino- oder Schlern-Dolomit, gleichwerthig zusammen als eine Abtheilung des Hauptdolomit der Südalpen, ohne Entwicklung der Torer Schichten nur schwer zu trennen, jedenfalls beide über Raibler Schichten.

[5]) Erläuterungen der geolog. Uebersichtskarte der österr.-ungar. Monarchie Bl. IX., XI. XII. p. 170. Man vergleiche daselbst auch „Cassianer Schichten".

hatte 1872 in den Erläuterungen zur geologischen Uebersichtskarte der österreichisch-ungarischen Monarchie Veranlassung, auf den Esinodolomit zurückzukommen und sagt: „auch nach den neueren Untersuchungen von Curioni liegt der Esinokalk über den Schichten von Gorno und Dossena (Niveau der Cassianer Schichten, der Cardita Schichten u. s. w.) und demnach höher wie der Wettersteinkalk und Hallstatter Kalk der Nordalpen. Ueber dem Esinodolomit folgt in der Lombardei, wie es scheint ohne weiteres Zwischenglied, der Haupt-Dolomit, den Stoppani zusammen mit dem Esinodolomit als dolomia media bezeichnet. Nach den vorliegenden Daten können wir gegenwärtig den Esinodolomit nur als ein Aequivalent des Schlerndolomits ansehen.“ Zur Erläuterung füge ich bei, dass die Nebeneinanderstellung von Raibler Schichten und Cassianer Schichten eine Folge der Annahme der Stellung des Schlerndolomits über Raibler Schichten war, wodurch die immer als unterliegend anerkannten Cassianer Schichten natürlich mit Raibler Schichten zusammenfielen. Kam der Schlern-Dolomit über die Raibler Schichten, dann nahm er auch die Stellung ein, die die lombardischen Geologen für die Esinoschichten beanspruchten. Dass Schlerndolomit und Esinoschichten gleichalterig seien, war ja schon die frühere Hauer'sche Annahme, neu ist nur die Stellung des Schlerndolomits über den Raibler Schichten und die daraus folgende Consequenz für die Esinoschichten.

Gümbel[1]) in seiner für die paläontologische Charakteristik des Alpen-Keupers so ausserordentlich wichtigen Arbeit: „Die sogenannten Nulliporen“, stellt ebenfalls die Esinoschichten sehr hoch. Derselbe sagt p. 51 kurz: „die sogenannten Esinoschichten, d. h. die unteren Lagen des Hauptdolomit.“

Wir werden unten sehen, dass Gümbel's Ansicht nach dem ihm vorliegenden Material ganz richtig war, nur stammen die von ihm beschriebenen Nulliporen *(Gyroporella vesiculifera)* wohl aus sogenannten Esinoschichten, aber nicht von Esino selbst. Etwas ausführlicher kommt Gümbel in seinen geognostischen Mittheilungen aus den Alpen[2]) auf die Esinoschichten zu sprechen, indem er dieselben auch hier als Haupt-Dolomit ansieht. Auch die in dieser Arbeit berührten Verhältnisse finden weiter unten ihre Erläuterung.

Somit galt es im Jahre 1872 für eine feststehende Thatsache, dass die

[1]) Gümbel, die sogenannten Nulliporen. Abhandl. der bayer. Akademie der Wissenschaften II. Cl. XI. Bd. 1. Abth. 1871 72.

[2]) Gümbel, Sitzungsber. d. bayer. Akademie 1873, 1, p. 83.

Raibler Schichten bei Esino zwei Kalk- und Dolomitmassen trennen, deren untere dolomia di S. Defendente Stopp., Schichten des Sasso Mattolino Curioni's dem Hallstatter Kalk entsprächen, deren obere dolomia media Stoppani's in ihrem unteren Theile die Fossilien von Esino enthalte, in ihrer Gesammtheit den nordalpinen Hauptdolomit darstelle. Stratigraphisch war diese Ansicht zuerst von Curioni bestimmt ausgesprochen worden, Stoppani und andere hatten sich ihr angeschlossen. Paläontologisch wurde sie in schärferer Weise nur von Gümbel zu stützen gesucht. Die oben erwähnte, dem Schlerndolomit zeitweilig zugewiesene Stellung über den Raibler Schichten gehört einem besonderen, nur die Südalpen betreffenden Kapitel an. Wir werden gleich sehen, dass die von dieser Seite entstandenen Schwierigkeiten bald gehoben wurden.

Seit dem Jahre 1873 zeigen sich jedoch Andeutungen, dass vielleicht doch nicht alles bei Esino so liegen möchte, wie zuletzt angenommen wurde, allerdings zunächst in sehr bescheidener und für den mit den Verhältnissen nicht genauer bekannten in kaum bemerkbarer Form. In dem 2. Bande seines Corso di Geologia kommt Stoppani[1]) auf die alpine Trias zu sprechen und unterscheidet, indem er z. Th. die in Deutschland üblichen Ausdrücke acceptirt, von unten nach oben:

Trias superiore
1. Strati di San Cassiano,
2. Strati di Hallstatt,
3. Strati di Raibl,
4. Strati di Esino,
5. Strati a *Megalodon Gümbeli.*

Das ist dieselbe Aufeinanderfolge wie früher. Sehr unerwartet finden wir aber dann p. 386 die Thatsache, dass am Sasso Mattolino *Ostrea stomatia*, eine der Hauptmuscheln der Esinoschichten, unter den Raibler Schichten im Hallstatter Kalk sich findet, dass ferner die Schichten von Lenna, die mit den Esinoschichten früher immer in einem Athemzuge genannt wurden, ebenfalls unter den Raibler Schichten liegen.

Wenn nun doch noch Esinoschichten über den Raibler Schichten angeführt werden, so dient zur Erläuterung der paläontologischen Verhältnisse folgender Satz: Un fatto singulare è questo, che negli strati equivalenti degli strati di Hallstatt in Lombardia, trovasi, direi, in parte ante-

[1]) Stoppani, Corso di geologia Bd. II. Milano 1873

cipata fauna d'Esino, che vedremo svilupparsi assai più tardi." Die Bedeutung dieser Sätze fällt dann erst recht auf, wenn man die ausserordentliche Bestimmtheit berücksichtigt, mit der in früheren Arbeiten Stoppani's gegentheilige Ansichten vertreten wurden.

Wenn auch in anderer Weise, sah man sich um diese Zeit, wohl vor dem Bekanntwerden des Stoppani'schen Corso, auch in Deutschland zu Modifikationen früherer Anschauungen veranlasst. In einem Aufsatz des unermüdlichen Mojsisovic's[1]) betitelt Faunen-Gebiete und Facies-Gebilde der Triasperiode in den Ostalpen steht auf der Tabelle p. 98 zunächst der Schlerndolomit wieder unter den Raibler Schichten und unter Anerkennung der Verwandtschaft der Esinofossilien und der Schlernfossilien wird wenigstens vermuthungsweise ausgesprochen, dass die Esinoschichten denn doch eine tiefere Stellung einnehmen möchten, als man denselben bisher angewiesen habe.

Auch wird darauf hingewiesen, dass man unter Annahme zweier in den Umgebungen von Esino nebeneinander herlaufenden facies vielleicht eine Deutung der noch unverständlichen Verhältnisse finden könne. In jener vortrefflichen Uebersicht endlich, welche Hauer[2]) in seiner 1875 vollendeten Geologie von der Alpentrias gab, tritt uns sogar die ganze ältere Eintheilung des Keupers wieder entgegen. Cassianer Schichten mit ihren Aequivalenten unter, über denselben Hallstatter Kalk, Wettersteinkalk, Schlerndolomit, Esinodolomit, diese alle überlagert von den Raibler Schichten, so also, wie wir gesehen haben, dass ganz zu Anfang Hauer gegen Stoppani die Lagerung bei Esino und in der Lombardei überhaupt auffasste.

So standen also 1875, wenn auch manches sich geändert hatte, die Ansichten einander gerade so gegenüber, wie zehn Jahre vorher, nur mit dem Unterschiede, dass die Italiener jetzt in Gümbel's Untersuchungen eine wesentliche Stütze ihrer Auffassung finden konnten, und dass Stoppani insbesondere seine Auffassung wieder etwas modificirt hatte. Mehr als je früher lag die Vermuthung nahe, dass es sich hier um irgend Missverständnisse, falsche Anwendung von Lokalnamen oder ähnliche formelle Dinge handeln müsse, und so entschloss ich mich, den Versuch zu machen, mir in Esino selbst Klarheit zu verschaffen. Leider war meine Zeit kurz bemessen, doch konnte einiges sicher, anderes mit grosser Wahrscheinlichkeit festgestellt werden, und wenn auch eine Fortsetzung der Untersuchung des

[1]) Mojsisovics, Jahrb. d. geol. Reichsanst. Bd. XXIV. p. 81. 1874.
[2]) v. Hauer, Geologie der österreichisch-ungarischen Monarchie 1875.

ziemlich ausgedehnten und z. Th. schwer zugänglichen Gebietes in meiner Absicht liegt, so glaube ich doch schon jetzt das mittheilen zu sollen, was vor einer ferneren unrichtigen Uebertragung der Bezeichnung Esino-Schichten schützen kann. Und aus dieser glaube ich die bestehende Verwirrung zum grossen Theil herleiten zu dürfen. Eine geologische Karte, auch nach der Stoppani'schen Skizze[1]), zu entwerfen, wäre für ein besseres Verständniss sehr wünschenswerth. Es wäre jedoch jetzt dazu, ganz abgesehen von der nicht hinreichenden Zeit, schon um desswillen nicht der geeignete Moment gewesen, weil wir binnen Kurzem die geologische Karte der ganzen Lombardei von Curioni zu erwarten haben, die auf dem Pariser geographischen Congress 1875 bereits vollendet ausgestellt war. Die beigefügte topographische Skizze im Masstab der österreichischen Generalstabskarte ($^1/_{86400}$) wird dem mit der Lokalität nicht Vertrauten wenigstens die Orientirung erleichtern. Einige Fallrichtungen, sowie die häufig genannten Fundstellen von Versteinerungen sind auf derselben eingetragen.

Ich gehe nun zunächst zu einer kurzen topographischen Schilderung des Gebietes über, theile dann über die Lagerung das von mir gesehene mit und füge endlich einige Erläuterungen der Abbildungen von Fossilien bei.

[1]) Stoppani, Paléontologie Lombarde. I. Sér. Petrifications d'Esino. Pl. 1. Es entspricht diese Karte auch nur z. Th. noch den zuletzt geäusserten Ansichten Stoppani's.

Topographischer Ueberblick.

Das hervorragendste Moment in der Gliederung der Gebirge am Ostufer des Comer See bildet der tiefe Einschnitt der Val Sasina. Von Bellano bis Introbbio — und weiter brauchen wir für unseren Zweck nach Osten hin nicht zu gehen — liegt in diesem Thale auch die Gränze zwischen den nördlicheren krystallinischen Schiefern und Graniten und den südlich auflagernden Sedimenten, doch nicht ganz genau, so dass Gneiss noch auf den südlichen Hang, das Rothliegende nach Norden hinüber treten. Wendet man sich von Introbbio, der veränderten Richtung des Thales folgend, noch etwas aufwärts, und überschreitet dann in S-S-W Richtung das Gebirge bei Ballabio, um nach Lecco hinunter zu steigen, so grenzt man ein beinahe ausschliesslich aus Kalken und Dolomiten bestehendes Dreieck ab, dessen Basis am Ufer des Comer See von Bellano bis Lecco, dessen Spitze bei Introbbio liegt. Die beiden Linien Introbbio-Bellano und Introbbio-Lecco sind die beiden kürzeren Seiten dieses Dreiecks. Die höchste Erhebung in demselben bildet eine ziemlich N-S streichende Kette, die mit dem Pizzo della Pieve im Val Sasina beginnend, über die Grigna septentrionale, Grigna meridionale und Monte Campione läuft, um im San Martino steil nach Lecco hinunter abzustürzen. Die Passhöhe bei Ballabio stellt die Verbindung mit der O-W streichenden, vom Mt. Aralta kommenden Kette her, während die Verbindung mit dem Gebirge des westlichen Theiles unseres Dreiecks durch den Kamm der gleich noch zu erwähnenden Bocchetta di Prada vermittelt wird. Grigna septentrionale, häufig auch als Moncodine bezeichnet, erreicht eine Höhe von 2411 m., die bedeutendste Erhebung, die überhaupt südlich der Val Sasina vorkommt.

Einige Thäler gestatten nun eine weitere Gliederung unseres Gebietes.[1]) Val Neria vom Ufer des Comer See zwischen Olcio und Mandello nach N-O und Val de'Mulini von Corte nuova in Val Sasina nach S-W hinaufsteigend, liegen ziemlich in einer geraden Linie, die den Grigna-Kamm östlich, den Rest unseres Dreiecks westlich lässt. Den Pass zwischen beiden Thälern bildet die Bocchetta di Prada, ein scharfer Kamm mit einem hervorragenden, weit sichtbaren Felsen, einem Hauptfundort von Fossilien der Esinoschichten. Als Forcella di Corta ist diese Lokalität auf der Stoppani'schen Karte eingetragen.

Val de'Mulini ist ein sehr wildes, zumal auf der Ostseite von schroffen Wänden, aus denen abenteuerliche Felsen, wie die beiden „Fratelli" herausragen, eingeschlossenes Thal, welches ringsum von den Höhen herab schwer auf steilen Pfaden zugänglich ist. Nur nahe an seinem Ende führt der Weg von Esino nach Corte nuova von der Alpe Cainallo in dasselbe hinunter. Bezeichnend ist besonders der ausserordentlich steile Abfall von der Bocchetta aus. Das Thal ist gleich von Anfang an tief ausgehöhlt und in seinem Hintergrund in steiler Rundung geschlossen. Als Fundort von Versteinerungen ist Val de'Mulini häufig genannt. Aus anstehendem Gestein bricht man dieselben auf der linken Seite des Gehänges an mehreren Punkten, wo denen man von der Alpe Cainallo hinunter klettert. Reiche Ausbeute geben aber auch die alljährlich in Massen nach dem Grunde des Thales hinunterstürzenden Blöcke.

Ein betretener, doch wegen der Steilheit des Gehänges, an dem er oft auf künstlichen Stützen hinläuft, jedes Jahr neu herzurichtender Weg umzieht die ganze hintere Partie der Val de'Mulini und bildet die einzige Communication zwischen Esino und der dem Orte zugehörigen Alpe Moncodine. Val Neria ist zugänglicher und trägt in seinem oberen, unter der Bocchetta gelegenen Theile Alpen (Alpe di Prada). Ueber denselben ragen jedoch die Abhänge der Grigna und der Cima di Pelaggia noch steil und unzugänglich heraus. An einer auf der Alpe di Prada gelegenen Quelle liegen grosse Haufwerke von Blöcken, die von Westen herunter kommen und reich an Gasteropoden sind. Es ist der Fundort fonte di Prada.

Aus dem ganzen Gebiete der Grigna, also dem östlich von den beiden eben besprochenen Thälern liegenden Gebirge, werden keine Fundstellen für Versteinerungen angegeben. Das wenige, was ich dort bei einmaligem Besuche fand, werde ich unten anführen. Mein Hauptzweck bei der Besteigung der Grigna war, einen Ueberblick über die ganze Gegend zu gewinnen,

[1]) S. die Karte Taf. 21.

und dazu kann kein geeigneterer Punkt gewählt werden. Der vom Comer See kommende übernachtet am besten auf der Alpe Moncodine und steigt vor Sonnenaufgang auf die Spitze hinauf. Der Blick reicht von der Monte Rosa-Kette bis zu den Tiroler Bergen. Im Süden begrenzen die Berge hinter Pavia den Horizont. Alles, was östlich vom Comer See liegt, hat man unmittelbar zu seinen Füssen. Für die nähere Umgebung, zumal für das eigentliche Gebiet von Esino, ist übrigens schon der Blick von der Alpe Moncodine sehr instruktiv und bis zu ihr sollte jeder vordringen, der die Gegend kennen lernen will.

Der nun noch übrig bleibende Theil unseres Dreiecks, in dessen Mitte die Dörfer Esino superiore und inferiore liegen, hat drei grössere Erhebungen, die durch mehrere Einsattelungen und dazwischen liegende niedrigere Berge in Verbindung stehen, den Monte Croce in der Mitte, die Sasso Mattolino-Kette mit dem S. Defendente nach Norden und Cima di Pelaggia im Süden. Nach aussen hin fallen alle diese Berge steil ab und an einigen Stellen finden sich terassenartige Absätze. Die Seitenthäler der Val Neria, Val de'Mulini, Val Sasina und des Comer See, mit Ausnahme des gleich noch zu besprechenden Esino-Thales, sind also auch kurz und bestehen meist nur aus einer Reihe übereinander liegender Wasserfälle. Meist trocknen sie im Sommer ganz aus, und diejenigen, die stets Wasser haben, wie der zu Schaum zerstiebende Fiume latte, eine halbe Stunde südlich von Varenna, beziehen dieses nach der Ansicht der Einwohner von ferne her durch unterirdische Kanäle, ein Verhältniss, zu dem Analogieen in anderen Theilen der Alpen nicht fehlen. Einige dieser Thälchen haben wir später noch zu nennen, so das von Parlasco und der Madonna del Portone in Val Sasina, den Bach von Regoledo, die Val Vachera zwischen Varenna und Lierna.

Alle nach innen abfliessenden Gewässer — sie bilden ein ganzes kleines Flussystem — vereinigen sich nahe unter dem frei vorspringenden Felsen, der die gemeinsame Kirche der beiden Gemeinden von Esino trägt, zum Esinobache und werden von diesem nach dem Comer See geführt, an dessen Ufer vor der ersten Gallerie nördlich von Varenna die heruntergeschwemmten Schuttmassen ein ausgedehntes Delta bilden. Von Varenna nach Vezio ansteigend, kann man weiter über Cima de Pelaggia, Monte Croce, Sasso Mattolino und S. Defendente nach Perledo und wieder hinunter nach Varenna immer auf der Wasserscheide wandern, indem man eine längliche Ellipse beschreibt. Man überschreitet dabei einige häufig genannte Einsenkungen des Kammes, die noch kurz besprochen werden mögen. Zunächst zwischen Monte Croce und Sasso Mattolino liegt der Pass, über den der Weg von Esino nach der Alpe Moncodine führt und an welchem das als Fundort von Ammoniten berühmte Val di Cino seinen Anfang nimmt. Ein Rücken, der den Felsen San Carlano trägt (auf der beiliegenden Karte etwas rechts von dem Worte Natra) trennt diesen Pass von der Alpe di Cainallo, über welche man von Esino nach Corte nuova und der oberen Val Sasina hinunter steigt. Etwas nördlich von der Alpe erhebt sich als erste Zacke der Sasso Mattolino-Kette der Piz di Cainallo, der Fundort der meisten Zweischaler der Esinoschichten. Sasso Mattolino besteht aus einer in etwas gebogenen Linie an einander gereihten Reihe von Spitzen, die nach Val Sasina hin sehr steil, oft senkrecht bis auf die Stufe von Parlasco abfallen. Diese bildete früher den Thalboden. Jetzt hat sich der Pioverna noch eine tiefere Rinne gegraben. Nach Esino hin ist der Abfall etwas weniger steil. Auf etwan drei Viertel der Höhe liegt das halbzerfallene Zechenhaus der aufgelassenen Bleigrube (Miniera di Piombo). Den nächsten tieferen Einschnitt bildet die Alpe, über welche die Wege von Esino nach Perledo und Bellano führen. Seit Escher hier die Raibler Schichten nachwies, sind die Prati d'Agueglio, wie die Matten genannt werden, ein in der geologischen Litteratur oft vorkommender Name. Nicht so sehr viel höher, doch seiner vorgeschobenen Lage wegen auffallend, erhebt sich jenseits der Prati d'Agueglio der mit einer Kapelle gekrönte San Defendente, einer der berühmtesten Aussichtspunkte am Comer See. Während auch hier der Abfall nach Val Sasina anfangs steil ist, legen sich mehr nach Nordwesten und Westen hin eine Anzahl Terassen vor, die den Abfall nach dem See hin mannigfaltig gliedern. In verschiedenem Niveau liegen auf denselben die Dörfer Bologna, Perledo, Regolo, Ghesazio, Regoledo und eine Anzahl kleinerer Häusergruppen und einzelner zerstreuter Häuser. Gerade dieser Wechsel, hier die schroffen kahlen Felswände, mit denen die Gebirge beinahe senkrecht aus dem See zu steigen scheinen, dort die sanfter oder in Absätzen sich erhebenden Gehänge mit der üppigsten Vegetation und den einzelnen zerstreuten Wohnplätzen, bald frei auf Felsvorsprüngen, bald in Einschnitten und zwischen Bäumen versteckt, verleihen dem Ufer des Comer See seinen eigenthümlichen landschaftlichen Reiz.

Den Verlauf der zahlreichen kleinen inneren Thäler oberhalb Esino ergiebt die Karte. Die beiden bedeutendsten sind das über Esino hinauf nach der Alpe Cainallo führende und das ebenso lange von Südosten herkommende Val del Monte oder Val Pelaggia. Beide umfassen im Oberlauf, in eine Anzahl kleinerer Thälchen sich zertheilend, den Monte

Croce. Meist führen an den Bächen oder doch in nicht zu grosser Höhe über denselben Wege, so dass hier ziemlich alle Punkte zugänglich sind. Auch kann man wegen des schon erwähnten weniger steilen Einfallens der Berge nach innen ziemlich überall bis auf die Kämme hinauf gelangen. Unter allen Umständen würde aber eine ganz genaue Untersuchung hier sehr viel Zeit erfordern. Man muss in dieser Hinsicht an die Alpen einen sehr anderen Massstab anlegen, als an die Mehrzahl unserer deutschen gebirgigen und ebenen Gegenden.

Häufig genannter Fundort für Versteinerungen ist in dieser inneren Parthie der westliche Abfall des Monte Croce. Hier liegen am Anfang des Val del Monte gewaltige Schutthalden, die „Ravines" der Stoppanischen Karte, in denen man bequem sammeln kann. Klettert man über dieselben hinauf, so trifft man Kalke mit Gasteropoden ganz erfüllt anstehend. Andere Fundorte, die erst in neuester Zeit von Stoppani erwähnt wurden[1], liegen über Esino am Sasso Mattolino, zumal in den Umgebungen der Miniera di piombo.

Bei Esino erweitert sich das Thal in Folge der Vereinigung der verschiedenen Zweige etwas und mitten in dem breiteren Theile liegt isolirt der Fels mit der Kirche, isolirt wenigstens, insoweit es sich um anstehendes Gestein handelt. Kommt man von Varenna herauf, so erhält man den Eindruck, als ob dieser Fels das Thal beinahe ganz abschlösse und nur rechts nach dem Val del Monte hinauf einen Ausweg liesse. Von diesem Punkte an nach dem See hin ist überhaupt der Charakter des Esinothales ein ganz anderer. Der Fluss läuft in einer tief eingefressenen Schlucht, die nur für ihn Platz hat. Steil steigen die Wände empor und erst hoch oben, bald auf schmalen natürlichen Vorsprüngen, bald auf künstlicher Unterlage, laufen die Wege von Perledo und Vezio nach Esino. Da dieselben in vielen Krümmungen sich in die seitwärts herunter kommenden Wasserrisse hineinziehen, um dann an den Kanten wieder bis nahe an den Fluss hervorzutreten, sind sie ausserordentlich viel länger, als der Flusslauf. Nahe dem Ausfluss des Baches in den See steigt man anfangs in Zickzackwegen entweder bis über Perledo, oder über Vezio hinauf, dann geht es in geringer Steigung, zuweilen sogar wieder abwärts fort, bis man bei Esino das Niveau des Wassers wieder erreicht. Von hier an laufen dann, wie angegeben, sowohl nach der Alpe di Cainallo hin wie im Val del Monte die Bäche weniger tief, wenigstens nicht in festes, anstehendes Gestein eingeschnitten.

---

[1] Bei meiner Anwesenheit in Esino kannte ich diese Angaben Stoppani's noch nicht.

Bezeichnend für die oberen Thäler sind die gewaltigen älteren Schuttmassen, welche dieselben bis zu bedeutender Höhe erfüllen und die so viel Zusammenhalt haben, dass sie als senkrechte Wände hie und da zur Seite der Bäche stehen geblieben sind. Es sind diese Massen wohl zu unterscheiden von den Geröllen, die jetzt vom Wasser gerundet und den tieferen Gegenden zugeführt werden. An einigen Punkten ziehen dieselben auch als Querriegel über die Thäler, so besonders auffallend bei Esino, wo von Esino superiore ein Riff mit schmalem Rücken, auf dem die Stationen stehen, den mehrfach genannten Felsen mit der Kirche mit dem rechten Thalgehänge verbindet. Ein anderes Riff begränzt die Alpe Cainallo nach unten. So hoch hinauf trifft man auch Blöcke fremden Gesteins, zumal die schönen krystallinen Schiefer, Granite, Diorite u. s. w. der Tessiner Alpen.

Man darf annehmen, dass das Niveau des Comer See einst bedeutend höher stand, wie die am ganzen Ufer bis zu ziemlicher Höhe, so noch bei Regolo, sich hinziehenden festen Bänke aus gerundeten Geröllen andeuten. Von Esino aufwärts scheinen Gletscher gelegen zu haben, als deren Morainen die Querriffe anzusehen sind. Später beim Sinken des Seespiegels schnitt dann der Esinobach seinen unteren Theil ein. Diese älteren Schuttmassen und beinahe mehr noch die jüngeren, jährlich sich vermehrenden, verhüllen dann den Fuss der Berge hoch hinauf und werden der Untersuchung des anstehenden Gesteines hinderlich. Sie müssten auf einer geologischen Karte vor allen Dingen ausgeschieden werden, wenn man eine klare Ansicht von dem Beobachteten und Vermutheten gewinnen will. Freilich wäre dann ein grösserer Massstab wünschenswerth, als ihn die bis jetzt zur Verfügung stehenden Karten haben.

Eine Wanderung von Varenna über Esino, die Bocchetta di Prada nach der Alpe Moncodine und dann hinauf auf die Grigna gestattet einen Ueberblick über alle die bisher berührten Verhältnisse. Am Abhang gegen den See behält man Wein und einzelne Cypressen bis auf die Höhe von Vezio und Perledo. Bei Bologna und Ghesazio finden sich noch Kastanienwälder mit gewaltigen, uralten Stämmen. Die häufig ausgestellten Ansichten von Varenna von Bellaggio aus geben eine gute Vorstellung der über einander liegenden Terassen mit ihrer Vegetation, doch können sie natürlich den Blick nicht ersetzen, den man von mehreren Punkten der von der Punta di Bellaggio nach Süden hinaufführenden Strasse, am schönsten bei der Kapelle des Monte di Ghisallo zwischen Civenna und Magreglio geniesst, denn hier übersieht man ausser dem Ufer des See's von Varenna bis nach Abbadia hin noch die entfernter liegenden höheren Berge. Besonders grossartig nimmt sich der Absturz der Grigna nach Val Neria hinter der Cima di Pelaggia aufragend aus. Höher als Esino hinauf trifft man Kastanien, und Maulbeere und Mais gedeihen um den Ort noch üppig. Weiter oben bedeckt niedriges Laubholz, besonders Buchen die Abhänge, doch zeigen einige übrig gebliebene Exemplare prachtvoller alter Stämme auf der Alpe Cainallo, dass hier einst die schönsten Buchenhaine gestanden haben müssen. Bis zur Alpe Moncodine muss man steigen, um die Fichte zu erreichen, die nun anhält, bis zu dem Kessel, in welchem Val de' Molini seinen Anfang nimmt. Hier wächst kein Baum mehr, und es gehört dieser Theil zu den ödesten, wildesten der ganzen Gegend. Haufwerke gewaltiger, eckiger Blöcke bedecken den Boden, dazwischen senken sich bis 20 m. tiefe trichterartige Löcher in das mürbe Gesteine ein. Hunderte von Metern hoch fliessen die Schutthalden zwischen den phantastisch gestalteten Zacken der Grigna herunter, in stetem Rollen begriffen, und an den rings abgeschlossenen Wänden sucht das Auge umsonst nach einem Ausblick, der durch den Reiz der Abwechslung das Unheimliche des Aufenthalts milderte. Ueber ein Schneefeld, dann durch eine Scharte des Kammes steigt man zur Spitze der Grigna hinauf. —

Geologische Beschreibung.

Wie ich oben schon gelegentlich anführte, kann ich meine Untersuchung der Umgebungen von Esino nur als eine vorläufige bezeichnen. Etwas genauer habe ich das Gebirge nördlich vom Esinobache, also das Gebiet zwischen Varenna, Bellano und Corte nuova untersucht. Es empfahl sich schon desshalb hier zu beginnen, weil man von den unzweifelhaft älteren Bildungen nach den jüngeren hinaufsteigen kann. Die Gneisse von Bellano die Val Sasina hinauf bilden ja das Fundament aller anderen hier entwickelten Formationen, und es besteht über die Aufeinanderfolge der höher gelegenen Schichtenreihen keine Meinungsverschiedenheit unter allen Beobachtern.

Die genauesten Mittheilungen über die Schichten zunächst über dem Gneisse, den man an der grossen Strasse von Varenna nach Bellano nahe vor letzterem Orte trifft, nachdem man die letzte Gallerie passirt hat, verdanken wir Escher[1]). Das von ihm beschriebene Profil läuft auf dem Wege von Ghesazio (über Regoledo gelegen) nach Val Sasina. Hier an der Kante von Val Sasina gegen den Comer See schneidet der Weg in ein mächtiges Riff von typischem Rothliegenden, d. h. ein Conglomerat kleinerer, bis Fuss grosser Gerölle rothen Quarzporphyrs ein, welches in einem kahlen, rundgewaschenen Felsen mit herrlicher Aussicht über Bellano, Val Sasina und dem nördlichen Comer See in das Thal hinaus springt und dann dem Wege nach Paniglietto noch etwas zur

[1]) Escher v. d. Linth, geolog. Bemerkungen über das nördliche Vorarlberg und einige angrenzende Gegenden pag. 87.

Linken bleibt. Es ist die Schicht 1 bei Escher[1]) (Verrucano). Nach Westen sinkt dieses Rothliegende an den See hinunter, nach Osten zieht es sich in Val Sasina hinein, so etwan, wie es Stoppani auf seiner oben angeführten Karte angiebt. Am See, an der Hauptstrasse, die sonst ein gutes Profil entblösst, fallen diese Conglomerate nicht auf, möglich, dass sie hinter den stellenweise lang hinziehenden Weinbergsmauern verborgen oder wahrscheinlicher, dass sie verdrückt sind, denn meinen Beobachtungen zufolge liegen auf dem ganzen Wege von Varenna nach Bellano die Schichten sehr unregelmässig und gestört. Hinter der letzten Gallerie vor Bellano folgen nach Varenna hin auf Gneiss und serizitisch aussehende Gesteine Quarzite mit Glimmer, dann Sandsteine, ähnlich jenen, die höher oben über dem Rothliegenden aufgeschlossen sind.

Die ganze Reihe der von Escher im weiteren Verlauf seines Profils beschriebenen Gesteine, Servino, gröbere Sandsteine, Rauchwacken u. s. w. stellen zusammen jene Bildungen dar, die man anderswo in den Südalpen als Seisser und Campiler Schichten bezeichnet und bis in die neueste Zeit etwas verschieden gedeutet hat. Wegen des meist herrschenden Mangels an Versteinerungen können sie hier nur ungefähr nach der Lagerung klassificirt werden. Erst Escher's 14, Sandstein und unebene Schiefer mit Pflanzen geben einen bestimmteren Anhalt. Wir müssen sie zusammen als Aequivalente des bunten Sandsteins und vielleicht eines Theiles des Muschelkalk ansehen.

Verbinden wir ferner 15 noch mit diesen Pflanzenschichten, so würde der Crinoidenkalk 16 bei Escher einen anderen Theil des Muschelkalkes darstellen. Die einzelnen Stielglieder der Crinoideen gestatten jedoch keine nähere Bestimmung.

In die nun folgenden, vorwaltend dunklen Kalksteine 17, 19, 20 (denn 18 scheint in der That, wie Escher annimmt, jünger zu sein) fallen die häufig genannten Marmore von Varenna und Fischschiefer von Perledo, deren Trennung überall durchzuführen mir durchaus nicht gelang. So einfach wie Stoppani zeichnet, können die Dinge jedenfalls nur im Grossen und Ganzen liegen. Im Einzelnen trifft man eine solche Menge von Verwerfungen, das Einfallen schwankt so, dass oft das ursprünglich höhere neben das tiefere geschoben sein muss. Steiles Gehänge und Vegetation machen zudem die Untersuchung schwierig.

Versteinerungen sind zwar mehrfach in diesen Schichten angegeben worden und die meist bei Perledo gefundenen Fische und Saurier bilden eine Zierde der Mailänder Sammlungen. Mit Ausnahme der von Escher

---

[1]) Escher l. c. p. 98.

gesammelten und von Merian benannten *Posidonomya Moussoni* [1]) (Daonella Mojs.) sind es jedoch alles Seltenheiten, oder nur an einzelnen Punkten häufigere Vorkommnisse. Diese Muschel ist daher von ganz besonderer Bedeutung. Man kannte sie von zwei Punkten, dicht unter der Quelle des Bades von Regoledo und unten am Comer See. Letztere Stelle liegt 60 Schritte nördlich von der Ausmündung des Fahrweges nach Regoledo in die Hauptstrasse, unmittelbar an dieser. Eine Bank feinen, sammtartigen, schwarzen, bituminösen Kalkes mit sehr ebener Oberfläche ist mit der Muschel ganz erfüllt. Der Kalk springt aber nur schwer nach der Lage der Schalen, so dass man immerhin etwas suchen muss, um gute Exemplare zu bekommen. Ich habe die Fundstelle auf der Karte angegeben. Die Schichten streichen hier h. 9. und fallen 45° S-W. An der Strasse folgen unter den Posidonomyen bald feste Kalke in dickeren Bänken, mit weissen Adern, wie sie auch nach Varenna hin noch vorkommen. Noch tiefer liegen mürbe Sandsteine, gröbere Konglomerate mit Quarzgeröllen, am Eingang der Gallerie quarzitische Gesteine, am Ausgang nach Bellano hin bläulicher Servino, weiterhin erst die oben schon genannten Gneisse. Eine ganze Zahl Verwerfungen sind deutlich zu sehen.

Den zweiten Punkt unter der Quelle von Regoledo hat Escher genau angegeben. Man findet denselben unter dem Wasserfall leicht, doch kann man hier nicht mehr sammeln. Escher wies darauf hin, dass das mittlere Streichen der Schichten von Regoledo ungefähr auf den Fundort am See führt. Man darf unbedenklich annehmen, dass es sich um dieselben, oder doch um jedenfalls einander sehr nahe liegende Schichten handelt, denn gegenüber der bedeutenden Mächtigkeit, mit der man es hier zu thun hat, verschwindet der Abstand weniger Fuss zwischen mehreren Bänken mit der Muschel wie an der Quelle.

Ausserdem ist es mir nun gelungen, die *Daonella Moussoni* noch an drei anderen Punkten aufzufinden und somit auch weiter hinein nach Val Sasina das Fortstreichen der Schichten der Regoledo-Quelle zu konstatiren, nachdem dieselben auf Grund der Gesteinsbeschaffenheit schon von Stoppani eingezeichnet waren. Zunächst traf ich dieselben über Ghesazio, und zwar unmittelbar am Wege von diesem Orte nach Val Sasina, 30—40 m. über Ghesazio (19 in Escher's Profil). Sehr viel höher liegt sie wiederum am Fusspfade, der von dem Wege von Ghesazio nach Bologna unter

---

[1]) Escher l. c. p. 93 Taf. V fig. 46—48. Ferner Mojsisovics, über die triadischen Pelecypoden-Gattungen *Daonella* und *Halobia*. Abhandl. der geol. Reichsanstalt. Bd. VII. Hft. 2. Wien 1874. p. 9. Taf. III. fig. 18, 19.

einer grossen, vom Gebirge herunter kommenden Schuttbalde weg nach N-O hinauf führt. Der dritte Punkt endlich liegt über den einzelnen Häusern von Paniglietto im Val Sasina selbst.

Wenn man die auf der beigegebenen Karte eingezeichneten Fundpunkte verbindet, so erhält man eine vom See steil über das Gebirge fort streichende, etwas unregelmässige Linie, deren genauerer Verlauf sich ohne Zweifel durch Aufsuchen noch weiterer Vorkommnisse wird feststellen lassen. Vermuthlich kommt dann eine mehrfach gebrochene Linie zum Vorschein. Jedenfalls werden die Schichten mit *Daonella Moussoni* eine sehr gute Orientirung bei einer etwaigen Kartirung abgeben. Umsonst suchte ich nach dem *Ammonites Regoledanus* Mojs.[1]) und anderen Cephalopoden, die man nach Analogie der Gesteinsbeschaffenheit mit anderen alpinen Lokalitäten ähnlicher Horizonte jeden Augenblick zu finden erwartet. Nur zwischen Bologna und Ghesazio traf ich in einem Block, der aus höheren Schichten wie die *Daonella* zu stammen schien, auf wulstiger Oberfläche kleine Gasteropoden und ein *Mytilus* oder *Inoceramus* ähnliches Fossil. Das Aussehen des grauen Kalkes erinnert an den Muschelkalk mit Brachiopoden von Marcheno in Val Trompia. Auf der schon genannten Halde über Ghesazio-Bologna liegen zahlreiche Stücke eines dunklen Kalkes mit kleinen Hohlräumen und einer leider zu genauerer Bestimmung nicht hinreichend erhaltenen *Gyroporella*. Das Gestein zeigt sich im Schliff aus lauter kleinen eckigen Bröckchen mit schwarzer Rinde zusammengesetzt, also im Kleinen dieselbe Erscheinung, die man sonst in den alpinen Kalken im Grossen häufig sieht, dass nämlich innerhalb der Schichten der Kalk von firnissglänzenden Häutchen durchzogen ist, die im Querschnitt gewöhnlich zickzackförmig auf und ab steigen. Es ist der Anfang einer Art Stylolithenbildung. Auf Kalkschlamm lagerte sich Thon und unter Druck wurden die Theile in einander gepresst und der Thon erhielt seinen Glanz.

Eine genauere Altersbestimmung dieser ganzen Gesteinsgruppe, zu der auch Hornstein führende Kalke und mehr mergliche, grau schimmernde Gesteine auf der Höhe über Ghesazio gehören, als die gewöhnlich geltende, dass es nämlich Muschelkalk, eventuell noch unterer Alpenkeuper sei, vermag ich für jetzt nicht vorzunehmen. Mojsisovics[2]) stellt *H. Moussoni* in seine obere norische Stufe, Gümbel[3]) citirt sie mit *H. Lommeli*

[1]) Jahrb. d. geol. Reichsanst. 1869 Bd. XIX. p. 134 Taf. III. f. 7—8. Abbildung nach einem Exemplar von Prezzo. Es ist mir übrigens fraglich geworden, ob dieser Ammonit nicht aus höher liegenden Schichten, vielleicht gar Hallstatter Kalk stammt.

[2]) Mojsisovics Abhandl. der geolog. Reichsanstalt Bd. VII Nr. 2 p. 9. 1874.

[3]) Gümbel, Sitzungsber. der bayer. Akademie 1873 1. p. 55.

zusammen in Wengener Schichten, also in derselben Schichtenreihe. In dem Falle würde am Comer See der untere Muschelkalk ganz ausserordentlich reducirt sein.

Gehen wir wieder hinunter zu unserem Ausgangspunkt, der Fundstelle der *Daonella* am See und verfolgen die Strasse nach Varenna hin, so bleiben wir stets in dünner oder dicker geschichteten Kalken, die links steil aufsteigen, rechts in Riffen in den See hinaus laufen. Die einst so berühmten Gallerien von Varenna sind in dieselben eingesprengt. Das Einfallen bleibt im Allgemeinen südlich und südwestlich, doch sind die Schichten ausserordentlich gewunden und mehrfach setzen Verwerfungen hindurch, so dass die Entfernung vom Zollhaus bis nach Varenna nicht etwan als Mass der Mächtigkeit gelten kann. Diese ist viel geringer. Auch ziehen weiter nach Süd diese Schichten noch bis hinter Casa Cicogna fort, zuweilen eben so steil gestellt, zuweilen horizontal liegend. Entweder hat man es nur mit dem Nordflügel einer Mulde zu thun, deren tiefstes bei Casa Cicogna liegt, oder die Partie von Varenna bis Casa Cicogna gehört schon zu einem Südflügel, der am letzteren Punkte abgeschnitten ist.

Das Gestein wechselt mehrfach, bald sind es sehr dünnplattige, gleichartig schwarz gefärbte, sammtartig aussehende, bituminöse, bald ungleichartige Kalke mit weissen späthigen Adern auf dunklem Grunde, letztere die vielfach geschnittenen und geschliffenen Marmore von Varenna. Oben bei Perledo stehen besonders die ausserordentlich dünnschieferigen Kalke an, den Schiefern von Bürs und anderen Orten in Vorarlberg zum Verwechseln ähnlich. Jenseits Perledo auf dem Wege nach Esino, kommen graue Kalke vor, jenen mit den undeutlichen *Gyroporellen* über Ghesazio ähnlich, deren Fortsetzung sie auch wohl sein mögen. Sie stehen sehr steil, zuweilen auch überkippt, und erwecken dann die einmal bei Escher ausgesprochene Ansicht, es lägen diese Kalke auf dem Dolomit des S. Defendente. Man hat es aber nur mit einem manigfach gebogenen und geknickten System konkordanter Schichten zu thun, die überall unter dem Dolomit einschiessen. Die von Stoppani zum Ausdruck gebrachte Unterscheidung der Marbres de Varenna (mit *Daonella Moussoni)* als unteres und Schistes ichthyolitiques de Perledo als oberes Glied erscheint sehr naturgemäss, wenn man in einem Marmorbruch bei Varenna oder in einem Schieferbruch bei Perledo steht, allein im Uebrigen kehren die Gesteine so oft wieder und die Lagerung ist so verworren, dass ich die Unterscheidung nicht weiter durchführen konnte und dieselbe überhaupt nur nach dem Auffinden von mehr Versteinerungen für möglich halte. Für unseren Zweck hier genügt es, diese ganze Schichtenreihe über den Sandsteinen und unter den hellen Kalken und Dolomiten vor der Hand als Muschelkalk zusammenzufassen.

Auf dieser Unterlage von Muschelkalk ruhen nun die Dolomit- und Kalkmassen des S. Defendente auf, die man schön aufgeschlossen auf dem Wege von Perledo nach Esino beobachten kann. Der jetzt ausschliesslich benutzte, etwas tiefer als der alte liegende, von der Gemeinde Esino gebaute Weg schneidet nämlich auf ziemlich seiner ganzen Länge etwas in den Fels ein. Neben hellgrauen Kalken, hier und da mit Andeutungen von Schichtung, trifft man vorwaltend Dolomit von weisser und röthlicher Färbung, meist etwas löcherig, mit kleinen Dolomitrhomboëdern, gelegentlich auch mit grösseren, mit Kalkspathkrystallen ausgekleideten Hohlräumen. Stoppani unterscheidet hier auf seiner Karte dolomie blanche ou rosée caverneuse und dolomie moyenne du S. Defendente. Allerdings fällt eine rothe Färbung des Dolomits stellenweise sehr auf. Andere Unterschiede sind nicht vorhanden und die Trennung nach der Lage ist, wie Stoppani angiebt, nur in sehr weiten Grenzen durchführbar. Man kann wohl überhaupt die Stoppani'sche Einzeichnung als nicht mehr in allen Theilen geltend ansehen, da er selbst damals die Gleichheit der dolomie du S. Defendente mit den übrigen Dololomiten auf der Südseite hervorzuheben bestrebt war, dann aber später[1]) die Raibler Schichten zwischen beide verlegte, ohne sich darüber auszusprechen, in wie weit seine frühere Detailbeschreibung nun eine Aenderung erleide. Wir werden unten sehen, dass allerdings sehr viel Grund vorhanden ist, wie Stoppani anfangs wollte, alle diese Dolomite bei einander zu lassen.

Das einzige Fossil, welches ich am S. Defendente entdecken konnte, ist *Diplopora annulata* Schafh., an einer Stelle auf dem Wege von Perledo nach Esino häufig im Gestein steckend. Dieser Rest ist aber gerade von grosser Wichtigkeit, da er, so viel wir bis jetzt wissen, auf die Schichten vom Alter des Wettersteinkalkes beschränkt ist. Bei Stoppani haben wir ihn unter seiner *Gastrochaena obtusa* zu suchen. Bis dicht vor Esino bleibt man in dem Dolomit, der auch, mit hellen Kalken zusammen, die ganze Masse des S. Defendente zusammensetzt, eine kleine Parthie des Nordgehänges, höher oben über dem genannten Wege, vielleicht ausgenommen. An der Mühle von Esino, ehe man aus dem letzten Thälchen hinaufsteigt, trifft man jedoch ganz plötzlich und unvermittelt auf dunkle Kalke mit merglichen Zwischenschichten, die scharf gegen den Dolomit des S. Defendente abzusetzen scheinen, aber über Esino hinaus und nördlich nach

[1]) Stoppani, Pal. Lomb. III. sér. p. 225 le vrai équivalent des couches des Hallstatt.

den Prati d'Agneglio hinauf eine grosse Verbreitung haben. Es sind diess Raibler Schichten. Ich kann nach wiederholter Untersuchung mir die Lagerungsverhältnisse nicht anders erklären, als dass in dem Thälchen von der genannten Mühle hinauf entlang der Ostseite des S. Defendente eine Verwerfung läuft, längs deren der S. Defendente etwas nach Süden geschoben wurde, so dass die von Osten herkommenden Raibler Schichten an denselben anstossen. Weitere Gründe für diese Auffassung ergeben sich nach Besprechung der benachbarten Gebirge.

Fassen wir die Ergebnisse unserer Untersuchung dieses ersten Terrain-Abschnittes zwischen der eben angenommenen Verwerfung, der Val Sasina, dem Comer See und dem Unterlaufe des Esinobaches zusammen, so haben wir eine Unterlage von krystallinischen Schiefergesteinen, auf diesen liegt Rothliegendes, dann Aequivalente des bunten Sandsteines in Gestalt von Sandsteinen und Conglomeraten, hierüber ein mächtiges System von dunklen Kalken in der Unterregion mit *Daonella Moussoni*, höher oben mit den Fischen und Sauriern von Perledo, endlich etwas anders gefärbte Kalke mit einer Gyroporella, Gasteropoden und Lamellibranchiern, nicht hinreichend gut erhalten zu einer genauen Bestimmung und vermuthlich *Ammonites Regoledanus* von nicht näher bekannter Fundstelle [1]). Den Schluss bilden Dolomit- und Kalkmassen, die durch *Diplopora annulata* als unterer Alpenkeuper ckarakterisirt sind. Alle Schichten liegen konkordant und es macht den Eindruck, als seien die dünnschichtigen Massen des Muschelkalkes durch die Last der plumpen Felsmassen des S. Defendente in Falten zusammengequetscht worden.

Wir wenden uns nun zu einem zweiten Abschnitte weiter nach Osten hin, jenem der Sasso Mattolino-Kette [2]), begrenzt durch die oben hypothetisch angenommene Verwerfung, Val Sasina, Val de' Mulini und das von Esino nach der Alpe di Cainallo hinaufziehende Thälchen. Dieses Gebiet sehe ich als entscheidend für einen guten Theil der

---

[1]) Dass eine schärfere Charakterisirung dieser tieferen Horizonte in der Lombardei sehr wohl möglich ist, beweisen Fossilien aus der Umgegend von Marcheno in Val Trompia. Ein Ammonit, der mir freundlichst von Berlin von jener Lokalität mitgetheilt wurde, stimmt (soweit ohne erhaltene Loben ein Urtheil abgegeben werden kann) mit *Arcestes tridentinus* Mojs. Jahrb. d. geol. Reichsanst. 1870 T. IV f. 1 später als *A. subtridentinus* (das Gebirge um Hallstatt p. 91 Note) bezeichnet. Da diese Formen für Wengener Schichten bezeichnend sein sollen, und bei Marcheno Muschelkalk mit Brachiopoden unter dem Ammonitenlager ansteht, so fände völlige Uebereinstimmung mit östlicheren Lokalitäten statt.

[2]) Siehe das Profil auf Taf. 21.

Esinofrage an.[1]) Hier stimmen alle Beobachter über die Lagerung überein, und es kann sich nur um Feststellung paläontologischer Daten handeln. Kommen diese der Lagerung noch zu Hülfe, so müssen jene so verschiedenartigen Versuche und Deutungen ein Ende nehmen, die bisher den Hauptinhalt der Auseinandersetzungen über Esino, zumal bei Stoppani bilden, wo, wenn die Lagerung mit anderen Gebieten stimmte, den Versteinerungen eine grössere als sonst beobachtete vertikale Verbreitung zugeschrieben werden musste, oder wo bei einem Vergleich auf die Fossilien basirt der Verdacht entstehen musste, die Lagerung sei nicht richtig beobachtet. Die Schichten des Sasso Mattolino sind es, die, wie oben angeführt, durch Curioni von den Esinoschichten getrennt und als äquivalent mit seinen Kalken von Ardese (Hallstatter Kalken, Wettersteinkalken), angesehen wurden. Unter ihnen liegt Muschelkalk, über ihnen Raibler Schichten. Stoppani erkannte das vollkommen an und ergriff gern die Gelegenheit, auch noch die Schichten des S. Defendente der unteren Abtheilung zuzuschieben, um dann nur eine versteinerungsreiche Schichtenreihe als dolomie moyenne übrig zu behalten, bei der er von einem Vergleich mit Hallstatter Kalken ganz absehen konnte. In dem Satze Stoppani's: „je n'ai jamais eu le bonheur de découvrir aucune trace d'être organique dans cette formation“[2]) ist das Fehlen der Versteinerungen in den unteren Schichten auf das bestimmteste noch nach dem Erscheinen des Werkes über Esino ausgesprochen. Erst in dem Corso di Geologia an der oben angeführten Stelle wird das Vorkommen von Fossilien auch in den Schichten des Sasso Mattolino zugegeben. Mir wurde die Notiz erst nach meiner Heimkehr von Esino bekannt. Sehen wir, wie die Dinge sich verhalten.[3])

Etwas über dem Dorfe Parlasco im Val Sasina beginnt das Gebirge steil anzusteigen, und zwar zunächst mit groben Sandsteinen und verwandten Gesteinen, die der bunten Sandstein-Reihe vorn an der Thalecke über Bellano entsprechen. Erst ziemlich höher oben, am Wege, der von Parlasco nach den Prati d'Agueglio führt, kommen die dünnen, plattigen Kalke, (Muschelkalk) z. B. im Bachriss über der Madonna del Portone steil gestellt und abentheuerlich gewunden zum Vorschein. Schroff

[1]) In einer, allerdings sehr starken Tagestour, besser mit einem Nachtquartier in Esino, kann man Sasso Mattolino und Prati d'Agueglio von Varenna aus besuchen. Ich empfehle zu dem Zweck in Esino zwei Männer als Führer, die die Fundstellen für Versteinerungen kennen: Giuseppe Martoella, fabbro di ferro und Luigi Nasazzi, fù Leopoldo.

[2]) Stoppani, Paléont. Lomb. III. sér. p. 227.

[3]) Man vergleiche die Karte und das Profil Taf. 21.

und nur an wenigen Stellen von dieser Seite her zugänglich, erheben sich darüber die hellen Kalk- und Dolomit-Felsen des Sasso Mattolino. Untersucht man aufmerksam die in Massen heruntergestürzten Blöcke dieser letzteren Gesteine, so bemerkt man bald, dass in denselben, wenn auch nicht von besonderer Erhaltung, doch Versteinerungen durchaus nicht selten sind. Ich fand über Parlasco:

Diplopora annulata[1]) Schafh.

Gervillia, kleine Art, einen ganzen Block füllend, bei Stoppani nicht abgebildet, der *G. caudata* noch am ersten vergleichbar.

Pecten, mit feiner Streifung.

Turbo und *Pleurotomaria*, mit scharfem Kiel. Auch diese beiden Formen finde ich bei Stoppani nicht.

Entrochus sp. unbestimmbar, in mehreren Blöcken, auch mit *Diplopora* zusammen.

Nachdem so das Vorkommen von Versteinerungen an der Nordseite der Sasso Mattolino-Kette zu meiner Ueberraschung konstatirt war, suchte ich hier nicht länger, sondern wandte mich nach der anderen gegen Esino blickenden, besser zugänglichen Seite des Berges. Bei Esino selbst liegen noch mächtige Geröllmassen, höher am Gehänge trifft man aber bald die dunklen, splittrigen, etwas thonigen Kalke und die weichen, eingelagerten, grauen, gelben, bläulichen und röthlichen Mergel, auf welche die lombardischen Geologen wegen der Aehnlichkeit des Gesteins den Namen Keuper übertrugen, eine Bezeichnung, die selbst die Führer von Esino sich angeeignet haben. Unter den steil angelegten Tafeln dieses Keuper folgt nun der Kalk und Dolomit des Sasso Mattolino. Etwan drei Viertel der Höhe des Berges steht das Zechenhaus einer jetzt aufgelassenen Grube auf Bleiglanz und Blende (Miniera di piombo). Die noch vorhandene Halde besteht vorzugsweise aus Blöcken drusigen Dolomits ganz erfüllt mit

Diplopora annulata Schafh.,

die auch im anstehenden Gestein am Stollenmundloch zu sehen ist. Hier sowohl wie höher kommen noch eine ganze Menge Versteinerungen vor, wie gewöhnlich von schlechter Erhaltung im Dolomit, von besserer im Kalk. Ich hebe folgende hervor:

---

[1]) Ich möchte hier hervorheben, dass ich im unteren Alpenkeuper bei Esino niemals Korallen fand. Die von Stoppani abgebildeten sind jedenfalls nicht häufige Vorkommnisse und ich glaube versichern zu können, dass Korallen in der ganzen Lombardei am Aufbau der Kalk- und Dolomitmassen nur in den Rhätischen Schichten wesentlich betheiligt gewesen sind.

Stomatia Cainalli Stopp. Petr. d'Esino p. 68 T. 15 f. 1—3.

Serpularia circumcarinata Stopp. l. c. p. 59 T. 13 f. 3—6. Ich lasse die Stoppani'schen Gattungsnamen stehen, ohne im Mindesten damit aussprechen zu wollen, dass ich dieselben billige. Ich wünsche nur die gefundenen Versteinerungen kenntlich zu machen.

Natica Comensis Hörn. Denkschr. d. Wien. Akad. XII. Bd. p. 5 T. 1 f. 6. Wenigstens sehr nahestehend.

Natica, kleine kugelige Art, aus weniger Umgängen bestehend, ganze Blöcke füllend.

Chemnitzia cf. *Escheri* Hörn. Denkschr. d. Wien. Akad. XII. Bd. p. 7 T. 2 f. 2—4.

Chemnitzia cf. *Aurelia* Stopp. Petr. d'Esino p. 23 T. 6 f. 6.

Ostrea stomatia[1]) Stopp. Petr. d'Esino p. 103 T. 21 f. 16, 17: T. 22 f. 1—5 T. 23 f. 1—3.

Ich führe jene Abbildung von Chemnitzien, resp. anderen Gasteropoden an, denen meine gefundenen Stücke am nächsten stehen. Eine genaue Bestimmung wäre wohl nur mit Hülfe der Mailänder Originale möglich, dann wäre aber gleich eine gründliche Revision der ganzen Esinofauna am Platze.

Eine Anzahl anderer Arten von Chemnitzien und Natica übergehe ich.

Im Kalke begegnet man sehr häufig jenen Dingen, die Escher als Riesenoolith bezeichnete, die Stoppani unter der Benennung *Evinospongia*, sogar in mehreren Arten, für Organismen von schwammartiger Natur hielt. Ich komme unten auf dieselben zurück.

Hier und an anderen Punkten fällt es auf, dass die Diplopora nur an gewissen Punkten häufig ist und dort fehlt, wo Gasteropoden u. s. w. sich einstellen. Es handelt sich da, scheint mir, nicht sowohl um fortlaufende Schichten mit besonderer Fossilführung, als um Verschiedenheit des Meeresgrundes, der bald dem einen, bald dem anderen Thiere mehr zusagte.

Von wesentlicher Bedeutung ist es, dass wir hier in dem unzweifelhaften Aequivalent der Hallstatter Schichten eine Reihe ausgezeichneter Fossilien haben. Zunächst *Diplopora annulata*, die, wie wir durch Gümbel's schöne Untersuchungen wissen, bisher nur in tieferen Schichten des Alpenkeupers gefunden wurde. Wenn sie Gümbel von Esino nicht anführte, so lag das am Mangel an Material. *Gyroporella vesiculifera* Gümb., die bei Gümbel von Esino citirt wird, habe ich trotz aller Aufmerksamkeit daselbst nicht entdecken können.

---

[1]) Neuerdings von Stoppani, (Corso di geologia II. p. 386) gefunden.

Die Gasteropoden sind solche, die aus Esinoschichten abgebildet wurden, deren Fehlen im Sasso Mattolino von Stoppani früher angenommen wurde. Die so auffallende *Serpularia* führt Stoppani aus dem Val del Monte, *Stomatia Cainalli* ebendaher und vom Piz di Cainallo an. *Chemnitzia Escheri* wurde durch Hörnes von Trotzberg und Esino, von Stoppani spezieller aus dem Val del Monte beschrieben. Wenn man nun auch auf die Gasteropoden für Vergleiche mit entfernteren Gebieten nicht zu viel Gewicht legen wollte, so darf doch darauf hingewiesen werden, dass es für unsere Gegend eine höchst auffallende Erscheinung wäre, solche eigenthümliche Formen, wie *Ostrea stomatia*, *Serpularia* und *Stomatia* an Fundorten, die in gerader Linie eine Stunde auseinander liegen, in ganz verschiedenen Horizonten wiederkehrend zu finden. Die von Stoppani als ein Hauptfossil seiner Esinoschichten bezeichnete *Evinospongia* gehört in den Sasso Mattolino-Schichten zu den gewöhnlichsten Erscheinungen.

In den Raibler Schichten, so gut sie auch aufgeschlossen sind, habe ich lange umsonst nach Fossilien gesucht. Endlich fand ich in einer weichen schwarzen Schicht am Wege von Esino nach den Prati d'Agueglio etwas unter Casa di Busso die *Gervillia bipartita* und *Pecten filosus*, ferner in ziemlicher Häufigkeit eine *Lingula*, von anderen Lingula-Arten des Keupers kaum zu trennen. Sie wäre mit der *Lingula* aus den Schichten der *Acanthoteuthis bisinuata* von Raibl[1]) zunächst zu vergleichen, wenn diese auch einem etwas anderen Horizonte angehören mag. In einzelnen harten Bänken sind Versteinerungen übrigens nicht selten, nur äusserst fest mit dem Gestein verwachsen. Auf Verwitterungsflächen sah ich besonders Zweischaler und Fragmente von Seeigeln.

Das Streichen der Raibler Schichten schwankt nach Escher's und meinen eigenen Beobachtungen zwischen h. 7 und h. 9, so an der Mühle bei Esino, unter der Casa di Busso, an den Prati d'Agueglio, am Abhang des Sasso Mattolino, bleibt also im Allgemeinen ziemlich gleich. Die auf Stoppani's Karte angegebene S-W—N-O Richtung der Raibler Schichten (15') ist mir nicht ganz verständlich. An den Prati d'Agueglio hören die Schichten nicht etwan am Passo auf, sondern sie gehen noch nach der Seite der Val Sasina hinunter, und zwar ziemlich tief, so dass hier die Meinung erweckt wird, als schöben sie sich zwischen San Defendente und Sasso Mattolino, daher auch wohl die Ansicht Curioni's, als seien beide Gebirge durch die Raibler Schichten

[1]) Süss. Ueber die Cephalopoden-Sippe Acanthoteuthis. Sitzungsber. d. Wien. Akad. Bd. LI 1865 p. 17.

getrennt. Würde man sich die Raibler Schichten auf der Nordseite des Passes verlängert denken, so träfe man auf den Muschelkalk, der von Regoledo nach Val Sasina hineinzieht. Ich glaube eben, dass es sich hier um die besprochene Verwerfung handelt, durch welche der S. Defendente nach Süden geschoben wurde. Die auf demselben einst liegenden Raibler Schichten sind meist weggewaschen[1]), während die Fortsetzung, die auf dem Sasso Mattolino liegenden, nun in ganzer Breite von der Mühle bei Esino bis zu den Prati d'Agueglio hinauf an den San Defendente anstossen. So zeichnet Stoppani auch die Lagerung auf seiner Karte, doch wie es scheint, damals unter der Annahme, dass die Schichten des San Defendente eine veränderte facies der Raibler Schichten darstellten, was bei dem ganz plötzlichen, unvermittelten Wechsel des Gesteins nicht wohl möglich ist. Wie er sich die Sache später, nachdem er die Schichten des San Defendente als Hallstatter Kalk annahm, gedacht hat, ist aus seinen Auseinandersetzungen[2]) nicht zu ersehen. Jedenfalls ist der Pass über den Prati nicht „précisement creusée dans le calcaire dolomitique", sondern er liegt in Raibler Schichten. Der Verlauf des petrographisch so leicht kenntlichen Muschelkalkes auf dem südlichen Gehänge der Val Sasina scheint mir dieser Auffassung zu entsprechen, indem derselbe über Ghesazio sehr hoch hinaufgeht, bei Parlasco viel tiefer liegt. Mit Aufwand einer längeren Zeit, als sie mir zu Gebote stand, wird sich diess Verhältniss durch Untersuchung der steilen Abstürze von San Defendente und Sasso Mattolino feststellen lassen.

Verfolgen wir nun die Schichten des Sasso Mattolino nach Osten hin. Hier ist es unmöglich, irgend eine Grenze von den Gesteinen der miniera di piombo nach dem berühmten Vorkommen des Piz di Cainallo anzugeben. Das Gestein, reich an *Erinospongia*, entspricht ganz dem der eigentlichen Sasso Mattolino-Kette, als deren östlichstes Ende man ja auch den Piz di Cainallo nur ansehen kann. Die Raibler Schichten, die sofort Klarheit geben müssten, lassen sich so weit nicht verfolgen. Oberhalb Esino ziehen sie sich unter die Geröllmassen des Thales, oben bei der Alpe Cainallo steht nur noch Dolomit an, zusammenhängend mit jenem der Gebirge südwärts. Mit Sicherheit lässt sich

[1]) Nach Mittheilung eines meiner Führer läge auf dem Südabhang des San Defendente noch eine Scholle Keuper unter den einzelnen von Esino aus sichtbaren Häusern. Auch Stoppani scheint das Pal. Lomb. III. sér. p. 226 Note anzudeuten. Ich konnte den Punkt nicht besuchen.

[2]) Paléont. Lomb. III. sér. p. 226 Note.

beobachten, dass die Raibler Schichten nirgends zwischen der Miniera di piombo und dem Piz di Cainallo hindurchziehen, wie es doch der Fall sein müsste, wenn man an dem einen Punkte unter, an dem anderen über den Raibler Schichten stände. Wer, ohne das Gebiet zu kennen, Stoppani's Kärtchen ansieht [1]), wird freilich zu einer solchen Auffassung geführt, doch sind die punktirten Linien (15') nicht bis zum Kamm hinauf gezogen, da die durch sie angedeuteten Schichten eben über denselben in der That nicht fortstreichen. Hier, wie auf dem San Defendente sind die Raibler Schichten einst jedenfalls vorhanden gewesen, und zwar in der Verlängerung des Streichens derselben von Esino her, aber frühzeitig schon zerstört worden. Soweit eine Schichtung zu beobachten ist, senken sich auf der Unterlage älterer Schichten auch jene des Piz di Cainallo nach Süden hin, also ganz entsprechend den Mattolino-Schichten.

Um eine Vorstellung des Gesteins von Piz di Cainallo zu geben, habe ich auf Taf. XXII Fig. 4 einen Dünnschliff abbilden lassen. Kleine Körnchen von Kalk und Fragmente von Molluskenschalen u. s. w. von konzentrischen Lagen kohlensauren Kalkes umhüllt, bilden die Hauptmasse, dazwischen lassen sich eine ganze Menge kleiner Gasteropoden und Cephalopoden beobachten, ausserdem stabförmige Körperchen von nicht näher bestimmbarer Natur. Die Abbildung ist in doppelter Grösse der Natur. Der Reichthum an wohlerhaltenen Versteinerungen am Piz di Cainallo ist ungeheuer. Das Gestein stellt eine förmliche Lumachelle dar. Auffallend ist gegen benachbarte Fundstellen das häufige Auftreten von Zweischalern, wie man sich leicht überzeugen kann, wenn man die Angaben der Fundorte bei Stoppani vergleicht. *Ostrea stomatia* Stopp., nach denen die Schichten auch benannt sind, ist jedenfalls am bezeichnendsten, wenn auch nicht besonders häufig. Dass diese so eigenthümliche Muschel neuerdings durch Stoppani auch vom Sasso Mattolino angegeben wurde, ist sehr wichtig als Beweis der Zusammengehörigkeit der ganzen Mattolino-Kette. *Pecten, Lima, Mytilus, Avicula* herrschen vor. *Myophoria bicarinata* Stopp. Petr. d'Esino p. 86 Taf. XVII Fig. 10—14 kann ich von unserer deutschen *Myophoria laevigata* nicht unterscheiden. Es wäre das ein interessanter verbindender Zug mit dem ausseralpinen Muschelkalk, oder noch näher liegend, der Lettenkohle. *Pecten inaequistriatus* bei Stoppani ist nicht die Goldfussische Art (= *P. Albertii*). Unter den Gasteropoden fällt *Stomatia Cainalli* auf, als gemeinsam hier und am Sasso Mattolino vorkommend, daneben

[1]) Dass Stoppani über die Stellung der Cainallo-Schichten schon früher seine Zweifel hatte, geht wohl zur Genüge aus Petrif. d'Esino p. 5 hervor.

eine Schaar anderer Schnecken, doch meist kleinere Arten. Von Ammoniten traf ich *A.* cf. *Joannis Austriae* aut. und *A. Manzonii* n. sp., zwei Arten, die häufig auf der anderen, südlichen Seite des Esinobaches vorkommen. Dass die Schichten vom Piz di Cainallo mit den anderen Fundstellen von Esino-Petrefacten übereinstimmen, ist ja längst anerkannt, ich wollte hier nur darauf hinweisen, dass gegen den Sasso Mattolino ebenfalls keine Grenze besteht. Wenn die Fossilien, übrigens bei einem einzigen Besuche, sich minder zahlreich am letzteren Punkte zeigten, so hat das zum guten Theil seinen Grund in der Natur des Gesteins, welches dolomitisch ist, also weniger günstig für die Erhaltung als die Kalke des Cainallo, die vorwaltend zoogen sind.

Alle anderen Vorkommen von Versteinerungen der Esinoschichten liegen südlich des Esinobaches und seiner Verlängerung nach der Alpe di Cainallo, am Monte Croce, Cima di Pelaggia, zwischen dieser und der Grigna, ferner im Val de'Mulini, Val neria und der nach dem Comer See, südlich von Varenna gewandten Seite des Gebirges in Val Vachera und an anderen Punkten. Ich kann mich bei Besprechung derselben kürzer fassen, da kein Zweifel über ihre Zusammengehörigkeit unter einander besteht und nur ihr Verhältniss zu den bisher besprochenen Ablagerungen zu erörtern bleibt. Es sind die Schichten, deren Stellung Curioni und Stoppani über den Raibler Schichten annehmen und die man am häufigsten schlechthin als Esino-Schichten bezeichnet.

Beginnen wir unsere Wanderung wieder bei Esino, so fällt der Blick hier zunächst auf den Hügel, auf dem die Kirche steht. Die Kalkbänke, die das Fundament der Kirche und der dazu gehörigen Gebäude tragen, sind erfüllt mit grossen Chemnitzien und anderen Fossilien. Die Schichten fallen nach Südwesten, also wie jene des Sasso Mattolino sind aber von diesen durch Raibler Schichten getrennt. Auch stehen sie nicht mit dem Monte Croce in Verbindung, an den man zuerst denken könnte. Es handelt sich offenbar um eine losgerissene Scholle, ein Beweis mehr von den gewaltigen Störungen, denen einst das ganze umgebende Gebirge unterlag.

Auf eine Thatsache, die ich nirgends wieder berücksichtigt finde und die mir doch von ganz wesentlicher Bedeutung scheint, hat Escher zuerst aufmerksam gemacht, dass nämlich nahe bei Esino die sonst allgemein (wie rechts in unserem Profil angegeben) nach S-W fallenden Raibler Schichten, nach N-O fallen. Ich suchte noch weiter nach Süden, auf dem mit Kastanien bestandenen kleinen Plateau, über welches am Fusse des Monte Croce der Weg von Esino nach Val de Monte führt, die Raibler Schichten aufzufinden, und in der That gelang es an einer

Stelle, etwan ½ Stunde von Esino entfernt, die grauen Mergel und Kalk mit steilem Fallen nach N-W zu entdecken, so wie es auf der linken Seite unseres Profiles angedeutet ist. Escher's und meine Beobachtung stimmen also jedenfalls in so weit überein, als es sich um ein im Allgemeinen nach N, nicht nach S gerichtetes Fallen handelt. Die Raibler Schichten müssen demnach hier auf dem Monte Croce aufliegen, wie sie drüben auf dem Sasso Mattolino aufliegen. Berücksichtigen wir ferner, dass in Val Pelaggia die Kalkschichten ungefähr nach W, auf der Nordseite des Monte Croce aber ganz entschieden nach N oder NO fallen, also jedenfalls nach entgegengesetzten Richtungen, wie jene des Sasso Mattolino und Piz di Cainallo, so stellt sich die Linie von Esino nach der Alpe Cainallo als eine Bruchlinie dar, auf welche die Schichten synklinal zufallen. Innen liegen die Raibler Schichten, sei es gleich bei der Hebung, sei es später durch Denudation in ihren Dimensionen reducirt. Alle Kalk- und Dolomitmassen mit den Esino-Fossilien kommen bei dieser Annahme unter die Raibler-Schichten. Nun können ja einzelne Messungen mit dem Kompass leicht irre leiten, zumal in so gestörtem Gebirge wie hier, doch hebe ich hervor, dass meine Beobachtungen in dieser Hinsicht mit denen Escher's überall stimmen, wenn auch in einer Zeit, wo man Muschelkalk und Raibler Schichten noch nicht trennte, die aus denselben gezogenen Folgerungen jenes Forschers anderer Art sein mussten. Will man sich aber überzeugen, dass in der That das ganze Gebirge so gelagert ist, wie ich es oben angab, so suche man den Aussichtspunkt unter dem Kreuze vor der Alphütte al Moncodine auf. Val de'Mulini, welches einem da zu Füssen liegt, hat das Gebirge hier ungefähr rechtwinklig gegen das Streichen eingeschnitten, und man sieht, dass die Schichten vom Piz di Cainallo nach der Alpe di Cainallo nach Süden, jene des Monte Croce nach Norden fallen und dass dieselben in der Mitte unter dem Sasso di Carlano schweben, so also, dass hier oben mehr muldenförmige Lagerung herrscht, gegen Esino hin der Bruch ausgesprochener ist. Auf diese Weise kommen alle die Fundorte von Bocchetta di Prada, Val del monte, Monte Croce, Val di Cino, Val de' Mulini in eine konkordant gelagerte Masse und es handelt sich nur um Niveaudifferenzen, die vielleicht hüben und drüben zu noch spezielleren Vergleichen führen könnten.

Sehen wir nun zu, wie sich noch einige andere Fundpunkte von Petrefakten, die ich besuchen konnte, zu meiner Auffassung der Lagerung verhalten. Auf dem Wege zwischen Vezio und Esino inferiore trifft man anfangs noch ziemlich hoch über Vezio, bis in die Gegend, wo der Weg an einer

Kapelle nach dem Comer See zu einem wundervollen Aussichtspunkt ungefähr über Fiume latte hinaus biegt, Muschelkalk. Dann folgt Dolomit und Kalk und in diesen findet sich, etwa 3/5 des Weges nach Esino hin, *Diplopora annulata*, also wie auf der anderen Thalseite. Hier muss ja auch die Fortsetzung oder der Gegenflügel der Schichten des San Defendente liegen.

Am Ufer des Comer See kann man noch weit nach Süden den Muschelkalk verfolgen, überall vom Dolomit bedeckt, und Val Vachera ist häufig genannter Fundort für Versteinerungen des letzteren. In der That fand ich hoch oben in diesem Thal das ganze Gestein stellenweise aus *Diplopora annulata* zusammengesetzt, und zwar nur aus dieser. Andere Arten suchte ich umsonst. Nehmen wir nun hinzu, dass Escher[1]) oben im Val Neria zwischen Alpe Calirazzo und Alpe Era Muschelkalk angiebt, so gewinnen wir auch für diesen Theil des Gebirges zwischen Comer See, Esino-Bach und Val Neria eine Unterlage von Muschelkalk und der von Cima di Pelaggia nach Vezio hinziehende Kamm ergiebt sich als ein mit dem S. Defendente und Sasso Mattolino korrespondirender Theil des Esinogebietes.

Da über die Einheitlichkeit der Esinofauna, zumal in diesem beschränkten Gebiet, noch niemals Zweifel erhoben sind, so brauche ich auf das von mir an den verschiedenen Punkten gesammelte nicht weiter einzugehen. Die Angaben Stoppani's sind hiefür ganz ausreichend und beweisen das Vorkommen einer ganzen Anzahl gemeinsamer Formen an den verschiedensten Lokalitäten. Als bisher nicht hervorgehoben, mache ich nur auf das an allen Punkten konstatirte alleinige Vorkommen der *Diplopora annulata* aufmerksam. An der Grigna giebt Stoppani seine *Gastrochaena obtusa* an, also wahrscheinlich auch *Diplopora annulata*. Ich habe sie selbst dort nicht gefunden, dafür traf ich *Erinospongien* bis dicht unter den Gipfel. Auf demselben lag ein Kalkblock mit dem Durchschnitt eines Ammoniten. Die Grigna bedarf aber, wie überhaupt die ganze Gegend südlich von Esino nach einer genauen Untersuchung, wie ich denn nochmals darauf hinweisen möchte, dass ich als zweifellos zunächst nur die Lagerung der Sasso Mattolino-Kette und den Nachweis von Esinofossilien in dem Mattolino-Kalk ansehe, dass ich aber für Alles, was ich über den Monte Croce u. s. w. gesagt habe, gern von anderer Seite noch eine Bestätigung sehen würde.

[1]) Geolog. Bemerk. p. 97.

Zwei Einwände, die man mir machen könnte, auch ohne Esino zu besuchen, möchte ich nur zum Schluss noch kurz berühren. Der eine kann aus meiner Beschreibung der Lagerung hergeleitet werden, der andere betrifft das bisher noch von mir ausser Acht gelassene Verhältniss der Schichten mit *Avicula exilis*, die ja allgemein für identisch mit den Esino-Schichten angesehen werden.

Zunächst der erste Punkt. Da südlicher mehrfach Dolomite mit *Megalodon triqueter* angegeben werden, die jünger sein müssen als die Raibler Schichten, also auf diesen liegen, so müsste man doch, da ich die Raibler-Schichten am Nordabhang des Monte Croce ausstreichen lasse, dieselben südlicher nochmals, und zwar nach Süden einschiessend, antreffen. Soweit ich aber aus der Litteratur sehe[1]), ist das nicht der Fall. Will man nicht annehmen, dass sie übersehen sind, so bleibt nur der Ausweg einer Verwerfung, längs deren der Hauptdolomit mit Megalodon so tief sank, dass die Raibler Schichten unter demselben nach der Tiefe kamen. Was ich oben gelegentlich als Südflügel bezeichnete, wäre also scharf abgeschnitten. Das ist natürlich nur eine Annahme, die aber wohl gemacht werden darf, wenn man berücksichtigt, welche grossartigen Störungen nachweisbar die Umgebungen des Comer See betroffen haben. Varenna gegenüber bildet der Dachsteinkalk ein förmliches Gewölbe am Monte Galbiga und dass oberster Keuper hier überhaupt dem Muschelkalk des Ostufers gegenüber liegt, beweist eine sehr starke Verschiebung des letzteren gegen Süden. Mit einer solchen mussten gewaltsame Zerreissungen wohl in Verbindung stehen. Von einer so regelmässigen Aufeinanderfolge, wie Stoppani sie annimmt, kann gar keine Rede sein. Escher hat schon genugsam auf die Spalten aufmerksam gemacht und es ist auffallend, dass man ihnen seitdem im Gebiete von Esino niemals nachgegangen ist. Ganz besonders möchte ich aber darauf hinweisen, dass man auch bei Annahme der Stoppani'schen Auffassung der Lagerung einigen sehr bedeutenden Schwierigkeiten begegnet. Auf der Karte in den Pétrifications d'Esino tritt am Ufer des Comer See zwischen Casa Cicogna und Casa Bianca Dolomit an den See. Südlich und nördlich ist Muschelkalk eingezeichnet, dem Vorkommen in der Natur entsprechend, eine Lagerung, die bei regelmässiger Aufeinanderfolge der einzelnen Abtheilungen von Norden nach Süden nicht stattfinden kann. Entweder muss eine Mulde oder ein Bruch vorliegen. Der Dolomit von Val Vachera ist nach Stoppani

[1]) Abgesehen von einer Notiz im Corso di geologia von Stoppani, die ich bei ihrer Kürze nicht als Beweis zu Gunsten meiner Auffassung anführen kann.

Esinodolomit, der doch auf den Raibler Schichten liegen soll. Er liegt aber hier unmittelbar auf dem Muschelkalk. Wo sind nun da die Raibler Schichten geblieben? Nicht nur sie, auch der Hallstatter Kalk, die Schichten des Sasso Mattolino fehlen. Nun wissen wir zwar, dass in den Alpen mehr noch wie anderswo mächtige Systeme in kurzer Entfernung auf geringe Dimensionen reducirt werden können, oder dass durch Facies-Wechsel Kalke durch Schiefer ersetzt werden u. s. w. Es müssen aber dann doch die Verhältnisse solche Annahmen nothwendig oder wahrscheinlich machen. Hier ist aber weder das eine noch das andere der Fall. Um das Fehlen der Raibler Schichten zwischen Piz di Cainallo und dem südlichen Gebirge, wo sie nach Stoppani liegen müssten, zu erklären, suche ich auch vergeblich nach einem Ausweg. Auch hier hälfe uns nur die Annahme eines ganz rapiden Facies-Wechsels, die mir aber nicht nothwendig scheint.

Was nun die Schichten mit *Avicula exilis* betrifft, so betrachtet sie Stoppani als identisch mit dem Esinokalk und führt als bezeichnend an ausser *Avicula exilis* noch *Evinospongia cerea* und *Gastrochaena obtusa*. Von ersterer können wir absehen, da es sich hier überhaupt nicht um Organismen handelt, und die so genannten Dinge auch zu den gewöhnlichsten Erscheinungen der Sasso Mattolino-Schichten gehören. Indem Stoppani letztere für Hallstatter Kalk ansieht, muss er auch die Evinospongien als bezeichnend für diesen zugeben, womit ja ein Vorkommen in höheren Schichten nicht ausgeschlossen zu sein braucht, wenn ich es auch da niemals in solcher typischer Erscheinungsform gesehen habe.[1] *Gastrochaena obtusa* ist, wie sich aus Gümbel's Darstellungen ergiebt und ich vollkommen bestätigen kann, nicht hinreichend scharf charakterisirt, um zu erkennen, welche der zahlreichen Gümbel'schen Arten darunter zu verstehen ist. Der Hauptsache nach sollte man meinen, *Diplopora annulata*. Nun hat aber schon Gümbel nachgewiesen, dass mit *Avicula exilis* an einer ganzen Reihe von Punkten östlich von Esino nur *Gyroporella vesiculifera* gefunden wird, ich habe oben hinzugefügt, dass bei Esino hingegen *Diplopora annulata* ausschliesslich herrscht. Da Stoppani Esino und die östlichen Punkte für *Gastrochaena obtusa* anführt, so muss er wohl beide Arten darunter begriffen haben. Jedenfalls kann man unter der Stoppani'schen Bezeichnung nicht ein einziges Leitfossil verstehen.

Endlich *Avicula exilis*. Diese ist eine der gemeinsten Zweischalerformen

---

[1]) Vergl. jedoch Loretz, Zeitschrift d. deutsch. geolog. Gesellsch. 1875 p. 839, wo *Evinospongia* aus Dachsteinkalk von der Malcoira angeführt wird.

bei Storo in Iudicarien, in Val Trompia bei Gardone, in Val Sabbia und nach Stoppani auch noch bei Bellaggio am Comer See. An den ersteren Punkten kommt sie mit *Megalodon triqueter* und *Dicerocardium Jani* vor, liegt also im Hauptdolomit, was ja auch durch die Vergesellschaftung mit *Gyroporella vesiculifera* bewiesen wird. Nun hat aber Stoppani *Avicula exilis* auch aus der banc à Acephales des Val del Monte bei Esino und bildet auf Taf. XIX Fig. 2 der Petr. d'Esino einen Steinkern von da ab. Wenn dieser nun auch nicht besonders erhalten ist, so scheinen doch seine Charaktere mit der *Avicula exilis*, wie ich sie von Gardone auf Taf. XXIV Fig. 12, 13 abbilde, übereinzustimmen. Hier bleibt also noch eine Frage zu beantworten. Kommt *Avicula exilis* auch in tieferen Schichten vor oder ist das Exemplar aus Val del Monte doch vielleicht verschieden? — Eine Bearbeitung jener Fossilien mit den Megalodonten und es sind eine ziemliche Anzahl, und eine Revision der Fossilien von Esino ist dringend nothwendig. Das etwaige Vorkommen dieser einen Muschel unter und über den Raibler Schichten kann in keiner Weise die Trennung der Schichten mit *Diplopora annulata* und *Gyroporella vesiculifera* beeinflussen, es kann sich nur darum handeln festzustellen, wann man die einen, wann die anderen unter der zu weit gefassten Bezeichnung Esinoschichten begriffen hat. Dass eine Anzahl Arten durch den ganzen alpinen Keuper hindurchgehen, wird mir immer wahrscheinlicher und es scheint mir schon jetzt geboten, bei der Bestimmung von Horizonten nach einzelnen Arten nur mit äusserster Vorsicht zu verfahren. Jene Muscheln, die Stoppani in den Pétrifications d'Esino als Cyprinen abbildet, gehören zu den gewöhnlichsten Erscheinungen am Piz di Cainallo und bei Storo, hier aber mit *Dicerocardium* zusammen, wenn anders man die steile Wand, an der die Strasse nach Val Ampola hinaufzieht, als einer Formations-Abtheilung angehörig, ansehen darf, was bei dem Fehlen der Raibler Schichten im südlichen Tirol schwer auszumachen ist.

———

Ueber einige Versteinerungen, insbesondere aus den Umgebungen von Esino.

Ehe ich zur Besprechung einiger gelegentlich schon oben erwähnten Versteinerungen übergehe, berühre ich kurz jene eigenthümlichen Bildungen, welche Escher als Riesenoolith, Stoppani als *Evinospongia* aufführte. Escher beschrieb dieselben zuerst im Jahre 1846 in einer brieflichen Mittheilung an K. C. v. Leonhard[1]) und gab eine Zeichnung. Seine Beschreibung lautet: „In diesen Gegenden (Val Brembana und Val di Scalve) kommen nämlich in grauen ? *Rostellaria* enthaltenden Kalksteinen mehrere Zoll grosse, im Allgemeinen rundliche, aber auch eckig verzweigte Massen dunkelgrauen Kalksteines vor; diese sind umgeben von gewöhnlich ½‴—1‴ dicken konzentrischen Schaalen lichtern excentrisch gefaserten Kalksteines, welche so zahlreich sind, dass sie mit denen zusammentreffen, welche die benachbarten dunkeln Kalkmassen umgeben, so dass die Zwischenräume zwischen den letzten ganz mit solchen exzentrisch gefaserten Schaalen erfüllt sind." Später kommt Escher wiederholt auf diese Dinge, die er dann Riesenoolith nennt, zurück[2]) und weist deren weite Verbreitung bei Esino nach. Während in der älteren Mittheilung die Möglichkeit einer Bildung auf organischem Wege nicht ausgeschlossen wird, deutet der Ausdruck „sphäroidische Koncretionen" in der zweiten darauf hin, dass Escher später an Organismen nicht mehr dachte. Anders Stoppani, der diese Dinge für Schwämme erklärt und in mehrere Gattungen eintheilt, besonders

[1]) Leonhard, Jahrbuch 1846 p. 410, Taf. VI Fig. 4.
[2]) Escher, Vorarlberg p. 95.

in seine *Erinospongia*, von der zwei Arten *E. cerea* und *E. vesiculosa* unterschieden werden. Ich glaube aber auch, das *Stromatopora Cainalli* und *Amorphospongia pertusa* Stopp. (non Klipst.) hieher gehören, wenn auch Stoppani von vorne herein sich gegen eine solche Auffasung verwahrt.[1]) Die Stoppani'schen Gattungsdiagnosen lauten: *Erinospongia*, ensemble amorphe, sessile, encroûtant, extérieurement tubéreux, composé de fibres concrètes en couche calcaire, grenu à l'extérieur, et en lames cloisonnaires a l'intérieur. Point d'oscules. *Amorphospongia* Orb., ensemble globuleux ou rameux, d'un tissu poreux, irrégulier, sans canaux intérieurs ni oscules (Orb., cours élém. tom. II. p. 215). *Stromatopora* Blainv., ensemble amorphe, composé d'une alternance de couches concentriques, denses et de couches poreuses. Aus diesen einfach hingestellten Gattungsdiagnosen sucht man vergeblich unterscheidende Merkmale herauszufinden. Von *Stromatopora* können wir gleich absehen, denn eine Eigenschaft dieser Gattung: „percé de pores irréguliers"[2]) ist etwas viel bestimmteres als couches poreuses, wie sie das Vorkommen vom Piz di Cainallo zeigen soll. Nach Stoppani's weiterer Beschreibung und seiner Abbildung tritt die angebliche Porosität auch erst bei der Verwitterung deutlicher heraus, und da handelt es sich denn wohl nur um verschiedene Widerstandsfähigkeit einzelner krystallinischer Kalknadeln, nicht um eine verschiedene Struktur in Folge eines Grundgewebes und einer Ausfüllungsmasse. Hier konnten allein gute Schliffe überzeugen. Dass an Klipstein's *Manon pertusum* (Amorphospongia) nicht gedacht werden kann, beweist ein Blick auf Laube's Darstellung[3]) dieses Schwammes. Aber auch weder Beschreibung noch Abbildung bei Stoppani (l. c. Taf. XXX Fig. 7) giebt irgend einen Unterschied von *Erinospongia cerea* (das. Taf. XXX Fig. 1). Die beim Betrachten der beiden Abbildungen etwa in die Augen fallende Abweichung, dass die Höcker im letzten Fall deutlich mit kleinen Erhöhungen versehen, im ersteren glatt sind, wird dadurch aufgehoben, dass auch für *Amorphospongia pertusa* im Text Granulation angegeben wird.

Es bleiben uns also nur die von Stoppani auf Taf. XXIX Fig. 6—8, Taf. XXX Fig. 1—5 und Taf. XXXI Fig. 1, 2 dargestellten Formen übrig, die übrigens sämmtlich eine recht gute Vorstellung des Vorkommens geben, wenn sie auch von der organischen Natur nicht überzeugen. Ich habe auf Taf. XXII Fig. 6 noch ein Stück von fonte di Prada abgebildet, um die eigenthümlich glatten Absonderungsflächen mit den begrenzenden Kanten

---

[1]) Man vergleiche Stoppani, Pétrific. d'Esino p. 126 Taf. XXX.

[2]) Fromentel, introduction à l'étude des sponges fossiles p. 49.

[3]) Laube, Denkschr. d. Wiener Akad. Bd. XXIV. 1864. Taf. I. Fig. 16.

zu zeigen. Ganze Bänke stellen ein Agglomerat solcher eckigen Massen dar, die im Innern alle eine mehr oder minder deutlich radial faserige Struktur zeigen. An anderen Stücken sind die Absonderungsflächen gerundet, wie bei Stoppani l. c. Taf. XXX Fig. 1, immer aber innen faserig. Man gewinnt eine durchaus zutreffende Vorstellung der Dinge, wenn man sich an die Form des Glaskopfs erinnert, wo ja auch die nierenförmigen, traubigen Massen beim Zerschlagen ebene Absonderungsflächen, oder die Faserstruktur des Inneren zeigen. In der That handelt es sich auch um ganz dieselbe Entstehungsweise, ein Auskrystallisiren mit gegenseitiger Hinderung der einzelnen Büschel, oder eine Ueberlagerung von Blättern, wie bei einer jeden Sinterbildung. Den ersten Anhaltspunkt für eine Abscheidung des Kalkspaths gaben kleine Fragmente von Muscheln, *Diploporen* u. s. w. wie auf Taf. XXII. Fig. 3, oder grössere Gegenstände, wie Fig. 4 Taf. XXII, wo Gasteropoden und Cephalopoden durch den Schliff getroffen wurden. Taf. XXII Fig. 6. zeigt den Kern eines umhüllten *Turbo depressus*. Ganz dasselbe finden wir auch beim Schleifen solcher Stücke, die beinahe ganz aus *Diplopora* zusammengesetzt sind. Hier umzieht der Sinter in zierlichster Weise die einzelnen Stämmchen, während dicht daneben Fragmente aller Art oder körniger Kalk die Zwischenräume ausfüllt. Taf. XXII Fig. 2 zeigt den Schliff solcher Massen, wie sie Stoppani Taf. XXX Fig. 4, 5 abbildet. Die einzelnen Kalkspathkrystalle sind schräg geschnitten. Taf. XXII Fig. 1 endlich stellt den Querschnitt (Schliff) eines globosen Ammoniten, dessen Kammern von „*Erinospongien*“ erfüllt sind, dar. Nirgends habe ich in meinen zahlreichen Schliffen nur eine Spur einer organischen Form beobachten können, wie sie doch in dem feinen Kalk, wo die Kanäle der Diploporen sofort heraus treten (Taf. XXII Fig. 3 rechts oben) sich hätte erhalten müssen.[1])

Dürfen wir also mit Sicherheit annehmen, dass der Kalk hier nicht direct durch Organismen abgeschieden wurde, so drängt sich um so lebhafter die Frage auf, wie wir uns seine Entstehung zu denken haben. Nehmen wir für das Meerwasser der damaligen Zeit seine jetzige Zusammensetzung an, so konnte sich Kalk nicht ausscheiden, wie das ja mehrfach schon hervorgehoben wurde. Einen ausscheidenden „Bathybius“ anzunehmen, hat doch auch sein Bedenkliches. Die Umhüllung der Fragmente, der isolirten Diploporen-Stämmchen, die Ausfüllung der Ammonitenkammern lehrt, dass es sich um eine spätere Kalkabscheidung, nach dem Absterben der Thiere handelt. Dass so ausserordentlich verbreitete und massenhafte Vorkommen,

---

[1]) Ganz in demselben Sinne sprach sich schon früher Reuss aus in Sitzungsber. d. Wiener Akadem. Bd. LI. p. 385. 1865.

die Bildung ganzer Schichten, schliesst die Thätigkeit lokaler Processe, wie Quellen, Sickerwasser aus, es muss sich um einen allgemeineren Process handeln. Nun fällt in diesen Kalkmassen der Umgebung von Esino häufig eine bräunliche Färbung auf, bald in Streifen, bald bandartig die weissen und grauen Massen durchziehend. Betupft man einen Schliff eines solchen Stückes mit Säure, so brausen nur die helleren Parthieu, die braunen nicht. Es liegt nahe, hier Reste organischer Substanz anzunehmen, die aber ganz unregelmässig in Häuten und Fetzen eingestreut ist. Es wäre eine interessante Aufgabe, weiter nachzuforschen, ob nicht Reste der Thiere beim Verwesen so viel Kohlensäure frei machten, um aus der Umgebung Kalk aufzulösen und dann unter etwas anderen Umständen wieder abzuscheiden. Natürlich müsste man dann ein ganz seichtes Meer, Ufergegenden, in allen Fällen die Möglichkeit des Zutritts athmosphärischer Luft annehmen.

Diplopora. Schafh.

Mit der Natur jener eigenthümlichen cylindrischen Körper, die in mehreren Niveau's der alpinen Trias und im oberschlesischen Muschelkalk häufig vorkommen und unter verschiedenen Bezeichnungen, wie Nullipora, Chaetetes u. s. w. angeführt wurden, hat uns Gümbel [1]) in seiner ausgezeichneten Arbeit „Die sogenannten Nulliporen" zuerst genauer bekannt gemacht. Es kommen für uns hier nur die in der systematischen Eintheilung bei Gümbel p. 24 als *Gyroporella* unterschiedenen Formen in Betracht. Die anderen Gattungen gehören anderen Formationen an und haben einen anderen Bau. Immerhin ist aber die Verschiedenheit der Formen noch eine ziemlich grosse und die Untersuchung besonders durch den häufig schlechten oder eigenthümlichen Erhaltungszustand sehr erschwert. Gümbel giebt in letzterer Beziehung sehr zutreffende Mittheilungen und weist wiederholt darauf hin, wie die Art der Versteinerung ganz verschiedenes Ansehen gleicher Dinge bewirkt.

Zwei Gruppen von *Gyroporella* treten uns in den Gümbel'schen Beschreibungen entgegen, eine den *Muschelkalk* und *unteren Alpenkeuper (Wettersteinkalk)* bezeichnende, eine andere für höhere Abtheilungen charakteristische. Als Mittelpunkt der ersteren erscheint *Gyroporella annulata*, die nach der äusseren Form schon lange bekannte *Diplopora annulata*

[1]) Gümbel, die sogenannten Nulliporen 2. Theil, die Nulliporen des Thierreichs. Abhandl. d. bayer. Akademie d. Wiss. Bd. XI 1. Abth. 1872. Ich setze im Folgenden eine Bekanntschaft mit der Gümbel'schen Arbeit voraus und beschränke mich auf das für die mir vorliegenden Dinge Nöthige. Wegen der Benennung vergl. noch Verhandl. d. geol. Reichsanst. 1874 Nr. 10 p. 125.

Schafhäutel's. Ihr schliessen sich z. Th. so nahe verwandt, dass auch Gümbel auf die spezifischen Unterschiede einiger Formen kein grosses Gewicht legt, eine Anzahl anderer Arten an. Zu ihnen gehören die herrschenden Arten von Esino.

Die andere Gruppe umschliesst etwas heterogene Elemente. Für uns besonders wichtig ist Gümbel's *Gyroporella vesiculifera*, als bezeichnend für Esinoschichten angegeben, bei Esino aber ganz fehlend. Diese an anderen Punkten der Südalpen ausserordentlich häufige und Gesteins bildende Art ziehe ich mit in den Kreis unserer Betrachtung, da es sehr wesentlich ist, sie von den annulaten zu trennen.

Wenn ich auch glaube, die Hauptart von Esino unbedenklich als *Diplopora annulata* bezeichnen zu dürfen, so ziehe ich doch, Gümbel's Ansicht beipflichtend, dass die Akten über diese Dinge noch lange nicht geschlossen sind, vor, zunächst nur von einer Gruppe der *Diplopora annulata* zu sprechen und in dieser zwei Formen zu unterscheiden, die ich vorläufig nicht benenne. Dem Lager nach gehören sie zusammen, mit dem Namen hat es Zeit bis man mehr Material übersehen kann. Es wäre nicht unpraktisch, sie nach Quenstedt'scher Weise mit einem passenden Epitheton zu belegen, doch könnte dann ein solches als spezifische Bezeichnung aufgegriffen werden, was ich vermeiden möchte.

Gyroporella vesiculifera will ich mit dem Gümbel'schen Namen anführen. Dem Uebelstande ist allerdings nicht zu entgehen, dass wie *Diplopora* eine nicht für alle annulatae treffende Bezeichnung ist, nun auch *Gyroporella* auf die vesiculifera nicht recht passt, da Poren, d. h. Mündungen auf der Aussenseite noch nicht beobachtet sind und die innen liegenden, blasenartigen Räume eine alternirende, nicht in besondere Kreise (Zonen) fallende Stellung haben. Und doch müsste man nach den Gesetzen der Priorität, wenn, wie ich glaube, *Gyroporella vesiculifera* Repräsentant eines von *Diplopora* verschiedenen generischen Typus ist, für diesen die Bezeichnung *Gyroporella* wählen.

Gruppe der Annulatae.

Die beiden Formen, die ich auszeichnen möchte, sind in Durchschnitten bei erhaltener Schalensubstanz, zumal in Dünnschliffen, wohl zu unterscheiden. Nicht so, wie sie gewöhnlich sich finden, als Abdrücke und Steinkerne. Die allgemeine Erscheinung ist überhaupt dieselbe und ich bespreche diese daher zuerst.

Es handelt sich um cylindrische, von einer Röhre durchzogene Körper bis zu 4 mm. dick und bis 50 mm. lang, meist jedoch in kürzeren Fragmenten vorkommend. Die Dicke der Wandung erscheint bei verschiedenen Individuen recht verschieden und kann vielleicht Anhaltspunkte zu spezifischer Unterscheidung abgeben. Doch ist gerade hier wegen des verschiedenen Erhaltungszustandes die grösste Vorsicht nöthig. Der Durchmesser der Röhren übertrifft in dem vorliegenden Material den der Wandung um das 3—6fache. An dem einen Ende, (Embryonalende) sind die Röhren halbkugelig oder ellipsoidisch geschlossen, behalten aber im übrigen einen gleichmässig parallelen Verlauf der Wandungen. Bei Schnitten, die nicht genau in der Längsaxe der Röhre liegen, oder diese etwas schief schneiden, erscheint die untere Parthie natürlich dicker, als sie in Wirklichkeit ist. So bei Fig. 7 Taf. XXII, während Fig. 8 Taf. XXIII parallel der Axe geschnitten ist und zeigt, dass die Dicke der Wand überall eine gleichmässige ist.

Fig. 9 Taf. XXII stellt das Fragment einer Röhre von Innen, Fig. 11 Taf. XXII den Abdruck der Aussenseite eines anderen Stückes dar, beide aus verschiedenen Blöcken stammend und wahrscheinlich zu etwas verschiedenen Formen gehörig. Innen und aussen treten die Mündungen der die Wandung durchbohrenden Kanäle zu Tage, die in horizontalen Reihen zonenweise angeordnet, durch porenlose Schalenparthieen von einander getrennt werden. Gewöhnlich stehen zwei Reihen Poren in einer solchen Zone, nur ausnahmsweise schieben sich noch einzelne überzählige Poren ein[1]). Bald stehen die Poren übereinander, bald alterniren sie, doch in ein und derselben Röhre konstant. Die beiden in Rede stehenden Figuren zeigen z. B. alternirende Poren.

In Fig. 5 Taf. XXII haben wir den Ausguss einer Röhre vor uns, deren Substanz vollständig verschwunden ist. An Stelle der letzteren zeigt die Zeichnung einen dunklen Raum um einen Zapfen. Die kleinen Erhöhungen auf dem Zapfen sind Ausfüllungen der Kanäle der zerstörten Wandung, die aber wiederum als Röhren erscheinen, da entweder nur die Innenseite der Kanäle von fremdem Material überzogen wurde und ein mittlerer Raum frei blieb, oder eine vollständige Ausfüllung statt fand, auf welcher erst später, nach Entfernung der Schalenmasse ein Ueberzug sich bildete. Dieser ist dann bei weiter fortschreitender Veränderung stehen geblieben, die eigentliche erste Ausfüllung aber zerstört. In diesem Falle müssten die Spitzen der kleinen Krystalle, aus denen die Röhrchen bestehen, nach aussen gerichtet sein, und in der That ist das der Fall, soweit die Kleinheit der Dinge eine Beobachtung gestattet. Der innere Theil des Zapfens (der Aus-

[1]) Ich spreche hier nur von den bei Esino gefundenen Arten. Ganz anders verhalten sich z. B. Arten des Muschelkalk.

füllung der ganzen Röhre) ist aus grösseren Krystallen zusammengesetzt, als die äussere Parthie und von der Verwitterung stärker angegriffen, als diese. Ich hebe dies hervor, um der beim Anblick der Zeichnung etwa auftauchenden Vermuthung entgegen zu treten, als sei die mit Poren versehene Parthie erhaltene Schalensubstanz im Gegensatz zum inneren späthigen Theil. Beides ist sekundär.

So bei günstiger Verwitterung. Gewöhnlich erscheinen die Kerne, wie Fig. 12 Taf. XXII als geringelte Stäbchen, wo die Ringe aus lauter kleinen Krystallen zusammengesetzt sind, die die Oeffnungen der Kanäle vollständig überwuchern. Es ist dies die gewöhnliche Erscheinungsform der als *Diplopora annulata* bezeichneten Dinge.

Frei heraus gewitterte Röhren, so dass man die Beschaffenheit der Aussenseite studiren könnte, habe ich nicht ein einziges Mal in die Hand bekommen. Ein Beweis, wie schwer es ist, die häufigsten Dinge nach allen Richtungen hin zu beobachten. Einen Anhaltspunkt geben hier nur die Abdrücke, wie Taf. XXII Fig. 11, wo aber noch auf Täuschung in Folge des Auskrystallisirens der Kanälchen Rücksicht zu nehmen ist. So viel erkennt man deutlich, dass aussen, wie wir es vorher an der Innenseite sahen, zwei Kanälchen nebeneinander münden, näher noch als bei Gümbel l. c. Taf. DII Fig. 1d. Im Uebrigen scheinen die Röhren aussen geringelt gewesen zu sein, ob aber die Kanäle auf der Erhöhung oder in der Furche heraustraten, vermag ich nicht zu sagen. Aus der erhöhten Stellung der Mündungen in dem Abdruck folgern zu wollen, dass sie in Wirklichkeit vertieft standen, halte ich für gewagt, da die anschiessenden Krystalle einerseits, die Auflöslichkeit der Schalensubstanz andrerseits, die Verhältnisse gerade umkehren konnten.

Ein Blick auf die bei Gümbel (l. c. Taf. D. II Fig. 1e, 3b, 2h, 2i) von Steinkernen verschiedener Arten gegebenen Darstellungen zeigt, dass es sich dort und bei uns um ganz dieselben Dinge handelt.

Gümbel nimmt nun an, dass die Röhren aus übereinander liegenden Ringen aufgebaut seien, die mit ihren flachen Seiten nicht eben aufeinander lagen, sondern mit einer Aushöhlung versehen, einen Ringkanal zwischen sich liessen. Man vergl. die ideale Abbildung l. c. Taf. I Fig. 8. Es sollen dann weiter die innen nahe bei einander mündenden Kanäle nach aussen hin divergiren, so dass von zwei solchen nahe über einander stehenden Mündungen die eine zu einem untern, die andere zu einem darauf folgenden Ringe gehöre, zwischen beiden aber die Trennungsfläche der Ringe liege, die nach innen hinein zu einem ringförmigen Kanal sich erweitere. Vergl. auch hier Gümbel's ideale Darstellung.

Wir kommen auf diese ringförmigen Hohlräume und die Stellung der Kanäle gleich bei Besprechung der Durchschnitte zurück und ich erwähne hier nur, als zur äusseren Erscheinung gehörig, dass es mir auch nach Durchsicht eines ziemlich bedeutenden Materials von Esino nicht gelungen ist, einzelne zerfallene Ringe zu beobachten, und es scheinen diese nach Gümbel's Darstellungen von ihm auch besonders deutlich in Muschelkalkformen (G. cylindrica Taf. D II Fig. 2 f.), weniger deutlich an den Formen des Alpenkeupers beobachtet zu sein.

Gehen wir nun zur Betrachtung der Dünnschliffe über.

In einer grösseren Anzahl von Schliffen, die ich angefertigt habe, konnte ich bisher nur einen wesentlichen Unterschied festhalten, der sich bei einem Schnitt sowohl parallel der Hauptaxe, als quer gegen diese bemerkbar macht und in der Richtung begründet ist, in der die Kanälchen die Wandung durchsetzen, ob rechtwinklig zur Längserstreckung, oder in einem Winkel dagegen. Taf. XXIII Fig. 2 stellt schematisch das erste, Fig. 1 ebenso das zweite Verhältniss dar, wobei es in letzerem Falle gleichgültig ist, ob die Kanälchen nach oben oder nach unten gerichtet sind. Man braucht die Zeichnung nur umzukehren, um von einer Ansicht zur andern zu gelangen.

Wenn eine cylindrische Röhre, wie Fig. 2 Taf. XXIII genau rechtwinklich durchschnitten wird (A—B), so erscheint die Wandung von Kreisen eingeschlossen und die Kanäle müssen von der Innenseite nach der Aussenseite mit paralleler Begrenzung hindurchlaufen, wie es Fig. 2a darstellt. Trifft der Schnitt geneigt die Längsaxe der Röhre (C—D), so wird je nach dem Grad der Neigung eine Ellipse mit verschiedenem Verhältniss der längsten und kürzesten Durchmesser entstehen. Fig. 2b. Nur die Kanäle am Ende der kürzeren Axe können noch auf ihrem ganzen Verlaufe, von der Innen- bis zur Aussenwand hindurchgehend erscheinen. Jene am Ende der längeren Axe müssen elliptische Querschnitte zeigen, Kreisen um so näher kommend, je schiefer der Schnitt geführt ist. Unter allen Umständen müssen aber am Ende der Durchmesser gleiche Figuren der Kanalschnitte entstehen.

Solche Ansichten wie Fig. 8, 10 Taf. XXII können nur auf einen horizontalen oder nahezu horizontalen Verlauf der Kanälchen zurückgeführt werden. Es bedarf kaum der Erwähnung, dass in der Natur die Kanälchen nie so regelmässig laufen, wie in einem Schema, dass die Verwitterung ein etwas anderes Aussehen bewirken kann, dass endlich ein etwas anderes Bild entstehen muss, wenn die Röhren auch nur um ein weniges gekrümmt sind, wie das hier und da vorkommt.

Ein Fall bedarf besonderer Vorsicht bei der Beurtheilung der Schliffe, jener nämlich, wo der Schnitt nur wenig geneigt gegen die Längsaxe der Röhre hindurch geht. Dann werden nur wenig von Kreisen abweichende Querschnitte der Röhren zu Tage treten und die Kanäle mit Ausnahme einiger wenigen am Ende der kaum verschiedenen kürzeren Axe werden nach aussen geschlossen erscheinen. Uebersicht man nun jene wenigen hindurchgehenden, so meint man ganz andere Formen mit Kammern ähnlichen, nur nach innen mündenden Höhlungen in der Wand vor sich zu haben.

Taf. XXII Fig. 7 ist ein Längsschnitt einer Form mit horizontalen Kanälchen, nicht genau durch die Längsaxe, sondern etwas seitlich von derselben geschnitten, daher die Dicke der unten geschlossenen Parthie und der Wandung.

Andere Schliffe zeigen, dass es sich auch hier um relativ dünne Wandungen handelt. Sehr schön regelmässig erscheint die Anordnung der Kanälchen in dem Theil unmittelbar unter dem Hohlraum, nach unten verschwindet diese regelmässige Stellung und es weisen andere Schliffe, sowie auch die Abbildungen von Steinkernen bei Gümbel (l. c. Taf. D II. Fig. 1e, 2i) darauf hin, dass am Embryonalende eine regellose Stellung der Kanälchen stattfand und dieselben erst nach oben sich in Reihen ordneten. Wenn in dem durchschnittenen Theil der Wandung (oben im Bild) wiederum eine grössere Unregelmässigkeit herrscht, so liegt das hauptsächlich an der seitlichen Lage des Schnittes. Man macht sich das leicht klar, wenn man sich in dem Schema einen Schnitt neben der Längsaxe, nahe an der Röhrenwand geführt, denkt. Es liege nahe, in einigen der unregelmässig begrenzten Bilder der Kanälchen die Gümbel'schen ringförmigen Kanäle zu vermuthen, doch ist darüber keine Gewissheit zu erlangen. Auch lässt sich an Schliffen dieser Form mit ganz oder doch nahezu horizontalen Kanälen nicht mit Sicherheit ausmachen, ob nicht doch zwei nahe bei einander mündende Kanäle nach aussen hin etwas divergiren. Es scheint jedoch nicht der Fall zu sein. Umsonst suchte ich nach anderen feineren Kanälchen zwischen den grösseren, will aber das Fehlen derselben durchaus nicht bestimmt behaupten. Auch die best erhaltenen Stücke sind noch stark krystallinisch und in dem Masse, als man stärkere Vergrösserung anwendet, treten nur die Kalkspathindividuen deutlicher hervor, nicht aber feinere Strukturverhältnisse.

Die Fig. 8 u. 10 Taf. XXII sind Ansichten von Schliffen aus grösseren mit *Diploporen* erfüllten Gesteinsstücken. Ein Vergleich mit unserem Schema zeigt die ganz übereinstimmende Anordnung. In auffallender Weise liegen die kreisförmigen Querschnitte der Kanäle am Ende der längeren Durchmesser der Ellipsen, die hindurchgehenden am Ende der kürzeren. Ganz genau rechtwinklig zur Längsaxe scheint kein Schnitt zu sein, da man niemals nur hindurchgehende Röhren sieht.[1]) Vielleicht ist aber auch eine kleine Unregelmässigkeit im Wachsthum hieran schuld. Einige hindurchgehende Kanäle entdeckt man einander gegenüberstehend aber immer bei sorgsamer Untersuchung. Es ist der oben berührte Fall, der leicht zur Täuschung führt, als habe man es mit geschlossenen blasenförmigen Höhlungen zu thun. Dann könnte aber überhaupt kein Kanal ganz hindurchgehend erscheinen, der Schnitt mag liegen, wie er will.

Den Zwischenraum der Röhren füllen Gesteins- und Muscheltrümmer aus, das Ganze durch körnigen oder fasrigen Kalk (Evinospongia) cämentirt.

Die beschriebenen Schliffe stammen aus Stücken vom Sasso Mattolino, wo sowohl auf der Seite nach Val Sasina als nach Esino hin diese Form häufig gesteinsbildend auftritt.

Fassen wir das zweite Schema ins Auge Fig. 1a—b Taf XXIII. Ein Schnitt horizontal, rechtwinklich zur Längsaxe (A—B) der Röhre muss hier rings herum gleiche Figuren der Kanalquerschnitte geben, nämlich Ellipsen deren Gestalt je nach der Neigung der Kanälchen verschieden sein wird, doch werden sich dieselben nie sehr von einem Kreise entfernen. In Schliffen wird man wegen der Unvollkommenheit der Erhaltung wirklich Kreise zu sehen glauben. Geht ein Schnitt geneigt zur Längsaxe der Röhre durch diese (C—D) und der Einfachheit wegen sei angenommen, wie in Fig. 1 Taf. XXIII parallel zur Neigung der Röhren, so muss, wie in Fig. 1b Taf. XXIII eine Ellipse zum Vorschein kommen, deren Wandung die Kanäle so zeigt, dass am Ende der längeren Axe ein hindurchgehender Kanal erscheint, am anderen Ende, je nach der Neigung der Kanäle eine geschlossene kreisförmige oder elliptische Figur. Folgen die Kanäle vertikal dicht aufeinander, so müssen die Querschnitte von mehreren in einer Reihe nebeneinander liegen. Am Ende der kurzen Axen wird man intermediäre Figuren der Querschnitte erhalten. Jedenfalls müssen bei der angenommenen Stellung der Kanäle in den Ellipsen, wie sie natürlich in Schliffen von Gesteinsstücken am häufigsten auftreten werden, an den Enden der langen Axen verschiedene Figuren liegen, die Lage des Schnittes mag sonst (horizontale Lage ausgenommen) noch so sehr wechseln.

Nun vergleiche man die Abbildungen von Schliffen Taf. XXIII. Fig. 3 u. 5. Der Unterschied gegen die oben besprochenen fällt sogleich in die Augen.

[1]) Dass die Kanälchen in Wirklichkeit hindurchgehen, stellt der Längsschnitt und die Steinkerne ausser allen Zweifel.

Ohne Ausnahme gehen die Kanäle am einen Ende der langen Axe der Ellipse durch die Röhrenwandung hindurch, am anderen kommen sie nur geschnitten als Kreise oder kreisähnliche Figuren heraus, wie ebenso ausnahmslos im früheren Falle gleiche Figuren einander gegenüber lagen. Ich habe einen grösseren Schliff mit mehreren Durchschnitten abbilden lassen, um zu zeigen, dass es sich nicht um einen einzelnen Fall, sondern um gesetzmässige Erscheinungen handelt. (Fig. 5 Taf. XXIII.)

Auf dem Längsschliff, Taf. XXIII Fig. 8, sieht man zunächst die Neigung der Kanäle nach unten im Gegensatz zu der oben besprochenen Form. Es tritt aber noch ein weiterer Unterschied hervor. An einigen Stellen beginnen zwei Kanäle dicht bei einander und divergiren etwas nach aussen. Da andere Schliffe dasselbe zeigen, darf man annehmen, dass es sich hier nicht um einen Zufall handelt und dass nur die Verwitterung die Gesetzmässigkeit nicht überall scharf hervortreten lässt. Zudem hat Gümbel gerade einen solchen Verlauf der Kanäle auf seiner schon mehrfach citirten idealen Abbildung angenommen. Die auffallend breiten Kanäle sind solche, in denen die dünne Wand zwischen zwei Kanälen wegbrach. Ueberhaupt sind in meinem Präparat die Wände etwas angefressen und die Dicke der Wandung erscheint etwas geringer als sie in Wirklichkeit ist. Ein ringförmiger Hohlraum und feinere Kanäle waren auch in diesen Schliffen nicht zu entdecken, ebenso wenig die Absonderungsflächen der einzelnen Ringe. Dennoch wird man annehmen müssen, dass das Wachsthum der Röhren in der Weise stattfand, dass gleichzeitig ringsum neue Schalenmasse aufgesetzt wurde. Eine wesentlich andere Gestalt muss aber diesen Anwachsringen in den beiden besprochenen Formen zugekommen sein. In einem Fall werden die nach oben und unten begrenzenden Ebenen mehr oder minder horizontal, im anderen Falle, der Lage der Kanäle ungefähr entsprechend, geneigt, konisch zulaufend, gewesen sein.

Zwei Gruppen von *Diplopora* können also nach den Vorkommnissen von Esino unterschieden werden, solche mit horizontal laufenden Kanälen und solche mit geneigten. Beide haben immer je zwei übereinander folgende Kanalreihen zu einer Zone vereinigt. In Schliffen ist die Unterscheidung nicht schwer, zu einer Charakteristik der Aussenseite muss jedoch noch besseres Material abgewartet werden. Da die Fig. 7 Taf. XXII aus einem Stück geschnitten worden, welches aussen an der Verwitterungsfläche das Ansehen hat, wie Fig. 9 Taf. XXII, so glaube ich, dass es sich hier speciell um *Diplopora annulata* handelt.

Ausser diesen beiden Gruppen werden andere zu umgrenzen sein, bei denen mehr als zwei Porenreihen zu einer Zone zusammentreten, ferner solche, wo die ganze Röhre gleichmässig von Kanälchen durchbohrt ist, Fälle, die sich alle bei Gümbel dargestellt finden. Dabei wird auf die Richtung der Kanäle Rücksicht zu nehmen sein, wie denn Gümbel trichterförmige Anordnung der letzteren mehrmals in ausgezeichneten Beispielen abbildet. Wird man auch vielleicht diese Richtung als ein zoologisch nicht sehr wesentliches Merkmal ansehen, so ist es doch für die Praxis, bis man bessere Mittel der Eintheilung kennt, bequem.

Dass man die *Diploporen* nach dem jetzigen Stande unserer Kenntnisse für *Foraminiferen* anzusehen habe, hat Gümbel in eingehender Weise dargethan. Etwas verschieden werden sich wohl die Ansichten der einzelnen Autoren über die Verwandtschaftsverhältnisse zu jüngeren und lebenden Formen gestalten.

Ich erinnere zum Schlusse nochmals daran, dass Gümbel Diploporen aus der Gruppe der annulatae nur in Schichten, älter als die Raibler Schichten, auffand und dass die besprochenen Formen von Esino aus den Kalken des Sasso Mattolino, also aus unzweifelhaften Aequivalenten der Hallstatter Kalke stammen, dass sie sich aber auch auf der Südseite des Esinobaches an den oben angegebenen Punkten einstellen, in Schichten, deren Alter kontrovers ist, die ich aber ebenfalls für unteren Alpenkeuper halte.

Ich benutze diese Gelegenheit, um eine bessere Darstellung eines Restes zu geben, den ich früher nach Schauroth als *Chaetetes Recubariensis* bezeichnet habe. Schauroth hat nämlich unter der Gattungsbezeichnung *Chaetetes* eine Koralle, eben diesen *Ch. Recubariensis* und ein anderes Fossil *Ch. triasinus* beschrieben und abgebildet, welches letztere Gümbel bereits als *Gyroporella triasina* Schaur. sp. l. c. p. 47 besprochen hat. *Chaetetes Recubariensis* wurde von mir (diese Beiträge Bd. II. Taf. III Fig. 1 a b) abgebildet. Die Fig. 1 b daselbst ist eine misslungene Vergrösserung, die die Natur des Korallenstockes nicht erkennen lässt. Fig. 4 Taf. XXIII stellt einen Schliff in viermaliger Vergrösserung dar, der die Anordnung der Kelche sehr deutlich zeigt. Die Gattungsbezeichnung *Chaetetes* ist beizubehalten, da sich keine Spur von Durchbohrung der Mauern erkennen lässt. In der rechten Hälfte des Bildes sind die Kelche rechtwinklig zur Axe geschnitten, in der linken treten die schief gegen die Wachsthumsrichtung gestellten Kelchreihen mit den Böden klar hervor. *Chaetetes Recubariensis* findet sich im *Muschelkalk* von *Recoaro* über den Brachiopoden-Bänken in ziemlicher Häufigkeit. Ebenfalls im *Muschelkalk* von *Recoaro* (des *Tretto*) findet sich *Diplopora (Gyroporella) triasina*, ich weiss nicht, in welchem Horizont.

Gyroporella vesiculifera Gmbl.

1872. Gümbel, die sog. Nulliporen II. Th. p. 50. Taf. D III Fig. 15, D IV Fig. 3a—3e.

Diese Art habe ich bei Esino trotz alles Suchens nicht auffinden können, wenn ich dennoch auf die Besprechung derselben eingehe, so geschieht es, weil *G. vesiculifera* an anderen Punkten der Südalpen zu den gewöhnlichsten Erscheinungen gehört und da vorzugsweise diejenigen Lokalitäten bezeichnet, an denen von Esino-Schichten ausserhalb Esino gesprochen wurde. Ich gebe auch hier einige Abbildungen nach Material, welches ich früher in der Lombardei gesammelt habe.

G. vesiculifera stellt gerade oder etwas gebogene Röhrchen dar, von einem Durchmesser bis zu 6 mm. und bis zu 60 mm. Länge. Der Verschluss am unteren Ende ist gerundet, halbkuglig, das Wachsthum im Allgemeinen gleichmässig cylindrisch. Die Wandung scheint dünner im Verhältniss zum Röhrendurchmesser, als es bei *Diplopora annulata* der Fall ist. Diese Röhren kommen nun theils mit der Schale erhalten vor, theils findet man Ausgüsse des Innern und diese zuweilen von ganz vortrefflicher Erhaltung. Hat die Verwitterung auch diese Kerne angegriffen, dann stellen sie nicht wie bei *Diplopora* geringelte Stäbchen dar, sondern zeigen eine ganz unregelmässige Oberfläche, da auf der Innenseite der Röhren kein Struktur-Verhältniss vorliegt, welches auch bei weiterschreitender Verwitterung noch auf den Steinkern bemerkbar bliebe. Bei so massenhaft vorkommenden, gesteinsbildenden Dingen sind auch diese äusseren Erscheinungsformen, die überall zuerst in die Augen fallen, von Bedeutung.

Gehen wir nun zur Beschreibung besser erhaltener Vorkommnisse über, die allerdings nicht zu häufig sind. Auf der Aussenseite bemerkt man zunächst nur eine Reihe scheinbar unregelmässig gestellter Erhöhungen, die sich jedoch bei genauerer Betrachtung als regelmässige sechseckige Felder mit einer blasenartigen mittleren Erhöhung erweisen. Diese Sechsecke sind in vertikalen Reihen mit den Spitzen nach der Seite angeordnet, also ebenso wie die Täfelchen der tesselaten Echiniden. Die Felder der benachbarten Reihen alterniren mit einander. Hier und da bemerkt man wohl auch rings um die Röhren herum laufende Anschwellungen von unregelmässiger Stellung, die aber keine Beziehung zum inneren Bau haben, also mit den ringförmigen äusseren Anschwellungen bei *Diplopora* nicht verglichen werden können. Taf. XXIII Fig. 6 stellt unten in mittelmässiger, oben in besserer Erhaltung die Anordnung der Felder dar.

Schärfer als die Aussenseite pflegt die Innenseite der Röhren ausgeprägt zu sein. Wenn diese mit weissem Kalkspath erfüllt ist, wie das häufig vorkommt, dann schält sich diese Ausfüllung als Cylinder frei heraus und hebt sich durch den Kontrast der Farbe gegen die dunkle Schalenmasse deutlich ab. Durch vorsichtiges Absprengen der Schale kann man sich Präparate wie Taf. XXIII Fig. 12 darstellen, wo man die Wandung im Querschnitt ungefähr parallel der Längsaxe der Röhre und die Innenseite sieht, wo ferner noch ein Theil des Cylinders erhalten ist, der auf seiner Oberfläche den Gegendruck der Innenseite trägt.

Auf der Innenseite der Röhre stehen sechseckige Felder, wie aussen. Zwischen denselben liegt ein schmaler Schalenstreifen, der als ein kleines Riff herausragt und auf seiner Oberfläche noch eine seichte Rinne trägt. In der Mitte des etwas vertieften Sechsecks erhebt sich eine kleine knopfartige Erhöhung, die Ausfüllung der Mündung eines Kanals, der nach innen in einem blasenförmigen Hohlraum der Wandung führt. Taf. XXIII Fig. 12a ist eine etwas vergrösserte Ansicht der Innenseite. Der Hohlraum mit seiner Wandung hat also eine Gestalt ähnlich jener, wie sie Carpenter (Introduction to the Foraminifera p. 128 seq.) wiederholt bei seiner *Dactylopera* zur Darstellung bringt, eine Aehnlichkeit, die ja auch Gümbel, wenn auch nur als eine äusserliche, anerkennt.

Der Kern entspricht nun auf seiner Oberfläche ganz der oben geschilderten Innenseite, wie ein Blick auf Fig. 12 Taf. XXIII zeigt. Nur sind die die Sechsecke trennenden Riffe nach oben scharf, da sie in ihrer höchsten Erhebung die Ausfüllung der Rinne in der Umgrenzung der Sechsecke der Schale darstellen. Je nach der Erhaltung, der Beschaffenheit des Kalkes u. s. w. ist das Aussehen etwas verschieden. Bald ist das Sechseck, bald die trennenden Riffe höher und deutlicher ausgeprägt, in gleicher Weise ist die Kanalausfüllung (die knopfartige Erhöhung) mehr oder minder erhaben Taf. XXIII Fig. 7 und 12 zeigen solche Abweichungen.

Bedarf es einer günstigen Erhaltung, um die oben geschilderten Verhältnisse erkennen zu lassen, so sind die Taf. XXIII Fig. 9, 10, 11 gezeichneten Ansichten sehr leicht durch einen Schliff zu gewinnen. Fig. 10 zeigt eine schlanke Röhre mit dünner Wandung, innen einige Fragmente derselben Art, ausserdem eine Ausfüllung von späthigem Kalk. In der Wandung liegen die Hohlräume mit etwas verengter Oeffnung in die gemeinsame Röhre mündend. Ganz ebenso sieht man die Stellung der Hohlräume in dem Querschnitt Fig. 9, der zwei über einander liegende Reihen zugleich zeigt. Hier findet nirgends eine Kommunikation nach aussen statt zum Unterschied gegen das oben bei den Diploporen angeführte, zu Verwechslungen leicht Veranlassung gebende Verhältniss. In Fig. 11 endlich ist der Schnitt schief gegen die Längsaxe geführt, so dass auser dem Querschnitt der Wandung noch ein Theil der Oberfläche mit den Sechsecken sichtbar wird. An keinem Theil gelang es, Andeutungen von hindurchgehenden Kanälen, wie sie Gümbel in seiner Diagnose (l. c. p. 50) vermuthet, oder von sonstigen eigenthümlichen Strukturverhältnissen zu entdecken.

So stellen sich diese Körper also als cylindrische, am einen Ende geschlossene Röhren dar, mit zahlreichen in vertikalen Reihen gestellten, seitlich alternirenden kammerartigen Hohlräumen, die mit verengtem Halse in die gemeinsame Höhlung der Röhre münden. Eine Verbindung der Kammern untereinander und nach aussen hin ist nicht beobachtet. Man wird so an den Bau einer *Acicularia* erinnert, wenn man sich diese gewaltig vergrössert und so umgestülpt denkt, dass die Mündungen der Kammern nach innen gewendet sind. Gümbel sieht in den blasenartigen Hohlräumen nicht Kammerhöhlungen, sondern nur eine „Eigenthümlichkeit der Zwischenkanälchen", eine Auffassung, die eine Einreihung auch dieser Formen unter die Gümbel'schen *Gyroporellen* gestattet. Ich möchte für dieselben jedoch schon wegen der alternirenden Anordnung der Kammern eine gesonderte Stellung beanspruchen.

Es ist nicht wahrscheinlich, dass die von Gümbel und mir von denselben Lokalitäten beschriebenen Foraminiferen die einzigen von solchem Bau in den Kalkapen sich findenden sind. Weitere Untersuchungen reicheren Materials mögen dann später die wahren Verwandtschaftsverhältnisse aufklären. Es wird beim Sammeln solcher Dinge vorzugsweise darauf Rücksicht zu nehmen sein, dass man nicht die in die Augen fallenden Steinkerne aufhebt, sondern solche dichte, scheinbar fossilfreie Stücke, an deren Aussenseite die Verwitterung nur andeutet, dass sie Foraminiferen enthalten. Sie sind gerade für Schliffe das geeignete Material.

Es ist wiederholentlich hervorgehoben, dass *Gyroporella vesiculifera* bei Esino noch nicht gefunden wurde. Sind die oben gemachten Annahmen über die Lagerung am Ostufer des Comer See richtig, so haben wir sie südlicher, etwa bei Lecco zu suchen. In den östlichen lombardischen Alpen sind reiche Fundstellen im Val Trompia, Val Sabbia, wahrscheinlich bei Storo, am Westufer des Garda See im Thal von S. Michele und vermuthlich an noch manchen dazwischen liegenden Punkten. Ueberall deutet die Lagerung darauf hin, dass es sich um Schichten über den Raibler Schichten handelt.

Mögen wir auch noch am Anfang der Untersuchung dieser Foraminiferen stehen, das lässt sich schon jetzt mit Sicherheit behaupten, dass sie für die Trias eine Rolle spielen, vergleichbar jener der *Fusulinen* im Bergkalk oder der *Nummuliten* im Eocän. Von grossem Interesse wäre es, zu erfahren, ob nicht Aehnliches sich in entlegenen Triasgebieten anderer Continente findet und dort bisher nur wenig beachtet wurde, wie ja lange Zeit auch bei uns.

Avicula exilis. Stopp.

Taf. XXIV Fig. 12, 13.

1857. *Avicula exilis* Stoppani, studii p. 393.
1859. " " " Paléont. Lomb. I. p. 92. Taf. 19. Fig. 1—4.
1873. " " " Corso di geologia. Bd. II. p. 394.

Nachdem Stoppani *Avicula exilis* in seinen Studii aus Val Trompia beschrieben hatte, gab er in den Pétrifications d'Esino Abbildungen, die jedoch der schönen Muschel nicht ganz gerecht wurden. Im Corso folgte noch im Holzschnitt, die jedenfalls charakteristischste bisher erschienene Abbildung. Bei der Wichtigkeit des Fossils gebe ich nochmals eine Darstellung eines gut erhaltenen Exemplars in natürlicher Grösse vom Monte Emiliano bei Gardone im Val Trompia. Der *Perna*-artige Habitus machte es wünschenswerth, über die Beschaffenheit der Ligamentfläche Gewissheit zu erhalten. Von mehreren Exemplaren wurde die Schale abgesprengt oder, wo das nicht thunlich war, abgeschliffen, aber nirgends fand sich eine Spur getrennter Ligamentgruben, so dass *Perna* und *Gervillia* ausgeschlossen sind. An letztere durfte trotz des nicht gerade auf diese Gattung deutenden Habitus gedacht werden, weil bei Storo mit Schalen von *Avicula* cf. *exilis* zusammen ausgezeichnete Abdrücke von der Ligamentfläche einer *Gervillia* vorkommen.

Besonders bezeichnend ist die Ungleichheit der Wölbung beider Schalen und die durch dieselbe bedingte schiefe Gestalt in der Ansicht von vorn. Taf. XXIV Fig. 13. Beide Schalen nehmen Theil an der Bildung einer Oeffnung für den Heraustritt des Byssus.

Ueber das Vorkommen von *Avicula exilis* und die sich daran knüpfenden Bedenken habe ich mich oben ausgesprochen.

Ammonites Jarbas. Mustr.

Taf. XXIV. Fig. 8, 9.

Seitdem Münster seinen *Ceratites Jarbas* in den Beiträgen beschrieb, ist man gewöhnt, denselben als besonders bezeichnend für unteren Alpenkeuper anzusehen. Doch hat Mojsisovics schon aus dem Muschelkalk der Schreyer Alm im Gosauthal verwandte Formen bekannt gemacht. Ueber die Raibler Schichten scheint die Formenreihe aber nicht hinaufzugehen. Ein Stück Geschichte der Ammoniten-Nomenklatur hat sich an

A. Jarbas abgespielt. Anfangs *Ceratites*, dann *Ammonites*, *Ammonites* (Gruppe der megaphylli), *Phylloceras* und schliesslich *Pinacoceras* ist als Gattungsbezeichnung zur Verwendung gekommen.

Zu welcher Art oder Form das Stück von Esino gehört, lässt sich nach dem einen, mir vorliegenden Exemplar nicht ausmachen. Es scheint, dass *Pinacoceras humile* Mojs. (das Gebirge um Hallstatt, Abhdl. der geolog. Reichsanst. Bd. VI Taf. XIX Fig. 2—4 p. 46) nahe steht. Eine speziellere Identificirung würde nur dann von Interesse sein, wenn wir bei Esino schärfer gliedern könnten.

Aus den Cephalopoden-Bänken des Val di Cino.

Ammonites Joannis Austriae. aut.

Taf. XXIV. Fig. 1—4.

Als *Ammonites Joannis Austriae* Klipst., später mit dem älteren Namen *A. cymbiformis* Wulf. bezeichnet, wird gewöhnlich ein bei Esino häufiger globoser Ammonit angeführt. Da im äusseren Ansehen Uebereinstimmung herrscht und Hauer [1]) zudem auf die Kleinheit der Cassianer Exemplare, an die man bei einem Vergleich zunächst denken durfte, gegenüber jenen von Aussee, aufmerksam machte, so liess sich gegen die Identificirung nichts einwenden. In neuester Zeit hat nun aber Mojsisovics [2]) die Klipstein'sche und die Wulfen'sche Art wieder getrennt, und zwar auf Grund der Zahl und des Verlaufes der Furchen auf den Steinkernen. Die mir vorliegenden Exemplare von Esino haben meist zwei Furchen, also wie *Am. Joannis Austriae*, mit dem auch sonst durchaus Uebereinstimmung stattfindet. Der Durchmesser der grössten Exemplare misst 45 mm. Wenn ich dennoch in der Bestimmung nicht sicher bin, so sind daran die etwas abweichenden Verhältnisse der Sutur schuld. Mojsisovics zeichnet auf Taf. LXI Fig. 4 l. c. einen bogenförmigen Verlauf der Lobenlinie, während die Form von Esino einen ziemlich geraden Verlauf derselben zeigt. Man findet hier am ersten Uebereinstimmung mit Loben, wie sie die *Arcestes extralabiati* bei Mojsisovics zeigen, mit deren inneren Windungen ja unsere Formen auch stimmen würden. Man vergleiche die Lobenlinie von *Arcestes subtridentinus* und *Böckhi* bei Mojsisovics, Gebirge um Hallstatt Taf. LVIII Fig. 20, 21 mit meiner Zeichnung nach einem etwas rohen Exemplar, welches in den Details nicht genau ist. Nur habe ich bei etwa 50 gesammelten Exemplaren niemals eine Veränderung der Wohnkammer bemerkt. Die Schale ist mit sehr feiner Streifung versehen.

---

[1]) Hauer, die Cephalopoden des Salzkammergutes 1846. p. 32.

[2]) Mojsisovics, Gebirge um Hallstatt p. 83 u. folgd.

Mag man später wie auch immer über die Identificirung dieser Art entscheiden, jedenfalls wird man auf Vergleiche mit Hallstatter Formen verwiesen werden.

Val di Cino, in den Cephalopoden-Bänken und Piz di Cainallo, in den Acephalen-Bänken.

Häufigste Art bei Esino.

Uebrigens kommen noch andere Globosen vor.

Ammonites cf. Sesostris. Laube.

Taf. XXIV Fig. 14, 15, 16.

1869. *Ammonites Sesostris* Laube, Abhandl. d. Wien. Akad. Bd. XXX Taf. XLI Fig. 2.

Drei Exemplare eines Ammoniten, von denen jedoch nur das eine, abgebildete, einigermassen erhalten ist, stecken mit dem vorher beschriebenen Globosen in einem Gesteinsstück. Die Form des Gehäuses, die eigenthümliche Berippung, die Furche auf der Siphonalseite stellen denselben in eine Reihe von Ammoniten, die bereits Mojsisovics in eine Gruppe zusammenfasste, *A. pseudoaries* Hau., *A. Flurli* Gümb., *A. Doreccus* Dittm., *A. Sesostris* Laube, *A. Arpadis* Mojs. Mit keiner dieser Arten findet vollständige Uebereinstimmung statt, am ähnlichsten, wenn auch viel dicker, ist die oben vorangestellte Laube'sche Art von S. Cassian. Nach Auffindung besseren Materials mag eine besondere Bezeichnung gewählt werden. Ich glaube, dass es dieser Ammonit ist, der bei mangelhafter Erhaltung zu dem Citat des *A. Eryx* von Esino Veranlassung gegeben hat.

Das abgebildete Exemplar hätte, den letzten Umgang erhalten gedacht, einen Durchmesser von 25 mm. gehabt. Die letzte Windung umfasst die vorhergehende etwan ⅓. Der Querschnitt ist stark komprimirt, die Seiten flach gewölbt, der Abfall zum Nabel steil, doch mit gerundeter Kante.

An der Nath beginnen sehr kräftige Rippen, die Anfangs radial laufend, nahe an der Siphonalseite sich scharf nach vorn biegen und etwas in beinahe spiraler Richtung sich fortziehen, indem sie so zusammen eine Art Leiste bilden. Zwei, auch wohl drei Rippen beginnen am Nabel mit einer knotenartigen Anschwellung, dazwischen schiebt sich einmal eine solche ohne Knoten ein. Es herrscht in dieser Beziehung kein Gesetz. Die Zahl der Rippen auf einem Umgang mag 50 betragen. Auf der Mitte der Siphonal-Seite läuft eine deutliche Furche, von zwei, so weit ich sehen kann, glatten aber erhabenen Kielen eingefasst und diess Ganze, Kiele und Furche, ist auf einer horizontalen Fläche aufgesetzt, die man sich von der, durch die Endigung der Rippen auf der einen Seite gebildeten Kante nach jener der anderen Seite gezogen denken kann.

Die Wohnkammer ist nicht erhalten. In der Sutur (Fig. 16) sind erster und zweiter Lateral vorhanden, jeder dreispitzig, mit tiefer, herunterhängender, mittlerer Spitze, ein kleiner Auxiliar liegt noch etwas unter der Nabelkante. Der Siphonallobus ist zweispitzig, weit weniger herunterhängend als der erste Lateral.

Die ganze Lobenlinie hat somit Aehnlichkeit mit manchen *Trachyceras*-Arten, mit deren nicht geknoteten, nur gerippten Formen wohl Verwandtschaft besteht, wie ja schon Mojsisovics annahm.

Aus dem Val di Cino, wo nach Fragmenten zu schliessen, die Art häufiger vorkommt.

Ammonites Manzonii n. sp.

Taf. XXIV. Fig 5, 6, 7, 10, 11.

Die Eigenschaften einer Anzahl mir vorliegender Ammonitengehäuse scheinen mir von allen benannten und abgebildeten Formen so abzuweichen, dass ich die Wahl eines neuen Namens glaube rechtfertigen zu können. Es bestärkt mich in der Annahme der Selbständigkeit der Form noch der Umstand, dass hier, wie bei den anderen Cephalopoden von Esino keine Uebergänge stattfinden und die Variabilität sich in sehr engen Grenzen hält, so, als handle es sich um eine Einwanderung und Bildung einer Kolonie von verhältnissmässig geringer Dauer.

Die grössten Exemplare haben 45 mm. im Durchmesser. Das Gehäuse ist flach scheibenförmig, nimmt sehr langsam an Dicke zu und die Umgänge umfassen sich sehr wenig, wie man auf Fig. 6, Taf. XXIV deutlich erkennen kann, wo noch die Ansatzlinie des weggebrochenen nächstfolgenden Umganges zu sehen ist. Die inneren Windungen liegen daher sehr frei. Das System der Skulptur ist ein ganz bestimmtes und variirt nur im Grade der Ausbildung. An der Nabelkante stehen kräftige Knoten, von denen Rippen gerade nach auswärts strahlen, die bald flacher werden und sich in eine Anzahl äusserst feiner Streifen auflösen, die zusammen ein Bündel darstellen, welches von dem nächsten Bündel durch eine flache Depression der Schale getrennt ist. Nahe an der Siphonalseite laufen die Streifen ein klein wenig nach vorn und treten hier über eine deutliche Kante an den Kiel heran, der die Furche der Siphonalseite jederseits begrenzt. Auf der Mitte der Seite steht eine zweite Knotenreihe von ganz anderer Beschaffenheit wie die innere. Während dort die Knotenreihen als Ausgangspunkt der Rippen mit diesen in bestimmtem Zusammenhang stehen, sind sie hier, ohne von den Rippen abhängig zu sein, dem Bündel bald in der Mitte, bald etwas mehr an der Seite, aber jedenfalls als scharfe Spitze aufgesetzt, die bald mehr, bald weniger hervorragt, nur selten ganz verschwindet. Die inneren Knoten sind auf den ältesten Umgängen besonders kräftig, nach aussen verflachen sie sich etwas mehr und verschwinden vielleicht auf den Wohnkammern, die mir nicht vorliegen, ganz.

Die Furche der Siphonalseite ist halbkreisförmig gerundet.

Der Verlauf der Sutur Taf. XXIV Fig. 7 ist ziemlich einfach und erinnert an die Aonen. Erster und zweiter Lateral endigen dreispitzig[1]), dann folgt noch ein kleiner Zacken.

Häufigste Art nächst den Globosen, Val di Cino und Piz di Cainallo.

Ammonites (Trachyceras) Archelaus. Laube.

1869. *Amm. Archelaus* Laube Abhdl. d. Wien. Akademie Bd. XXX p. 26 (sep.) Taf. XI Fig. 1. Weitere Nachweise s. Mojsisovics, Jahrb. d. geolog. Reichsanst. 1869 Bd. XIX p. 130.

Ein fest im Gestein sitzendes Gehäuse von 60 mm. Durchmesser stimmt so vollständig mit Laube's Abbildung, dass ich nicht anstehe, den Namen zu übertragen. Das Laube'sche Original ist unbekannter Herkunft, doch sicher nach Mojsisovics aus den dolomitischen Tuffen der Südalpen. Später hat sich die Art in Tuffen von Prezzo in Judicarien gefunden. Bei Esino findet sie sich in den Cephalopodenkalken des Val di Cino. Es kann sein, dass der oben citirte *Trachyceras Regoledanum* auch aus diesen Schichten stammt, da er ebenso wie *A. Archelaus* in Prezzo vorkommt.

Ammonites sp.

Fragment einer Wohnkammer von 50 mm. Durchmesser, in der Seiten-Ansicht durchaus *Pinacoceras parmaeforme* Mojs. (Gebirge um Hallstatt Taf. XXIV Fig. 7b) gleichend. Der Querschnitt ist aber anders und erinnert an *Pinacoceras praefloridum* Mojs. l. c. Taf. XXII Fig. 14b. An der etwas abgeflachten Siphonalseite zeigen sich ganz schwache Anschwellungen ähnlicher Art, wie sie *Am. Layeri* an der Grenze von gekammertem und ungekammertem Theil des Gehäuses hat. Leider ist von den wahrscheinlich anders gestalteten inneren Windungen gar nichts erhalten. Ein anderer Ammonit von wenigstens 10 dc. Durchmesser wurde beim Herausarbeiten an Ort und Stelle zertrümmert. Beim ersten Anblick der grossen flachen Scheibe fielen mir Abbildungen des Am. Layeri ein.

---

[1]) Andere Exemplare zeigen Abweichungen in der Sutur, besonders endigt der erste Lateral unten zuweilen breiter und die Zacken sind dann unregelmässiger gestellt.

Aus dem Val di Cino.

Ich übergehe andere Ammonitenreste, die mir zu Gesicht kamen, sowie die gestreckten Gehäuse (*Orthoceras* od. *Aulacoceras*). Val di Cino wird aber jedenfalls mit der Zeit noch eine reiche Ausbeute geben.

Liessen sich die angeführten Ammoniten auch nur z. Th. mit bekannten Formen identificiren, so kann doch darüber kein Zweifel bestehen, dass man es mit einer fauna zu thun hat, die sonst nur aus unterem Alpenkeuper bekannt ist, und zwar den tieferen Horizonten desselben, Cassianer und Wengener Schichten. Zu beachten ist dann ferner, dass alle diese Ammoniten bei einander liegen und im Alter nicht verschieden sind. Es würde immerhin von Interesse sein, dieselben mit dem Wiener Material von Hallstatt zu vergleichen. Allein aus Text und Abbildungen bei Mojsisovics Schlüsse zu ziehen, wird bei den ausserordentlich geringen Differenzen der grossen Menge von Formen, die im „Gebirge um Hallstatt" zur Darstellung gekommen sind, immer etwas gewagt sein.

Ich sehe für jetzt von einer eingehenderen Besprechung des nicht unbeträchtlichen von mir gesammelten Materials von Acephalen und Gasteropoden ab, da auch hier nur dann allgemein interessantes sich ergeben könnte, wenn die ganze fauna zwischen Muschelkalk und Rhätischen Schichten, und zwar auf Grund vorhergehender sehr sorgfältiger stratigraphischer Untersuchungen zum Vergleich herbeigezogen würde.

Als Endresultat meiner Untersuchungen glaube ich folgendes bezeichnen zu können:

1. Die fauna von Esino findet sich in den Gesteinen des Sasso Mattolino und des Piz di Cainallo, zweier zusammenhängender Gebirgsmassen, welche nach einstimmigem Urtheil unter den Raibler Schichten liegen.

2. Die fauna von Esino findet sich ferner in dem Gebirge südlich vom Esino-Bache und der Linie von Esino nach Alpe di Cainallo, dessen Stellung gegen die Raibler Schichten kontrovers ist. Es sprechen jedoch die Beobachtungen über die Lagerung dafür, dass es sich auch hier um Complexe unter den Raibler Schichten handelt.

3. Will man sich des Ausdruckes Esino-Schichten überhaupt bedienen, so darf man darunter nur Schichten vom Alter der Mattolino-

Schichten verstehen, also Bildungen, die zwischen Muschelkalk und Raibler Schichten liegen.

4. Schichten mit der Esino-Fauna, die über den Raibler Schichten liegen, sind in der Lombardei mit Sicherheit nicht bekannt.

5. Versteinerungsführende Schichten der Keuperbildungen zwischen Muschelkalk und Rhätischen Schichten in der übrigen Lombardei sind darauf hin zu untersuchen, ob sie unter oder über den Raibler Schichten liegen, und dann festzustellen, wie sich ihre fauna zu jener der Mattolino-Schichten verhält. Insbesondere ist darauf zu achten, ob nicht da, wo typische Raibler Schichten fehlen, wie in der östlichen Lombardei und im westlichen Tirol, eine Vertretung derselben durch kalkig-dolomitische Bildungen stattfindet, so dass scheinbar ächte Esino-Schichten (mit *Diplopora annulata)* und sogenannte Esino-Schichten (mit *Gyroporella vesiculifera)* zusammenfallen.

DIE

ORNATENTHONE

VON TSCHULKOWO

UND DIE

STELLUNG DES RUSSISCHEN JURA

VON

DR. M. NEUMAYR,

PROFESSOR AN DER UNIVERSITÄT WIEN.

(MIT 1 TAFEL.)

MÜNCHEN, 1876.

DRUCK UND VERLAG VON R. OLDENBOURG.

Vor kurzem erhielt die geologische Reichsanstalt in Wien von Herrn A. Burgold in Richardsschacht bei Teplitz eine kleine Suite von Fossilien des russischen Jura, welche von einer meines Wissens bis jetzt in der Litteratur noch nicht näher bekannten Lokalität stammen. Der Direktor der geologischen Reichsanstalt, Herr Hofrath F. v. Hauer, hatte die Güte mir diese Fossilien zur Bearbeitung anzuvertrauen, und ich erlaube mir hier ihm, sowie Herrn Burgold meinen besten Dank auszusprechen.

Die kleine Lokalfauna, welche mir vorliegt, bietet Interesse durch die ausserordentliche Uebereinstimmung, welche sie mit den Vorkommnissen westlicher Gegenden zeigt, sowie durch die hier gebotene Möglichkeit, diese Ablagerung des Moskauer Jura mit einer mitteleuropäischen in genaue Parallele zu bringen.

Der Fundort, von welchem das Material stammt, ist der Kohlenbergbau von Tschulkowo bei Skopin im Gouvernement Rjäsan, südlich von Moskau. Nach den Mittheilungen von Herrn Burgold bildet dort die Basis, über welcher die jurassischen Bildungen lagern, ein Kalk, welcher in der Regel als devonisch betrachtet wird, für dessen genaue Altersbestimmung aber keine hinreichenden Anhaltspunkte vorliegen. Ueber diesem Kalke folgt ein etwa 1.5^{m} mächtiges Flötz einer lockeren, erdigen, braunen Kohle, welche verkohlte Hölzer enthält; nach Herrn Bergrath Stur, welcher diese zu untersuchen die Güte hatte, sind es Coniferenhölzer, worauf die Art der Einkeilung der Aeste schliessen lässt; die Stellung derselben stimmt am nächsten mit *Thuja* überein.

Die Kohle wird von einer Thonschicht bedeckt, welche verkieste Cephalopodenschalen enthält, und die älteste durch sicher bestimmbare Reste charakterisirte Jurabildung darstellt; ein jedenfalls jüngeres Glied derselben Formation bilden lichte, glaukonitische Kalke mit Cephalopoden, Gasteropoden und Brachiopoden, welche in unmittelbarer Nähe anstehen, über deren Lagerung zu den Thonen aber keine Angaben vorliegen.

Es sind namentlich die Cephalopoden des unmittelbar über der Kohle lagernden Thones, welche Interesse erregen; in ihrem Erhaltungszustande weichen sie sehr bedeutend von den gewöhnlichen Vorkommnissen des russischen Jura ab und erinnern auffallend an die Fossilien der schwäbischen Ornatenthone, mit denen auch die Mehrzahl der Formen vollständig übereinstimmt. Die Aehnlichkeit ist auf den ersten Blick eine so ausserordentliche, dass sich bei vorläufiger Ansicht Herrn Hofrath v. Hauer und mir unwillkürlich die Idee an eine Verwechslung aufdrängte, und die Zweifel schwanden erst, als sich in *Perisphinctes Mosquensis* eine ganz charakteristische Moskauer Form unter dem Material fand. Auch in der Erhaltung zeigt sich allerdings ein Unterschied, indem die Kammern der Ammoniten von Tschulkowo zum Theil nicht mit Gestein erfüllt, sondern hohl sind; dieser günstige Umstand erlaubte, hier die sonst nur selten klar sichtbaren Verhältnisse der Siphonaldute in einem Falle genau zu beobachten.

Die Formen, welche aus dem Thone von Tschulkowo vorliegen, sind folgende:

Harpoceras Brighti Pratt.
— *lunula* Ziet.
Perisphinctes Scopinensis nov. form.
— *Mosquensis* Fischer.
Stephanoceras coronatum Brug.
Cosmoceras Jason Ziet.
— *Pollux* Rein.

Bei einer Parallelisirung der Ablagerungen, welche diese Fauna enthalten, mit mitteleuropäischen Bildungen kann nicht der mindeste Zweifel herrschen; von sieben vorliegenden Formen stimmen fünf mit solchen überein, welche zu den bekanntesten Vorkommnissen des mittleren und oberen Callovien, der Zonen des *Simoceras anceps* und des *Peltoceras athleta* im Westen gehören, nämlich:

Harpoceras Brighti Pratt.
— *lunula* Ziet.
Stephanoceras coronatum Brug.
Cosmoceras Jason Ziet.
— *Pollux* Rein.

Von den beiden übrigen Arten ist *Perisphinctes Scopinensis* neu, während *Perisphinctes Mosquensis* eine schon länger aus Russland und nur von hier bekannte Form darstellt. Wie unten noch gezeigt werden soll, müssen wir die fünf zuerst genannten Ammonitiden mit Bestimmtheit als Einwanderer aus Mitteleuropa betrachten, und man könnte dem gegenüber etwa die beiden

Perisphincten als ein den neuen Ankömmlingen sich beimischendes autochthones Element zu betrachten geneigt sein; es wird aber nachgewiesen werden, dass auch sie aus Mitteleuropa herstammen und modificirte Nachkommen des dort in den unteren Ornatenschichten sehr verbreiteten *Perisphinctes curvicosta* darstellen.

Die Uebereinstimmung mit den Ornatenthonen Schwabens ist in jeder Beziehung eine so auffallende, dass ich nicht anstehe, diesen Namen auf die Thone von Tschulkowo zu übertragen.

In Mitteleuropa gehören die Arten, welche sich in Tschulkowo wiederfinden, bekanntlich in der Regel in zwei getrennte Horizonte; ob ein analoges Verhältniss auch in Russland stattfindet oder nicht, ist unbekannt.

Durch ihre Zusammensetzung nimmt die hier besprochene Fauna in jeder Beziehung eine Ausnahmestellung unter den übrigen Faunen des russischen Jura ein, einerseits durch das verhältnissmässig hohe Alter, welches ihr zukömmt, anderseits durch die auffallende Uebereinstimmung mit Westeuropa.

Es ist mir nur eine einzige Lokalität aus Russland bekannt, welche nahe Verwandtschaft mit den Ornatenthonen von Tschulkowo zeigt, nämlich der in dem grossen Werke von Murchison, Verneuil und Keyserling beschriebene Fundort Jelatma an der Oka, von welchem d'Orbigny die folgenden Arten beschreibt:

Amaltheus (?) Okensis Orb.
Stephanoceras coronatum Brug.
Cosmoceras Jason Ziet.
Perisphinctes Mosquensis Fisch.
Trigonia clavellata Park.
Panopaea Lepechiana Orb.
— *Duboisi* Orb.[1])

Nach diesen Fossilien müssen die Ablagerungen von Jelatma mit denjenigen von Tschulkowo und also auch mit dem mittleren und oberen Callovien in Parallele gestellt werden, trotz der grossen Verschiedenheit des Gesteines, welches am ersteren Fundorte aus rothem und gelbem Sandstein, am zweiten aus Thon mit verkiesten Versteinerungen besteht. Aequivalente desselben Horizontes werden sich vielleicht auch noch in dem Jura der

[1]) Murchison, Verneuil, Keyserling, Russia and the Ural mountains. Unter den angeführten Bestimmungen bedarf wohl *Trig. clavellata* noch der Bestätigung. Von anderen Arten werden von Jelatma noch angeführt: *Gryphaea dilatata*, *Rhynchonella varians* und *Rhynchonella personata*; dieselben stammen aber aus einem anderen Gesteine als die oben angeführten Formen.

Petschoragegenden nachweisen lassen, aus welchen Graf Keyserling in seinem interessanten Werke von der Lokalität Wotscha an der Syssola *Cosmoceras Jason* und *Stephanoceras coronatum* citirt.[1])

Unter den drei gewöhnlich und sehr verbreitet auftretenden Schichten des Moskauer Jura ist keine, welche mit den Ablagerungen von Tschulkowo und Jelatma in Parallele gestellt werden könnte; selbst die unterste Zone, die Schicht von Galiowa mit *Amaltheus alternans*, *cordatus*, *Perisphinctes plicatilis*, *convolutus impressae* u. s. w. muss nach dem ganzen Charakter ihrer Fauna einen höheren Horizont einnehmen und dem Oxfordien angehören. Hier sind Kellowayformen überaus spärlich, während in Tschulkowo die Oxfordtypen fehlen. Es werden allerdings sowohl aus dieser unteren Zone als auch aus höheren Abtheilungen des russischen Jura einige Formen citirt, welche in Mitteleuropa einem tieferen Niveau angehören, doch glaube ich, dass diese Identificationen nicht mit vollster Präcision vorgenommen sind, wie unten gezeigt werden soll.

Uebrigens sind auch die Kellowaybildungen von Tschulkowo und Jelatma nicht das älteste Glied des russischen Jura; an ersterer Lokalität bildet die Unterlage des Ammonitenthones die Kohle, welche ihrem Alter nach allerdings nicht mit Sicherheit bestimmt werden kann, die aber nach ihrer Lagerung unter den Ornatenschichten und nach der grossen Verbreitung der Jurakohle im Osten wahrscheinlich derselben Formation angehören dürfte. Viel bestimmter gestalten sich die Verhältnisse bei Jelatma, wo unter dem Sandstein mit *Cosmoceras Jason* und *Stephanoceras coronatum* als ältere Bildung Schiefer auftreten, welche Belemniten, sowie eine *Gryphaea* führen, welche als *Gryphaea dilatata* angesprochen worden ist.[2]) Allerdings sind die Belemniten specifisch nicht bestimmt worden und daher eine sichere Fixirung ihres Horizontes nicht möglich; auch auf das citirte Vorkommen von *Gryphaea dilatata* dürfte kein grosser Werth zu legen sein.

Trotz dieser ungünstigen Verhältnisse können wir doch die Belemnitenschiefer von Jelatma mit anderen Ablagerungen in Verbindung bringen. In weiten Distrikten Osteuropas treten übereinstimmend derartige Bildungen an der Basis des Jura auf und wir kennen dieselben aus dem Banat, der Krim und dem Kaukasus; mit grösster Wahrscheinlichkeit können wir die Belemnitenschiefer an der Oka als eine nördliche Fortsetzung jener

---

[1]) Graf Keyserling. Wissenschaftliche Beobachtungen auf einer Reise in das Petschoraland. Petersburg. 1846. pag. 324, 332.

[2]) Murchison, Verneuil, Keyserling. Russia and the Ural mountains. Vol. I. pag. 233.

analogen Schichten von der unteren Donau und aus den Küstenländern des schwarzen Meeres betrachten. Hier finden wir wechselnd Bildungen mit marinen Mollusken und solche mit Landpflanzen, und dem würde es gut entsprechen, dass bei Tschulkowo ein Kohlenflötz, bei Jelatma marine Schiefer die Basis des Jura bilden.[1])

In den über dem Belemnitenschiefer folgenden, bisher ausführlich besprochenen Kellowayablagerungen erreicht die Fauna des russischen Jura ihre grösste und hier in der That sehr bedeutende Uebereinstimmung mit derjenigen von Westeuropa; von da ab nach oben wird dieselbe immer geringer, so dass ein direkter Vergleich in den höchsten Schichten gar nicht mehr möglich ist. Da sich hieran einige allgemeinere Resultate knüpfen, so wird es gestattet sein, hier eine Besprechung der Beziehungen des russischen Jura zu demjenigen anderer Gegenden anzufügen. Leider ist es mir hiebei nicht möglich, die ziemlich beträchtliche Anzahl der in russischer Sprache erschienenen Aufsätze zu berücksichtigen. Die vielen wichtigen Arbeiten, welche in neuerer Zeit in russischer Sprache erschienen sind, bewirken, dass ohne Kenntniss dieser eine Beherrschung der Litteratur nicht lange mehr möglich sein wird, und ich empfinde diese Lücke in hohem Maasse. Vorläufig ist wohl die sehr grosse Mehrzahl der Fachgenossen in derselben Lage wie ich, und unter diesen Umständen ist es vielleicht hier am Platze, an die Forscher in Russland die Bitte zu richten, im beiderseitigen Interesse Auszüge ihrer Werke in deutscher, englischer oder französischer Sprache zu veröffentlichen, wie das von Trautschold für seine interessante Arbeit über das Gouvernement Moskau schon geschehen ist.[2])

Die Schichtfolge des russischen Jura ist von oben nach unten folgende

1) Inoceramenschichten von Ssimbirsk.
2) Olivengrüner, glaukonitischer Sandstein mit *Amaltheus catenulatus* Fisch. und *Perisphinctes fulgens* Trautsch.
3) Aucellenbank mit *Amaltheus catenulatus* Fisch. und *Aucella mosquensis* Keys. (Obere Moskauer Schicht).
4) Schichten mit *Perisphinctes virgatus* Buch. (Mittlere Moskauer Schicht).
5) Schichten mit *Amaltheus alternans* Buch. (Untere Moskauer Schicht).

---

[1]) Fötterle in Verhandlungen der geologischen Reichsanstalt 1866 pag. 266. Tietze, ebenda 1872 pag. 183. E. Favre, recherches géologiques dans la partie centrale de la chaine du Caucase. Genf 1875 pag. 82. An letzterer Stelle sind viele Citate über das Vorkommen an der Küste des schwarzen Meeres.

[2]) Trautschold. Das Guvernement Moskau. Zeitschrift der deutschen geologischen Gesellschaft. 1872. pag. 361.

6) Schichten mit *Cosmoceras Jason* Ziet. und *Stephanoceras coronatum* Brug. von Tschulkowo und Jelatma.

7) Belemnitenschiefer von Jelatma.

Zu dieser Zusammenstellung ist zu bemerken, dass nur die wichtigsten Repräsentanten eines jeden Horizontes genannt, locale Parallelbildungen dagegen übergangen sind, da sie hier nicht von Bedeutung sind; so der Sandstein von Katjelniki u. s. w.

Besonderer Rechtfertigung bedarf noch die Anordnung der obersten Glieder; die Inoceramenmergel von Ssimbirsk liegen nach Trautschold über den Aucellenschichten [1]); dieselbe Stellung nehmen in der Moskauer Gegend die glaukonitischen, olivengrünen Sandsteine ein und man könnte demnach beide Bildungen als gleichzeitige, faciesverschiedene Aequivalente auffassen. Ein Beweis hiefür liegt jedoch in der Lagerung keineswegs, da zwischen vollständig gleichartig aufeinanderfolgenden Schichten bedeutende Lücken existiren können; im Gegentheil zeigt sich, dass der olivengrüne Sandstein sehr nahe Verwandtschaft in der Fauna mit der Aucellenschicht zeigt, während von dieser die Inoceramenschichten viel mehr abweichen, ohne dass man diese Verschiedenheit Faciesunterschieden zuschreiben könnte.

Unter diesen Umständen scheint mir die oben getroffene Anordnung den thatsächlichen Verhältnissen am besten zu entsprechen.

Zwei wichtige Lokalitäten, welche Trautschold in seinem bekannten Nomenclator der jurassischen Formation in Russland [2]) aufgenommen hat, sind hier ausgelassen, nämlich Popilani an der Winda in Litthauen und Isjum am Donetz.

Die jurassischen Ablagerungen von Popilani sind seit L. v. Buch zum russischen Jura gezählt worden, doch müssen dieselben offenbar nach ihrer Lage nicht zu diesem, sondern zum baltischen Jura gerechnet werden. Ebenso gehört der Korallenkalk von Isjum am Donetz schon in den Bereich der krimokaukasischen, nicht in denjenigen der innerrussischen Entwicklung; in ersterer finden sich ganz übereinstimmende Korallenbildungen und auch die geographische Lage verweist auf nähere Beziehungen zu den Ablagerungen am schwarzen Meere, als zu denjenigen an der Oka, Moskwa und Wolga; endlich sind letztere von den Bil-

---

[1]) Trautschold. Der Inoceramenthon von Ssimbirsk. Bulletins de la société des Naturalistes de Moscou. 1865.

[2]) Nomenclator paläontologicus der jurassischen Formation in Russland. Bulletins de la société des Naturalistes de Moscou. 1863.

dungen am Donetz durch einen Rücken von alten Gesteinen getrennt.[1]) Schon Trautschold macht darauf aufmerksam, dass die Fauna der Korallenkalke von Isjum mehr Aehnlichkeit mit westeuropäischen als mit Moskauer Vorkommnissen zu haben scheine.[2])

Die Parallelisirung der einzelnen Ablagerungen des russischen Jura mit solchen Mitteleuropa's stösst auf grosse Schwierigkeiten; d'Orbigny hat dieselben sämmtlich in etwas willkürlicher Weise dem Oxfordion einverleibt, eine Anschauung, welche lange Zeit hindurch massgebend blieb, deren Widerlegung aber heute nach den Arbeiten von Trautschold nicht mehr nothwendig erscheint. An die Stelle dieser Ansicht von d'Orbigny setzte Trautschold eine andere, welche in den meisten Beziehungen berechtigt, in gewissen Punkten mir zu weit zu gehen scheint; der genannte Gelehrte, welchem wir den wesentlichsten Theil unserer Kenntniss des russischen Jura verdanken, spricht sich dahin aus, dass eine genaue Parallelisirung überhaupt nicht möglich sei, da jede einzelne Schicht Formen enthalte, die im Westen den verschiedensten Etagen des Jura angehören.[3]) Im Allgemeinen soll die untere Moskauer Schicht mit *Amaltheus alternans* den Ablagerungen vom Beginn des Bathonien bis Ende des Oxfordien, die Schicht mit *Perisphinctes virgatus* dem Kimmeridgien, die Schichtgruppe mit *Amaltheus catenulatus* dem Portlandien entsprechen.[4])

Der wichtigste Punkt, in welchem ich von der Auffassung von Trautschold abweiche, ist die Deutung der Schicht mit *Amaltheus alternans;* abgesehen von allen anderen Gründen müsste schon der eine Umstand bedenklich erscheinen, dass die drei Etagen der Bath-, Kelloway- und Oxford-Gruppe auf weite Erstreckungen hin miteinander verschmolzen sein sollen, während an einzelnen Lokalitäten desselben Gebietes eine gesonderte Vertretung des mittleren und oberen Theiles der Kellowaygruppe ohne Beimengung heterogener Elemente auftritt.

---

[1]) Murchison, Verneuil, Keyserling. Russia and the Ural mountains Vol. I. pag. 249 ff.

[2]) Trautschold, über den Korallenkalk des russischen Jura. Bulletins de la société des naturalistes de Moscou. 1862. Trautschold macht bei dieser Gelegenheit darauf aufmerksam, dass der Unterschied zwischen dem Jura am Donetz und jenem in Inner-Russland möglicherweise klimatischen Unterschieden zuzuschreiben sei; diese kurze Bemerkung war mir unbekannt, als ich im Jahre 1871 die Begrenzung und die Charaktere der grossen Provinzen des Jura besprach und nachzuweisen versuchte, dass die Unterschiede zwischen denselben klimatischen Verhältnissen zuzuschreiben seien. (Jahrbuch der geolo-Reichsanstalt 1871. pag. 521 ff. Verhandlungen der geolog. Reichsanstalt 1872. pag. 51.)

[3]) Vgl. z. B. Trautschold, Inoceramenthon von Ssimbirsk.

[4]) Trautschold, Gouvernement Moskau.

Diese Anschauung wird bestätigt durch die Prüfung des paläontologischen Beweismaterials, auf welches Trautschold seine Parallele stützt; ich weiche hier von der Auffassung dieses Forschers in wesentlichen Punkten ab. Es liegt mir ferne, die Bestimmungen dieses hochverdienten Geologen als unzuverlässig bezeichnen oder den Werth derselben anzweifeln zu wollen, der Unterschied ist vielmehr in abweichenden theoretischen Anschauungen und in Meinungsdifferenzen bezüglich der anzuwendenden paläontologischen Methoden begründet.

Die Ursache, auf welche die etwas bunte Zusammensetzung der Trautschold'schen Petrefactenlisten zurückzuführen ist, besteht in der weiten Fassung, welche hier dem Artbegriffe gegeben wird; wie Trautschold selbst angieht, hat er die russischen Fossilien westeuropäischen Species beigesellt, wenn sie sich diesen irgend in der allgemeinen Form, im Habitus oder wichtigeren, hervorspringenden Merkmalen näherten. Allerdings geschah diess nicht ohne die Abweichungen hervorzuheben und die betreffenden Formen als Varietäten oder als Species von zweifelhaftem Werthe einzuführen.[1] Uebrigens sind auch da, wo eine solche Einschränkung nicht gemacht wird, die Arten so weit gefasst, wie bei wenigen anderen Autoren.

In den Augen mancher Fachgenossen wird diess als ein Vorzug gelten; ich kann mich dieser Anschauung nicht anschliessen, sondern muss die Ueberzeugung aussprechen, dass nach dieser Methode jeder Versuch weit von einander entfernte und in verschiedenen Facies entwickelte Ablagerungen mit einander zu vergleichen, dasselbe negative Resultat liefern muss.

Das Auftreten von Formenreihen, deren einzelne successive Mutationen nur wenig von einander verschieden sind, ist durch die paläontologischen Untersuchungen der letzten zehn Jahre wohl zur Gewissheit geworden; es werden daher Formen aus weit verschiedenen Horizonten nicht nur in den der Mutationsrichtung nicht unterworfenen Merkmalen übereinstimmen, sondern es werden bei weiter Speciesfassung mehrere Mutationen einer Reihe oder verwandter, paralleler Reihen unter einem Namen vereinigt werden. Je weiter die Art gefasst wird, um so weiter wird der Horizont, für welchen sie leitend ist, und um so mehr schwindet die Möglichkeit einer präcisen Parallelisation. Es tritt aber noch ein weiterer Uebelstand hinzu, indem wir von den meisten etwas selteneren Typen nicht die vollständigen Formenreihen, sondern nur einzelne Repräsentanten derselben kennen. Bei einer Identification, die nur Uebereinstimmung in einzelnen Hauptmerkmalen verlangt, wird in diesen

[1] Trautschold, Der Moskauer Jura, verglichen mit dem Westeuropäischen. Zeitschrift der deutschen geologischen Gesellschaft. 1861. pag. 363.

Fällen die Folgerung gezogen, dass die betreffende Form auf das Niveau hinweise, aus welchem uns zufällig ein Angehöriger derselben Formenreihe bekannt ist.

Soweit meine Kenntniss des russischen Jura nach der Litteratur und einigen zum Theil ziemlich bedeutenden Suiten von dort reicht, bin ich überzeugt, dass die vollständig abnorme Vergesellschaftung von Fossilien weit verschiedener Horizonte in einer Schicht, wie sie in der Regel angenommen wird, nicht ein thatsächlich existirendes Verhältniss ist, sondern dass dieser Anschein lediglich den eben angeführten Gründen zugeschrieben werden muss. Bei einem Vergleich, der nur vollständiger Identität das Recht geologische Parallelen zu begründen zugesteht, würde sich gewiss die Sache ganz anders gestalten; die Zahl der dem russischen und dem westeuropäischen gemeinsamen Arten würde sich dabei auf ein sehr bescheidenes Maass reduciren, die Folgerungen aber, die sich auf diese gründen lassen, an Zuverlässigkeit gewinnen.

Es ist natürlich nicht möglich, die sämmtlichen Formen hier zu revidiren, welche in beiden Provinzen vorkommen sollen, und deren Zahl sich nach der Aufzählung von Trautschold aus dem Jahre 1861 auf 143 beläuft; sehr viele sind mir nur durch zum Theil aus ziemlich alter Zeit stammende und ungenügende Abbildungen bekannt, nicht wenige sind nur citirt, und es wäre daher schwer, eine derartige Aufgabe zu unternehmen. Ich werde mich daher damit begnügen, hier eine Discussion der Ammonitiden, des russischen Jura, die von d'Orbigny, Rouiller, Trautschold mit westeuropäischen Arten identificirt worden sind, zu geben, welche jedenfalls beweisen wird, dass meine Anschauung nicht aus der Luft gegriffen ist.

Ammonites alternans stimmt mit der westeuropäischen Form.

Ammonites Humphriesianus. Die Exemplare, die ich gesehen habe, sind dicke Jugendexemplare von Perisphincten aus der Gruppe des *Per. plicatilis*; bestimmt findet sich unter ihnen die Form, welche aus Württemberg als *Ammonites convolutus impressae* beschrieben ist.

Ammonites anceps coronatus ist nicht abgebildet.

Ammonites Parkinsoni coronatus Quenst. = *Simoceras Fraasi* Opp. ist nicht abgebildet.

Ammonites Parkinsoni gigas Quenst. = *Cosmoceras Neuffense* Opp.; diese Form wird von Trautschold mit Zweifel angeführt; derartige grosse glatte Windungen dürften einem *Perisphinctes* angehören.

Ammonites polyplocus. Trautschold gibt an, dass die russischen Exemplare mit der Abbildung bei Bronn, nicht aber mit Stücken aus Schwaben übereinstimmen; nach der Angabe, dass es kleine, zum Theil ziemlich dicke, mit Einschnürungen versehene Vorkommnisse sind, welche hieher gestellt werden, dürften es innere Windungen verschiedener Perisphincten sein.

Ammonites polyplocus von Ssimbirsk; nach Trautschold eine Zwischenform zwischen *Ammonites striolaris* und *virgatus*. Nach der Abbildung eine neue, specifisch russische Form, die vor Allem durch ihre wulstigen Rippen wesentlich von all' den genannten Arten abweicht. Die nächsten Verwandten im Westen dürften in der Gruppe des *Perisphinctes Rolandi* Opp. und *Strauchianus* Opp. zu suchen sein.

Ammonites striolaris. Trautschold ist zweifelhaft, ob die Form besser zu *Amm. striolaris* oder zu *Amm. involutus* passt; von ersterem unterscheidet sie sich durch viel kräftigere, minder gedrängt stehende Rippen, von letzterem durch die schräge Stellung der Rippen, welche sich in der Mitte der Flanken nicht verwischen.

Ammonites bifurcatus = *Perisphinctes Pallasianus* Orb; eine specifisch russische, mit *Perisphinctes Witteanus* Opp. verwandte Form.

Ammonites plicatilis. Was Sowerby ursprünglich unter diesem Namen verstanden hat, ist wohl schwer festzustellen; die westeuropäische Form, die in der Regel unter diesem Namen angeführt ist, scheint auch in Russland vorzukommen.

Ammonites polygyratus. Ueber diese Form wage ich nicht zu entscheiden.

Ammonites biplex. Was d'Orbigny unter diesem Namen abbildet, ist eine Art aus der Gruppe des *Per. plicatilis*.

Ammonites annularis, colubrinus und *triplicatus* sind nicht abgebildet.

Ammonites coronatus Brug. Stimmt genau mit der westeuropäischen Form.

Ammonites coronatus von *Ssimbirsk* weicht in der Berippung vollständig von dem Typus ab; er ist nahe verwandt mit *Perisphinctes elatus* Trautsch.

Ammonites Jason stimmt genau überein.

Ammonites Königi. Ist von dem Vorkommen aus den englischen Kellowaybildungen verschieden; abgesehen von der abweichenden Sculptur wird es genügen, die von d'Orbigny in Murchison, Verneuil, Keyserling, Russia and the Ural mountains Tab. 35. Fig. 6. gegebene Lobenzeichnung mit derjenigen von *Cosmoceras Königi* zu vergleichen, um sich hievon zu überzeugen.[1])

Ammonites amaltheus (Amaltheus margaritatus Montf.). Die Abbildung, welche Trautschold von dem Exemplare aus der Schicht mit

[1]) Vergl. Neumayr, die Cephalopodenfauna der Oolithe von Balin, Abhandlungen der geologischen Reichsanstalt. 1871. Vol. V. tab. II. fig. 2c.

Amaltheus alternans von Galiowa gibt, [1]) lässt keinen Unterschied gegen die bekannte Form des mittleren Lias von Westeuropa erkennen; immerhin wäre aber eine Untersuchung der Loben nöthig. Bestätigt sich diese Angabe, so wäre das Vorkommen dieses Liasammoniten in Gesellschaft von Oxfordarten eine höchst merkwürdige Erscheinung; jedenfalls ist hier grosse Vorsicht geboten, da das Exemplar nicht von Herrn Trautschold selbst gesammelt wurde, sondern sich in einer Privatsammlung als von Galiowa stammend vorfand; dasselbe gilt von einem zweiten Exemplar, das „angeblich" aus der mittleren Schicht von Miowniki stammt.

Ammonites cordatus Sow. Stimmt genau mit der westeuropäischen Form.

Ammonites Lamberti Sow. Stimmt nach der Abbildung genau mit der westeuropäischen Form.

Ammonites perarmatus Sow. Nicht abgebildet. [2])

Die vorstehende Besprechung der russischen Ammonitiden, bei welcher die schon von d'Orbigny eliminirten Bestimmungen älterer Autoren nicht weiter berücksichtigt sind, zeugt wohl entschieden für die Richtigkeit meiner Auffassung.

In gleich sicherer Weise auch die übrigen Abtheilungen durchzunehmen, ist nicht möglich; doch habe ich mich bei einer bedeutenden Anzahl von Formen überzeugt, dass sie theils nach ungenügenden Resten identificirt sind (Stielglieder von Crinoiden, Echinoidenstacheln, einzelne Zähne und Wirbel von Vertebraten), theils nach Abbildung und Beschreibung entschieden nicht mit den westeuropäischen Arten übereinstimmen, mit welchen sie verglichen worden sind.

Nach dem, was bisher gesagt wurde, sind die russischen Ammonitiden, welche sicher im Westen sich wieder finden, die folgenden:

Amaltheus alternans Buch.
cordatus Sow.
Lamberti Sow.
Perisphinctes plicatilis Sow.
convolutus impressae Quenst. [3])
Stephanoceras coronatum Brug.

[1]) Trautschold, recherches géologiques aux environs de Moscou; couche jurassique de Galiowa. Bulletins de la société des naturalistes de Moscou 1861 pag. 18 Tab. VIII fig. 21.

[2]) Der Moskauer Jura verglichen mit dem westeuropäischen. Zeitschrift der deutschen geologischen Gesellschaft 1861 pag. 373.

[3]) Der Name dieser Form wird wohl geändert werden müssen.

Cosmoceras Jason Rein.
Pollux Rein.
Harpoceras Brighti Pratt.
lunula Zieten.

Es sind demnach nur Formen des mittlern und oberen Callovien (Niveau der Ornatenthone) und des unteren und mittleren Oxfordien (d. h. Oxfordien mit Ausschluss der Zone des *Peltoceras bimammatum)*, welche beiden Provinzen gemeinsam sind.[1]) In Russland finden sich diese Arten nur in den Kellowaybildungen von Tschulkowo, der unteren Moskauer Schicht von Galiowa und deren Aequivalenten.

Es muss die Aufgabe fernerer Untersuchungen sein, festzustellen, ob die übrigen Abtheilungen des Thierreiches sich ebenso verhalten. Soweit bis jetzt ein Urtheil möglich ist, scheinen manche Gruppen eine etwas grössere vertikale Verbreitung zu besitzen und durch etwas längere Zeit unverändert zu bleiben, als das bei den Ammonitiden im Durchschnitt der Fall ist: es werden daher vermuthlich einige Abweichungen vorkommen, und etwa noch eine oder die andere Form der Schichten mit *Perisphinctes virgatus* mit einer westeuropäischen Art übereinstimmen, oder das Lager des entsprechenden Vorkommens im Westen ein etwas höheres oder tieferes sein. Abgesehen von diesen untergeordneten Schwankungen ist es aber im höchsten Grade wahrscheinlich, dass auch die Angehörigen anderer Familien sich analog verhalten werden. In allen Fällen, in welchen ich die Identität eines russischen Fossils mit einer Form von entschieden anderem Alter als das obenbezeichnete geprüft habe, hat sich dieselbe stets als thatsächlich nicht vorhanden oder nach der Beschaffenheit der Reste nicht erweisbar herausgestellt.[2])

Beim Versuche, Parallelen zwischen Russland und dem Westen aufzustellen sind wir demnach zunächst nur auf die beiden Horizonte von Tschulkowo und von Galiowa angewiesen. Schon oben wurde hervorgehoben, dass die Thone von Tschulkowo mit *Cosmoceras Jason* und *Stephanoceras coronatum*, sowie die ihnen aequivalenten Ablagerungen an anderen Orten Russlands, wie Jelatma an der Oka genau die Fauna des

---

[1]) Nachdem der oben besprochene *Amaltheus margaritatus* ein so ausserordentlich weit abweichendes Niveau im Westen einnimmt, so wird das Misstrauen gegen diese Angabe begreiflich erscheinen.

[2]) Wenn ich sage, dass nur Kelloway- und Oxford-Formen zwischen Russland und Westeuropa gemeinsam sind, so möchte ich doch andererseits durchaus nicht alle Identificationen d'Orbigny's mit Oxfordarten als sicher annehmen.

mittleren und oberen Callovien enthalten. Hier sehen wir eine Anzahl von Formen, die der Mehrzahl nach genau mit westeuropäischen übereinstimmen, während die übrigen sich auf Formenreihen aus diesem Gebiete zurückführen lassen.

Der Horizont von Galiowa, die sogenannte untere Moskauer Schicht lässt ebenfalls keinen Zweifel: in *Amaltheus cordatus, alternans, Perisphinctes plicatilis, convolutus impressae*, zu denen sich vielleicht noch *Aspidoceras perarmatum*[1]) gesellt, haben wir eine Reihe von Arten, welche aufs bestimmteste auf die Zonen des *Aspidoceras perarmatum* und des *Peltoceras transversarium* hinweisen. Trotzdem aber ist das Verhältniss schon ein anderes geworden, als es in den Schichten von Tschulkowo war, indem das westeuropäische Element nicht mehr ausschliesslich dominirt, sondern eine Reihe von Typen auftritt, die wir vorläufig autochthone nennen wollen, und deren Ursprung weiter unten besprochen werden soll.

Die höheren Ablagerungen des Moskauer Jura bieten wenig Anhaltspunkte zum Vergleich; zunächst folgt nach oben die „mittlere" Moskauer Schicht mit *Perisphinctes virgatus* Buch. Für die Bestimmung ist ausser der Lagerung über den Schichten mit *Amaltheus alternans* massgebend das Verhältniss einiger ihrer Arten zu westeuropäischen. Wir begegnen hier Formen, die nicht mehr mit jenen des Westens identisch sind, wohl aber zu ihnen in derartigen Beziehungen stehen, dass wir sie als repräsentative oder vicariirende Typen betrachten müssen. Trautschold hat diess für *Perisphinctes virgatus* und *polyplocus* schon ausgesprochen, eine Anschauung, der ich mich vollständig anschliesse, und dasselbe ist zwischen *Perisphinctes Pallasianus* Orb. und *Witteanus* Opp. der Fall.

Nach diesen Beziehungen würde das Niveau des *Perisphinctes virgatus* ungefähr den Tenuilobatenschichten und den gleichaltrigen Astartien, also dem unteren Theile der Kimmeridgestufe entsprechen; ob die Zone des *Peltoceras bimammatum* in den Virgatenschichten Russlands mitvertreten oder in Russland ohne Repräsentation ist, muss unentschieden bleiben.

Ueber dem Horizonte des *Perisphinctes virgatus* folgen die Aucellenschichten, der olivengrüne Sandstein mit *Perisphinctes fulgens* und der Inoceramenthon von Ssimbirsk; hier fehlen alle Anhaltspunkte zu einer detaillirten Parallelisirung, wir können diese Ablagerungen nur im Allge-

---

[1]) Asp. perarmatum wird citirt, ist aber nicht abgebildet. Rouiller und Vojssinsky bilden in den Etudes progressives Tab. A. fig. 7 eine Form als Ammonites Henleyi (?) ab, welche dem Asp. perarmatum ausserordentlich verwandt ist, sich aber durch breiteren Windungsquerschnitt unterscheidet.

meinen als Aequivalente des obersten Jura betrachten, wobei selbst die Möglichkeit, dass der Inoceramenthon schon der untersten Kreide entspreche, nicht ausgeschlossen ist.

Aus diesen Verhältnissen tritt uns eine Thatsache mit grösster Deutlichkeit entgegen, dass nämlich die in dem tiefsten fossilreichen Horizonte ausserordentlich grosse Uebereinstimmung mit dem Westen mehr und mehr sich vermindert und endlich verschwindet, je höhere Schichten wir betrachten, so dass dasjenige Element, welches vorläufig als das autochthone bezeichnet wurde, allein herrscht. Ursprung und Zusammenhang dieses letzteren zu untersuchen, muss unsere nächste Aufgabe sein.

Zunächst ist es sicher eine bedeutende Anzahl wirklich autochthoner Formen, die hier auftreten, d. h. solcher, welche in dem innerrussischen Becken durch Umänderung älterer Typen entstanden sind. Dass das eingewanderte westeuropäische Element einen ansehnlichen Theil des Materials zu diesen Neubildungen lieferte, geht, abgesehen von den wenigen Arten, die sicher als vicariirende bezeichnet wurden, mit Bestimmtheit aus der grossen Analogie vieler Moskauer Formen mit westeuropäischen hervor, welche so bedeutend ist, dass zahlreiche derselben bei sehr weiter und nach meiner Ansicht allerdings unrichtiger Ausdehnung des Speciesbegriffes direct identificirt wurden.

Ein anderer Theil der russischen Fauna stammt offenbar aus dem Südosten, schon die nahen Beziehungen zwischen *Perisphinctes Mosquensis* Fisch. und *Per. Sabineanus* Opp. deuten auf eine Verbindung mit dem indischen Jurabecken (vgl. unten); allerdings haben wir es hier nicht mit einer Wanderung von Indien nach Russland, sondern umgekehrt zu thun. Es finden sich aber noch andere Formen im Moskauer Jura, die ihre nächsten Analoga in Indien haben und bei welchen eine Herkunft aus letzterer Gegend angenommen werden muss; manche Perisphincten Russlands schliessen sich im Lobentypus zunächst an *Perisphinctes frequens* Opp. aus Thibet an.[1]) Gewiss werden die Anknüpfungspunkte zwischen den genannten Gegenden sich bei fortschreitender Kenntniss des indischen Jura noch bedeutend vermehren.

Damit scheinen aber noch nicht all' die Quellen, aus denen organisches Leben in das neugebildete Jurabecken Russlands strömte, aufgezählt; die folgende Betrachtung zeigt, dass noch aus einer dritten Region Einwanderungen stattgefunden haben müssen. Die Ammonitidengattung *Amaltheus* steht in

---

[1]) Herr L. v. Suttner in München hat mich auf dieses Verhältniss aufmerksam gemacht, wofür ich ihm hier meinen besten Dank sage.

den europäischen Juraablagerungen als ein Fremdling da; sie tritt bei weitem nicht in allen Zonen auf und zeigt bedeutende Intermittenzen; die einzelnen Amaltheen gehören offenbar sehr verschiedenen Reihen eines sehr reichen Formengebietes an; die successiven Vertreter in Europa lassen sich nicht in eine Reihe ordnen, sondern es sind deren drei bis vier, welche auftreten und von denen in weiten Zwischenräumen, bisweilen gruppenweise, Repräsentanten erscheinen und wieder verschwinden. So knüpfen an *Amaltheus oxynotus* des unteren Lias nach einer bedeutenden Intermittenz im mittleren Lias die Formen an, welche als *Amaltheus margaritatus* und *spinatus* bekannt sind, und bald nach ihrem massenhaften Erscheinen wieder verschwinden.

Ebenfalls an *Amaltheus oxynotus* schliesst eine andere Reihe an, die durch Reduction der Loben charakterisirt ist und deren Angehörige durch lange Intermittenzen von einander getrennt in *Amaltheus serrodens, Stauffensis* und *discus* (sammt *Hochstetteri)* uns entgegentreten. Eine dritte Reihe bilden die ebenfalls sporadischen dorsocavaten Formen mit fortwährend sich complicirender Lobenlinie wie *Amaltheus Truellei*, *fissilobatus* u. s. w. Endlich eine vierte Gruppe bildet die massenhaft und rasch erscheinende Sippschaft der *Amaltheus funiferus*, *Lamberti*, *cordatus*, *alternans* u. s. w., welche ebenfalls nach kurzer Anwesenheit wieder verschwinden.

Diese Verhältnisse, welche das Studium der Gattung *Amaltheus* zu einem überaus schwierigen, aber auch hochinteressanten machen, lassen sich nur in der Weise erklären, dass die Hauptverbreitung derselben in einer uns zur Zeit noch unbekannten Provinz lag, von der aus in die mitteleuropäische von Zeit zu Zeit Einwanderungen stattfanden. In der mediterranen Provinz Europa's sind die Amaltheen noch weniger vertreten als in der mitteleuropäischen, ebensowenig in Indien, so dass wir deren Heimath nicht im Süden, aller Wahrscheinlichkeit nach vielmehr in der borealen Provinz suchen müssen.

Wie dem auch sei, jedenfalls kennen wir weder aus Mitteleuropa, noch aus Indien einen Typus, der als unmittelbare Stammform des *Amaltheus catenulatus* aus Russland gelten könnte; derselbe tritt uns unvermittelt in der Aucellenschicht entgegen, und zwar in Gesellschaft noch anderer fremdartiger Typen, welche wir nur durch Einwanderung aus einer dritten Gegend, und zwar aus Norden erklären können. Es wird das um so wahrscheinlicher, wenn wir in Betracht ziehen, dass mit diesem Horizonte eine der gewaltigsten Transgressionen eintritt, die wir kennen, welche die Moskauer Gegend, Sibirien, Kamtschatka, Alaska, Grönland und Spitzbergen in Verbindung setzt. In der That ist es gerade die Aucellenschicht, welche über so ungeheuere Gebiete des Nordens ausgebreitet ist und das eigentliche typische Glied des borealen Jura bildet.

An dieses Verhältniss anknüpfend, darf ich wohl hier daran erinnern, dass ich vor einigen Jahren aus der Vergleichung der mit analoger Fauna bevölkerten Meeresprovinzen und aus der Vertheilung der Organismen in denselben den Schluss habe ziehen können, dass die Verschiedenheiten zwischen den drei von Süd nach Nord aufeinanderfolgenden grossen Juraprovinzen nur durch klimatische Unterschiede erklärt werden können.[1])

Nach dem, was bisher gesagt wurde, lassen sich in der Bildungsgeschichte des russischen Jura eine Reihe wichtiger Abschnitte constatiren:

1) Krimokaukasische Phase. In einer nicht genau bestimmbaren, jedenfalls der Ablagerung der Kellowaybildungen vorangehenden Zeit wird das bis dahin trocken liegende russische Becken zu Meer, aus welchem sich Belemnitenschiefer vom Charakter derjenigen in der Krim und im Kaukasus absetzen.

Dieses Uebergreifen des Jura steht im Zusammenhang mit einer grossen, im Osten stattfindenden Transgression; in Osteuropa fehlt im ganzen ausseralpinen Gebiete und in einem Theile der mediterranen Provinz der Lias entweder ganz oder ist durch Litoralbildungen und Kohlenablagerungen vertreten. So ist im Krakauer Jura und seinen analogen Bildungen kein tieferes Glied entwickelt als mittlerer Jura; in der Gegend von Fünfkirchen, im Banat, in manchen Gegenden der europäischen Türkei ist der Lias durch Litoralbildungen mit Kohlen vertreten; in der Umgebung des kaspischen Meeres, in Persien, in den Amurländern treten die Kohlenbildungen dieses Alters auf; in Indien fehlt die marine Entwickelung des unteren Jura und weit hinauf in den mittleren Jura treten nur Ablagerungen mit Landpflanzen auf. In verschiedenen Zeiten während der Dauer des Dogger treten nun in sehr vielen dieser Gegenden, sowie in Innerrussland marine Gebilde auf, und wir haben es daher im Eintreten des Meeres in das Moskauer Becken mit einem Theile einer grossen, weitreichenden Erscheinung, einer gewaltigen, allmählig eintretenden Transgression des mittleren Jura nach Osten zu thun,

---

[1]) Eine neue Bestätigung erhält diese Anschauung durch die wichtigen Untersuchungen von Waagen über den Jura von Cutch in Indien. Hier wie in der mediterranen Provinz Europa's sind die Phylloceraten in Menge vorhanden, während sie in den nördlicher gelegenen Bildungen des Himalaya im Osten, Mitteleuropa's im Westen schwach vertreten sind. Gerade die genannte Gattung ist eine derjenigen, welche durch die Art ihrer Vertheilung mich zuerst auf die Idee gebracht hat, die klimatischen Verhältnisse der Juraperiode eingehender in Betracht zu ziehen. Vgl. Jahrbuch der geologischen Reichsanstalt 1871 pag. 521. Verhandlungen der geologischen Reichsanstalt 1872 pag. 54, 277.

mit welcher auch das Erscheinen mariner Ablagerungen in den baltischen Ländern zusammenzuhängen scheint.

2) Eröffnung von freier Meereskommunikation mit Mitteleuropa zur Zeit des mittleren Callovien; eine Fauna von rein mitteleuropäischem Charakter wandert ein und ist das allein herrschende Element.

In welcher Gegend die Meeresverbindung stattgefunden habe, lässt sich nicht mit Bestimmtheit angeben; einige Thatsachen geben uns aber wenigstens Anhaltspunkte für eine wahrscheinliche Vermuthung; zunächst spricht die ausserordentlich geringe Analogie zwischen dem Krakauer und dem Moskauer Jura gegen die Annahme, dass an dieser Stelle eine Strasse bestanden habe. Ferner ist der Umstand, dass *Stephanoceras coronatum* in den Kelloway-bildungen Russlands eine grosse Rolle spielt, von Bedeutung; diese Form ist im süddeutschen Jura sehr selten, im Krakauer Gebiete noch gar nicht gefunden worden; dagegen gehört sie in Nordfrankreich und im nördlichen Deutschland zu den verbreiteten Vorkommnissen; es wird dadurch wahrscheinlich, dass vom nördlichen Deutschland aus die Kommunikation mit Russland eintrat.

3) Bei Beginn der Oxfordgruppe dauert die Verbindung nach Westen noch fort, neue Typen wandern von dort ein und mischen sich mit Formen aus dem indischen Meere, mit welchem nun ebenfalls Verbindung eröffnet ist. Die Einwanderer gestalten sich zu autochthonen Arten um, ein Vorgang, der von da an ununterbrochen weiter geht.

4) Abschliessung der Verbindung nach Westen, so dass in den Schichten mit *Perisphinctes virgatus* die russische Fauna schon ein ganz individuelles, von dem mitteleuropäischen weit verschiedenes Gepräge zeigt, und nur noch durch vicariirende Formen die Verwandtschaft bezeugt wird.

5) Grosse boreale Transgression zur Zeit der Bildung der Aucellen-schichten; die wahrscheinlich schon früher vorhandene Verbindung nach Norden wird bedeutend erweitert; ziemlich gleichartige Ablagerungen mit Aucellen treten in den verschiedensten nördlichen Gegenden auf; in Russland wandert *Amaltheus catenulatus* sammt anderen fremdartigen Typen ein. Diese grossartige Ausdehnung des Meeres im Norden fällt der Zeit nach mit der starken Reduction desselben in der gemässigten Zone, in Mitteleuropa, zusammen. Ob hier eine Schaukelbewegung des Landes und Meeresbodens in der Weise stattfand, dass Mitteleuropa sich hob, während die borealen Länder sich senkten, oder ob eine Wasserverschiebung gegen den Pol eintrat, ist eine Frage, die hier nur angedeutet werden kann.

Um ähnliche allgemeine Schlüsse für die letzten Phasen des russischen Jura zu ziehen, fehlen die Anhaltspunkte.

Es ist ein auffallender Kontrast zwischen dem Verhältnisse, in welchem der obere Jura Westeuropas zum innerrussischen steht, und zwischen dessen Beziehungen zum indischen Malm, wie ihn uns die überaus interessanten Arbeiten Waagens[1]) kennen gelehrt haben. Während, wie oben erwähnt, nur die Kellowaybildungen Westeuropas genaue Uebereinstimmung mit den untersten Moskauer Bildungen zeigen, und sich von da nach oben die Analogien immer mehr verlieren, sehen wir in Indien (Kutch) Zone für Zone mit derselben Vergesellschaftung der Arten alle die Horizonte des mitteleuropäischen Jura wiederkehren.

Die Ursache dieses Verhaltens kann nur darin zu suchen sein, dass im einen Falle freie, offene Meeresverbindung vorhanden war, während im anderen nur während kurzer Zeit eine Kommunikation der beiden Becken sich bildete und dann Separation eintrat. Wir sehen also, dass weite Entfernung viel geringeren, ja sogar einen auffallend kleinen Einfluss auf Differenzirung der Faunen und ihres successiven Erscheinens ausübt, während Separation die tiefgreifendste Wirkung ausübt.

Es drängt sich hier die Frage auf, ob nicht in diesen Thatsachen ein Anzeichen liegt, dass die Verbreitung der Faunengebiete in der Jurazeit anderen Gesetzen folgte, als jetzt. Bis vor kurzem konnte wohl wirklich aus der weiten geographischen Verbreitung vieler fossiler Formen geschlossen werden, dass in früheren Perioden die Organismen grössere Verbreitungsbezirke gehabt haben als heute; in neuerer Zeit aber haben die Schleppnetzuntersuchungen gezeigt, dass in den grossen Meerestiefen dieselben Formen über ungeheure Strecken sich ausbreiten. Der Umstand, dass manche Arten an den meisten der weit von einander entlegenen, bisher untersuchten Punkte ein und desselben grossen Beckens wiederkehren, weist auf grosse Einförmigkeit der Tiefseefaunen hin und wir haben demnach in der jetzigen Schöpfung ebenso grosse Verbreitungsbezirke als sie uns im Jura engegentreten.

Neben den weithin in grosser Gleichförmigkeit ausgebreiteten Ablagerungen, die man universelle nennen könnte, treten auch im Jura sehr beshränkte Verbreitungsgebiete auf. Betrachtet man z. B. die verschiedenen Litoralbildungen des obersten Jura, welche unter dem Namen der Portlandschichten bekannt sind, so findet man, dass vollständig gleichaltrige Ablagerungen von genau übereinstimmender Faciesentwicklung bei ziemlich geringer Horizontalentfernung wesentliche Abweichungen zeigen, und namentlich einander ver-

[1]) Abstracts of the results of the examination of Ammonite-Fauna of Kutch, with remarks on their distribution. Records of the geological Survey of India 1871.

Palaeontoliga Indica; jurassic Fauna of Kutch; the Cephalopoda.

wandte, aber doch verschiedene Repräsentanten ein und derselben Gruppe zeigen, so dass wir hier auf starke Beschränkung in horizontalem Sinne schliessen müssen.

Nach der grossen Divergenz, welche zwischen Faunen in räumlich von einander getrennten Becken stattfindet, kann es keinem Zweifel unterliegen, dass die Zonen, die kleinsten nicht eng lokalen Unterabtheilungen der Stratigraphie, nicht über die Grenzen eines grossen Meeresbeckens hinaus verfolgt werden können. Innerhalb eines grossen offenen Oceans aber können wir darauf rechnen die universellen Faunen[1]) über ungeheure Strecken hin wiederzufinden, während die localen Faciesgebilde, namentlich die des seichten Wassers, wenig Konstanz zeigen.

Es werden also die universellen Faunen vor allem sein, auf welche die Zonengliederung gegründet werden muss, diese Art der Eintheilung, deren möglichst allgemeine Durchführung eine unbedingte Nothwendigkeit ist, wenn aus der stratigraphisch-paläontologischen Detailforschung Material zu einer rationellen Geschichte der Thierwelt gewonnen und eine brauchbare chronologische Einheit erhalten werden soll. Die Zonen sind bestimmt, uns die einzelnen Entwickelungsphasen der universellen Marinfaunen darzustellen, uns die Durchschnittsdauer je einer Mutation der verbreitetsten Meerthiere zu repräsentiren.

Noch nach einer anderen Richtung bietet aber das Studium der russischen Jurafaunen grosses Interesse. Im Beginne desselben sehen wir zunächst eine Kolonie von rein westeuropäischem Charakter in das neueröffnete, noch kaum bevölkerte Meeresbecken eintreten; noch einige Zeit folgen Einwanderer von Westen nach, dann hört mit dem Beginne der Schichten mit *Perisphinctes virgatus* der Zuzug neuer Typen aus dieser Gegend auf, die Verbindung der Meere wurde unterbrochen. Die westeuropäischen Typen mischen sich mit indischen und borealen, und aus diesem Gemenge entwickelt sich eine eigenartige Fauna. Schritt für Schritt nimmt die Uebereinstimmung mit der mitteleuropäischen Provinz ab, mit deren Vorkommnissen zuerst die Mehrzahl, dann nur mehr eine Minderzahl der russischen Arten identisch ist, dann können wir nur noch vicariirende Formen erkennen, endlich hören auch diese auf.

Kaum irgendwo werden sich wieder so günstige Verhältnisse zur Untersuchung der Divergenz übereinstimmender Formen bei räumlicher Trennung

[1]) Die universellen Faunen werden zusammengesetzt sein, einerseits von Bewohnern tiefen Wassers, andererseits von guten Schwimmern.

und unter verschiedenen Lebensbedingungen finden; die minutiöseste Unterscheidung der russischen Fossilien, die Aufstellung genetischer Formenreihen und deren Vergleich mit den entsprechenden Reihen im Westen verspricht die wichtigsten theoretischen Resultate in dieser Richtung. Gleichzeitig wird das Studium des gegenseitigen Verhaltens der aus verschiedenen Gegenden stammenden Elemente der Fauna Aufschlüsse geben über die Art der Concurrenz, welche zwischen denselben eintrat. Kaum irgend ein Beispiel wird auch besser geeignet sein zu zeigen, dass derartige theoretisch-wichtige Resultate nur durch eine, selbst das Kleinste beachtende und scheidende Methode der paläontologischen Untersuchung erzielt werden können.

Ausser den Ornatenthonen von Tschulkowo, welche zu den vorstehenden Betrachtungen Anlass gegeben haben, liegen noch aus einer anderen, offenbar jüngeren Ablagerung von derselben Lokalität Fossilien vor, nämlich aus den weissen glaukonitischen Kalken, deren Fauna wenig Anlass zu Bemerkungen gibt. Die vorliegenden Formen sind folgende:

Perisphinctes cf. Frickensis Mösch.
Belemnites absolutus Fischer.
Belemnites indet.
Pleurotomaria Buchi Orb.
Purpurina nov. form.
Waldheimia Trautscholdi nov. form.
Rhynchonella indet.

Von den sicher bestimmbaren Arten findet sich *Pleurotomaria Buchi* in sehr verschiedenen Schichten des russischen Jura, nämlich in denjenigen mit *Amaltheus alternans*, ferner in denjenigen mit *Perisphinctes virgatus*, endlich in der Aucellenbank mit *Amaltheus catenulatus Belemnites absolutus* liegt in den Schichten mit *Perisphinctes virgatus* und *Terebratula Trautscholdi* stimmt vielleicht mit einer Form desselben Horizontes, mit dem nach diesen mangelhaften Daten die glaukonitischen Kalke von Tschulkowo mit einiger Wahrscheinlichkeit parallelisirt werden können.

Auf den folgenden Seiten habe ich die paläontologischen Bemerkungen zusammengestellt, zu welchen die Fossilien von Tschulkowo Anlass geben; etwas mehr als rein descriptives Interesse haben vielleicht die Beobachtungen über die Siphonaldute von *Stephanoceras coronatum* und die Constatirung der genetischen Beziehungen von *Perisphinctes Scopinensis* und *Mosquensis*.

Bei Citirung der Litteratur habe ich mich auf die Aufführung von Abbildungen beschränkt; die Angaben über die Lagerung der Arten in verschiedenen Horizonten des Moskauer Jura sind sämmtlich der trefflichen Zusammenstellung von Trautschold entnommen, namentlich dem in den

Bulletins de la société des naturalistes de Moscou 1863 erschienenen Nomenclator palaeontologicus der jurassischen Formation in Russland.

Belemnites absolutus Fischer.

1837. *Belemnites absolutus* Fischer, Oryctognosie du gouvernement de Moscou. pag. 173, tab. 49, fig. 2.

1845. *Belemnites absolutus* Orbigny, in Murchison, Verneuil, Keyserling. Russia and the Ural mountains. Vol. II, pag. 421, tab. 29, fig. 1—9.

Drei schlecht erhaltene Exemplare aus dem weissen glaukonitischen Kalke von Tschulkowo können sicher mit der bekannten Form der mittleren Moskauer Schicht identificirt werden.

Ausserdem liegen mir zwei Fragmente einer anderen Belemnitenart von derselben Lokalität und aus demselben Niveau vor, welche mir unbestimmbar scheinen; sie gehören gleich *Bel. absolutus* der Gruppe mit stark excentrischer Apicallinie an.

Harpoceras Brighti Pratt.

1841. *Ammonites Brighti* Pratt. Annals and Magazine of natural history. Vol. VIII, tab. 6, fig. 3, 4.

Diese bekannte Art des oberen Callovien oder der Zone des *Peltoceras athleta* in Westeuropa liegt mir in einem sicher bestimmbaren Exemplare vor; ein weiteres Fragment gehört wahrscheinlich ebenfalls hierher; beide stammen aus den Ornatenthonen von Tschulkowo.

Schon d'Orbigny citirt *Harpoceras Brighti* aus dem russischen Jura; L. v. Buch und Trautschold haben sich gegen diese Identifikation ausgesprochen; nach der Abbildung in dem Werke von Murchison, Verneuil und Keyserling (Tab. 33, fig. 9—13) hat d'Orbigny eine dem *Harpoceras punctatum* Stahl nahestehende, aber vermuthlich neue Form vorgelegen.

Harpoceras lunula Zieten.

1830. *Ammonites lunula* Zieten, Versteinerungen Württembergs. tab. 10, fig. 11.

Ein Exemplar aus den Ornatenthonen von Tschulkowo. In Westeuropa gehört die Art der Zone *Simoceras anceps* an.

Stephanoceras coronatum Brug.

Tab. 25, Fig. 1—4.

1789. *Ammonites coronatus* Bruguière, Encyclopédie méthodique. Vers. pag. 43, Nro. 23.

1845. *Ammonites coronatus* d'Orbigny in Murchison Verneuil, Keyserling Russia and the Ural mountains. Vol. II, pag. 440 tab. 36, fig. 1—3.

1846. *Ammonites coronatus* Keyserling, wissenschaftliche Beobachtungen auf einer Reise nach dem Petschoralande tab. 20, fig. 11, 12.

1847. *Ammonites coronatus* d'Orbigny, Paléontologie française, Cephalopodes jurassiques tab. 168, fig. 6—8.

1846. *Ammonites anceps ornati* Quenstedt, Cephalopoden tab. 14, fig. 5.

1858. *Ammonites anceps ornati* Quenstedt, Jura pag. 537, tab. 70, fig. 22.

Stephanoceras coronatum ist schon seit langer Zeit aus Russland bekannt und von d'Orbigny in dem Werke von Murchison, Verneuil und Keyserling abgebildet; genau dieselbe Zeichnung findet sich auch in der Paléontologie française tab. 116 wiedergegeben und in der That stimmen die westeuropäischen Vorkommnisse, von denen Quenstedt in seinen Cephalopoden ein Exemplar abbildet, mit den russischen genau überein; ob dagegen die Abbildung bei d'Orbigny, Ceph. jur. tab. 167, hieher gehört, ist mir im höchsten Grade zweifelhaft. Sicher einer anderen Form gehören endlich die kleinen Jugendexemplare bei d'Orbigny, Ceph. jur. tab. 166, fig. 1—3 an.

An den mir vorliegenden Exemplaren von Tschulkowo lässt sich die Form der inneren Windungen konstatiren und die Identität mit kleinen isolirten Kernen nachweisen. Es geht aus deren Untersuchung hervor, dass die jungen Exemplare vollständig von dem verschieden sind, was d'Orbigny als solche auffasst; dagegen stimmen sie sehr genau mit den kleinen, vom Grafen Keyserling und Quenstedt mitgetheilten Zeichnungen, in welchen die eigenthümliche individuelle Entwickelung dieser Form vollständig richtig wiedergegeben ist.

Die inneren Windungen sind, wie die Abbildung Tab. 25, Fig. 1, 2 zeigt, vor allem auffallend charakterisirt durch die bedeutende Breite der Windungen, welche den Mediandurchmesser des Gehäuses übersteigt; die Externseite ist wenig gewölbt, mit sehr schwachen, verwaschenen Rippen und einer leichten Andeutung eines Kieles. Die Nabelkante ist sehr scharf und mit spitzen Knoten gekrönt, die Nabelwände fallen sehr steil ab und tragen Rippen, die an der Nath sehr schwach gegen die Knoten der Nabelkante zu, in die sie endigen, an Stärke zunehmen.

Der ausserordentlich günstige Erhaltungszustand der Exemplare von Tschulkowo gestattet genau die Beschaffenheit der Siphonaldute zu sehen; die Kammern des Gehäuses sind nicht mit Gestein ausgefüllt, sondern hohl und nur die Wandungen mit einer leichten Schwefelkiesrinde überzogen, und man gewinnt in dieser Weise einen sehr klaren Einblick in den Bau der Scheidewände. Der Sipho ist zerstört, aber die Dute ist an zwei auf einander folgenden Scheidewänden eines Stückes deutlich zu sehen; dieselbe bildet eine kurze, nach vorne gerichtete, am vorderen Ende etwas halskragenartig erweiterte Röhre, welche in ihrer Form (nicht aber in Stellung und Richtung) an die Siphonaldute von *Nautilus Pompilius* erinnert; sie ist von einer eigenen Wandung umschlossen und berührt die Gehäuseschale an der Externseite nicht.

Bekanntlich ist die Frage nach dem Verhalten des Sipho zur Kammerscheidewand noch nicht sicher entschieden; in dem vorliegenden Falle ist die Sache vollständig klar, doch möchte ich desswegen durchaus nicht behaupten, dass die Anlage bei allen Ammonitiden dieselbe sei; es ist sehr wohl möglich, dass bei anderen Gattungen eine eigentliche Siphonaldute nicht vorhanden ist, sondern der Sipho zwischen einer Ausstülpung der Kammerscheidewand und der Externwandung des Gehäuses durchläuft. Uebrigens ist der mir vorliegende Fall kaum eine genügende thatsächliche Grundlage, um eine eingehende Diskussion dieser ganzen Frage hier vorzunehmen.

Es liegen mir von *Stephanoceras coronatum* 4 Exemplare aus dem Ornatenthone von Tschulkowo vor.

Cosmoceras Jason Rein.

1818. *Nautilus Jason* Reinecke, Maris protogaei Nautili fig. 15—17.

Es ist wohl nicht nöthig, zahlreiche Citate für diese bekannte Form hier anzuführen; aus Russland wird sie von Fischer v. Waldheim, Rouiller, L. v. Buch, d'Orbigny, Keyserling und Trautschold erwähnt. Die bisher bekannten Fundorte sind Jelatma und Dimitrijewa-Gora an der Oka, der Jurakalk von Chatscheitschi und die Petschoragegend.

Trautschold vereinigt mit *Cosmoceras Jason* den *Ammonites Kirghisensis* Orb, der mir aber nach der Abbildung ein *Hoplites* aus der Gruppe des *Hopl. abscissus* und *progenitor* zu sein scheint.

Cosmoceras Jason ist in 3 Exemplaren aus den Ornatenthonen von Tschulkowo vertreten. Eines derselben nähert sich durch dickere und niedrigere Windungen und entfernter von einander stehende Rippen dem *Cosm. Pollux*.

In Westeuropa charakterisirt *Cosm. Jason* bekanntlich den mittleren Theil der Kellowaygruppe.

Cosmoceras Pollux Rein.

Tab 25, Fig. 5, 6.

1818. *Nautilus Pollux* Reinecke, Maris protogaei Nautili fig. 24—26.

Zwei Exemplare aus den Ornatenthonen von Tschulkowo stimmen, soweit ein Urtheil möglich ist, mit der genannten Art Reinecke's überein;

ist auch eine genaue Bestimmung nach der unvollkommenen Abbildung nicht durchführbar, so sind die Stücke doch jedenfalls identisch mit der sehr seltenen Form der fränkischen Ornatenschichten, auf welche die citirte Figur am nächsten passt. Der nächste Verwandte ist *Cosmoceras ornatum*, von dem sich aber *Cosm. Pollux* sofort durch das Fehlen der zahlreichen knotenlosen Rippen zwischen den geknoteten unterscheidet.

In der Jugend entspringen von kleinen, länglichen, scharfen Knoten an der Nabelkante schwache Rippen, deren jede je einem Knoten entspricht; die Zahl auf einer Windung beträgt 12. Jede Rippe trägt in der Mitte der Flanken einen kräftigen, spitzen Knoten. Auf der Externseite verläuft eine schmale, glatte Medianfurche, zu deren beiden Seiten einander sehr genähert kräftige Knoten stehen, etwa 22 auf einem Umgang, so dass deren hier nicht ganz doppelt so viele sind, als auf der Mitte der Flanken. Die letzteren sind durch undeutliche Rippen mit den Knoten der Externseite verbunden. Bei weiterem Wachsthum verstärken sich die Knoten und nehmen an der Externseite an Zahl ab, so dass an einem grösseren Bruchstücke auf 6 Knoten auf der Mitte der Flanken nur deren 8 auf der Externseite entsprechen. Der Windungsquerschnitt ist in Folge der Knoten polygonal, so breit als hoch. Windungs- und Wachsthumsverhältnisse entsprechen denjenigen von *ornatus rotundus* von Quenstedt.

Die vorliegenden Exemplare sind Steinkerne; auf der Schale scheinen über den Knoten der Externseite lange, spitze Stacheln gestanden zu haben. Es geht diess aus der Betrachtung der Internseite des in Fig. 6 abgebildeten Fragmentes hervor; hier sieht man genau, wie die Stacheln der vorhergehenden Windung tief in den Concavtheil eindringen, ebenso wie das Quenstedt in seinem Jura Tab. 70 Fig. 1 von Cosmoceras ornatum abbildet.

Perisphinctes Scopinensis nov. form.

Tab. 25, Fig. 7.

Es liegt mir nur ein unvollständiges Exemplar dieser interessanten Form vor, das aber vollständig zur Feststellung ihrer Charaktere und verwandtschaftlichen Beziehungen ausreicht. Die nächstverwandte Form ist der bekannte *Perisphinctes curvicosta* Opp. aus den unteren und mittleren Kellowayschichten; was zunächst die allgemeine Gestalt und Windungsverhältnisse anlangt, so ist die Uebereinstimmung vollständig; in der Skulptur finden sich bei beiden die geschwungenen Rippen, doch stehen dieselben bei *Per. Scopinensis* etwas näher aneinander und in regelmässigen Abständen, so dass er hierin zwischen *Per. aurigerus* Opp. und *curvicosta* Opp. die

Mitte hält. Ein weiterer Unterschied besteht darin, dass bei der russischen Form sich häufig ungespaltene Rippen zwischen die normal dichotomen einschieben; die Parabelknoten sind wie bei *Per. curvicosta*, nur scheinen sie um ein unmerkliches kräftiger; da jedoch dieses Merkmal manchen individuellen Schwankungen unterworfen ist, so möchte ich diese leichte Abweichung nach dem einen Stücke, welches mir vorliegt, nicht mit Bestimmtheit als eine constante bezeichnen.

Der Hauptunterschied gegen die genannte Art der westeuropäischen Ornatenschichten besteht darin, dass die Rippen auf der Externseite unterbrochen sind und dass hier ein breites glattes Band auftritt.

Eine nahe verwandte Form des russischen Jura ist *Perisphinctes Mosquensis* Fisch., der sich aber durch die weit grössere Zahl der ungespaltenen Rippen und die auffallende Stärke der Parabelknoten auszeichnet, in deren jedem 2—3 Rippen zusammenlaufen. *Per. Scopinensis* bildet eine vollständige Mittelform zwischen *Perisphinctes curvicosta* und *Mosquensis*. Ohne dieses Bindeglied zu kennen, habe ich vor fünf Jahren auf die nahen Beziehungen zwischen den beiden letztgenannten Formen aufmerksam gemacht,[1] wobei mich die Uebereinstimmung in dem charakteristischen Haupttypus der Skulptur, sowie der Umstand leitete, dass eine leichte Unterbrechung der Rippen und die erste Andeutung eines glatten Bandes auf der Externseite bei *Per. curvicosta* nicht selten als individuelle Abänderung auftritt.

Die beiden Formen sind ziemlich weit von einander verschieden, aber heute liegt die theoretisch geforderte Mittelform von dem ihr zukommenden Platze vor. Der Annahme gegenüber, dass die geologische Reihenfolge alles andere eher liefere, als die nach den Voraussetzungen der Transmutationslehre nothwendigen Zwischenformen, darf ich wohl darauf aufmerksam machen, welch auffallende Bestätigung in dem Auftreten von *Per. Scopinensis* liegt. Es wird mit Recht als eine sichere Probe für die Richtigkeit einer theoretischen Anschauung betrachtet, wenn aus ihr deductiv abgeleitete Berechnungen oder Voraussetzungen nachträglich durch die Thatsachen in einer Weise bestätigt werden, wie diess hier der Fall ist.

Nach dem eben Gesagten haben wir es also mit einer Formenreihe zu thun, deren einzelne Mutationen folgende sind: *Per. Martiusi*, *aurigerus*, *curvicosta*, *Scopinensis*, *Mosquensis*.[2])

---

[1]) Neumayr, die Fauna der Schichten mit *Aspidoceras acanthicum*. Abhandlungen der geologischen Reichsanstalt Vol. V 1871, pag. 173.

[2]) Vgl. Neumayr, Fauna der Schichten mit *Aspidoceras acanthicum*. Abhandlungen der geologischen Reichsanstalt 1873. Vol. V, pag. 173.

Per. Scopinensis liegt mir in einem Exemplare aus den Ornatenthonen von Tschulkowo vor.

Perisphinctes Mosquensis Fischer.

Tab. 25, Fig. 8.

1843. *Ammonites Mosquensis* Fischer, Bulletins de la soc. des nat. de Moscou I. pag. 110, tab. 3, fig. 4—7.

1845. *Ammonites Fischerianus* Orbigny in Murchison, Verneuil, Keyserling, Russia and the Ural mountains. Vol. II, pag. 441, tab. 36, fig. 4—8.

1846. *Ammonites Mosquensis* Keyserling, Wissenschaftliche Beobachtungen auf einer Reise in das Petschoraland. Pag. 326, Tab. 22, Fig. 8.

Diese Form liegt in einem sicher bestimmbaren Fragment aus den Ornatenthonen von Tschulkowo vor. Ausserdem findet sie sich in Russland bei Jelatma an der Oka, wo sie demselben Horizont angehört, ferner nach Orbigny bei Karaschowo, doch ist das Niveau hier nicht bekannt.

Sehr nahe verwandte Formen sind *Per. Sabineanus* Opp. und *Jubar* Strachey aus dem indischen Jura, die übrigens durch die Art ihrer Berippung leicht unterscheidbar sind. Gerade in den, die hier besprochene Formenreihe charakterisirenden, ziemlich auffallenden Merkmalen herrscht aber so bedeutende Uebereinstimmung, dass man auch die indischen Arten hier anreihen muss; sehr wahrscheinlich haben wir es mit einer Einwanderung aus dem russischen Becken nach dem indischen zu thun.

Perisphinctes cf. Frickensis Mösch.

Aus dem glaukonitischen Kalke von Tschulkowo liegt ein leider schlecht erhaltenes Exemplar einer vermuthlich neuen Form vor, welche sich ebenfalls der Formengruppe des *Perisphinctes Martinsi* anschliesst, aber einer anderen, von der genannten Stammart ausgehenden Reihe angehört, als die beiden vorhergehenden Arten. Ich habe bei einer früheren Gelegenheit eine genetische Reihe hervorgehoben, welche mit *Per. Martinsi* des mittleren Jura beginnt und, so weit bis jetzt bekannt, in *Per. Eumelus* des Kimmeridgien endet[1]); alle hierher gehörigen Formen haben Rippen, welche ununterbrochen über die Externseite weglaufen. Unter den hieher gehörigen Formen ist es namentlich *Per. Frickensis* Mösch[2]), dem sich das Exemplar von

[1]) Neumayr, die Fauna der Schichten mit *Aspidoceras acanthicum*. Abhandlungen der geologischen Reichsanstalt 1873. Bd. V, pag. 184.

[2]) Mösch, der Aargauer Jura. Beiträge zur geologischen Karte der Schweiz 1867. Vol. IV, Tab. 1, Fig. 2.

Tschulkowo sehr nähert; ein Unterschied ist nur insoferne vorhanden, als an letzterem bei gleicher Grösse die Rippen feiner, zahlreicher und gedrängter sind als bei *Per. Frickensis.*

Auch aus dem russischen Jura ist eine sehr nahe verwandte Form durch Trautschold bekannt geworden[1]), welcher sie als ein junges Exemplar von *Perisphinctes mutatus* Trtsch. auffasst, eine Annahme, die mir nach den Proportionen des Windungsquerschnittes nicht wahrscheinlich ist; doch ist eine solche Anomalie immerhin möglich und jedenfalls kann man nach der Abbildung allein darüber nicht entscheiden. Der als junges Individuum von *Per. mutatus* abgebildete Ammonit zeigt ebenfalls grosse Uebereinstimmung mit den hier besprochenen Arten, doch stehen die Rippen noch weiter auseinander und sind stärker geschwungen als bei *Per. Frickensis.*

Pleurotomaria Buchi Orb.

1845. *Pleurotomaria Buchi* d'Orbigny, in Murchison, Verneuil, Keyserling, Russia and the Ural mountains. Tab. 38, fig. 1, 2.

Die glaukonitischen Kalke von Tschulkowo haben ein gut erhaltenes Exemplar einer *Pleurotomaria* geliefert, welches bis auf den wenig spitzeren Gehäusewinkel genau mit der citirten Abbildung übereinstimmt. *Pleurotomaria Buchi* kömmt nach Trautschold in den drei Schichten des Moskauer Jura mit *Amaltheus alternans*, mit *Perisphinctes virgatus* und mit *Amaltheus catenulatus* vor.

Purpurina nov. form.

Eine stark beschädigte *Purpurina* liegt aus dem glaukonitischen Kalke von Tschulkowo vor, welche offenbar eine neue Form darstellt, für genaue Beschreibung und Abbildung aber nicht hinreichend erhalten ist. Die sehr gewölbten, treppenförmigen, mit Knoten gekrönten Windungen tragen etwa 15 nach oben wulstige, nach unten allmählich verschwindende Querrippen und sind ausserdem von einer sehr kräftigen Spiralstreifung bedeckt.

Waldheimia Trautscholdi nov. form.

Tab. 25, Fig. 10, 11.

Kleine, abgerundet fünfeckige, oder gerundete, aufgeblasene Form, deren grösste Dicke zwischen der Mitte der Schale und dem Schnabel liegt; Länge eines Exemplares 14 mm. Breite 14 mm. Dicke 10mm. Oberfläche sehr stark und

---

[1]) Trautschold, der glanzkörnige, braune Sandstein von Dimitrijeva Gora an der Oka. Bulletins de la société des naturalistes de Moscou 1863. Tab. VI. fig. 2.

deutlich punktirt, mit stellenweise schuppigen Anwachsstreifen, sonst glatt. Grosse Klappe stark gewölbt, mit dickem, etwas übergebogenem Schnabel, der jederseits einen stumpfen Kiel trägt und dessen nicht gut erhaltenes Loch ziemlich klein gewesen zu sein scheint. Die kleine Klappe ist ebenfalls stark gewölbt, namentlich in der Wirbelgegend.

Ueber den inneren Bau nähere Untersuchungen anzustellen war mir nicht möglich, da nur zwei Exemplare vorliegen; äusserlich ist an der kleinen Klappe ein fast bis zur Mitte reichendes Septum sichtbar, am Wirbel der grossen Klappe erscheinen die sehr entwickelten Zahnstützen. Unter diesen Umständen ist eine ganz sichere generische Bestimmung nicht möglich; einen Fingerzeig gibt das Septum, und zur Zutheilung zu *Waldheimia* bewog mich die Verwandtschaft, welche unsere Form in der äusseren Gestalt und im Habitus mit *Waldh. humeralis* zeigt. Mit dieser Art ist *Waldheimia Trautscholdi* wohl zunächst verwandt, doch unterscheidet sie sich gut durch die namentlich an den Wirbeln stark aufgeblasene Gestalt und die Bildung des kräftiger entwickelten Schnabels.

Aus dem Moskauer Jura bildet Trautschold unter dem Namen *Terebratula umbonella* Lam. eine Form ab, welche aus den Schichten mit *Perisphinctes virgatus* von Karaschowo stammt und, abgesehen von der fast doppelten Grösse, auffallende Aehnlichkeit mit *Waldh. Trautscholdi* zeigt; directe Vergleichung wird entscheiden müssen, ob wir es mit wirklicher Identität zu thun haben.

Waldheimia Trautscholdi liegt in zwei Exemplaren aus dem glaukonitischen Kalke von Tschulkowo vor.

Rhynchonella indet.

Ein unbestimmbares Jugendexemplar einer mit starkem Sinus versehenen, vielrippigen Form aus den glaukonitischen Kalken von Tschulkowo.

Register

zum II. Bande.

A. Ortsregister.

Italienische u. s. w. Berg- oder Thalnamen sind theils allein, theils mit der Bezeichnung „Monte“, „Mt.“ oder „Val“ davor aufzusuchen, ebenso findet man die französischen Départements theils mit, theils ohne das vorgesetzte Wort „Département“. Bei Ortsnamen mit „St“ ist der Name für sich, oder mit dem Beisatz „St“ nachzusehen.

B. Register der Schichten- und Gesteins-Bezeichnungen.

24*

C. Paläontologisches Register.

Die mit einem Sternchen versehenen Zahlen verweisen auf eine Beschreibung oder speciellere Erwähnung der Art.

GEOGNOSTISCH-PALÄONTOLOGISCHE

BEITRÄGE.

ZWEITER BAND.

ATLAS.

GEOGNOSTISCH-PALÄONTOLOGISCHE

BEITRÄGE.

HERAUSGEGEBEN

UNTER MITWIRKUNG VON DR. U. SCHLOENBACH IN SALZGITTER (HANNOVER) (†) UND DR. W. WAAGEN IN MÜNCHEN

VON

DR. E. W. BENECKE,

PROFESSOR AN DER UNIVERSITÄT STRASSBURG.

ZWEITER BAND.

ATLAS.

MÜNCHEN, 1876.

DRUCK UND VERLAG VON R. OLDENBOURG.

Inhalt.

Taf. I.

Fig. 1 a—d. **Pleurotomaria euomphala** n. sp. Von Mt. Zacon bei Borgo in Val Sugana. Fig. 1 d. in natürlicher Grösse, Fig. 1 a—c. vergrössert. Pag. 20.

Fig. 2 a. b. **Chemnitzia** sp. Von Mt. Zacon. Fig. 2 b. in natürlicher Grösse, Fig. 2 a. vergrössert. Pag. 18.

Fig. 3 a. b. **Holopella gracilior** Schaur. sp. Mt. Zacon. Fig. 3 b. in natürlicher Grösse, Fig. 3 a. vergrössert. Pag. 19.

Fig. 4 a—c. **Myophoria ovata** Br. Von der Mendel bei Kaltern im Etschthal. Fig. 4 a. rechte Klappe mit theilweise erhaltener Schale. Fig. 4 b. Steinkern der linken, Fig. 4 c. Steinkern der rechten Klappe. Pag. 12.

Fig. 5 a. b. **Avicula inaequicostata** n. sp. Mt. Zacon. Fig. 5 a. linke Klappe in natürlicher Grösse, Fig. 5 b. dieselbe vergrössert. Pag. 21.

Fig. 6. **Avicula inaequicostata** n. sp. Mt. Zacon. Linke Klappe in natürlicher Grösse. Pag. 21.

Fig. 7. **Holopella gracilior** Schaur. sp. Mt. Zacon. Vergrössert. Pag. 19.

Fig. 8. **Myalina** cf. **vetusta** Gldf. sp. Mendel bei Kaltern. Natürliche Grösse. Pag. 10.

Fig. 9 a. b. **Natica gregaria** Schl. Mt. Zacon. Fig. 9 b. natürliche Grösse, Fig. 9 a. vergrössert. Pag. 18.

Fig. 10 a. b. **Pleurotomaria extracta** Berg. sp. Mt. Zacon. Fig. 10 b. natürliche Grösse, Fig. 10 a. vergrössert. Pag. 20.

Fig. 11. **Myophoria orbicularis** Br. Rohrbach bei Heidelberg. Pag. 13.

Fig. 12. **Gervillia costata** Schl. sp. Mendel bei Kaltern. Steinkern der linken Klappe in natürlicher Grösse. Pag. 12.

Fig. 13. Gestein mit Gastropoden von Mt. Zacon. Pag. 21.

Fig. 14 a—c. **Natica Gaillardoti** Lefr. Mendel bei Kaltern. Fig. 14 c. in natürlicher Grösse, Fig. 14 a. b. vergrössert. Pag. 10.

Fig. 15 a. b. cf. **Turritella costifera** Schaur. Mt. Zacon. Fig. 15 b. natürliche Grösse, Fig. 15 a. vergrössert. Pag. 20.

Fig. 16 a. b. **Pleurotomaria triadica** n. sp. Mt. Zacon. Fig. 16 b. natürliche Grösse, Fig. 16 a. vergrössert. Pag. 19.

Fig. 17. **Myalina vetusta** Gldf. sp. Mt. Zacon. Pag. 22.

Fig. 18 a. b. **Pecten dolomiticus** n. sp. Mendel bei Kaltern. Fig. 18 a. natürliche Grösse, Fig. 18 b. vergrössert. Pag. 11.

Fig. 19. **Avicula Venetiana** Hau. Mendel bei Kaltern. Natürliche Grösse. Pag. 11.

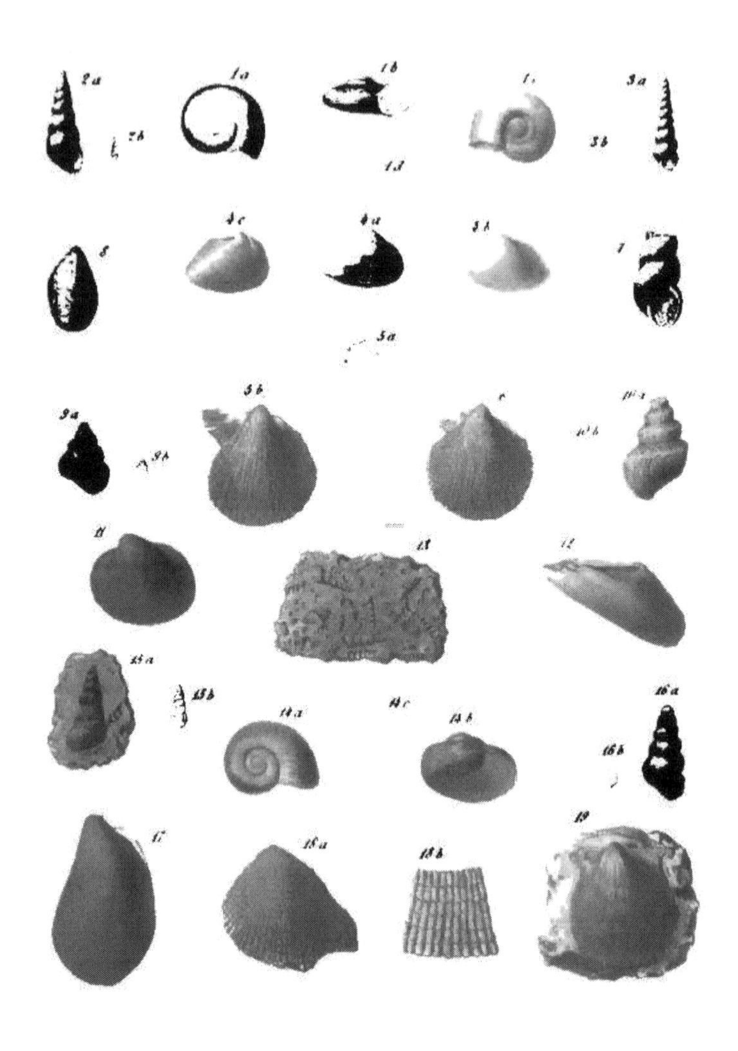

Veith del. E. Fritzsche gedr. C. Strauch inc.

Taf. II.

Fig. 1 a. b. **Encrinus gracilis** Buch. Recoaro. Fig. 1 a. in doppelter Grösse. Fig. 1 b. die Unterseite der äusseren Basalia angeschliffen, um den inneren Basalkranz zu zeigen. Pag. 31.

Fig. 2—5. **Acroura granulata** n. sp. Recoaro. Fig. 2 b. Ventralseite in natürlicher Grösse, Fig. 2 a. dieselbe vergrössert. Fig. 3 b. Dorsalseite in natürlicher Grösse, Fig. 3 a. dieselbe vergrössert. Fig. 4 Theil eines Armes von der Unterseite. Fig. 5 Arm, durchgebrochen, von der aboralen Seite gesehen. Pag. 28.

Fig. 6—9. **Ostrea filicosta** n. sp. Recoaro. Pag. 33.

Fig. 10. 11. **Gervillia mytiloides** Schl. sp. Recoaro. Fig. 10 vollständiges Schalenexemplar. Fig. 11 a. linke Klappe eines etwas abgeriebenen Exemplars. Fig. 11 b. gegen den Schlossrand gesehen. Pag. 34.

Fig. 12. 13. **Modiola triquetra** Seeb. Recoaro. Fig. 13 vollständiges Schalenexemplar. Fig. 12 a. linke Klappe eines kleineren Exemplares, Fig. 12 b. gegen den Schlossrand gesehen. Pag. 35.

Fig. 14. **Myacites musculoides** Schl. Recoaro. Pag. 35.

Fig. 15 a. b. **Myophoria cardissoides** Schl. sp. Recoaro. Pag. 35.

Fig. 16. 17. Junge Individuen, entweder zu *Gervillia mytiloides* oder zu *Modiola triquetra* gehörig. Pag. 35.

Fig. 18. **Ostrea ostracina** Schl. sp. Recoaro. Pag. 33.

Tab. 2.

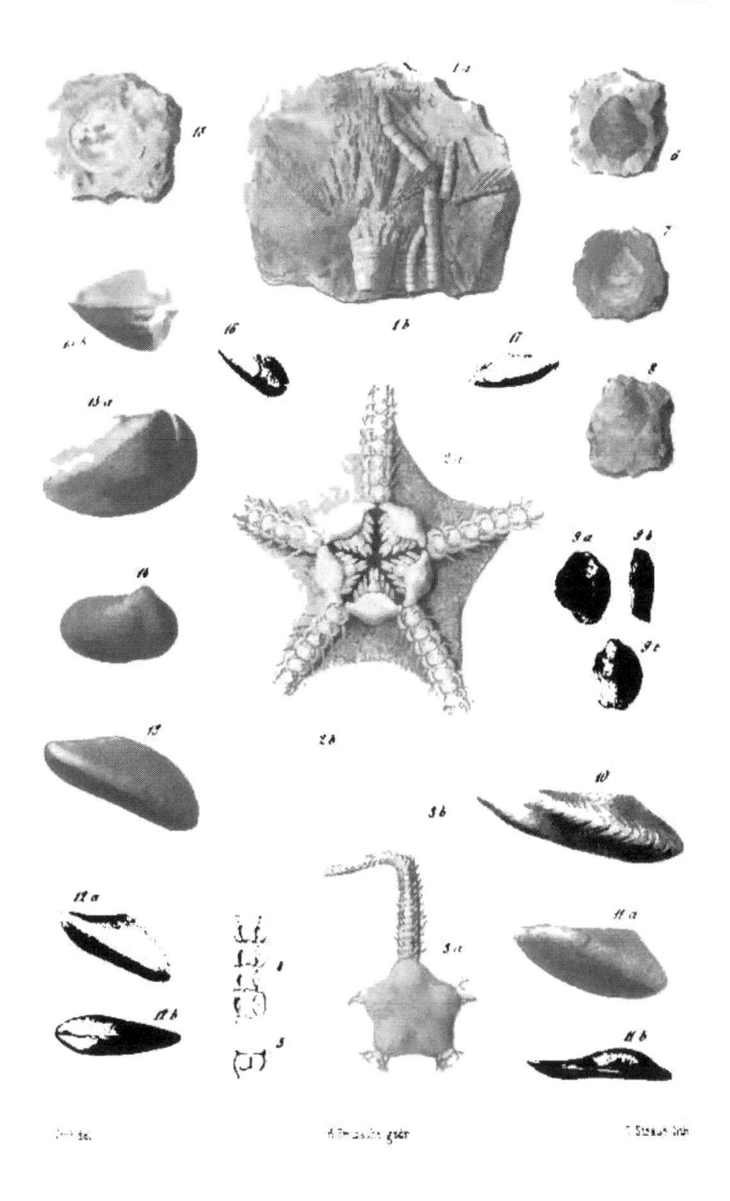

Taf. III.

Fig. 1 a. b. **Chaetetes Recubariensis** Schaur. Recoaro. Fig. 1 a. ein gelappter Stock. Fig. 1 b. Vergrösserung der Oberfläche. Pag. 38.

Fig. 3. **Myoconcha gastrochaena** Dnkr. sp. Recoaro. Natürl. Grösse. Pag. 42.

Fig. 4 a—c. **Natica dichroos** n. sp. Recoaro. Natürl. Grösse. Pag. 43.

Fig. 5. **Chemnitzia scalata** Schl. sp. Recoaro. Natürl. Grösse. Pag. 43.

Fig. 6 a. b. **Myophoria vulgaris** Schl. sp. Recoaro. Natürl. Grösse. Pag. 42.

Fig. 7. 8. **Ostrea ostracina** Schl. Recoaro. Natürl. Grösse. Pag. 42.

Fig. 9 a—c. **Hinnites comtus** Gldf. Recoaro. 9 a. c. natürl. Grösse. 9 b. Schale vergrössert. Pag. 42.

Fig. 10 a—c. **Serpula Recubariensis** n. sp. Recoaro. 10 a. natürl. Grösse. 10 b. c. vergrössert. Pag. 35.

Fig. 11. **Modiola substriata** Schaur. Recoaro. Natürl. Grösse. Pag. 42.

Fig. 12. 13. a. b. **Cidaris lanceolata** Schaur. Recoaro. Fig. 13 a. Fragment eines Stachels in natürlicher Grösse. Fig. 13 b. Querschnitt desselben. Fig. 12 Untertheil eines Stachels in doppelter Grösse. Pag. 41.

Tab. 8.

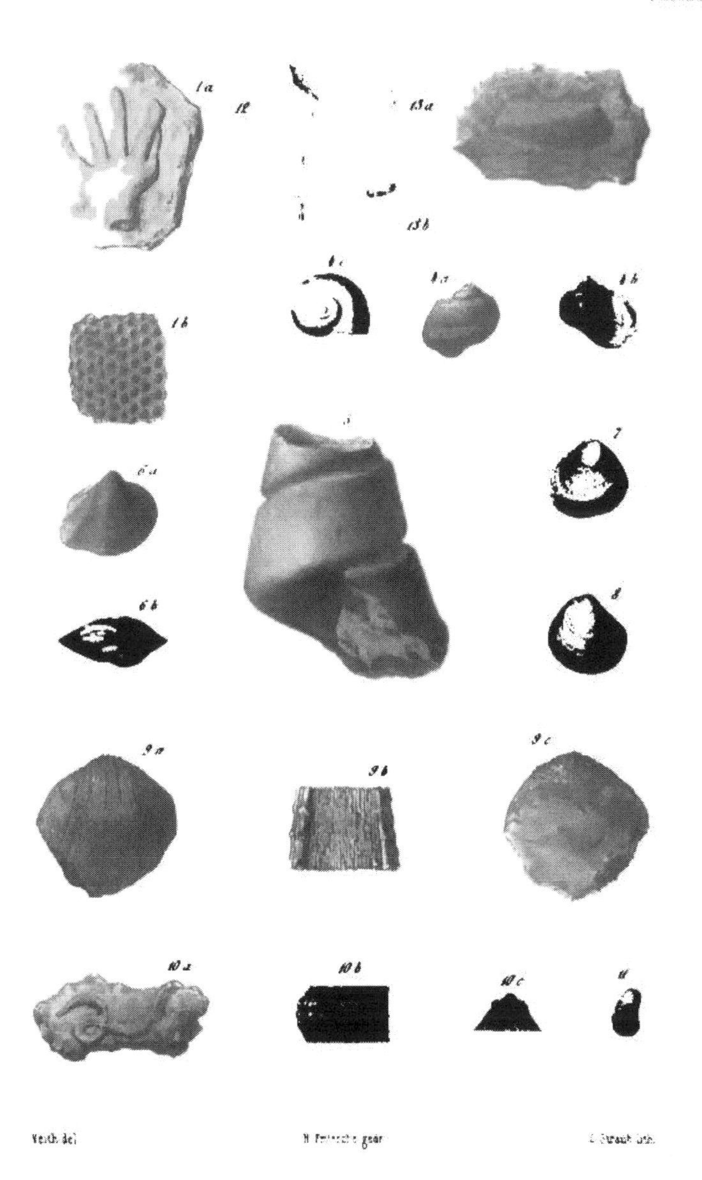

Veith del. H. Fritsche gez. Straub lith.

Taf. IV.

Fig. 1 a—c. **Encrinus Carnalli** Beyr. Recoaro. Fig. 1 a. von der Seite des Stengelansatzes her, Fig. 1 b. von der Seite, Fig. 1 c. von oben, die Innenseite zeigend. Pag. 38.

Fig. 2 a—c. **Encrinus** sp. Recoaro. Erstes Radial. Pag. 40.

Fig. 3 a. b. **Encrinus** sp. Recoaro. Innerer und äusserer Basalkranz. Pag. 40.

Fig. 4. **Encrinus** sp. **Patina.** Recoaro. Pag. 40.

Fig. 5 a. b. **Entrochus** cf. **Encrinus liliiformis.** Recoaro. Fig. 5 b. in natürlicher Grösse, Fig. 5 a. vergrössert. Pag. 41.

Fig. 6. **Entrochus** cf. **Pentacrinus dubius** Gldf. Recoaro. Pag. 41.

Fig. 7. **Entrochus** cf. **Encrinus pentactinus** Br. Recoaro. Pag. 41.

Fig. 8. **Encrinus** sp. Zweites Radial. Recoaro. Pag. 41.

Fig. 9—11. **Halobia Sturi** n. sp. Val di Scalve, Lombardei. Fig. 9 b. junges Individuum in natürlicher Grösse, Fig. 9 a. dasselbe vergrössert. Fig. 10, 11 in natürlicher Grösse. Pag. 55.

Fig. 12 a—c. **Entrochus Silesiacus** Beyr. Recoaro. Fig. 12 a. die Gelenkfläche vergrössert, Fig. 12 b. natürliche Grösse, Fig. 12 c. Stengelfragment mit Narben von Cirren. Pag. 41.

Fig. 13 a. b. **Modiola** sp. Kloster St. Peter bei Bludenz in Vorarlberg. Fig. 13 b. natürliche Grösse, Fig. 13 a. vergrössert. Pag. 61.

Fig. 14. ? **Myophoria orbicularis** Br. Recoaro. Pag. 42.

Tab. 4.

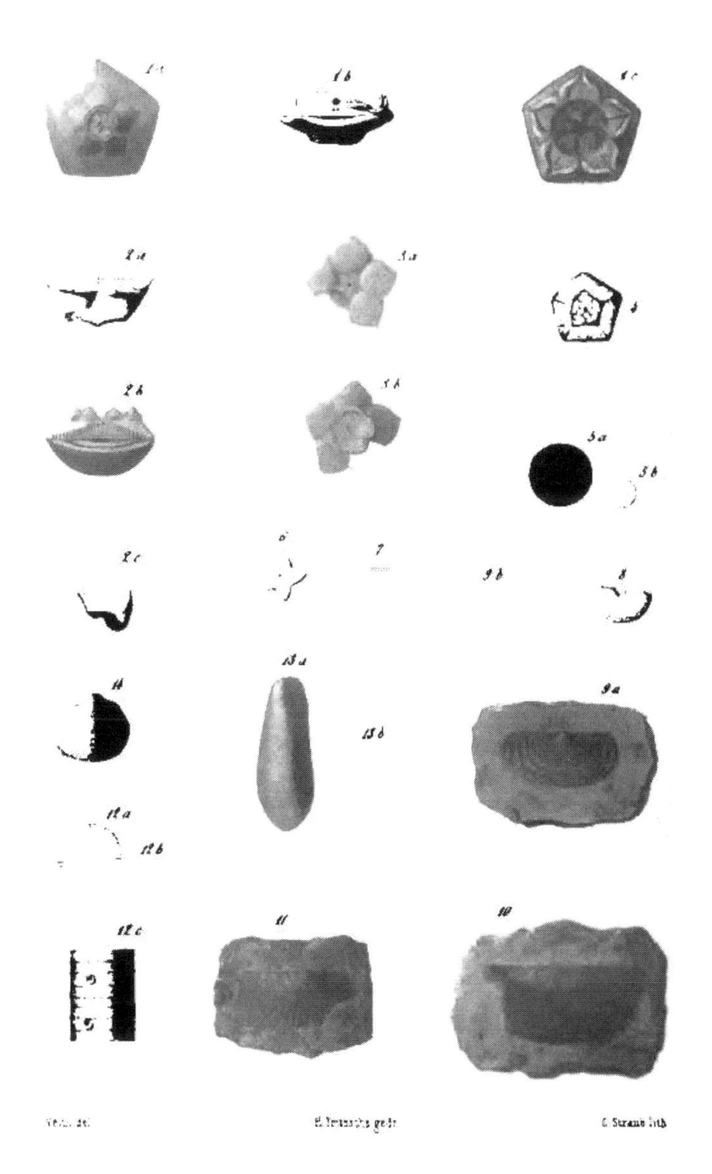

Taf. V. (1.)

Muschelkalk.

Fig. 1. **Sphaerococcites Blansdowskianus** Göppert. Pag. 77 (9).

Fig. 2. **Sphaerococcites distans** Sandberger. Pag. 77 (9).

Fig. 3. **Neuropteris Gaillardoti** Brongniart, natürliche Grösse. (Copie nach Brongniart.) Pag. 78 (10).

Fig. 4—7. **Pinites Göppertianus** Schleiden. (Copie nach Schleiden.) Pag. 80 (12).

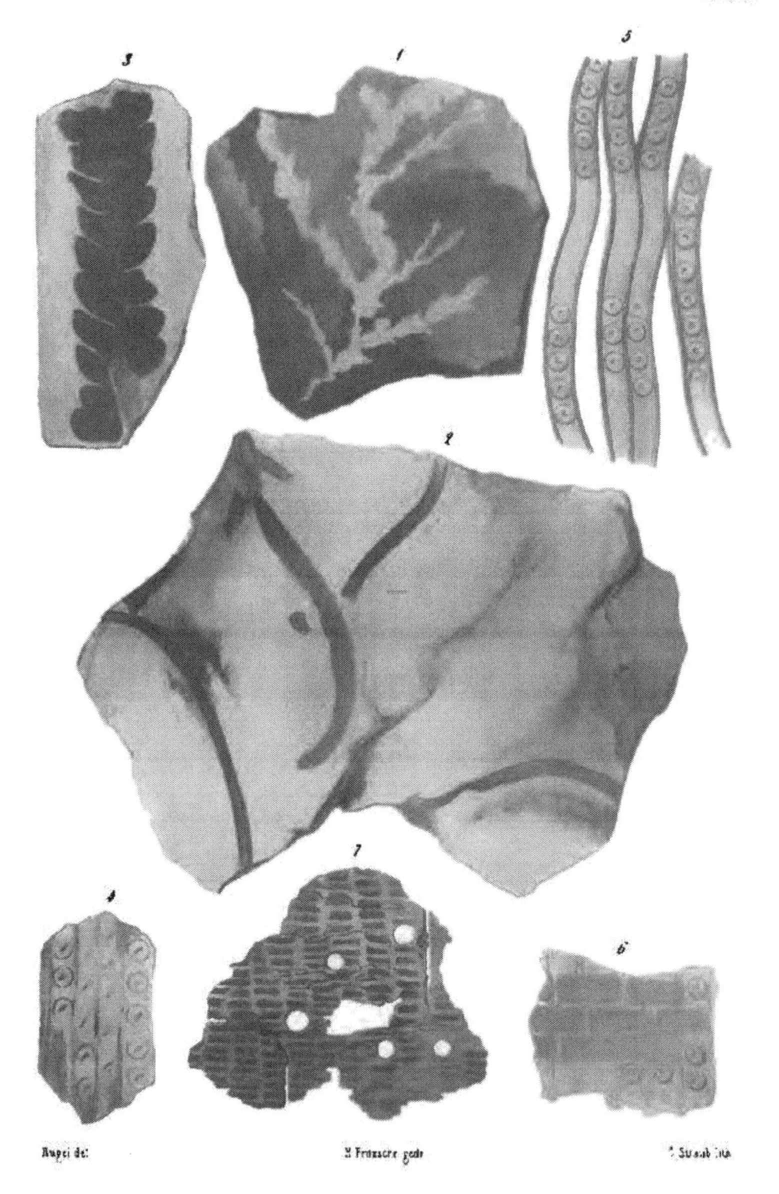
Tab. 5.
5
3
1
2
7
4
6
Rupei del
E. Fritzsche gedr.
Straub lith.

Taf. VI. (2.)

Muschelkalk und alpiner Wellenkalk.

Fig. 1. **Endolepis elegans** Schleiden. 1. natürliche Grösse, 1 a. vergrössert. Pag. 80 (12).

Fig. 2. **Endolepis vulgaris** Schleiden. 2. natürliche Grösse, 2 a. vergrössert. Pag. 80 (12).

Fig. 3. **Neuropteris Gaillardoti** Brongniart, vergrössert (Copie nach Brongniart). Pag. 78 (10).

Fig. 4. **Taxodites Saxolympiae** Zigno. (Copie nach Zigno.) Pag. 79 (11).

Fig. 5—6. **Voltzia recubariensis** Schenk, männliche Blüthenstände. Pag. 81—87 (14—19).

Tab. 6.

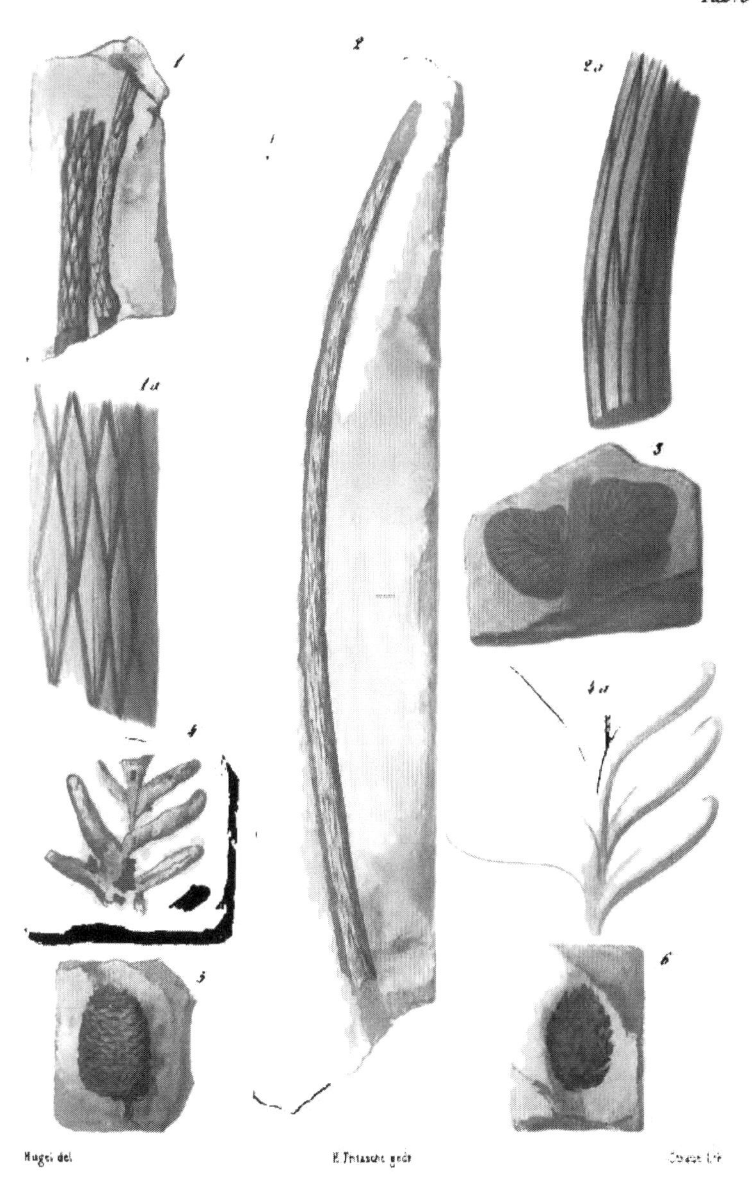

Hugel del. H. Fritzsche gedr. [illegible] lith.

[illegible]

[illegible]

[illegible]

Taf. VII. (3.)

Alpiner Wellenkalk.

Fig. 1—5. **Voltzia Recubariensis** Schenk. 1. ältere Zweige, 2. Stammfragment, 3—5. jüngere Zweige. Pag. 81—87 (14—19).

Tab. 7.

Hugel del   E. Fritzsche gedr   C. Straub lith

Taf. VIII. (4.)

Alpiner Wellenkalk.

Fig. 1 — 5. **Voltzia Recubariensis** Schenk. 1. ältere Zweige, zum Theil entblättert, 2. älterer Zweig, 3. Zweig mit Blüthenstand, 4. Zapfen, 5. jüngere Zweige. Pag. 81—87 (14—19).

Tab. 8.

Hugei del B Fritzsche gedr C Straub lith

le

Taf. IX. (5.)

Alpiner Wellenkalk.

Fig. 1—9. **Voltzia Recubariensis** Schenk. 1. Aelterer Zweig, 2. jüngere Zweige, 3. — 5. Zapfenschuppen, 6. — 8. männliche Blüthenstände, 9. Zapfen. Pag. 81—87 (14—19).

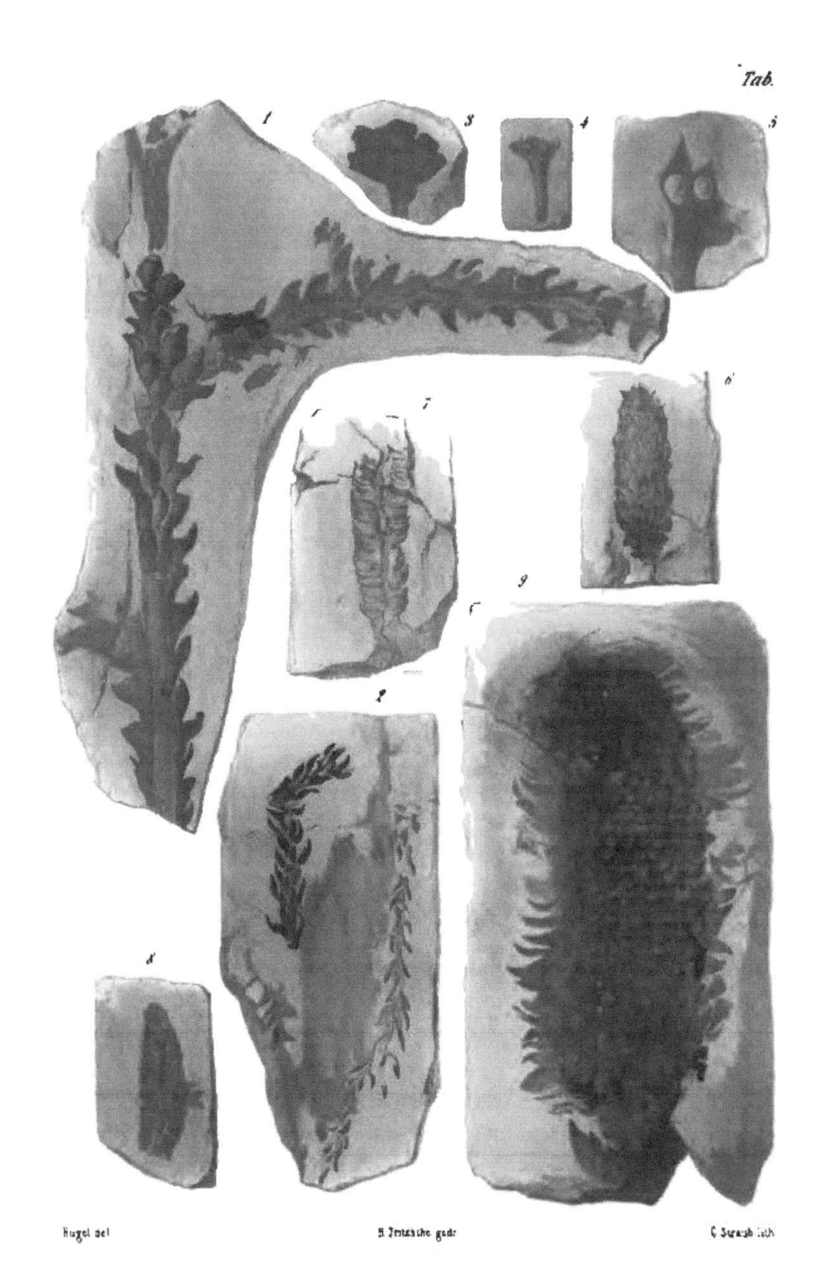
Tab.
1
3
4
5
6
7
9
2
8

Taf. X. (6.)

Alpiner Wellenkalk.

Fig. 1. 2. **Voltzia Recubariensis** Schenk. Aeltere Zweige mit Blättern. Pag. 81—87 (14—19).

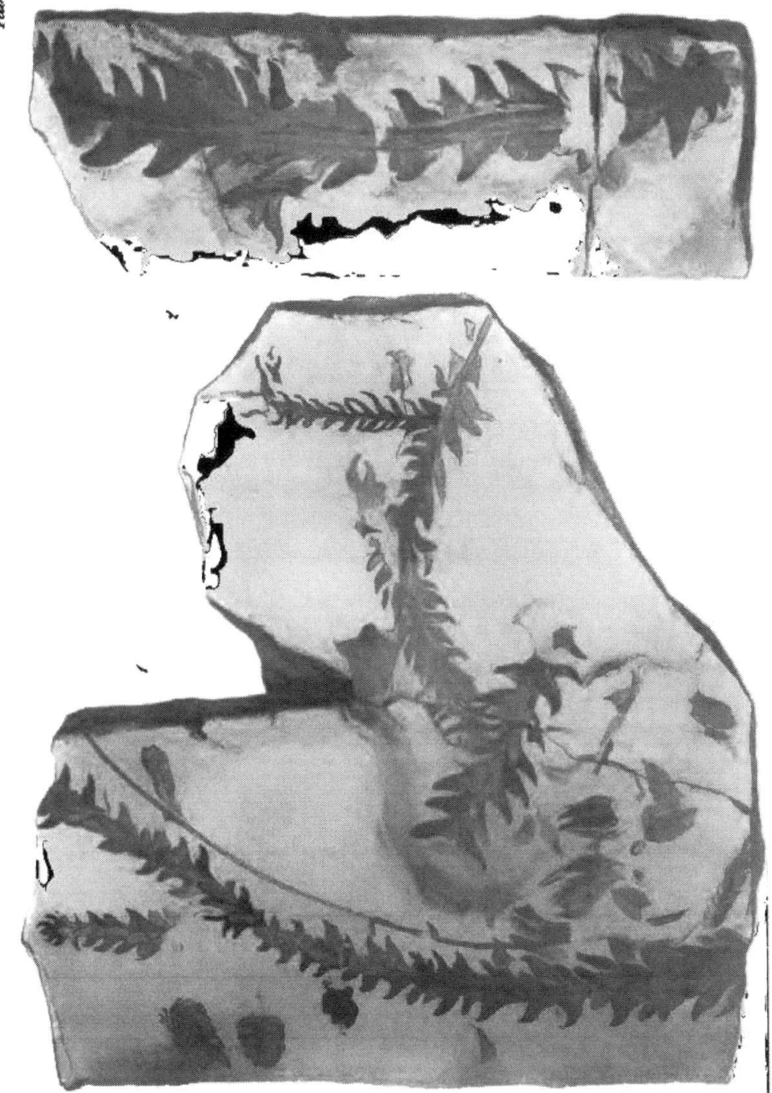

Taf. XI. (7.)

Alpiner Wellenkalk.

Fig. 1. 2. **Voltzia Recubariensis** Schenk. Aeltere Zweige mit Blättern. Pag. 81—87 (14—19).

Tab. II.

Hugo. del

H Fritzsche gedr

C Straub art.

Taf. XII. (8.)

Alpiner Wellenkalk.

Voltzia Recubariensis Schenk. Aelterer Zweig.

[illegible]

[illegible]

[illegible]

[illegible]

[illegible]

[illegible]

Taf. XIII. (1.)

Fig. 1 a. b. **Phylloceras Circe** Héb. sp. p. 138. Aus gelblich grauem Mergelkalk vom Passo dei Vitelli bei Piobico. Monte Nerone. Das Original im Paläontologischen Museum in München.

Fig. 2. **Cidaris rhopalophora** Zitt. p. 130. Mittlerer Lias oberhalb Avellana. Monte Catria. Originalexemplar im Münchener Paläontologischen Museum.

Fig. 3 a. b. **Ammonites Boscensis** Reynès. p. 120. Flache, feingerippte Varietät. Mittlerer Lias von Canfaito. Original im Museum zu Pisa.

Fig. 4 a. b. **Ammonites Boscensis** Reynès. p. 120. Grobgerippte Varietät. Mittlerer Lias von la Marconessa bei Cingoli. Original im Museum zu Pisa.

Fig. 5 a. b. **Ammonites Vernosae** Zitt. p. 123. Mittlerer Lias von la Marconessa. Original im Museum zu Pisa.

Fig. 6 a. b. c. **Rhynchoteuthis liasina** Zitt. p. 120. Mittlerer Lias von Castelaccio. Monte Catria. Original im Münchener Paläontologischen Museum.

Tab. 13

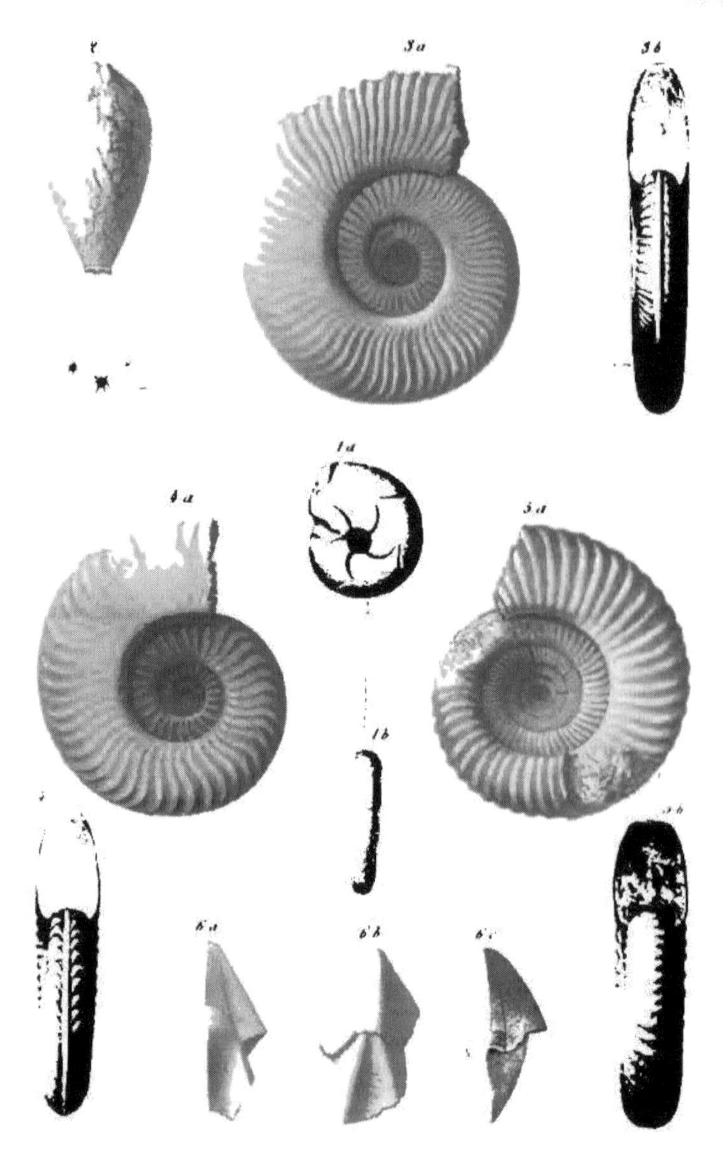

Taf. XIV. (2.)

Fig. 1. **Terebratula Aspasia** Meneghini **var. major.** p. 126. Mittlerer Lias. Cagli. Original im Museum von Pisa.

Fig. 2 a—d. **Terebratula Aspasia** Menegh. **var. major.** p. 126. Mittlerer Lias von Monticelli bei Rom. Original im Museum zu Pisa.

Fig. 3 a—d. **Terebratula Aspasia** Menegh. **var. minor.** p. 126. Mittlerer Lias von Castelaccio bei Serra S. Abondio.

Fig. 4 a. b. Wahrscheinlich Jugendform von **Terebratula Aspasia** Menegh. Castelaccio am Monte Catria.

Fig. 5 a—d und 6 a. b. **Terebratula cerasulum** Zitt. p. 125. Mittlerer Lias. Zwischen Cagli und Cantiano.

Fig. 7 a—d. **Terebratula Piccininii** Zitt. p. 125. Mittlerer Lias. Passo del Prete bei Castelaccio.

Fig. 8 a—d. **Terebratula** (Waldheimia) **Furlana** Zitt. p. 128. Mittlerer Lias. Furlo bei Fossombrone.

Fig. 9 a—d. **Terebratula** (Waldheimia) **Apenninica** Zitt. p. 127. Mittlerer Lias. Zwischen Cagli und Cantiano.

Fig. 10 a—c. **Rhynchonella Meneghinii** Zitt. p. 130. Mittlerer Lias. Zwischen Cagli und Cantiano.

Fig. 11. **Rhynchonella Meneghinii** Zitt. p. 130. Mittlerer Lias. Exemplar in doppelter Vergrösserung von Cagli.

Fig. 12 a—c. **Rhynchonella subdecussata** Mstr. p. 129. Mittlerer Lias. Cagli.

Fig. 13 a—d und 14 a—d. **Rhynchonella retroplicata** Zitt. p. 128. Mittlerer Lias. Cagli.

Fig. 15 a—c und 16 a—c. **Rhynchonella pisoides** Zitt. p. 129. Mittlerer Lias. Cagli.

Fig. 17 a—d. **Rhynchonella Mariottii** Zitt. p. 129. Mittlerer Lias. Cagli.

Fig. 18 a—d. **Rhynchonella** cfr. **Fraasi** Opp. p. 130. Mittlerer Lias. Cagli.

Mit Ausnahme von Fig. 1 und 2 befinden sich sämmtliche Original-Exemplare im Paläontologischen Museum zu München.

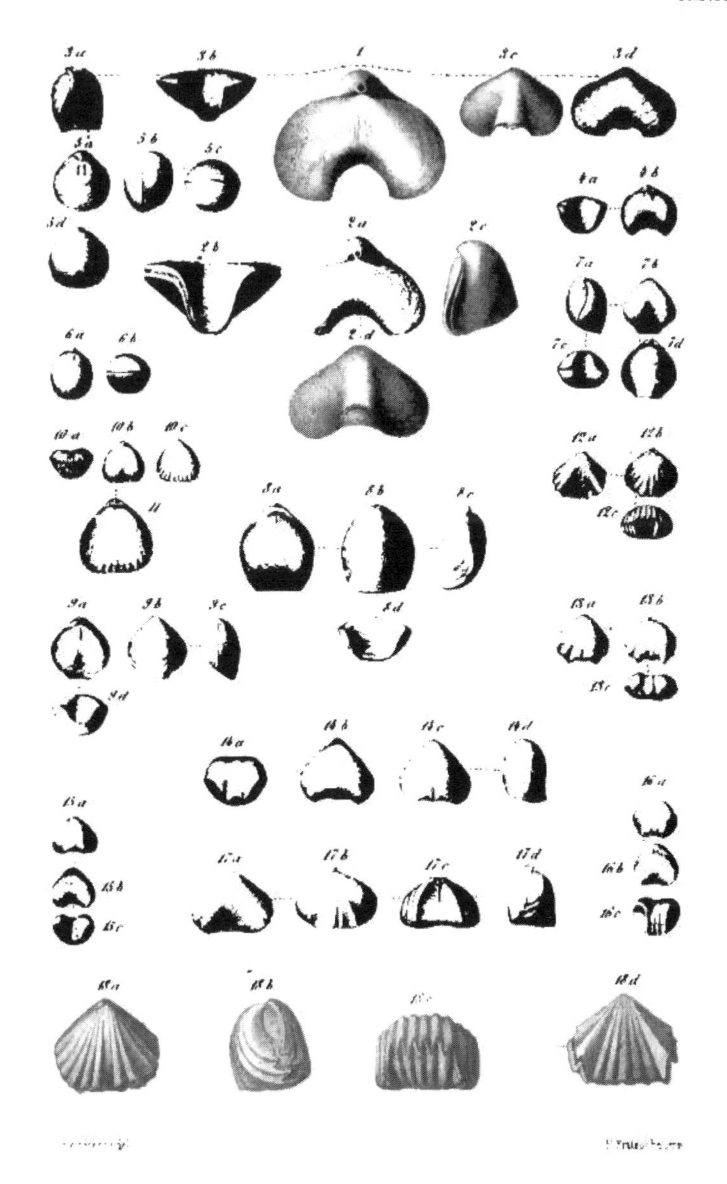

Taf. XV. (3.)

Fig. 1 a—c und 2 a. b. **Terebratula** (Waldheimia) **bilobata** Stoppani. p. 127. Oberer Lias von Luera in der Lombardei. Die Originalien in der Sammlung von Herrn Prof. Stoppani.

Fig. 3 a—c. **Terebratula Renierii** Catullo. (*Terebratula fimbriaeformis* Schaur.) p. 123. Mittlerer Lias von Villa moderne bei Cagli. Original im Paläontologischen Museum in München.

Fig. 4. **Terebratula Rotzoana** Schauroth. p. 137. Oberer Lias. Villa moderne bei Cagli. Original im Paläontologischen Museum zu München.

Fig. 5 a. b. **Terebratula Erbaensis** Suess. p. 135. Jugendform aus dem oberen Lias von Suello in der Lombardei. Original in der Sammlung von Herrn Prof. Stoppani.

Fig. 6 a. b. **Terebratula Erbaensis** Suess. p. 135. Jugendform aus dem oberen Lias von Bicicola in der Lombardei. Stoppani'sche Sammlung.

Fig. 7 a. b und Fig. 9. **Terebratula Erbaensis** Suess. p. 135. Aus dem oberen Lias vom Breitenberg in Salzburg. Die Originalien in der Sammlung des Herrn Hofrath von Fischer.

Fig. 8 a. b. **Terebratula Erbaensis** Suess. p. 125. Grosses Exemplar aus dem oberen Lias von Villa moderne bei Cagli. Paläontologisches Museum in München.

Fig. 10. **Terebratula Erbaensis** Suess. Steinkern mit Gefässeindrücken aus dem oberen Lias von Bicicola in der Lombardei. Sammlung von Herrn Prof. Stoppani.

Tab. 15.

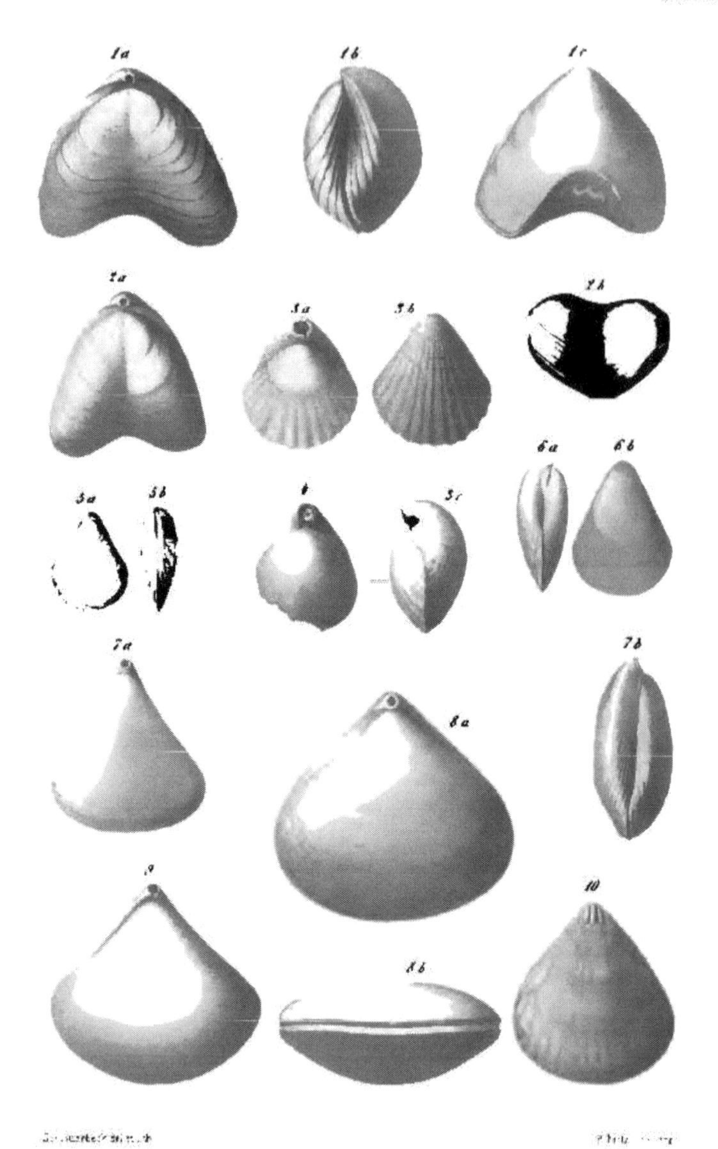

Taf. XVI. (1.)

Untergattung **Oppelia.**

Collectivart: *Oppelia* √ *subradiata* Sow.

Fig. 1. 2. **Oppelia subradiata** Sow. sp. p. 193 (15); 1 a. b grosses Exemplar einer besonders dicken Varietät, 2 a. b. Jugendform, beide von St. Vigors bei Bayeux, wahrscheinlich Zone des *A. Humphriesianus*; kgl. paläontologisches Museum.

Fig. 3. Lobenzeichnung eines Exemplars von **Oppelia subradiata** von Sully bei Bayeux, wahrscheinlich Zone des *A. Humphriesianus*. Meine Sammlung.

Fig. 4. Desgleichen ein jüngeres Individuum von St. Vigors bei Bayeux, k. paläontologisches Museum.

Fig. 5. Siphonal und erster Seitenlobus von **Oppelia subradiata** von Bayeux, Zone des *Amm. Parkinsoni*, k. paläontologisches Museum (Oppel'sche Sammlung).

Fig. 6. **Oppelia fusca** Quenst. sp. p. 199 (21). Exemplar mit dem Anfang der Wohnkammer aus der Fullersearth von Yeovil (Somersetshire). Meine Sammlung.

Fig. 7. **Oppelia fusca** Quenst. sp. (var.). Exemplar mit nahezu vollständig erhaltener Wohnkammer aus den Oolithen vom Nipf bei Bopfingen (Württemberg), Zone des *Ammonites ferrugineus*; k. paläontologisches Museum (Oppel'sche Sammlung).

Sämmtlich in natürlicher Grösse.

Tab. 16.

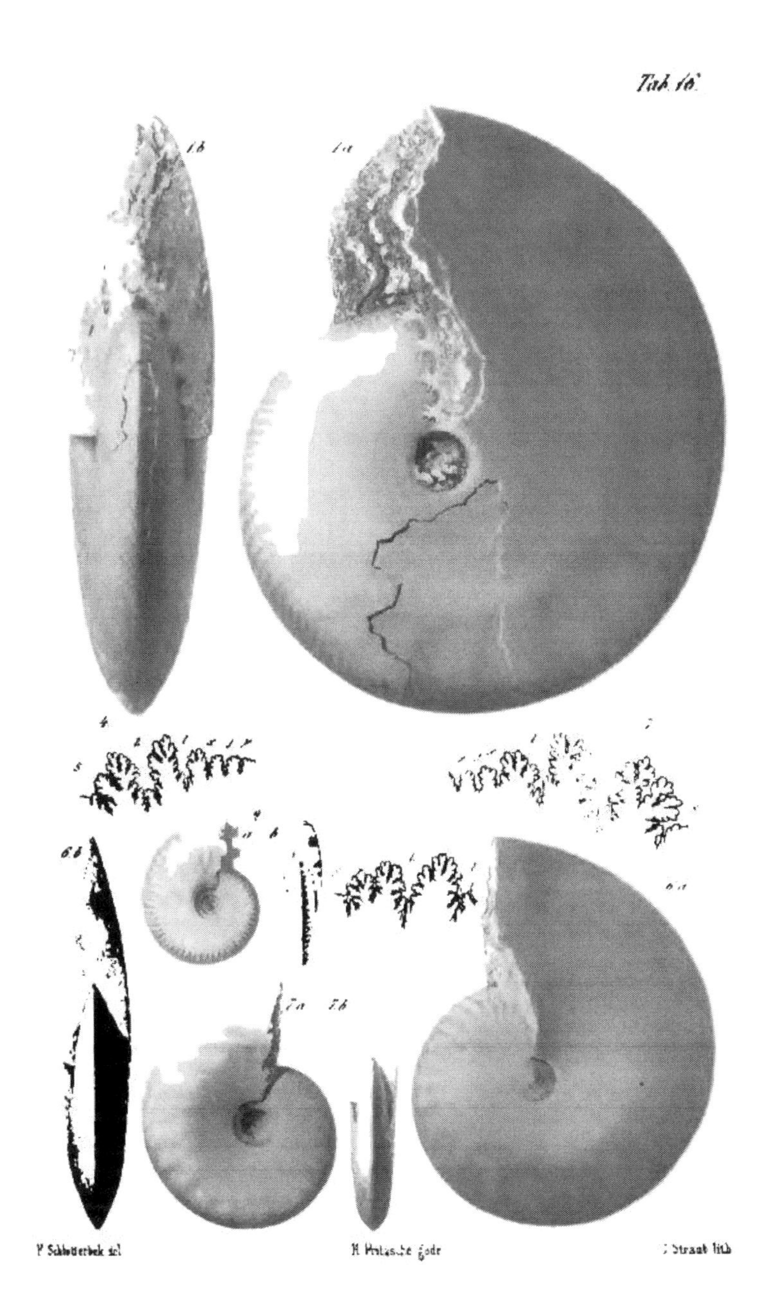

Taf. XVII. (2.)

Untergattung **Oppelia.**

Collectivart: *Oppelia* √*subradiata* Sow.

Fig. 1. **Oppelia latilobata** Waagen n. sp. pag. 216 (38) Exemplar mit theilweise erhaltener Wohnkammer von Balin bei Krakau, wahrscheinlich Zone des *Amm. aspidoides*; k. paläontologisches Museum (Hohenegger'sche Sammlung).

Fig. 2. **Oppelia biflexuosa** Orb. sp. p. 214 (36). Innere Windungen eines grossen Exemplars von Comporté bei Niort (Deux-Sèvres), 2 c. Loben desselben Exemplars; k. paläontologisches Museum (Baugier'sche Sammlung).

Fig. 3. Lobenzeichnung eines etwas abgewitterten Exemplars von **Oppelia subdiscus** Orb. sp. pag. 212 (34). Vom Nipf bei Bopfingen (Württemberg), wahrscheinlich Zone des *Amm. aspidoides*, k. paläontologisches Museum (Oppel'sche Sammlung).

Fig. 4. Lobenzeichnung des auf Taf. XVI (1) Fig. 6 a. b. abgebildeten Exemplares von **Oppelia fusca** Quenst. sp.

Fig. 5. Lobenzeichnung eines Exemplars von **Oppelia fusca** Quenst. aus der Zone des *A. ferrugineus* von Shipton Gorge bei Bridport (Dorsetshire). Meine Sammlung.

Fig. 6. **Oppelia latilobata** Waagen n. sp. pag. 216 (38). Jugendform von Balin bei Krakau, 6 c. Lobenzeichnung desselben Exemplars; kgl. paläontologisches Museum (Hohenegger'sche Sammlung).

Fig. 7. **Oppelia subtililobata** Waagen n. sp. p. 226 (48). Ausgewachsenes Exemplar mit erhaltener Wohnkammer von Oeschingen (Württemberg); Zone des *Amm. athleta*; 7 d. Lobenzeichnung eines anderen Stückes, ebendaher; k. paläontolog. Museum (Oppel'sche Sammlung).

Sämmtlich in natürlicher Grösse.

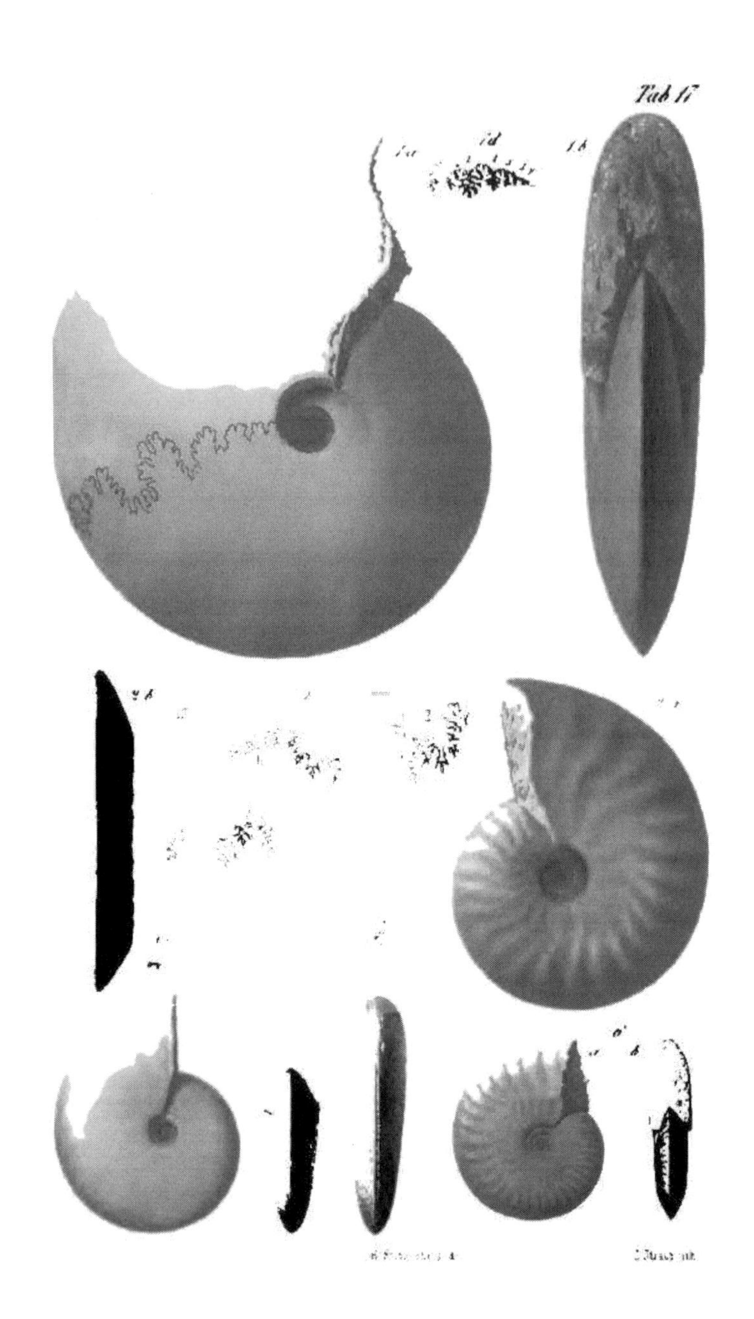
Tab 17

Taf. XVIII. (3.)

Untergattung **Oppelia.**

Collectivart: *Oppelia* V *subradiata* Sow.

Fig. 1. **Oppelia aspidoides** Opp. sp. p. 206 (28). Mittelgrosses Exemplar mit vollständig erhaltener Wohnkammer und Mundrand von Trois-Coigneaux bei Niort (Deux-Sèvres), Zone des *Amm. aspidoides*; k. paläontologisches Museum (Baugier'sche Sammlung).

Fig. 2—4. Desgleichen von Balin bei Krakau, 2 a—c. Jugendform mit Loben, 3 Lobenzeichnung eines grösseren Stückes, 4 a. b. herausgeschälte innerste Windungen eines grossen Exemplares; k. paläontologisches Museum (Hohenegger'sche Sammlung).

Fig. 5. Schalentheil eines jungen Exemplars von **Oppelia aspidoides** Opp. in $2^1/_2$ maliger Vergrösserung, um die eigenthümliche Skulptur zu zeigen, von Balin bei Krakau; k. paläontologisches Museum (Hohenegger'sche Sammlung).

Fig. 1—4 in natürlicher Grösse.

Tab. 18.

Taf. XIX. (4.)

Untergattung **Oppelia**.

Collectivart: *Oppelia* √*subradiata* Sow.

Fig. 1. **Oppelia Mamertensis** Waagen n. sp. pag. 223 (45). Kleines Exemplar aus der Zone des *Amm. macrocephalus* von Mamers (Sarthe); k. paläontologisches Museum.

Fig. 2. **Oppelia subcostaria** Opp. sp. pag. 219 (41). Zone des *Amm. macrocephalus* von Gutmadingen. Nach einem Schwefel-Abguss gezeichnet, Original in der fürstlich Fürstenbergischen Sammlung zu Hüfingen.

Fig. 3. Lobenzeichnung eines Exemplars von **Oppelia subcostaria** Opp. aus der Zone des *Amm. macrocephalus* von La Voulte (Ardèche), k. paläontologisches Museum.

Fig. 4. **Oppelia subcostaria** Opp. sp. (var.) Jugendform von Filipowice bei Krakau, Zone des *Amm. macrocephalus*, 4 c. Loben desselben Exemplares; k. paläontologisches Museum (Hohenegger'sche Sammlung).

Fig. 5. **Oppelia subcostaria** Opp. sp. pag. 219 (41). Zone des *Amm. macrocephalus* von Gutmadingen. Nach einem Schwefelabguss gezeichnet; Original in der fürstlich Fürstenbergischen Sammlung zu Hüfingen. (Uebergang zu der in Fig. 2 dargestellten Form.)

Fig. 6. **Oppelia superba** Waagen n. sp. pag. 222 (44). Zone des *Amm. macrocephalus* von Gutmadingen. Nach einem Schwefelabguss gezeichnet; Original in der fürstlich Fürstenbergischen Sammlung zu Hüfingen.

Sämmtlich in natürlicher Grösse.

Taf. XX. (5.)

Untergattung Oppelia.

Fig 1. **Oppelia flector** Waagen n. sp. pag. 221 (43). Zone des *Amm. macrocephalus* von Gutmadingen. Nach einem Schwefelabguss gezeichnet; Original in der fürstlich Fürstenbergischen Sammlung zu Hüfingen.

Collectivart: *Oppelia* V *subradiata* Sow.

Fig. 2 und 3. **Oppelia subdiscus** Orb. sp. pag. 212 (34). Copie nach Orbigny, Paléont. Franç. Terr. Jurass. I. tab. 146, fig. 1, 2, 4.

Untergattung Oecotraustes.

Collectivart: *Oecotraustes* V *genicularis* Waagen.

Fig. 4. **Oecotraustes genicularis** Waagen n. sp. pag. 227 (49). Ausgewachsenes Exemplar mit grossentheils erhaltener Wohnkammer von Sully bei Bayeux, Zone des *A. Humphriesianus* oder *A. Parkinsoni*, 4 c. Lobenzeichnung eines anderen Exemplars. Meine Sammlung.

Fig. 5. **Oecotraustes conjungens** K. Mayer (extreme Varietät) pag. 232 (54). Exemplar mit fast vollständig erhaltener Wohnkammer von Balin bei Krakau, Zone des *A. macrocephalus*, 5 c. Lobenzeichnung desselben Exemplares; k. paläontologisches Museum (Hohenegger'sche Sammlung).

Fig. 6. **Oecotraustes subfuscus** Waagen n. sp. pag. 229 (51). Etwas verdrücktes Exemplar mit erhaltener Wohnkammer aus der Zone des *A. ferrugineus* von Ste. Pezenne bei Niort (Deux-Sèvres); kgl. paläontologisches Museum (Baugier'sche Sammlung).

Fig. 7. 8. **Oecotraustes serrigerus** Waagen n. sp. pag. 230 (52). Exemplare mit erhaltener Wohnkammer, Fig. 8 mit Mundsaum von Balin bei Krakau, Zone des *A. aspidoides*; k. paläontologisches Museum (Hohenegger'sche Sammlung).

Fig. 9. **Oppelia aspidoides** Opp. Lobenzeichnung eines grossen Exemplars von Balin bei Krakau; k. paläontologisches Museum (Hohenegger'sche Sammlung).

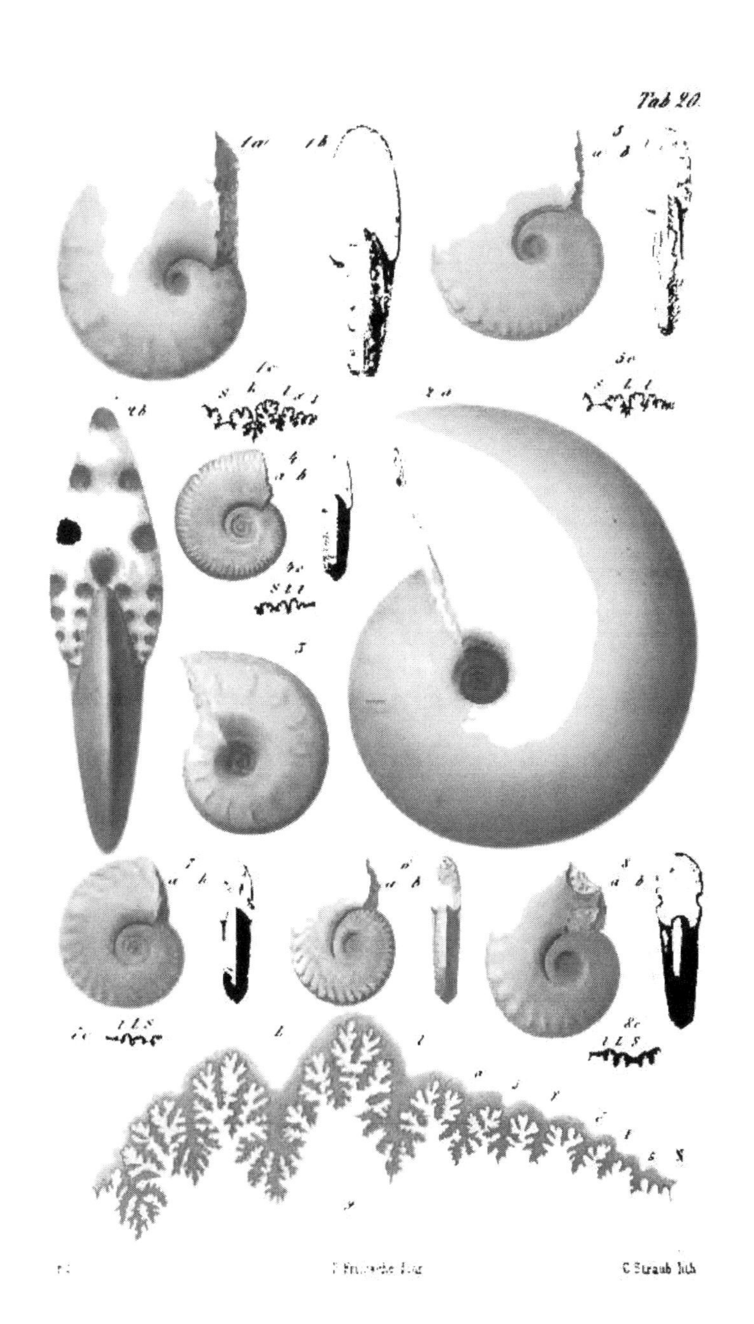
Tab 20.
C Straub lith

T a f e l XXI. (1.)

Karte der Umgebungen von E s i n o in der Lombardei, Copie nach der Karte des österreichischen Generalstabes der Lombardei $^{1}/_{86400}$, Blatt 3. B. Orientirt von Nord nach Süd.

Das Profil aus der V a l S a s i n a unter P a r l a s c o nach E s i n o. pag. 283 (27).

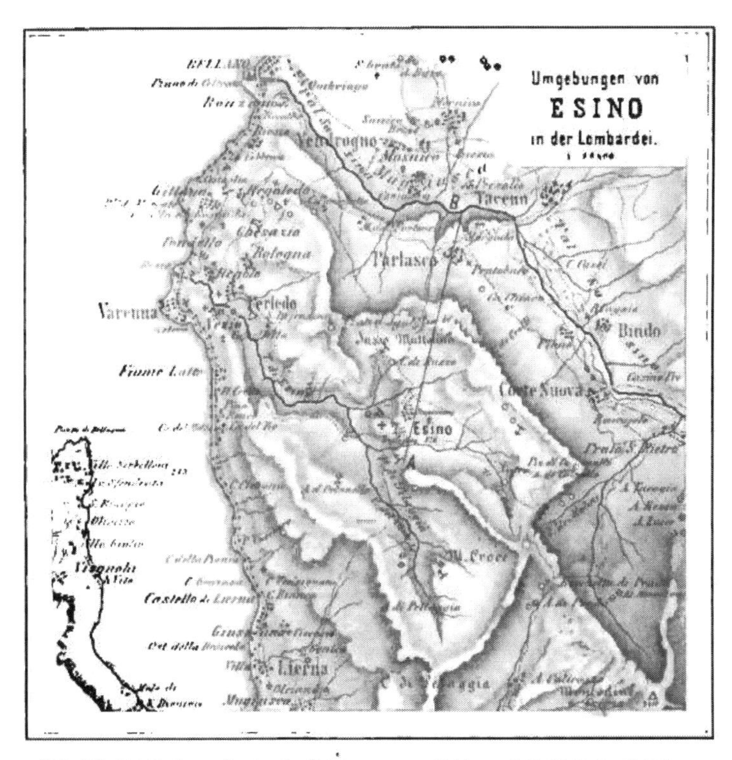

Einfallen der Schichten ○ Fundort von Versteinerungen ● Alphütte ○ Mühle ✝ Kirchen, Kapellen.

Profil nach A - B.

Wettersteinkalk · Raibler Schichten · Schotter · Muschelkalk · Bunter Sandstein · Rothliegendes · Gneiss

Weg nach Val del Monte · Esinobach · Esino · Sasso Mattolino · Parlasco · Val Sasina

Tafel XXII. (2.)

Fig. 1. Durchschnitt einer Kammer eines globosen Ammoniten, mit Kalkspath erfüllt. „Evinospongia.“ Val di Cino. pag. 298 (42).

Fig. 2. Dünnschliff von strahligem Kalkspath. „Evinospongia.“ Sasso Mattolino. pag. 298 (42).

Fig. 3. Dünnschliff aus einem Gesteinsstück vom Sasso Mattolino. pag. 298 (42).

Fig. 4. Dünnschliff aus einem Gesteinsstück vom Piz di Cainallo. pag. 289 (33).

Fig. 5. **Diplopora**, Gruppe der annulatae. Ausguss einer Röhre. Sasso Mattolino. pag. 301 (45).

Fig. 6. **Turbo depressus** mit Umhüllung von kohlensaurem Kalk. „Evinospongia.“ Fonte di Prada. pag. 298 (42).

Fig. 7. **Diplopora**, Gruppe der annulatae. Längsschliff. Sasso Mattolino. pag. 304 (48).

Fig. 8. **Diplopora**, Gruppe der annulatae. Querschliff. Sasso Mattolino. pag. 304 (48).

Fig. 9. **Diplopora**, Gruppe der annulatae. Röhre von innen. Sasso Mattolino. pag. 301 (45).

Fig. 10. **Diplopora**, Gruppe der annulatae. Querschliff. Sasso Mattolino. pag. 304 (48).

Fig. 11. **Diplopora**, Gruppe der annulatae. Abdruck der Aussenseite. Die Zeichnung nicht ganz klar, es soll eine, einem halben Cylinder entsprechende Vertiefung dargestellt werden. Sasso Mattolino pag. 302 (46).

Fig. 12. **Diplopora**, Gruppe der annulatae. Verwitterte Kerne. Val Vachera. pag. 302 (46).

Sämmtliche Originale befinden sich in der Sammlung des geognostisch-paläontologischen Institut der Universität Strassburg. Wo keine Vergrösserung angegeben wurde, sind die Abbildungen in natürlicher Grösse.

TAF. XXII

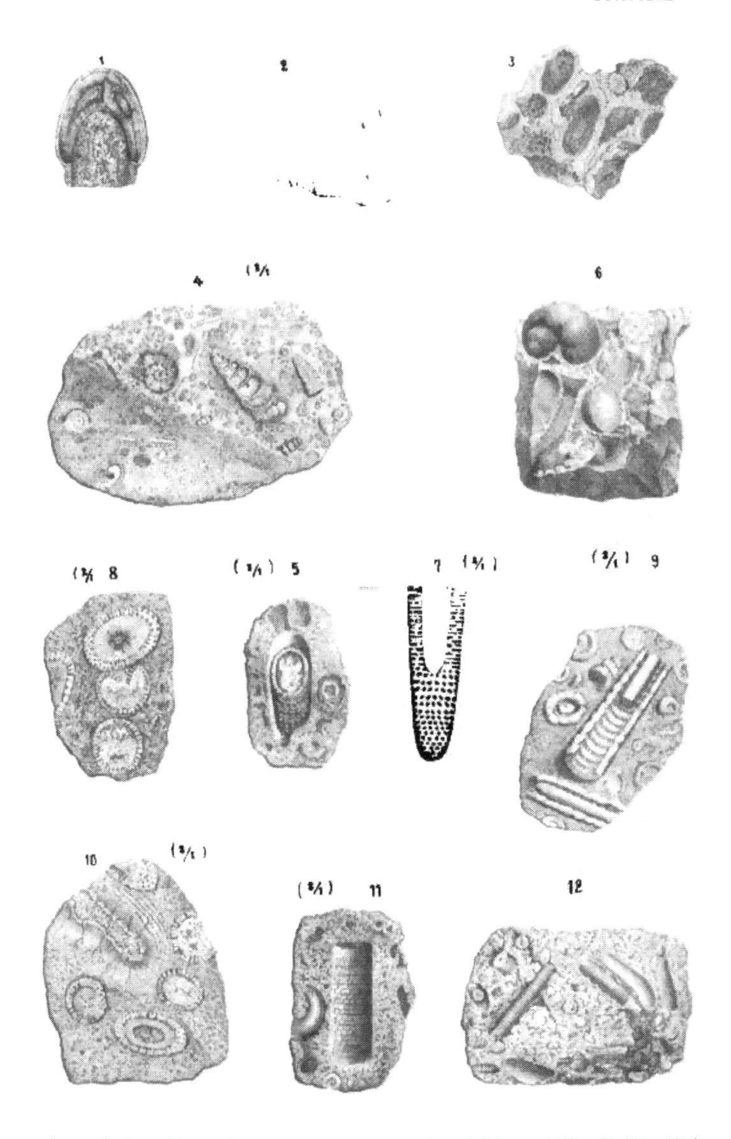

Lith. Inst. v. Mancha[illegible] & Wein[illegible] München

Gez. v. J. Wittmaach. Lith. v. F. Schlotterbeck

Tafel XXIII. (3.)

Fig. 1. 2. Schemata für den Bau der **Diploporen** aus der Gruppe der annulatae. pag. 303 (47) und pag. 305 (49).

Fig. 3. **Diplopora,** Gruppe der annulatae. Querschliff. Sasso Mattolino. pag. 305 (49).

Fig. 4. **Chaetetes Recubariensis** aus dem Muschelkalk des Mt. Spiz von Recoaro. pag. 307 (51).

Fig. 5. **Diplopora,** Gruppe der annulatae. Querschliff. Sasso Mattolino. pag. 305 (49).

Fig. 6. **Gyroporella vesiculifera.** Aussenseite. Inzino bei Gardone, Lombardei. pag. 308 (52).

Fig. 7. **Gyroporella vesiculifera.** Kern. S. Michele bei Tremosine am Garda See. pag. 309 (53).

Fig. 8. **Diplopora,** Gruppe der annulatae. Längsschliff. Sasso Mattolino. pag. 306 (50).

Fig. 9. **Gyroporella vesiculifera.** Querschliff. Inzino bei Gardone, Lombardei. pag. 309 (53).

Fig. 10. **Gyroporella vesiculifera.** Längsschliff. Inzino. pag. 309 (53).

Fig. 11. **Gyroporella vesiculifera.** Längsschliff, etwas schief gegen die Axe. Inzino bei Gardone, Lombardei. pag. 309 (53).

Fig. 12. **Gyroporella vesiculifera.** Inneres einer Röhre mit der Ausfüllung derselben. Figur 12 a. ein Stück der Innenseite der Röhre in 6 mal. Vergrösserung. San Michele bei Tremosine am Garda See. pag. 309 (53).

Sämmtliche Originale befinden sich in der Sammlung des geognostisch-paläontologischen Institut der Universität Strassburg.

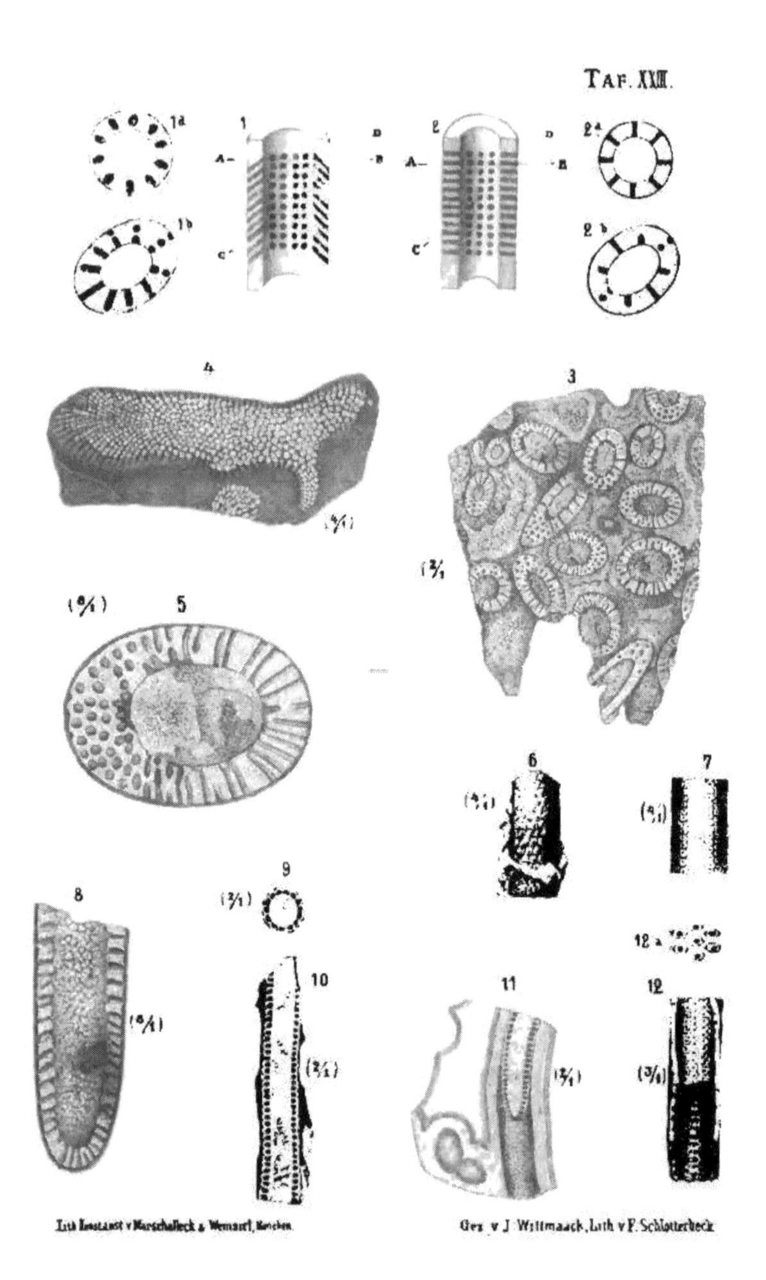
Taf. XXIII.
Lith Anstalt v Marschalleck & Wemarf, München.
Gez. v J. Wittmaack, Lith v F. Schlotterbeck

Tafel XXIV. (4.)

Fig. 1. 2. 3. 4. **Ammonites Joannis** Austriae aut. 1. u. 2. Exemplare mit Schale. 3. Steinkern mit Furchen. 4. Lobenlinie, in Folge schlechter Erhaltung etwas roh. Val di Cino. pag. 312 (56).

Fig. 5. 6. 7. 8. 9. **Ammonites Manzonii** n. sp. Val di Cino. pag. 314 (58).

Fig. 10. 11. **Ammonites Jarbas.** Val di Cino. pag. 311 (55).

Fig. 12. 13. **Avicula exilis Stopp.** Mt. Emiliano bei Gardone, Val Trompia, Lombardei. pag. 311 (55).

Fig. 14. 15. 16. **Ammonites cf. Sesostris** Val di Cino. pag. 313 (57).

Anm. Im Text ist auf p. 314 bei Amm. Manzonii zu lesen: Taf. XXIV Fig. 5, 6, 7, 8, 9 statt 5, 6, 7, 10, 11; ferner auf p. 311 bei Amm. Jarbas: Taf. XXIV Fig. 10, 11 statt 8, 9.

TAF. XXIV.

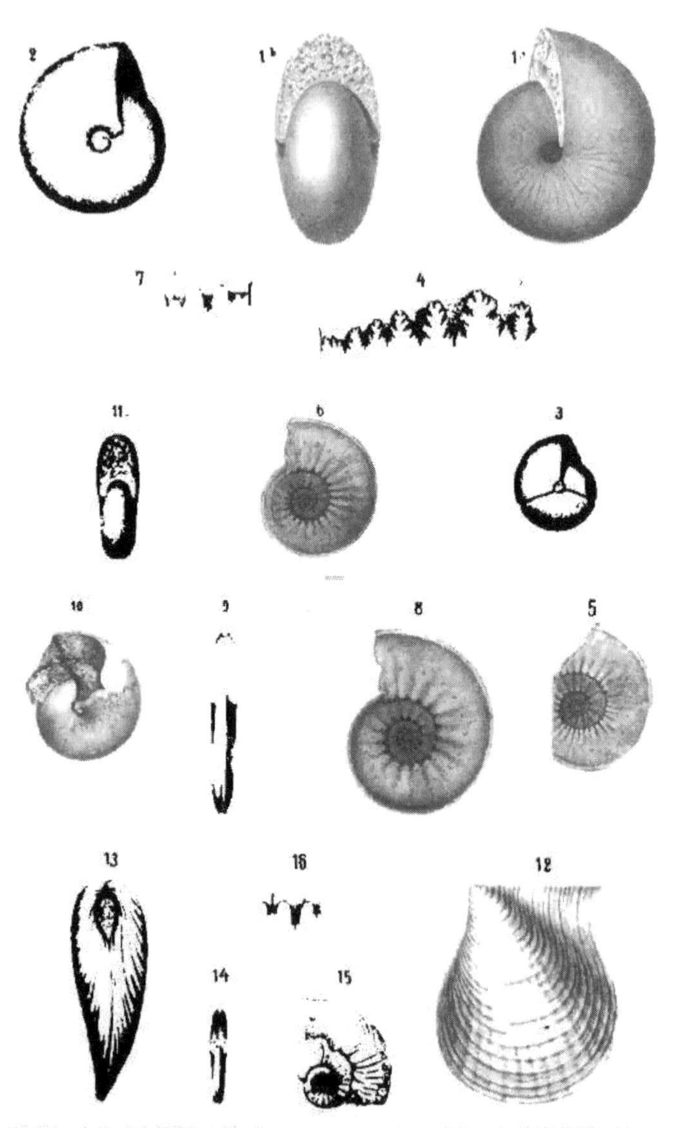

Lith. Kunstanst. v. Marschalleck & Wenzel, München. Gez. v. J. Wittmaack. Lith. v. F. Schlotterbeck.

Tafel XXV. (1.)

Fig. 1. **Stephanoceras coronatum** Brug. Junges Individuum aus den Ornatenthonen von Tschulkowo. a. Frontansicht; b. Flankenansicht; c. Loben. pag. 341 (23).

Fig. 2. **Steph. coronatum** Brug. Etwas grösseres Exemplar, ebendaher. Lobenlinie. pag. 341 (23).

Fig. 3. **Steph. coronatum** Brug. Mittelgrosses Individuum, ebendaher. a. Flankenansicht; b. Frontansicht; c. letzte erhaltene Kammerscheidewand mit Siphonaldute in anderthalbfacher Vergrösserung; d. Lobenlinie. pag. 341 (23).

Fig. 4. **Steph. coronatum** Brug. Grösseres Individuum, ebendaher. Lobenlinie mit Internloben. pag. 341 (23).

Fig. 5. **Cosmoceras Pollux** Rein. Kleines Individuum ebendaher. a. Flankenansicht; b. Frontansicht. pag. 343 (25).

Fig. 6. **Cosm. Pollux** Rein. Windungsbruchstück eines grösseren Exemplars, ebendaher. a. Flankenansicht; b. von der Externseite; c. von der Internseite mit den tiefen Gruben, welche die Dornen des vorhergehenden Umganges hervorgebracht haben; d. Loben. pag. 343 (25).

Fig. 7. **Perisphinctes Scopinensis** nov. form. Bruchstück, ebendaher. a. Flankenansicht; b. von der Externseite; c. Loben. pag. 344 (26).

Fig. 8. **Perisphinctes Mosquensis** Fischer. Ebendaher. Lobenlinie. pag. 346 (28).

Fig. 9. **Waldheimia Trautscholdi** nov. form. Aus dem glaukonitischen Kalke von Tschulkowo. Bei dieser und bei der folgenden Form ist das Loch im Schnabel durch den Zeichner ergänzt. pag. 347 (29).

Fig. 10. **Waldheimia Trautscholdi.** Ebendaher. pag. 347 (29).

Die Originale befinden sich im Museum der geologischen Reichsanstalt in Wien. Alle Abbildungen mit Ausnahme von Fig. 3 c. sind in natürlicher Grösse. Bei den Lobenzeichnungen haben die Buchstaben immer dieselbe Bedeutung; S = Siphonallobus, L = Laterallobus, J = Antisiphonallobus, N = Nath.

TAF. XXV.

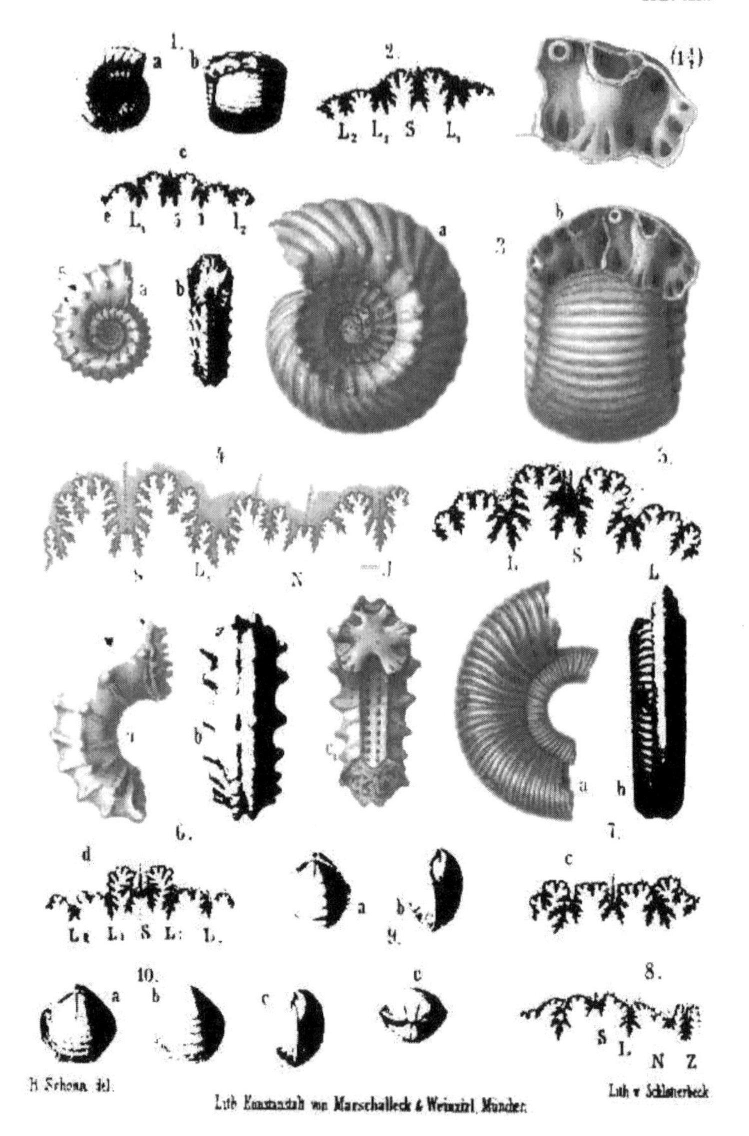

H. Schona del. — Lith. Kunstanstalt von Marschalleck & Weinzirl, München. — Lith. v. Schlotterbeck

FSC
www.fsc.org
MIX
Papier aus verantwortungsvollen Quellen
Paper from responsible sources
FSC® C141904

Druck:
Customized Business Services GmbH
im Auftrag der KNV-Gruppe
Ferdinand-Jühlke-Str. 7
99095 Erfurt